THE CITY SHAPED

Urban Patterns and Meanings
Through History

城市的形成

——历史进程中的城市模式和城市意义

[美] 斯皮罗·科斯托夫 著
单 皓 译

THE CITY SHAPED

中国建筑工业出版社

著作权合同登记图字：01－2003－8664 号

图书在版编目（CIP）数据

城市的形成：历史进程中的城市模式和城市意义／（美）科斯托夫著；单皓译．—北京：中国建筑工业出版社，2005
ISBN 978-7-112-07138-8

Ⅰ．城…　Ⅱ．①科…　②单…　Ⅲ．城市史　Ⅳ．C912.81

中国版本图书馆 CIP 数据核字（2005）第 009086 号

Published by arrangement with Thames & Hudson Ltd，London

THE CITY SHAPED – Urban Pattens and Meanings Through History/Spiro Kostof
Original drawing by Richard Tobias

本书由英国 THAMES AND HUDSON 出版社授权翻译出版

责任编辑：程素荣
责任设计：刘向阳
责任校对：李志瑛　赵明霞

城市的形成
——历史进程中的城市模式和城市意义
［美］斯皮罗·科斯托夫　著
单　皓　译
*
中国建筑工业出版社出版、发行（北京海淀三里河路 9 号）
各地新华书店、建筑书店经销
北京嘉泰利德公司制版
广州市一丰印刷有限公司印刷
*
开本：965×635 毫米　1/8　印张：43　字数：500 千字
2005 年 8 月第一版　　2017 年 10 月第二次印刷
定价：**99.00** 元
ISBN 978－7－112－07138－8
（26511）

本社网址：http：//www.cabp.com.cn
网上书店：http：//www.china-building.com.cn

1　扉页，锡耶纳（Siena，意大利）城市中心。坎波广场（The Campo）——照片右上部分的扇形开放空间，形成于 3 个社区的交汇之处，它们分别为：围绕大教堂（图中左下位置）的主教城区以及分别位于东面和北面的两个居住区，这两个居住区可以经照片上部两条呈 Y 形的街道到达，Y 形的交汇点经过了精心设计（参见 60～61 页，70～71 页）。照片来自意大利帕尔马（Parma）的地图出版公司：Compagnia Generale Ripreseaeree。

目　录

致 谢

我有两位不可或缺的合作者，其中理查德·托拜厄斯（Richard Tobias）制作的众多插图支持并拓展了我的论点，而我的长期助手格雷格·卡斯蒂略（Greg Castillo）负责了整个研究项目的组织工作，并指挥了本书庞大的图解工程，还担负了与出版社之间的日常联系工作。本书在内容和版面上的成功在很大程度上要归功于他们二位，相应地，他们也将和作者一道分担其中的不足之处。本书的插图制作工作得到了格雷姆高等研究基金会（Graham Foundation for Advanced Studies）美术部提供的慷慨资助，而国家艺术捐赠基金会（National Endowment for the Arts）的设计艺术计划在这方面也提供了帮助。

本书涉及的题材范围广阔，要求我不断地去搜寻其他专家的建议。前来帮助我的朋友和同事人数众多，可惜我无法说出他们每一个人的名字。我仅在此感谢以下几位，作为其中的代表，他们是：内萨·阿尔萨伊德（Nezar AlSayyad）、米尔卡·贝内斯（Mirka Benes）、吉恩·布鲁克（Gene Brucker）、多拉·克劳奇（Dora Crouch）、黛安娜·吉拉尔多（Diane Ghirardo）、保罗·格罗思（Paul Groth）、黛安娜·法沃尔（Diane Favro）、戴维·弗里德曼（David Friedman）、布伦达·普赖尔（Brenda Preyer）、让-皮埃尔·普罗臣（Jean-Pierre Protzen）和马克·特雷布（Marc Treib）。沃克艺术中心（The Walker Art Center）同意我使用该中心最早在“美国肖像”（American Icons）系列展览中展出，之后又在《设计季刊》（*Design Quarterly*）中发表的一部分关于美国城市天际线的图片。在图像资料方面，我还要感谢芝加哥建筑摄影公司（Chicago Architectural Photo Co.）的戴维·菲利普斯（David Phillips），迈伦和盖尔·李（Myron and Gail Lee），以及加利福尼亚大学伯克利分校（University of California, Berkeley）环境模拟实验室的彼得·博塞尔曼（Peter Bosselman），还有同样是伯克利分校的玛瑞里·斯诺（Maryly Snow）和丹·约翰斯顿（Dan Johnston）。伯克利分校环境设计学院图书馆主任伊丽莎白·伯恩（Elizabeth Byrne）给予了我们宝贵的帮助。约翰·范德桑德（Johan van der Zande）为本书整理了德文资料及注释——就本书自由的组织格局而言，这项工作绝非易事。对于他们，还有更多这里没有提到的人的帮助，我表示衷心的感谢。最后，我还要感谢 Thames and Hudson 出版社的工作人员，感谢他们的鼓励，以及在本书制作各阶段所做的各项细致入微的工作。

斯皮罗·科斯托夫

2　见证的城市：文西斯劳斯广场（Wenceslas Square），布拉格（Prague），1835年文森克·莫斯达特（Vincenc Morstadt）所作的雕版画。这里原来是位于城市边缘的一片空地，曾经是马匹市场，19世纪时，文西斯劳斯广场已经上升成为布拉格最优雅的漫步大街。直到今天这里仍然是这个城市命运的舞台：1968年为镇压“布拉格之春”，苏联的坦克从这里碾过；1989年，示威的人群在这里发动了“天鹅绒革命”（Velvet Revolution）。

绪　论

作为人造物的城市

序　言

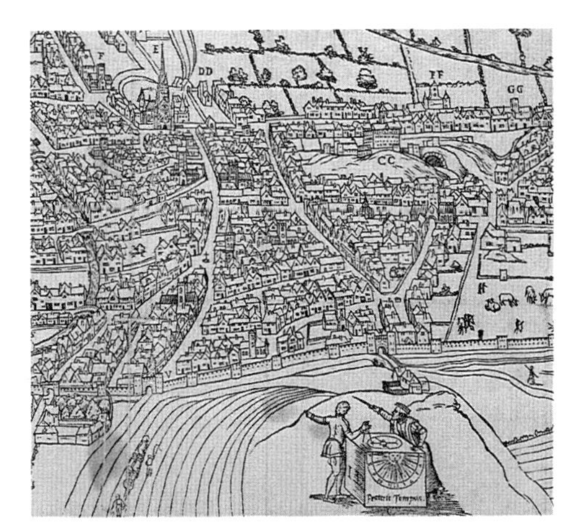

3　描绘的城市：诺里奇（Norwich），威廉·坎宁安（William Cunningham）所作的木刻地图的局部，引自《宇宙学之镜》（*The Cosmographical Glasse*，1559年）。坎宁安的地图上还包括了这位测绘者站在测绘台前的自画像。这幅鸟瞰图精确地描绘了建有城墙的城市边缘、弯曲的街道以及高密度的街块，它是现存最早的一份印制的英国城市地图。

我写这本书的目的，是想以一位建筑史学家的身份，给建筑师、城市设计师以及公众提供一些关于城市建设的一般经验。这本书将阐述城市的形式和城市的进程。尤其是要讨论从历史的视点观察到的城市形式的某些模式和某些元素。

本书注重的是批评。现代文献中有大量关于城市形式的文字——它们着力研究城市形式的构成和"解读"。从1889年卡米洛·西特（Camillo Sitte）所著的《建造城市的艺术》（*The Art of Building Cities*）（*Der Stadte-Bau nach seinen Kunsterischen*），以及与西特同时代的约瑟夫·斯图本（Joseph Stübben）、阿尔贝特·E·布林克曼（Albert E. Brinckmann）和沃纳·黑格曼（Werner Hegemann）等人所著的其他关于城市艺术的书籍，直到当代的戈登·卡伦（Gordon Cullen）、凯文·林奇（Kevin Lynch）、R·克里尔（Rob Krier）和迈克尔·特里布（Michael Trieb），设计师专业的目光一直仔细地审视着城市构成，并且从这种审视中获得教益。

城市设计无疑是一门艺术，同其他所有设计一样，它必须关注人的行为，即便这种关注有时仅仅是表面行为，所以本书在许多地方涉及到城市形式的社会暗示。网格状的城市规划是否单调乏味、缺乏方向感？某些类型的公共空间到底是会促进社会交往还是会阻碍社会交往？诸如此类的问题。由于我本人不是设计群体中的一员，所以这些问题基本上不在我关心的范围内，至少是当这些问题被抽象起来，离开了特定历史关系被讨论的时候。

我所关心的问题是，城市如何及为什么会形成它们各自的相貌。也就是说，我研究的不是抽象的形式或者是从行为学可能性角度解释的形式，我关注的是作为意义载体的形式，而建筑的意义最终总是存在于历史和文化关系当中的。

当然，城市形式的历史可以被用作一个设计资料库：这已经是常见的事。建筑师和规划师们从古老的欧洲城镇，或者从北非原住民村落中获得启发和灵感，这是无可指责的。事实上，这正是专业人员的天赋所在——他们发现了一条街道或一个公共空间的某种与众不同之处，受其触动，并寻求将这种品质结合到自己的设计当中。在这一点上，他们不需要历史学家的帮助。但是，发生在借鉴过程中的不可取的做法，是设计师可能会赋予他们所欣赏的历史形式某种辩解，而这些辩解却常常表现出对历史的无知，有时甚至是误断。

记得几年前我应邀参加了在锡耶纳召开的一个城市设计讨论会，大家普遍认为，锡耶纳广受赞誉的城市形式是在不断填充和巩固自然地形的过程中随机形成的。中世纪锡耶纳的城市景观被人们用作例证，以反对那些由规划师和政治家强设的无视地形地貌与乡土民情的专制性的规划方案。甚至那些本应该对此有更深知识背景的人也支持这种印象化的对这座托斯卡纳（Tuscany）山城的解读。例如，刘易斯·芒福德（Lewis Mumford）就曾将锡耶纳列举为“有机规划在美学和工程学上的卓越的”的例证。[1]

而当我仔细研究了锡耶纳产生和发展的前后经历之后，便毫不吃惊地发现，她的城市相貌是刻意设计的结果，在中世纪城市当中，她的城市形式是经过最严格控制的一个（参见后文，70~71 页）。[2] 我之所以不感到吃惊，是因为许多年来我已经目睹了无数个错误“解读”过去建筑的例子，并且开始确信，形式本身并不能充分说明其背后的意图。只有当我们熟悉了产生这种形式的文化时，才能正确地“解读”这种形式。换句话说，我们不能将建筑和城市形式假定为文化表达的透明媒体，尽管建筑界几乎每一个人都愿意这样去假定，而我相信，上述关系只有倒过来才正确。我们只有对各种文化，以及对世界各地区在不同历史时期中的社会结构了解得更多，才能对相应的建筑环境理解得更好。[3]

没有什么快速而便捷的办法能够帮助我们去理解和欣赏过去。在某个老城里漫步、画速写和思考可以使我们直接受益。当然这也是不可缺少的第一步。但是，在我们还没有翻阅档案、历史书籍和旧地图之前，它是不会告诉我们实情的——只有当我们把所有这些依据，其中包括一些相互矛盾的资料放在一起的时候，我们才能对某个城市的中心区为什么会呈现出现在的样子作出解释。本书正是依靠这样的证据来进行城市形式分析的。

对于一个只关注捕捉形式的人来说，网格就是网格，充其量，它是一个可以用来制造不同变体的视觉素材，他所关心的，可能是如何在完整的棋盘结构与经过切分的街块系统之间作出选择，是选择正交轴还是选择其他的手段来强调出中心，如何在网格框架中布局公共空间，以及街道的宽度、等级等等。而本书关心的问题，是为什么及出于什么目的，使得那些在不列颠的古罗马人、那些中世纪的威尔士（Wales）和加斯科尼（Gascony）的城镇建造者们（*bastidors*）、那些在墨西哥土地上的西班牙人，以及在美国中西部草原上从事建造工作的伊利诺伊中央铁路公司（Illinois Central Railroad Company）全都采用了同一

网格的变体：

4　佛罗伦萨新城，14 世纪。

5　斯卡穆齐（Scamozzi）所做的理想城市规划，选自他的著作《建筑通论》（*L' idea della architettura universale*,1615 年）。

6　新奥尔良，法属殖民居住区，1760 年。

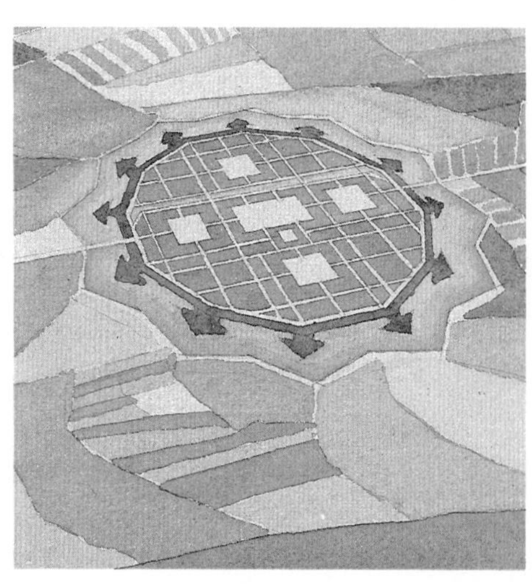

7　国家作为城市的建造者。法西斯统治下罗马的变迁回应了新政权在经济和意识形态上的需要。1920年代中期，政府为鼓舞手工劳动者而开展了一项公共工程计划，以降低失业率。像照片中看见的在图拉真市场（the Markets of Trajan，公元2世纪）进行的这种劳动密集型的拆除工作，剥去了附着在纪念性建筑物废墟上的外壳——即各式各样的出租住宅。将这些古代遗迹和现代交通干道并置（见230页），目的是要完成一项将帝国时代罗马的宏伟与法西斯的统治联系起来的象征计划。

种定居方式，这才是我们在探讨正交式规划形式时，所需要研究的最主要问题。我们必须认真对待的事实是，网格形式适用于惊人多样的社会结构——希腊西西里的地方贵族政治，托马斯·杰斐逊（Thomas Jefferson）的农业共和体制，约瑟夫·史密斯（Joseph Smith）在伊利诺伊州的诺伍（Nauvoo）和犹他州的盐湖城（Salt Lake City）为基督再临事件而建造摩门教（Mormon）社区时体现的那种宇宙观，当然还包括当年投机者的贪婪意念。

对于我们来说，在被刻上特定文化意图的印记之前，城市形式都是中性的，所以，注意到朗方（L' Enfant）的华盛顿规划与凡尔赛（Versailles）或卡尔斯鲁厄（Karlsruhe）的绝对主义图式在形式上的相似，这本身并没有什么特别意义。同样，如果发现中世纪的讷德林根城（Nordlingen）和奥姆斯特德（Olmsted）设计的里弗赛德镇（Riverside）都使用了弯曲的街道，这也不能说明任何问题，除非我们能够解释这些形式所蕴涵的内容的实质以及设计者各自的社会出发点。

在本书的开始我提到过城市的形式和城市的进程这两大部分，对其中的后者——城市的进程，也需要作一番说明：我在这里使用的这个词包含了两方面的含义。

其中第一个方面涉及到促成城市形成的人、势力和机构。是谁设计城市？城市经历了哪些步骤？有哪些相关的机构和法律？必要时我们会引用上述这类内容以解释城市形式的各种元素，但不会为此另辟章节。

这是因为影响城市建设的法律和经济史是一个极其庞大的课题（同时，我或许应该补充的是，这也是一个备受忽视的课题）。它包括城市土地的所有权性质和土地市场；土地征用权和强制收购权的行使，即政府接管私人土地，并将其用于公共目的的权力；具有法律效应的总体规划制度，即意大利的城市规划机制（piano regolatore）；建筑规范和其他控制性措施；为城市改造提供资金的机制，如物业税和债券等等；城市的行政结构。上述这些内容本身已经超出了一本专著的容量。

对城市设计者的研究同样也具有相当大的工作量，但对我们这里所从事的研究来说并不十分关键。据我所知，这方面的论述虽然有很多，但从未有一本完全从城市设计师的角度编写的城市历史专著。我们知道不少城市设计者的大名，例如米利都（Miletus）的希波丹姆斯（Hippodamus），文艺复兴时期费拉拉（Ferrara）的设计者比亚焦·罗塞蒂（Biagio Rossetti），巴黎的设计者奥斯曼男爵（Baron Haussmann），芝加哥的设计者丹尼尔·伯纳姆（Daniel Burnham）以及勒·柯布西耶（Le Corbusier）。对于另一些人我们则了解很少，比如埃里克·达尔伯格（Eric Dahlberg）、小尼科迪默斯·特辛（Nicodemus Tessin the Younger），或是活跃在17世纪和18世纪早期城市设计领域的尼古拉斯·德克莱维尔（Nicolas de Clerville）以及在其他历史时期众多像他们一样的设计者。我们对作为建筑师的阿诺尔福·迪坎比奥（Arnolfo di Cambio）非常了解，但对他所做的城市规划工作却知之甚少，虽然是他规划了像圣乔瓦尼（San Giovanni）和卡斯泰尔弗兰科（Castel franco）这样的新城，而且根据瓦萨里（Vasari）的记述，由于这些功绩，佛罗伦萨还授予了他荣誉公民的称号。

从正确的角度看，这样的一份名单仅仅只包含了在狭义范畴内可以被称作设计师的那一部分城市建造者。但是城市是由多种多样的人塑造出来的，比如军事工程师，舰船上的官兵（比如那些在印度建造了早期英国式港口城市的人），统治者和政府官员——其中包括在西西里地区建造了伟大希腊城市的远征殖民军领袖们（oikists），在自己的领地上建立了数百个新城或称防御村镇（bastides）的英格兰、法兰西和西班牙中世纪封建领主们，以及现代的城市规划官员如纽约的罗伯特·摩西（Robert Moses）和费城的埃德蒙·培根

8　投机商作为城市的建造者。现代的洛杉矶（加利福尼亚州）是自19世纪末掀起的一系列房地产浪潮的产物。这是一张拍摄于1920年代的照片，发展商们正在测量土地，这片空旷的土地将要被转变成为由网格状街道系统支持的可买卖的建筑用地。

(Edmund Bacon）等等。城市可以在宗教条例的影响下发展形成，如加斯科尼的西多会教例113（Cistercians）、东欧的条顿戒律（Teutonic Order）、西班牙属墨西哥的圣芳济会（Franciscan mission）、亚马逊和巴西中部地区耶稣会（the Jesuits）传教团（aldeias）等等，也可以由改革家和具有家长作风的工业家首创；而大批的勘探人员则布局了各个时代的殖民地城镇，他们中的一部分在19世纪北美大陆的铁路沿线留下了许许多多标准形制的城市。对于这一独特人群以及他们的文字和工作手法的深入研究，将会构成一个一流的故事。这些人里包括了13世纪后期英国爱德华一世（Edward I）的城市规划顾问亨利·勒韦利斯爵士（Sir Henry le Waleys），设计马耳他首都瓦莱塔（Valletta）的弗朗切斯科·拉帕雷利（Francesco Laparelli, 1041521—1570年），1733年构思了佐治亚州萨瓦纳（Savannah）的詹姆斯·奥格尔索普（James 216Oglethorpe）和1805年为底特律设计了令人惊异的巴洛克规划的奥古斯托·B·伍德沃德（Augustus B. Woodward）法官，设计了包括赫尔辛基（Helsinki）在内至少12座城市的著名芬兰将军佩尔·布拉厄（Per Brahe, 1602—1680年），1619年创立了荷兰东印度地区首都巴达维亚（Batavia）即现在的雅加达的杨·皮特松·科恩（Jan Pieterszoon Coen），为敖德萨（Odessa）及18世纪后期凯瑟琳大帝（Catherine the Great）时代的俄国南部许多新城制定规划方案的荷兰工程师佛朗兹·德沃兰（Franz de Voland）等等，类似的人物还有数百位。

除了著作长度这一明显的限制因素之外，还有两方面的原因使得这类编年史的写法不适合本书的内容，而只能间断运用。

图版3首先，对“设计者”的关注会使人们更倾向于喜欢像帕马诺瓦（Palmanova）和堪培拉192(Canberra)这样的新城市以及从未实现的一些理想城市。而我所关心的却是真正的城市——它们的产生和存在时的情形。我之所以会关注某些城市设计理论，或者某些为证明某种观点及提出某种乌托邦(Utopia)构想而做的抽象的城市设计方案，是因为它们与实际的城市建造活动有着切实的联系。

更重要的是，许多城市是在没有设计师的情况下形成的，或者有些城市虽然曾经经过设计，但之后随即便卷入到了日常的生活秩序和诡异的历史变化当中。是谁设计了雅典或者加尔各答（Calcutta）？除了与巴格达的创始人阿勒曼苏尔哈里发（caliph al-Mansur）同时代并且在地域上最为靠近的那批人之外，还有谁见证过巴格达著名的圆形平面？奥列9格·格拉巴尔（Oleg Grabar）写道：“它几乎从来没有以完整的设计形式存在过，即使在阿

9，10　巴格达（伊拉克）：8世纪围绕哈里发的宫殿组织起来的几何形平面，后来成为该城市成功发展的牺牲品。到了9世纪时，这个繁荣城市的蔓延式发展已经抹去了原来的那个专断的图形。

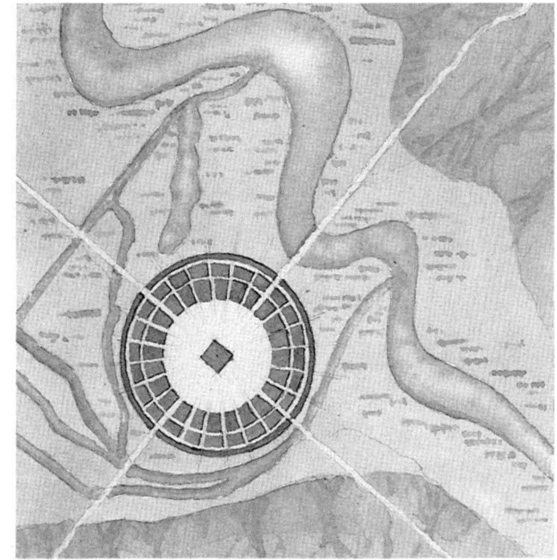

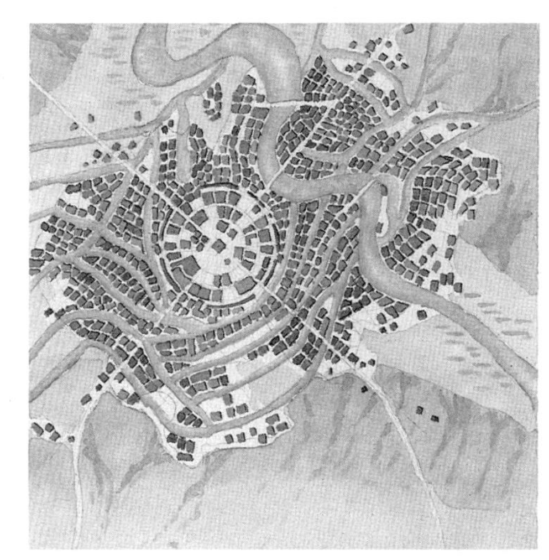

11，12　马提乌斯区是帝国时代罗马的纪念性核心区。只有万神庙完整地保留到了文艺复兴时期——从它阶梯状的圆顶可以辨认出来（图中的上部）。一千年来对建筑石料的回收利用以及零星的改造拆散了尼禄浴场（Baths of Nero）、音乐堂（Odeon）和巨大的图密善赛跑场（Stadium of Domitian）——在纳沃那广场（Piazza Navona）（图中下部）我们还能隐约看见它长形平面的痕迹。

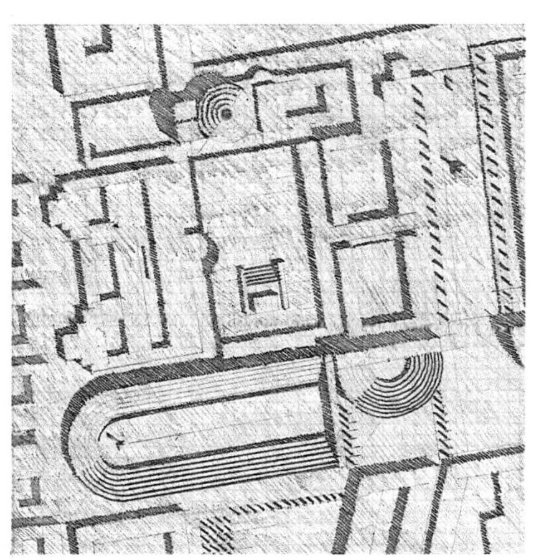

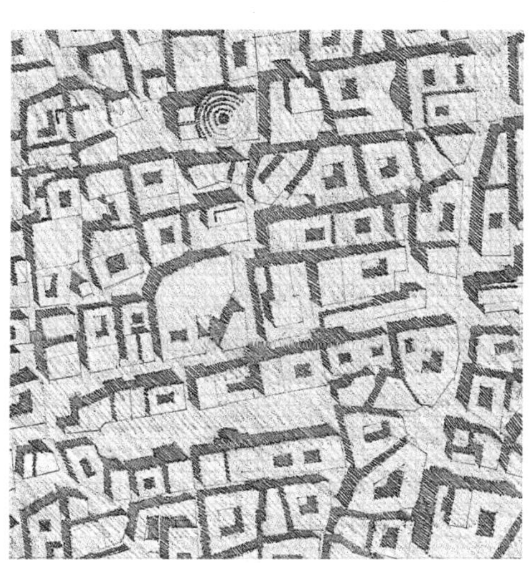

勒曼苏尔生前，圆形城市的周围就已经增建了郊区，细心设计的内部分区已经被打破，而圆形城市不过是巴格达巨大城市结构的一小部分。”[4]　10

我使用“城市进程”这一提法的另一方面含义，也是本书的中心目的所在。它指的是在时间流逝的过程中城市发生的物质变化。人们常常将城市形式看作是一个有限的、完成了的事物，一个复杂的对象。我想强调的是我们所确信的真实情况——即就算城市在产生之初其形态就已经非常完美，但它绝不会是已经完成的，也不会是静止的。每天有无数个有意无意的行为改变着它，而这种改变只有经过相当长时间之后才会被察觉。城墙被推倒了又填上了其他的东西；曾经非常理性的网格慢慢地变得含混；尖锐的对角线道路穿过了纹理致密的居住街坊；铁路线侵占了墓地和水滨；战争、火灾以及高速公路引桥扼杀了城市的中心区。

举一个我非常熟悉的戏剧性的例子，对比两个相互对应的城市意象。其中之一是帝国时代的罗马，在顶峰时期那里总共有100万甚至更多的人口，城市被石结构的公共建筑和敞廊主导着，在台伯河（Tiber）湾马提乌斯区（Campus Martius）的平地上这些结构显得更为突出。　11 当时城市最主要的住宅类型是多层公寓，或称insula，这些公寓遍布于公共建筑群之间以及罗马那几座著名山岭的坡地上。我们再来看中世纪的罗马，在它最低迷的年代，那里的人口还不足5万，两层高的独立式住宅充斥于台伯河湾及对岸的特拉斯特维莱

12 (Trastevere)，几乎使帝国时代马提乌斯区雄伟的形式秩序荡然无存。这一切是如何发生的？那些剧院、庙宇、竞技场和广场怎么消失了？古罗马的4万座公寓哪里去了？当年这座帝国城市壮观的正交网格怎么会被弯曲的迷宫式街巷所取代？罗马就是城市进程变化的一个最为鲜明的例子。

我们是物质状态的记录者，我们的对象好比是一条流淌着的河或者变幻着的天空。所以，从这层意义上讲，城市进程是我们讨论每一个议题时都必须不断关注的问题，同时，它也是一个覆盖面广泛的结论性题材。

有关方法的问题

再来看本书的结构，从目录表中我们可以知道，这不是一本常见的以年代划分的城市研究著作，与A·E·J·莫里斯（A. E. J. Morris)的《城市形式史》(*History of Urban Form,*

13 城市对统治权力的反映：维尔茨堡(Würzburg)(德国)，薛恩伯（Schönborn）领主家族的所在地，在这个家族的治理下，维尔茨堡形成了一个浩大的巴洛克系统，我们从这张1723年由家族建筑师巴尔塔扎·诺伊曼(Balthasar Neumann)所作的海报上可以看到这一点。舞台边框状的装饰有着充满动感的顶部，悬挂于两侧的纪念章分别描绘新的宫殿和教堂，这一切进一步强调了这座城市和统治家族之间的联系。

1974年；1979年），甚至与刘易斯·芒福德的《城市的历史》(*The City in History*, 1961年)都不同。本书的前提是假设读者对西方和非西方的城市发展主线已经有了基本的知识，因此，本书选择重点讨论一系列形式上的主题，讨论的方式是自由的——如果必要的话，这种讨论将会穿行于不同历史与不同地域之间。

当然，对城市形式的历史性探讨也有其他的架构，而且前人基本上都已经试用过。我们可以将城市按国家分类［关于这一类型，E·A·古特金(E. A. Gutkind)的著作《国际城市发展史》(*International History of City Development*, 1964年之后)就足以为例证］、按年代分类或者按地域分类。沃尔夫冈·布劳恩费尔斯(Wolfgang Braunfels)的著作《西欧的城市设计》(*Urban Design in Western Europe*, 1976年, 英文版1988年)的立论前提，是认为城市是以"反映政体的形式和秩序的典范"为目的而进行自我设计的。他所列举的类型包括了大教堂城市、城邦、海上霸主(威尼斯、吕贝克、阿姆斯特丹)、帝都、理想城市、王侯所在地(都灵、慕尼黑、德累斯顿、圣彼得堡)和国家首都。这种分类方法的问题很明显。就其自身的前提基础而言，它的结构弱点就在于实际上城市的目的几乎从来都不是单一的。城市可能从某一项主要的目的开始，但很快又会获得另一些功能。以我们的观点看，其中更为严重的问题是，我们很难归纳出与所罗列的各种城市类型相对应的城市设计上的共性。这本书为我们总结了城市一般性的政体倾向（如果按照一般性的经济结构划分，那么相应的类型则将是港口城市、市场城市、农业中心、工业城市），但却无法总结出与之相对应的城市景观的共同点。

凯文·林奇的最后一本著作《优秀的城市形式》(*Good City Form*, 1981年)是我所知道的将城市形式历史的缜密思考和城市设计理论成果结合得最好的一本书，在这本书中，林奇建立了一个有助于观察研究的组织体系。他设立了三个类别——即三种"标准性模式"，他的分类与政治和经济秩序的关联较少，而更多地是与城市原始意向或者说城市的自我理解相关。[5]

在林奇的类型当中，"宇宙"模式，或者叫神圣城市，将平面布局作为对宇宙和神性的一种解释。这一类型还包括文艺复兴和巴洛克规划中那一些特别强调权力的理想平面。这类模式在设计上的特点是纪念性的轴线、围合体及城门、主导性地标、对规则网格的依赖以及等级型的空间组织。

"实用"模式，或者叫机器型的城市，是"真实、实用和'冷静'"的，丝毫不存在奇幻的成分。这样的理念造就了殖民地城市、企业城市、美国投机开发过程中的方格网城市、勒·柯布西耶的"光辉城市"(Radiant City)、较近的英国阿基格兰姆设计组(Archigram group)的发明创造以及意大利保罗·索莱里(Paolo Soleri)的生态型建筑(arcology)。在这类模式中，城市"由小型的、自主的、无差别的部分组成，这些部分相互联系形成巨

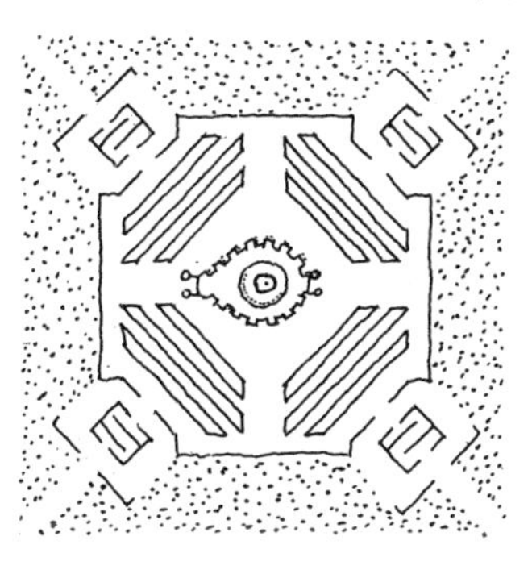

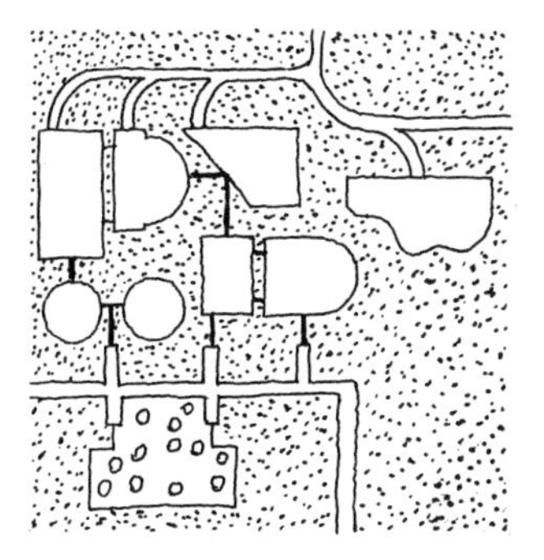

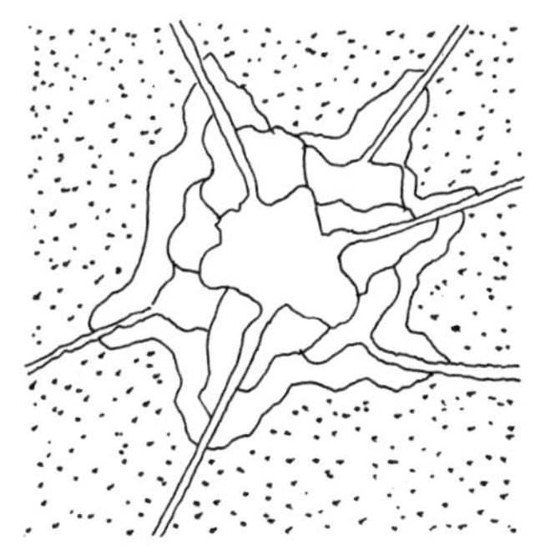

14　宇宙的城市：一个社会等级的空间图解。

15　实用性的城市：对相关部分进行功能性的组织。

16　有机的城市：一个不可分割的、活着的有机体。

大的机器，这些机器能够完成不同的功能和动作”。

“有机”模式，或者叫生物型城市，将城市看作生命体而不是机器。这种城市有着明确的边界和最适宜的尺度，有一种和谐而不可分割的内部结构，以及一种有节律的行为，在不可避免的变化面前能够保持平衡状态。这类模型的创造者是弗雷德里克·劳·奥姆斯特德（Frederick Law Olmsted）、埃伯纳泽·霍华德（Ebenezer Howard）、帕特里克·格迪斯（Patrick Geddes）和刘易斯·芒福德这样的人。只有这最后一种模式似乎被局限在传统的非几何性城市模式和花园城市这种有意识的“有机形式”之中，如美国的“绿带城镇”（Greenbelt Towns）和画境式郊区，所以这类模式基本上表现出比较单一的形态。

这种分类方式的作用就在于它为我们提供关于城市的一些最基础的隐喻——对此林奇最终却表示了异议，这些隐喻既为理论研究提供了论述的语言，也为实践提供了理性的依据。如果城市是一台必须有效工作的机器，那么它要面对的就是过时和被淘汰的问题，它需要不断调整和不断更新。这时我们对城市形式所做的事情就属于机械调试，目的是让它有效工作。如果城市是一个有机体，那么我们面对的就是细胞和血管，如果它得病，那么这时需要考虑的就是外科手术。最后，对于第一种模式，即宇宙城市，我们可以尝试放弃所有从实际、技术、经济和卫生角度出发的对城市布局的解释。许多年前约瑟夫·里克沃特（Joseph Rykwert）在他那本很有争议的著作《城市的理念》（*The Idea of a Town*, 1976年）中所做的事情便是如此，在他的书里，里克沃特试图证明古代城市首先应该是象征的模式，是从神话和礼仪的角度构想出来的，因此，在其中寻找理性和实用性逻辑的工作都将是毫无意义的。

需要重申的是，本书的主要目的是要在不依赖任何先入为主的城市行为理论的情况下，对城市景观中的物质元素进行叙述和分析。历史告诉我们，相同的城市形式并不一定传达相同或相似的人的意图，反过来，相同的政治、社会或经济秩序也不一定会导致相同的设计布局，自始至终，我选择从事物的本身出发，去寻找它的意义。非几何性的城市规划是怎样产生的？随处可见的网格状平面的本质是什么？它有哪些变体？从历史的角度看，城市限定其边界的手段有哪些？在城市内部，有哪些隐含的和已造就的区界？这些议题将在本书以后的章节以及本书的姊妹著作《城市的组合》（*The City Assembled*）中深入讨

绪 论

城市是建筑和人的聚集体。它们是被使用着的环境，人们每日的活动——无论是世俗的还是超凡的、随意的还是刻意的，只有发生在城市里才会有效。在城市及其变体当中凝聚着时间和场所的统一。城市是我们的抗争和我们的光荣的最终记录：过去的骄傲就在这里获得展现。

有时，城市授命而建，这样的城市有明确的目的，因而会被赋予完整的形状。城市也可能被用来反映某种宇宙的法则或某种理想的社会，被塑造成战争的机器，或者只是给建造者带来经济利润而没有任何更高的目标。城市创建活动有时可能会被某种宿命的神秘气氛所笼罩。而另一些时候，这种创建活动可能只不过是一种常规性的、重复性的活动。但是，无论是来自神的指引也好，或者只是出于投机的愿望，城市最初的模式将会枯竭甚至死亡，除非人们能够在这种模式下逐渐培育出一种特别的，能够自我维持，并且能够克服逆境和命运转折的生活方式。

图版 1　贝拿勒斯（Benares）［即印度瓦腊纳西（Varanasi）］，印度历八月节（Kartik festival）期间前往潘赤冈嘎河边（Panchganga Ghat）的山路。

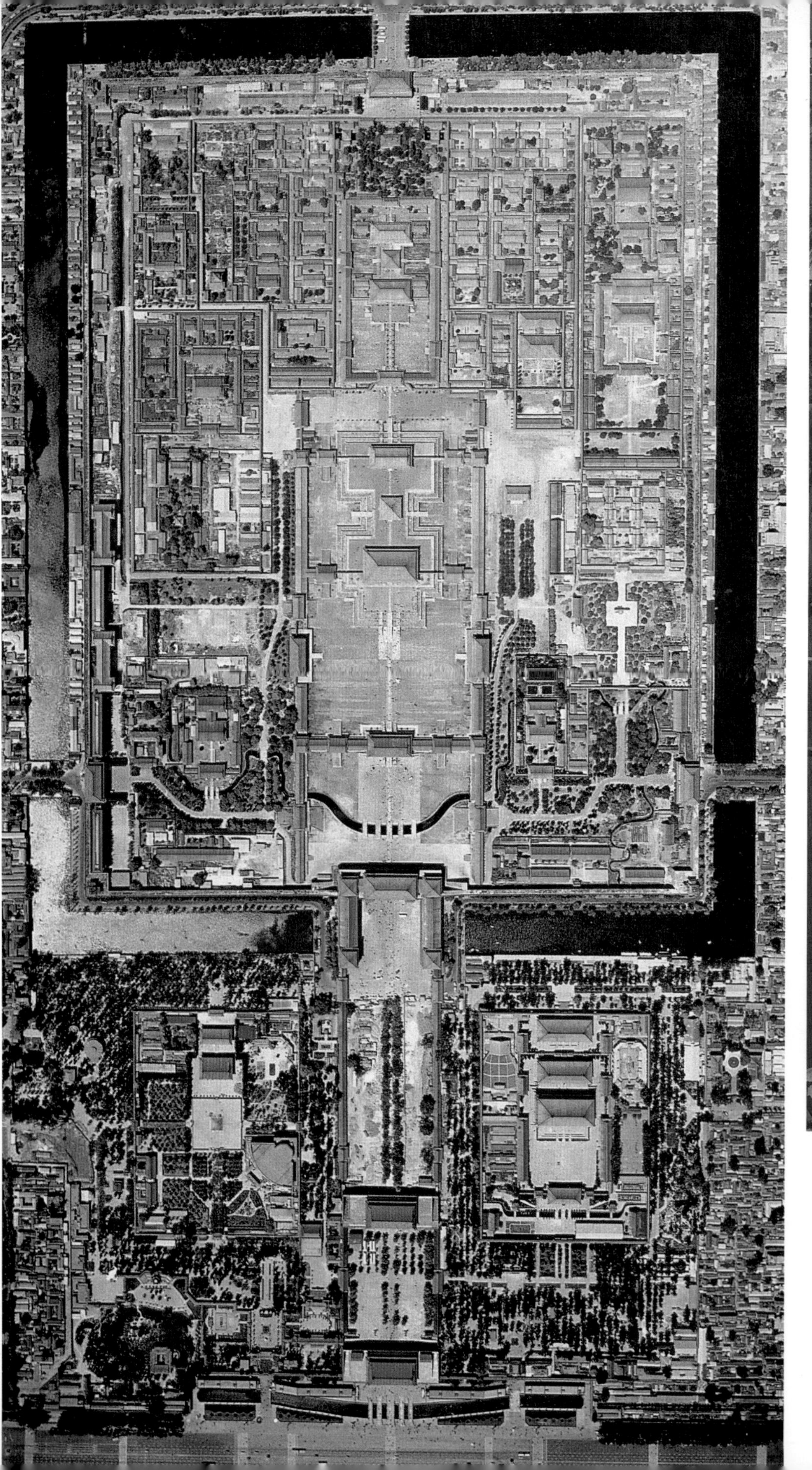

图形式的城市

图版 2　左图，都城的图形：北京的紫禁城（中国），这个向心性长方形区域是 1421 年之后重建的明代都城的核心。宫城由城门进入（城门位于图的底部），护城河将它围合成岛屿。

图版 3　上图，威尼托 (Veneto) 地区一个为战争而设计的放射形城市：帕马诺瓦，创建于 1593—1623 年。来自威尼斯的将领和部队占据着中心区，外国雇佣兵的军营在当时的城墙内部围成一圈，城墙上有 3 座城门。

图版 4　维也纳（Vienna），1873 年由 G·魏斯（G. Veith）所作的鸟瞰图。背景中，稠密的中世纪城市组团簇拥着圣史蒂芬大教堂（St. Stephen's Cathedral）的尖顶。直到 1857 年，城市还由一圈宽大的堡垒式城墙紧密地包裹着。城墙外，郊区、宫殿、教堂——尤其醒目的是高大的圣查尔斯教堂（St. Charles's）[图中左侧，由费希尔·冯·埃拉赫（Fischer von Erlach）设计，始建于 1716 年]，一直延伸到乡村。堡垒式城墙的拆除为壮丽风格的规划提供了机会，新开拓的城市环路（Ringstrasse）两旁种植着树木，排列着风格多样的雄伟的公共建筑和住宅建筑。在图的左面由上至下分别为双尖顶的沃提夫教堂（Votivkirche）、新哥特风格的市政厅（Rathaus）、新文艺复兴风格的博物馆双楼和歌剧院（在圣查尔斯教堂圆顶的后面）。

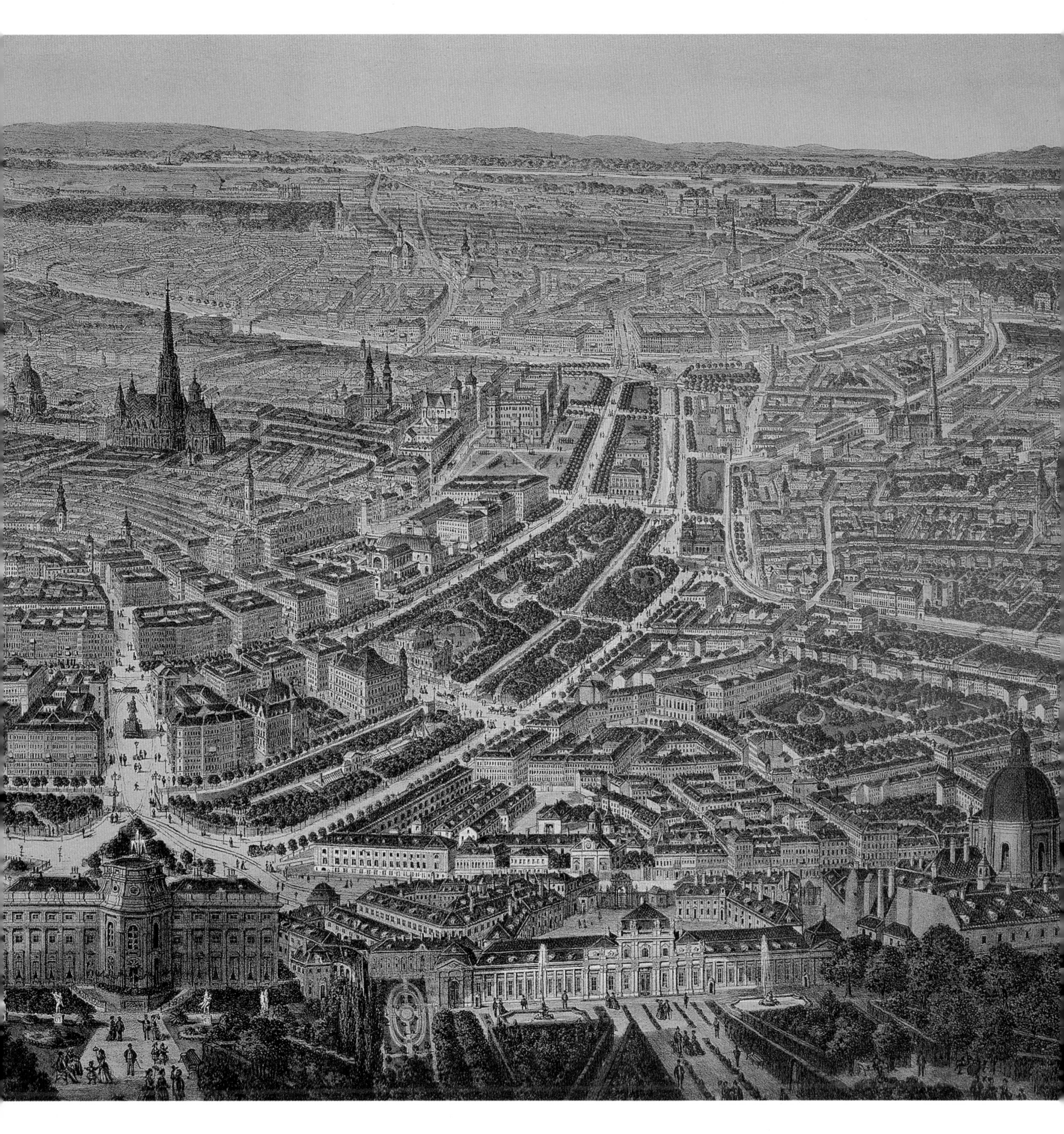

纪念性的城市风景画

图版 5　右图，那不勒斯城（Naples）（意大利）的简略轮廓成为 1464 年阿拉贡人（Aragonese）的部队凯旋归来场面的背景。画面中的城市坐落在山与海之间一片弯曲的地形上，城市在海上的标志物是那座著名的灯塔以及山上的圣马提诺修道院（S. Martino）。

图版 6　下图，这幅描绘萨拉戈萨（Saragossa）（西班牙）的绘画于 1646 年由 J·B·德马卓（J. B .del Mazo）和委拉斯开兹（Velázquez）所作，具有特殊和私人意义的是：这幅画记录了从巴尔塔沙·卡洛斯王子（Prince Baltasar Carlos）在圣拉扎罗（S. Lázaro）的住所望出去，越过埃布罗河（Ebro）所看见的景象。在15世纪的石桥（Puente de Piedra）的左面，是有着古怪的摩尔式（Moorish）圆顶的拉·西奥大教堂（Cathedral of La Seo）；右面是这个城市的另一座大教堂皮拉（Pilar）（之后重建）。巴尔塔沙·卡洛斯在这间房里去世，这幅画是按照他的父亲——菲利普四世（Philip IV）的要求完成的。在画的中部即河的对岸可以看清皇家的行进队伍。

图版7　左图，有些城市学者认为，古代城市是根据象征性而不是按照实用逻辑建造的。在门多萨法典(Codex Mendoza)中的一幅画页上，描绘了14世纪中期阿兹台克(Aztec)首都特诺奇提特兰城(Tenochtitlán)(即现代的墨西哥城)神秘的创立过程。在4条溪流[这令人联想到这个城市一直保留到西班牙人征服之后(post-Conquest era)的四大分区]的交汇处，一个神秘的征兆揭示出未来首都的地点：这是一只落在长于石头(tetl)上的仙人掌(nochtli)上的鹰。而"石头上的仙人掌"(Tenoch)就是位于鹰左面的那位阿兹台克头领的名字，同时也是他所建立的这座新城市的名字。

图版8　上图，未来的图形：NASA假想的一个空间殖民地的内部景象。

论——除了上述这些议题之外，我们还将要讨论城市的两个最基本的组成元素：即街道和那一部分受共同协议或法律控制的不作开发用途的城市公共空间。

粗略地说，我的思路更多地与社会史和城市地理有关，而与建筑史学家的传统研究方式有距离。上述两类学术文化都有各自的问题。研究城市的社会历史学家常常缺乏对城市物质结构的知识。“对于任何一个对城市景观感兴趣的人来说，如果他拿到一本号称城市通史的巨著，但却发现里面长篇累牍地记述了13世纪的行政区划、18世纪的著名市长等等，对各时期城市的物质形象却不作任何介绍，甚至连城市地图都不提供，那么他将会感到极其气恼。”

上面这段文字摘自迈克尔·阿斯顿（Michael Aston）和詹姆斯·邦德（James Bond）的著作《城镇景观》(*The Landscape of Towns*, 1976年)。这本书的题材范围仅限于英国，并且表现为一种直接的、编年史式的研究方式，但它却与我这两本书里的意图相呼应。我对他们这本书惟一不满意的地方，是它太过形象化，以至于对城市形式的内涵发掘不够。然而物质模式常常蕴含着物质以外的现实。一位地理学家曾经说过：“任何社会价值和社会行为，无论它们如何抽象，一般都能在物质形式中得到反映。”[6]

我与城市地理学家的分歧在于目的和手段的不同。地理学家们将大部分精力放在理论的形成上，与他们这种习性相对应的，是对度量、数例以及简缩图解的强调。他们这些成见的实际性结果，是在脱离特定历史条件的情况下，形成对某个类型的界定——尽管出发点不同，但这种习惯却与设计师们以简化的方式归类城市形式的做法非常类似。但正如他们中间的一位——哈罗德·卡特（Harold Carter）所认识到的那样：“从廷布图（Timbukto）到托特纳姆（Tottenham），从撒马尔罕（Samarkand）到旧金山，从那伯斯（Narberth）到内布尔（Nebeul），如果地理学家所做的事情就是将这些城市的丰富多样性缩略为抽象的归类总结的话，那么他们的工作是不合常理的。”[7]

就地理学家的两种基本学术范畴“城市的空间特征，和空间中的城市特征”（这里我们再次借用卡特的词汇）[8]而言，我对后者没有太多兴趣。在本书中，读者将不会发现城市地理学者所热衷的有关“城市化过程”、“城市系统的发展”（或者说城镇的分布模式和在各种分布模式下的物流与人流模式），以及“城镇的等级”方面的讨论。对于上述这些问题的关键，即中心场所理论，本书将几乎不会涉及。

当城市地理学偏转到城市形态研究以及城市内部结构领域的时候，我们便有更多的共通之处，但即便在这些领域，我们也只是在某些问题上相关联。城市的土地使用和土地租赁系统、城市中工业的位置、城郊结合部、中央商务区——当这些对象作为城市行为的理论问题出现时，对我的吸引力不大，我所关心的是这些对象对某个特定城市形状的直接影响。同样，地理学家在讨论城市形式问题时，对经济问题极其偏重，而我主要关心的是文化，我的重点始终在政治、社会结构和礼仪方面。

在方法方面最为恰当的是地理学家对“城市平面”(town plan）的分析——这种技法主要是由M·R·G·康臣（M. R. G. Conzen）发展和推广开来的。[9]康臣学派(Conzen school)认为，这种被历史学家和建筑工作者粗略地称作城市肌理的东西，是由三个相互关联的元素组成的。首先，是“城市平面”本身，它指的是街道体系；第二，是地块模式，即土地的分割；最后，是地块模式下的建筑布局。所有这一切都发生在地面的层次上。这里所指的城市平面是小康臣——即M·P·康臣（M. P. Conzen)所称的“由受法律保护的土地所有权构成的土地划分和注册系统”。而“土地使用模式”(the land use pattern）表示的是地面和空间

17–19　城市地理学家 M·R·G·康臣将城市设计分成三个基本组成部分：城市平面，或称街道模式（左图），土地使用模式（中图），以及决定城市三维构成的建筑肌理（右图）。

的各种用途。最后，“建筑肌理”（the building fabric）指的是在地块分属基础之上的、实际的三维物质结构。

三者的差别十分关键。当建筑史学家或建筑师探讨城市史问题的时候，他们习惯于仅仅强调街道系统。埃德蒙·培根所著的《城市的设计》（*Design of Cities*）就是众所周知的例子。但我们所说的城市进程，在很大程度上指的是在已有框架或已有“平面”（ground plan）基础上的城市发展经历。它通过地块结构的变化，以及地块之上实物尺度和实物规模的变化体现出来。至少在这一点上，城市地理学那里有许多我们可以借鉴的东西。

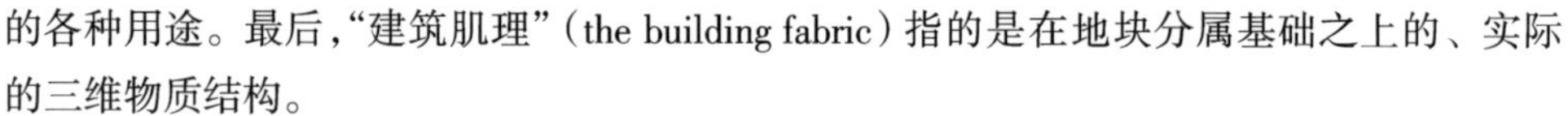

这种所谓形态产生学的研究方法将所有重心放在了城市景观方面，因此被许多地理学家认为过于局限。对此持否定态度的这批地理学家通常也会毫不犹豫地拒绝所谓的“艺术性的”方式，他们认为那是设计师和建筑史学家们所关心的纯粹形式主义的问题。他们认为，康臣学派所缺乏的东西，是对经济力量的把握，而经济则关系到土地价值、建筑产业等等，这些问题影响到城市的形状和城市的物质发展。以 J· W· R· 怀特汉（J. W. R. Whitehand）为首的一批地理学家将建设周期——即在一定时间段内建造活动量的变化，与我们所熟悉的经济周期论联系起来。建造活动的起落不仅影响城市周边的新区，也影响到城市内部的改造。我不否认这种侧重经济的研究方式的有效性，也不否认它对整体城市形式理论的贡献，但我必须说明的是，本书章节有限，这方面的研究只能很少涉及。

断代和分类

由于本书采用了主题性的结构布局，并且涉及不同的文化，因此它并不十分依赖传统的断代方式。“中世纪”这个词通常只限于西方，仅仅相对地适用于中国，而“文艺复兴”这个词对于中国则毫无意义。同样，由艺术史学家在过去 100 年里建立起来的对风格时期的划分也很难适用于城市形式。例如，至今为止，对于罗马风、哥特或洛可可风格的城市还没有任何令人信服的区分手段，这样的称呼只是为了便于识别年代而已。但我们可以分辨出巴洛克式的城市美学（见本书“壮丽风格”一章），同时，至少有一位历史学家，即库尔特·W·福斯特（Kurt W. Forster）已经将 1550 年代贡萨格（Gonzaga）所做的萨比奥内塔城（Sabbioneta）的规划称作手法主义风格的网格 140 规划（Mannerist grid）。[10]

我的这种研究涉及面广，因此需要一种更为宽泛、更为简明，同时又适合世界不同地区的划分方式。在马克斯·韦伯（Max Weber）的启发下，费尔南德·布罗代尔（Fernand Braudel）创立了一种简略的断代方式，当然这种方式也许仅仅适合于他所关注的那个特殊的历史研究领域，无法推广到其他系统。充其量也只限于西方。在他的划分系统中，A 类为开放性的城市，主要指希腊和罗马。这类城市无论是否有城墙，都"对周边乡村开放，并与乡村地位平等"。中世纪城镇是最典型的 B 类城市，即封闭性的城市，它们表现为：城市自给自足，排外，对乡民与外来者一概不予信任，并积极地维护制造业和手工业的垄断地位。C 类城市是出现在文艺复兴之后的、现代早期的服从性城市，这类城市受到 20 来自强有力的王权或统治政体的严格控制和规范。[11]

我的研究需要的是一种同样激进但又更具普遍意义的分类方式。"前工业城市"（pre-industrial city）一词是由伊德翁·舍贝里（Gideon Sjoberg）在 1960 年出版的同名著作中首次提出的，尽管这个词与它本身的某些前提有严重的冲突，但它依然非常有用。从我们所关心的问题角度看，这个词定义的是那些规模很小（一般不超过 10 万人口），缺乏土地用途专门化规范，以及几乎不存在任何社会与物质流动的城市。这类城市的社会结构主要由两个阶级组成——即精英阶级和下层阶级。舍贝里认为，那里处在中间的商人阶层的地位常常被抬高了一步。城市的中心被政府机构、宗教机构以及精英的居所占据。在其他各处，人口普遍按行业分布。

这种前工业城市是各种人类文明在旧世界几千年里普遍采用的城市形式，今天在某些地方它还依然存在着。在过去几百年中，这样的城市被其他形式的城市大规模取代。在本 21 书后面章节探讨的每一项主题里，都将会涉及到在相对较近的年代里因"工业城市"（industrial city）的出现而带来的剧烈变化。如果说这一变化发生的关键时段是在 18 世纪，那么资本主义对工业城市的孕育期至少可以追溯到 1500 年代，或者更早。当城市土地开始被看作是一种收入来源，当所有权与使用权分离，而物业成为了一种能够产生租金的资本的时候，城市景象便随即发生了根本性的变化。用小 J·E·万斯（J. E. Vance, Jr.）的话来说，正是这种"地租的梯度差""结束了那种有序城市的理念，并且从经济的角度 22 鼓励了不同使用功能的分离"。[12]

第三类是"社会主义城市"（the socialist city），它存在的历史较短。这类城市的生长周期还没有完成，但它的基础特征已经充分显露了出来。这种城市的核心运作规则是对资本主义土地与财产私有权的取缔。不过，在不同的社会主义国家，对土地私有权的禁止也并不是绝对的。以波兰为例，它的 3/4 的农地依然归农民所有；而南斯拉夫这一比例还要更高。大体上，"如果物业的数量并未大大超过可允许的人均居住空间标准，并且只用于居住的话"，那就不会导致所有权的没收。"因此，就城市和乡村的住宅而言，财产私有权被保存了下来。"[13]但是这种有限的宽容并不能改变社会主义通过集中规划决定城市的地位、发展和形式的事实。政府决定着公共空间的尺度与形象、住宅的数量、居住单元的大小、交通模式以及分区问题等等。租金跟利益与上述决定无关。至少在不久前发生的变革之前，东欧一直保持着这种情况，在变革之后，这些国家便可能将土地私有化，并按照工业化西方的模式建立起市场经济。

社会主义城市形成于二次世界大战之后，因此城市形态相应地具有当时的特征。在城

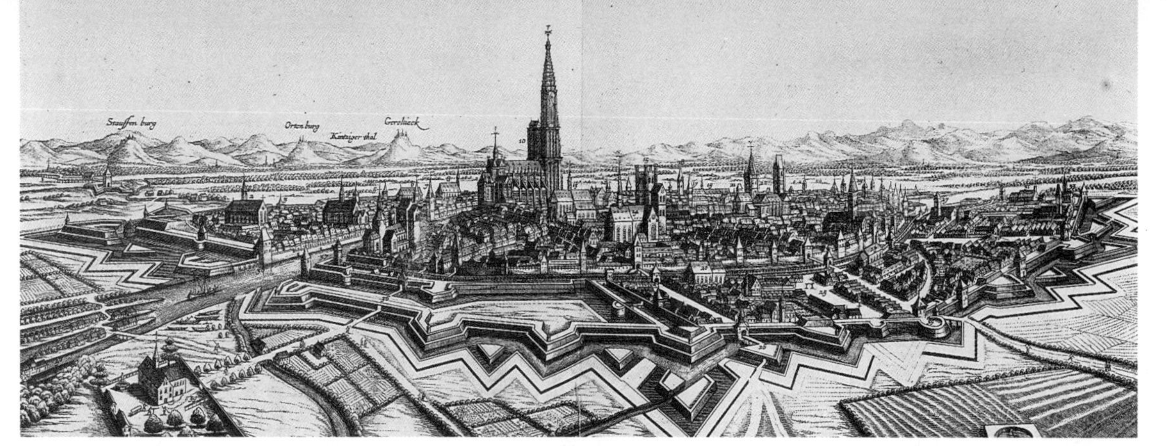

20　欧洲“前工业城市”的空间特征表现在这幅17世纪中期由扬·詹森(Jan Jansson)所作的斯特拉斯堡(Strasbourg)(当时属德意志，现在属法国)的风景画中：极其明确的城市边界，以及点缀着纪念性公共建筑的稠密而紧凑的城市核心。

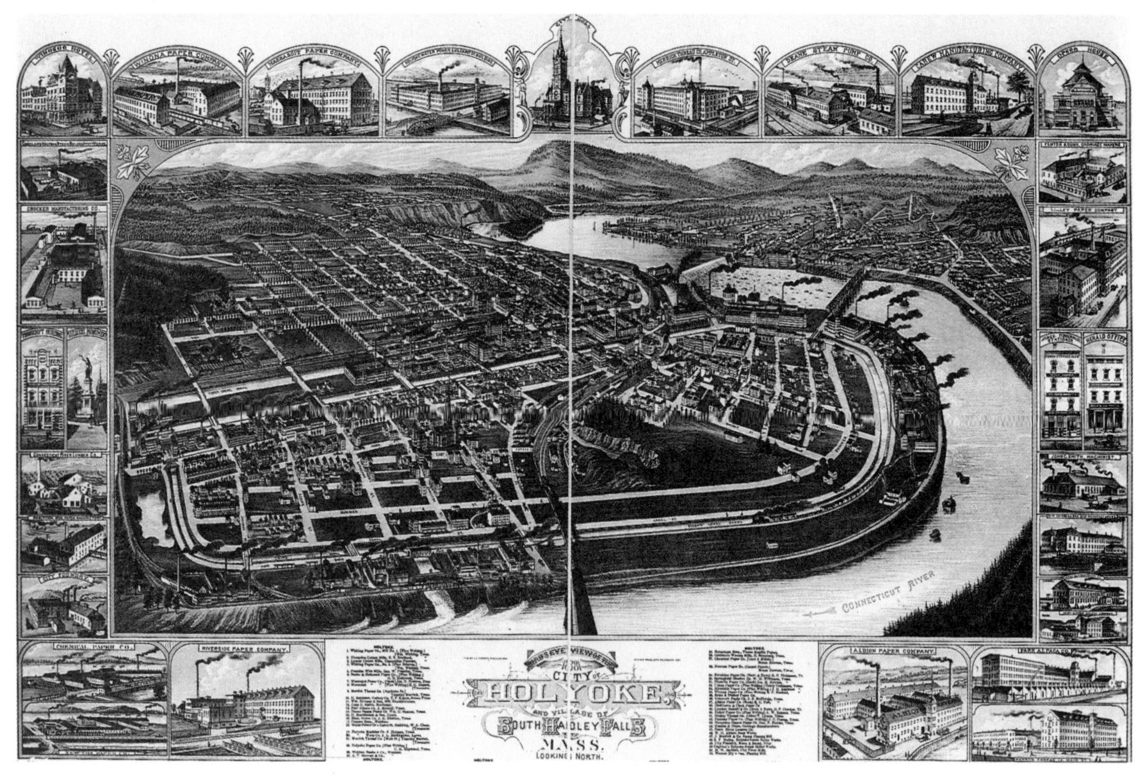

21　工业城市的景观，1881年A·F·普尔(A.F.Poole)为新英格兰工业城市霍利奥克(Holyoke)(马萨诸塞州)所作的石版画。制造厂、旅馆和其他私人资产纪念物的图片被供奉在城市鸟瞰图的四周。地块分割网越往城市中心越密，城市的图形揭示出“地租的梯度差”以及城市建造者的牟利动机。

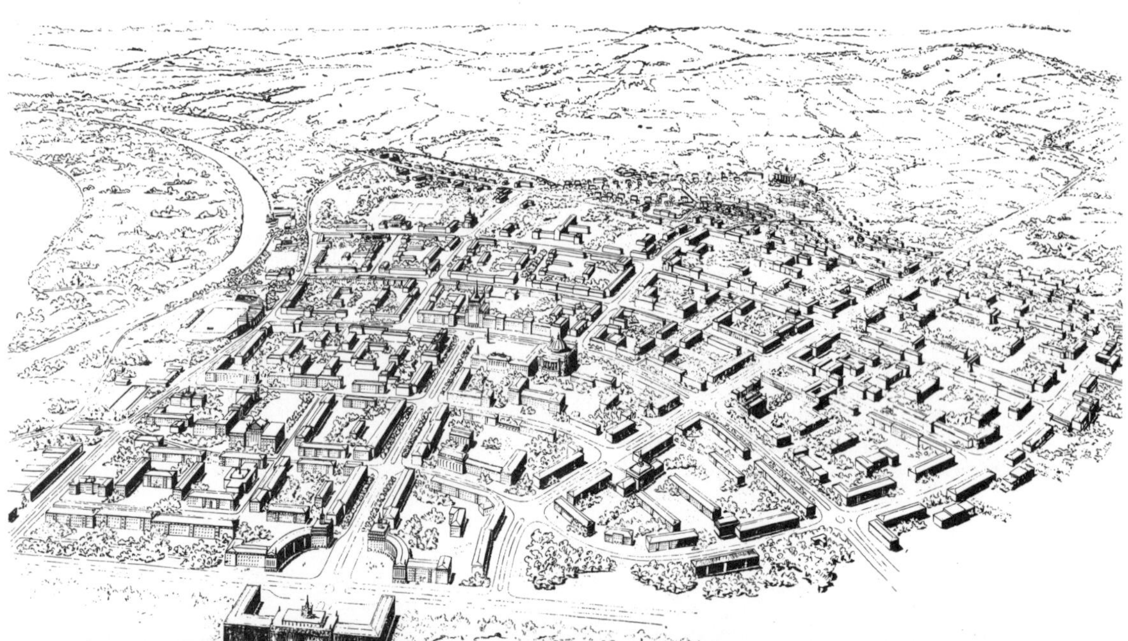

22　社会主义的城市，斯大林市[又名艾森许滕施塔特市(Eisenhütten-stadt)]曾经被宣扬为东德第一个以苏联模式为原型规划建造的新城市。由于集中性的发展决策权和对土地价格差别的排斥，使得该城市从中心到边缘居住密度保持一致，并且中心区还留出了巨大的开放空间。[引自《德国建筑》(*Deutsche Architekur*, 1952年)]

市中心，老的商业区被纪念性的行政与政府核心所取代。索非亚（Sofia）和东柏林就是这样的案例。在原来城市结构最为致密的中心区，一个巨大的仪式性公共空间占据了大部分面积。除此之外，还有一个为劳动人民服务的文化公园，公园中布置着林荫道、茶室、野餐区和必不可少的社会主义纪念碑。住宅区由基本相似的邻里单位组成，每个邻里单位以一个工厂为中心。这种形式的住宅区从城市中心一直延伸到城市边缘，保持着相对较高，却也比较平均的居住密度，相对而言，资本主义工业城市的人口密度从中心至边缘呈下降趋势。由于对公共交通的依赖程度大大高于西方，所以，城市的发展追随着由政府决定的交通发展线路，没有占地居住的现象。与西方，尤其是北美城市形成强烈对比的是，消费品零售和银行占用了城市极小的地盘，而公共福利和服务性建筑则较为突出。

历史过程中的城市

城市是什么？城市是怎样及在何时开始的？

由于这是一本关于城市形式历史的著作，所以必定会遭遇上述问题。这些问题要求我们不要在其面前寻找遁辞。对于城市的定义，关于城市起源的理论以及对城市行为的归纳花费了我们极大的精力。我们得到的认识是，只有通过对其他人已有观点的反驳和改造，才能展开我们自己对上述问题的讨论。所以，以下便是对一些问题的澄清。

城市周期

现在几乎没有人仍然相信扩散理论——这种理论认为城市产生于公元前4世纪的美索不达米亚，然后从那里传至印度河谷和中国，之后又西进至希腊。根据这一前提，我们只需要对与城市形式起源相关的特定地区和城市进行研究就可以了。

已经为大家所公认的一点是，新石器时代西亚的某些聚居地——像杰里科（Jericho）、艾因盖济勒（Ain Ghazal）、Çatal Hüyük、克罗基夏（Khirokitia）这些地方，它们表现出的特征已经称得上为城镇。而这些地方要早过美索不达米亚两千至三千年。杰里科由一圈巨大的石头墙围绕着。[14] 艾因盖济勒同样也在约旦，面积是杰里科的3倍，人口为2500~3000，占地超过30英亩（12公顷）。在这些地区发现了栩栩如生的人物雕像、奢侈品以及可能是在分配物资时用作代币符号的小型几何物件。[15] 科尼亚平原（Konya Plain）上的Çatal Hüyük，人口约1万，这里出产一种珍贵的物品：黑曜岩，

23

23 Çatal Hüyük（土耳其）一座神殿中壁画的还原图。这幅画可能是现存最早的城市平面图形。在一个被人们认为是喷发着的火山的图形的下面紧密地排列着住宅，它揭示出大约公元前6500年左右新石器时代的聚落模式。

这是一种黑色的火山玻璃，是当时最好的切割工具用料，它使这个地方拥有了对外贸易的资本。同时这里也有一些公共的神殿和商店。塞浦路斯的克罗基夏有我所知道的最早的一条街道，这个没有围墙的聚落似乎可以沿着它的长方向以没有终结的方式发展。

从这些原始城市聚落的消失，到公元前 3500 年第一批真正的城市在底格里斯河（Tigris）和幼发拉底河（Euphrates）泥泞的平原出现，中间有一段一千五百年的鸿沟。尼罗河谷（Nile Valley）地区的城市出现得更晚一些，在大约公元前 3000 年左右。之后又过了大约一千年，便有了印度河谷（Indus Valley）的城市，如哈拉帕（Harappa）和摩亨朱达罗（Mohenjo Daro），它们在突然中形成，却又在几个世纪后在突然中被抛弃。从这批印度河谷城市的灭亡，到后来在印欧入侵者的佑护下城市生活再一次在印度和巴基斯坦地区出现，其间又经历了一段一千年左右的空白。在中国，第一批城市在西部黄河冲击平原和渭河下游河谷出现：据说中国最早的城市是安阳的殷，不过后来在 100 英里（160 公里）外又挖掘出了像郑州这样的更早的商代都城。对于东南亚地区的城市发源地——缅甸、马来西亚、印度支那，在公元后早几个世纪里也有所记载。在新大陆，尤卡坦半岛（Yucatan）和危地马拉（Guatemala）最早出现了玛雅人的城市，蒂卡尔（Tikal）和瓦哈克通（Uaxactun）是其中最古老的两座。在秘鲁，奇穆（Chimú）王国之前的城市印迹比较模糊，但在公元 1000 年时，有着别具一格的用城墙围合起来的堡垒的昌昌（Chanchan）就发展成了奇穆的首都。非洲，在欧洲人到达之前就已经形成的土著城市有约鲁巴人的伊巴丹（Ibadan）、奥格博莫朔（Ogbomosho）、伊沃（Iwo）、伊费（Ife）和拉各斯（Lagos）。

这里我必须重申与上述城市起源概论相关的两点问题。

首先，我们必须重视时空状态下城市发展的不均衡性。至少，我们必须得出这样的结论，即所谓的城市革命是在不同的时期、在地球的不同地方发生的，正像我们现在所了解的新石器革命的情况一样。历史上西方城市的发展同样也具有这种周期性。在古希腊世界里，公元前 1100 年多里安人的入侵摧毁了灿烂的迈锡尼（Mycenae）文明并在后来的几个世纪里打断了大陆和爱琴海岛屿上的城市生活。罗马帝国"衰亡"之后城市文化的长期没落也是一项不争的事实，这一事实甚至可能被人们夸大。中世纪后期新城镇的出现也是有范围性的。只是在公元 1200 年之后，新城镇的发展才越过了易北河（Elbe）和萨勒河（Saale）进入东欧和波罗的海沿岸。

与此同时，城市系统也具有内在的稳定性，所以在缺乏持续补给的情况下它们也能够维持生存。例如，让我们分析一下法兰西，那里一直保持至今的城市系统结构主要是在两个城市创立阶段——即高卢罗马时期（Gallo-Roman）和中世纪时期中形成的。在高卢罗马时期建立的 44 个主要城市——即具有行政功能的宗族属地当中，26 个成为后来现代郡县（départements）中的主要城市（chef-lieux），郡县制是法国革命之后对旧政权（ancien régime）的行省结构重新调整形成的新的国土区划。从 14 世纪中期之后，这一城市系统一直没有明显扩大，只是在 1500—1800 年之间出现了不超过 20 个新城镇，而这些新城镇大多是由政治抱负［如 1608 年苏利公爵（Duc de Sully）在布尔日（Bourges）之北建立的亨利希蒙（Henrichemont），1635 年红衣主教黎塞留（Cardinal Richelieu）建立的同名城市，以及凡尔赛］、防御要求［如沃邦（Vauban）设计的隆维（Longwy）和诺伊布里扎赫（Neuf-Brisach）］，以及殖民野心［如 5 座港口城市：勒阿弗尔（Le Havre），布雷斯特（Brest），罗什福尔（Rochefort），洛里昂（Lorient）和塞特港（Sète）］引起的。

146
238

在英格兰，我们发现了古罗马人的城市、撒克逊人的城市以及大约400~500个12世纪和13世纪威廉王征服英格兰之后（post-Conquest）出现的城市，各阶段之间都有较长的静息期。同样，从中世纪最后的新城镇——昆斯镇（Queensborough）和比尤德利镇（Bewdley）建立之后，到17世纪末之间，几乎没有别的新城市产生。到了17世纪末，这里同法兰西一样，开始出现一些新型的港口城市，如法尔茅斯（Falmouth, 1660年）、怀特海文（Whitehaven）、格拉斯哥港（Port Glasgow）和德文波特（Devonport）。

其次，如果城镇的建设与城市的生活并非稳定地存在，而是在各大陆之间按照不规则的节律有起有落的话，那么城镇形式之外其他类型的人居方式也值得我们注意。也许我们过于夸大了城市。以中国为例，现在大部分学者认为，由于拥有广阔的疆土，所以中国人并不认为城市是最基本的聚居单元。在中国，进入和控制未开发地区的重要手段是以农民的村落作为据点，将系统性的农业扩大到这些地区去。一旦土地被驯服，一个或更多个作为国家控制枢纽的村落便随之建立起来。[15]这种情况与诸如希腊、罗马以及日耳曼人开拓东欧的情况完全不同，在那些地区，建立新城市被认为是征服土地的必要手段。

城市起源

众多关于城市起源的学说都有相似之处，它们常常将人们带入鸡与鸡蛋的循环论当中。到底是这样或那样的因素为城市的形成创造了必要条件，还是城市的形成导致了这些元素的出现？

剩余论便是其中的一种，这一学说认为，当乡村经济离开了单一的、自给自足的模式之后，城市便开始形成了。当生产量超过该社区人们的基本需要之后，一部分人从土地中解放出来，于是便产生了专门性工作的机会和从事这些工作的人群，他们分别是抄写员、工匠、牧师和士兵。剩余生产力使灌溉系统成为可能，而有效的灌溉系统又使复杂的行政系统成为可能，而这便意味着城市的出现。推论如此进行下去。

然而，首先，在美索不达米亚这个人们所假定的城市起源地，并没有充分的迹象显示政治权力的产生是由于某个重要运河系统的开挖而带来的管理上的需要。第二，剩余是一个相对的概念。它与侧重点的偏移有关，即物品与服务从一个目的向另一目的的转移，它不仅仅也不总是指制造量的增加。换句话说，反过来，社会机构的改变同样也可能导致技术的变化以及关于生存和剩余的复杂概念的转变。

24　城市的起源：市场。图中描绘了阿纳姆（Arnhem）（荷兰）边上的一个集市，这种欧洲集市所提供的交易场所免除了在税收和经销权方面阻碍长途贸易发展的许多限制。最大型的交易市场常常表现为临时城市的样子，就像这幅由罗米恩·德霍赫（Romeyn de Hooch，1645—1708年）所作的雕版画的局部所表现的那样。

那种认为城市就是被保护的市场的论点也存在着同样的问题。一个因简·雅各布斯（Jane Jacobs）的著作《城市的经济》（*The Economy of Cities*, 1969年）而著名的论题认为，城市是作为枢纽性的集市而出现的；紧接着，农业的深化又进一步供养着城市。但这里的问题是，在早期的城镇里，市场并不是一个必要的存在，因为长途贸易活动受到条约的控制，并且官方还有专门负责这类活动的交易人。其中一个例子是亚述人的（Assyrian）"卡鲁姆"（Karum），亚述商人们驻扎在像安纳托利亚（Anatolia）这样的邻近国家中那些已经相当繁华的城镇的外围，形成了亚述商人的交易活动地，即"卡鲁姆"。根据条约进行的商贸活动同样也存在于哥伦布到达之前的（pre-Columbian）中美洲（Meso-America）、殖民化之前的西非，可能还有商代的中国。[16]事实表明，自我管理式的市场可能属于特殊情况而非一般惯例。更有甚者，与人们普遍认识完全相反的是，地方性的市场即便存在也并不总会发展成为城市，而集市——这种最典型的长途贸易中心，也不一定能发展为城市。事实上，*24*

中世纪的情况就是如此。据我们所知，中世纪的定期集市从未发展成为任何城市，甚至连特鲁瓦市也存在于著名的特鲁瓦集市之前。

军事与宗教城市起源论也存在着同样的问题，这些理论认为：城市是防御和控制的媒介，或者，城市是宗教的圣地。当然，以防御为目的的聚居行为也许的确曾经导致城市的产生（但令人不解的是，早在城市出现之前防御的问题就已经存在，那么为什么城市没有更早一些产生呢?）。同样，相反的推论也能够成立，即一旦形成具有一定人口数量的聚居地，那么相应地这个地方就会对复杂防御系统产生需求。神殿区同样不总是会发展成为城市，当然这并非怀疑礼拜活动和祭司等级制在世界各地城市形成过程早期的重要作用，就像保罗·惠特利（Paul Wheatley）和其他一些人长期以来一直论证的那样。[17] 我还需要补充的是，这种对纪念性宗教中心的重视非常值得赞赏，因为它是对西方城市历史学家中普遍流行的、过度偏重贸易的思维倾向的一种必要调节。

上述问题在哈罗德·卡特新近出版的著作《城市历史地理导论》（*An Introduction to Urban Historical Geography*, 1983 年）中得到了归纳。书里引用了惠特利的一段文字作为总结：

> *在复杂的社会、经济、政治变化进程中是否能分辨出导致城市形式产生的那个单一的、自律性的诱发因素，这一点非常令人怀疑……无论经济、战争或技术引发了社会组织中的怎样的结构性变化，这些结构性变化一定要得到某种当政机器（instrument of authority）的支持才能获得制度化的持久性。*

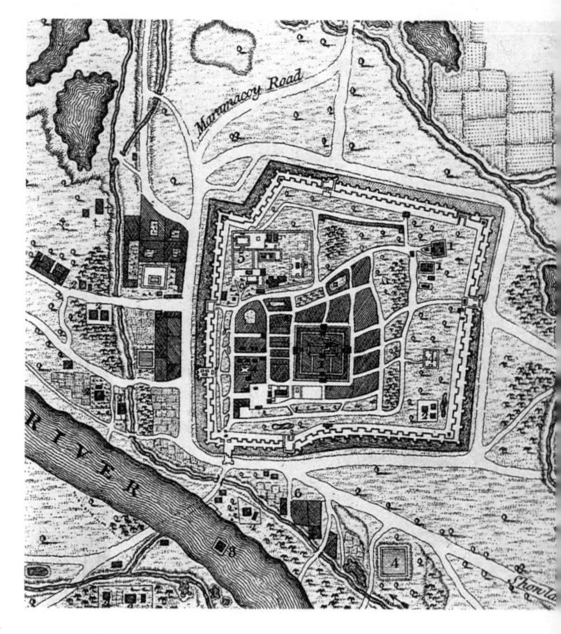

25　城市的起源：纪念性的中心。这幅 18 世纪的平面图描绘的是印度南部城市马杜赖(Madurai)，在城市里，围绕着庙宇这个神圣核心布置着多重同心城墙、开放的空间和城市街块，在庙宇区的方形围墙上布置着 4 个华饰门塔，也称郭朴拉 (gopura)。

26　左图，城市的起源：军事要塞。法兰西沿海城市加来(Calais)。1346 年英格兰的爱德华三世（Edward Ⅲ）占领了这个地方，并建立起一个据点以控制附近用武力夺取的领土。在不列颠统治的两个世纪里，这个城市转变成为一个行政性的要塞。尽管英格兰人按照当时最先进的意大利模式对其棱堡城墙作了孤注一掷的最后改建，但他们的这个立足点还是于 1558 年被法兰西夺回。这幅 16 世纪末的雕版图引自布劳恩（Braun）和霍根伯格（Hogenberg）编著的《环球城市》(*Civitates Orbis Terrarum*)。

正是当政机器，而非任何特殊形式的活动，才是许多城镇产生的推动力量。舍贝里在权力和社会力量之间划上了等号。他认为前工业城市是“社会的统治者用来巩固和维持自身力量的一种机制”。城市向非城市地区扩展的情况与“某一政治机构的强化和扩张有关，其结果是产生出一个王国或一个帝国”。[18] 相对于商贸而言，军事的征服和政治的平稳更是推动城市产生的因素。一个征服性力量需要通过行政和军事中心来控制新赢取的土地。伟大的穆斯林历史学家伊本·卡尔顿（Ibn Khaldun）在15世纪就提出过非常类似的观点，他写道：“王朝与王权是建造城市和制定城市规划的绝对需要。”[19] 然而难题又在于，究竟哪一样在先。已经有人提出这样的观点，认为早期的王朝需要一个城市基地作为一种主要推进力。最终还是归结到一个似乎不可回避的问题上来：即怎样区分那些在已有政治权力作用下产生的城市，和另一些——用惠特利的话来说，“在民间社会的环境中，因社会、政治和经济关系的自发调节”而产生出的城市[20]。就某一特定地区而言，后一种过程是内在的过程，而外加性的城市，则是城市模式从一个地区向另一个地区扩展时发生的情况。 26

以日本为例：最早的一批城市在公元4—6世纪之间，产生于东北地区（Tohoku）以南。城市起源的核心据说是首领所在的宫殿——都城，那里聚集着一批部落，当时处于墓冢文化（Tumulus culture）时期，位置是日本南部的大和（Yamato）地带。由城防工事围合起来的宫城内有时集合了一些统治者的私人行政人员，有时这些人员就住在紧邻宫城的外围，这样的一个集合体无意中吸引了一批工匠、艺人和武臣，于是，在大和地区内部社会关系调整的过程当中，一种城市形式就这样产生了。之后，在7世纪，突然出现了一种经过整体构思并且完全按正交网格系统规划的都城。最早的是694年的藤原（Fujiwara），大约15年之后，大和平原中部便出现了平城京［Heijokyo，奈良（Nara）］。这种城市模式是外来的——它们是像中国古代长安一样的正交型城市网格。目前尚不能确定的是，这种模式究竟是与中国的政府体制一道直接引进的，还是转道朝鲜的新罗（Silla）王国及其中国式的都城——即今天庆洲市（Kyongju）的所在地，再进入日本的？无论如何，这是一种完全外来的形式，它由一个强有力的中央政权引进并实施到一个与这种形式的产生地完全没有关联的新的地域当中。 29,30 139 174

如果城市的因果关系本身已经是一个难题，那么我们也应该避免对城市所选择的特定地点或特定地理条件作过多的推测和解释。即使对于在某地区自发形成的那一类城市来说，其发展过程也并非是完全渐进式的。在其发展的某个阶段，领袖人物或大众的愿望会发生作用。将城市解释为完全由“自然”因素——即地理的特殊性以及地区中不可抗拒的因素作用的结果，是对一种与人类事件的现实不相符合的物质决定论的迷信。毕竟在许多河流的交汇处、路道的连接点以及具有防御优势的高地上并没有孕育出任何城市。如阿斯顿和邦德（Bond）所说：“城市由人，并且为人而建的。它们所处的地域位置是由人来决定的，而并不是不可抗拒的物质操纵的结果。”除此之外我们也应该记住，“无论某个城市在某个地方得以建立起来的初始原因如何，一旦它建立了起来，便会形成属于自己的基础设施和交通网络。”[21]

那么我们是否达成一种共识，不去在有关城市起因的某个单一问题上作过多地纠缠？上述任何一种促成因素都并非不重要。一个有利的生态基础，一个便利的商易地点，一个涵盖大规模灌溉工程、冶炼术和牲畜驯养术等多方面能力在内的先进的技术基础，一个复杂的社会组织体系，一个强有力的政体等等——所有这一切都与城市的产生密切相关。关键在于，在某些城市的产生过程中，各种元素的作用是相互关联的，其中不同的元素诱发了不同类型的城市，或者更简单地说，促使城市产生的原因可能也正是城市将为之效力的目标。

早期城市形式

早期的城市以多样化的面孔出现。在进入主体讨论之前，我们首先应该放弃这样一个观念——即城市从村庄形式开始有机地生长起来，就像树苗变成为大树，这是人们非常容易联想到的一个画面。无论这种渐进式发展的实际几率有多少，我们都不应该错误地认为非几何性城市是某种简单聚落不断缓慢增生过程的不可避免的结果。从形态发生学角度看，许多情况下，几个原有聚落的集合产生出了任意性的不规则城市。前面我们提到过围绕部落首领的宫城形成的日本第一代城市，它们和美索不达米亚的早期城市类似，也许这些城市的形状不仅是自然调节，或者说是“生理”节奏的结果，同样也与围绕着某种机构核心而生成的特异的社会聚集状态有关。

其次，许多城市从一开始便丝毫没有表现出自然的或者有机的特征。有些城市，例如拉洪(El Lahun)，实际上是工人的生活区而并非全面成熟的城市。尽管如此，这些城市却表现出了古埃及王国的智慧，城市中设计了有序的环境，街道、锯齿形的住宅单位以及层次清晰的住宅区丝毫没有混乱和随意的痕迹。在莫汉约达罗(Mohenjo Daro)这样的城市里，我们见到的是贯穿于整个城市结构的有计划的方格网，街块的大小基本相同，主要大街与划分住宅建筑的巷道保持着理性的差别。

无论城市化过程的实际情况如何，古代传说都坚持认定城市的创造是由最高层允准并进行实施的刻意的行为，是神创造并管理着城市。帝王创造城市是为了建立起他们的一套统治秩序。城市是一种奇妙的、获得神灵启示的创造物。公元前7世纪的一份埃及文献中写道，卜塔(Ptah，人类和众神之父)“塑造了神，创造了城市，建立起了省制(nome)。他还将神安排到神龛里”。一首歌颂阿蒙(Amun)的古老诗歌赞颂他的创造物底比斯城(Thebes)为“众城市之典范”。数百年的经历都是如此。至少在人们的观念中，城市是创造而来的，并非自然发生的。

这一点毫不奇怪，因为在许多古代文化里，世俗的城市代表着一种上天的模式，而极其重要的一点是，对这种模式的再造必须做到非常精确。罗盘的4个点、对称的大门、圆形物体的尺寸、具有魔力的数字等等，这些具有宗教意义的原则必须被遵守。于是这就意味着某种带有几何纯净性的人为布局。神清楚这一切并将自己的要求告诉了帝王们，如果你有机会从零开始，那么就可以完全按照神的旨意创造出一座城市，这样你的统治便有了一个吉祥的开端。在历史上，许多新城的出现预示着一个新时代的开始：就像阿马那(Amarna)之于阿肯纳托(Akhenaten)[埃及国王，公元前1375—前1358年(译注)]，豪尔萨巴德(Khorsabad)之于萨尔贡二世(Sargon II)[亚述统治者，公元前722—前705年在位(译注)]，巴格达(Baghdad)之于阿勒曼苏尔(al-Mansur)，大都之于可汗忽必烈(Khubilai Khan)，凡尔赛之于路易十四 (Louis XIV)那样。这些新城市拥有非常可贵的有利条件：统治者可以为他的城市设计理想的人口数量，并迫使这些人在预先设定好的相互关系中生活。

城市形式是通过多种定居过程产生的。

27，28　左图，通过村镇联合，几个独立的村庄聚集成一个共同的社区。

29，30　中图，在宫殿、庙宇和堡垒的附近，由于集中财富的吸引，形成服务性社区。

31，32　右图，以哥伦布到达之前的狄奥提瓦干(Teotihuacán)(墨西哥)为例，宗教机构的行政力量如此之强大，它足以能够用一种正交体系将早先存在于那里的村庄模式彻底覆盖。

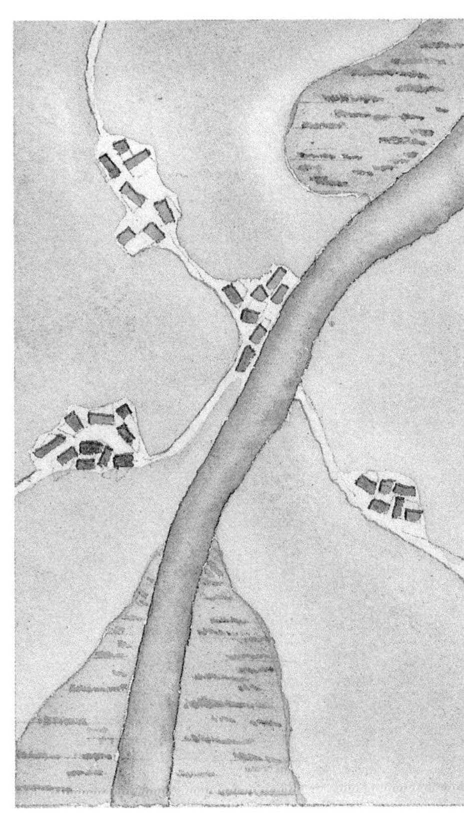
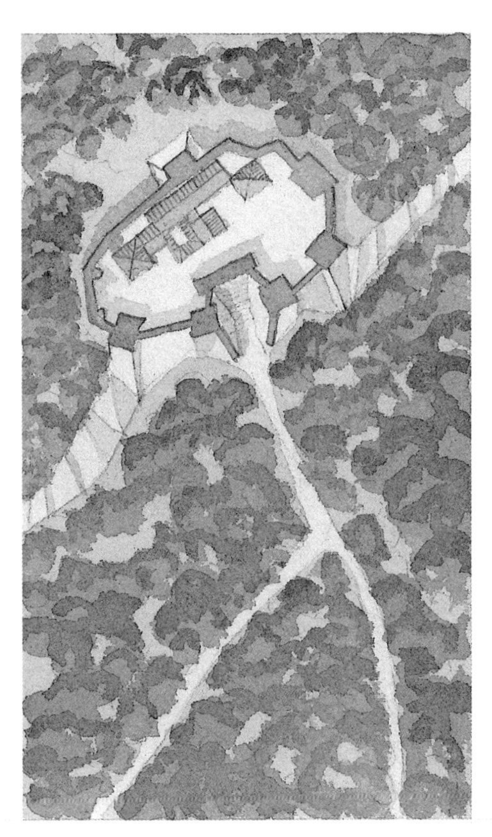
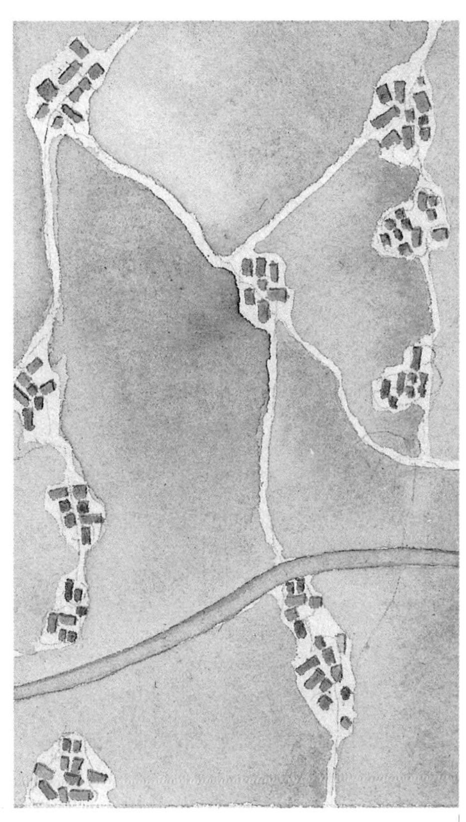
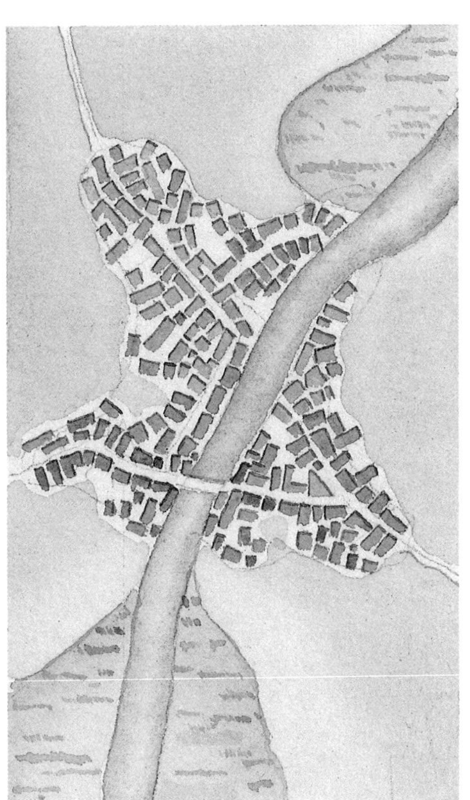

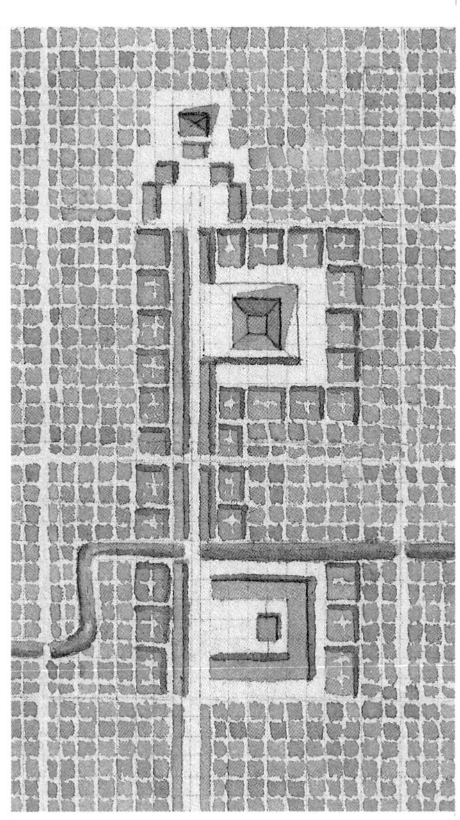

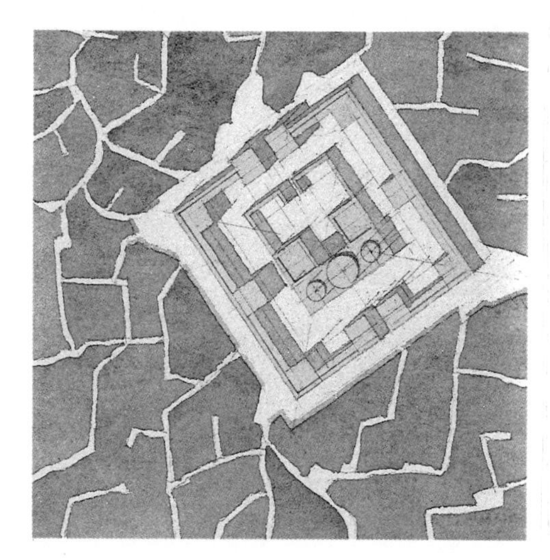

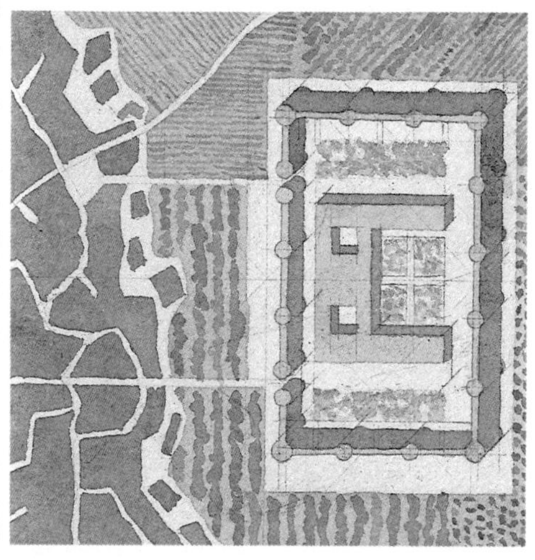

33，34　在尺度和几何秩序方面，建造在城市核心区内或附着于城市边缘的纪念性神庙和宫殿与它们所处的城市环境形成惊人的对比。

如果情况不是很理想，你不得不在继承来的已有的城市基础上工作，那么你仍然可以做两件事。你要么确保城市中央的纪念群体能够反映出神的原型——这就是为什么即便在不规则的城镇当中，庙宇-宫殿群落常常采用规则型的布局，并且在尺度和人为秩序方面与城市其他部分的肌理形成巨大反差。33,34或者，你也可以在旧城基础上创造新区，以新王朝的风范赋予它纪念性，而生活在其中的人则是与众不同的尊贵人群。阿苏尔（Assur）和巴比伦（Babylon），开罗（Cairo）与萨迈拉（Samarra），埃尔科莱·德埃斯特（Ercole d'253Este）对费拉拉的扩建，勃兰登堡地方选帝侯（Electors of Brandenburg）对柏林的建设等等都属于这一类情况。历史上许多城市的形状来自于在原有城市核心基础上的一系列规划性扩建，而最有启迪意义的城市景观现象之一，就是这些新增结构与旧城市结构之间相互结合或相互区别的多种关系方式。

与这种神/帝王创造城市的传说相并行的，是一种似乎也很早出现的相反的说法，称人类——即普通人，自作主张地建设城市，令神很不高兴。《旧约全书》很明显地流露出一种反城市的情绪。上帝创造出一个花园，一个自然的天堂，一个伊甸园，但“该隐离开耶和华的面，去住在伊甸东边的挪得之地（land of Nod）……他建造了一座城”。之后又一回，诺亚的后代在往东边迁移的时候，在示拿地（Shinar）遇到了一片平原，“于是他们说：‘到那去，我们要建造一座城和一座塔，塔顶通天，为要传扬我们的名，免得我们分散在全地上。’”而上帝知道后便立即结束了这场渎神的行为。

在这种抵抗情绪中我们是否看到一种土地的文化？在这种文化里，上帝无处不在，上帝驻扎在河流和高山之中，时刻监控着来自城市的挑战，或者说，上帝在防御着人对神性的驯化。或许，我们还可以从中看到一种民粹主义的开始——即试图绕开集中性权势，不依靠帝王和教士，而按照人民自己的愿望去建造城市；或者，从这些权势的手中夺取城市。

在希腊人的世界中，上述思想在“城邦”（Polis）的概念中发展到极致，生活在同一地方的民众的全体（community）就是城市。尼西阿斯（Nicias）对站在锡拉库萨（Syracuse）海滩上的雅典士兵说：“无论你们选择到何处驻留，你们自己就是城市……人形成了城市，而不是那些没有人的城墙与船只”[修昔底德（Thucydides vii.63)]。“城邦”带给我们“政治”(Political)。亚里士多德(Aristotle)说过，人是“政治”的动物，所以人天生适合生活在城市里。

我们怎样去辨认这样的一种城市？城里除了神的所在地之外，没有其他纪念性场景，没有石造的住宅，没有花俏的街道。城里会有一些场所让公民可以聚集在一起，就影响他们共同命运和生活方式的事项作出决定。城市是衡量一个人道德品质的尺度。好人生活在城市里，他们属于那个赋予了他们身份与自我价值的特殊的城市。那些践踏道德的人将被城市所排斥。萨福克里斯(Sophocles)写道：“没有一座城市会收留那些胆敢以可耻的方式生活着的人。”

在希腊/罗马时代之后，作为一种艺术门类的城市——即 urbs，与作为人的自然汇聚场所的城市——即 *civitas* 相比更为流行，我们又一次发现集体精神的张扬。正是这种精神使得一些罗马城市从帝国解体造成的悲凉、萎缩、颓败的境地里走了出来。正如 7 世纪时塞维利亚(Seville)的伊西多尔(Isidore)在描述城市(civitas)时所说的：城市“是人而非石头”。而当几个世纪过去，人们从封建领主的手中重新获得城市控制权的时候，一种集体的存在、一种道德的责任、一种由公民自己主宰自己命运与城市形式的力量再度出现。在整个中世纪的后期阶段，市民对城堡与大教堂，以及对地主与主教的抗争，极大地影响了城市景观的塑造。

城市是什么?

作为对绪论的一个总结，我想，我们可以对与城市有关的一些简单前提达成共识，尽管不同城市在起源地、形式与创立者诸方面有许多差别。我们可以从 1938 年出现的两个较具判断力的定义开始。L·沃思(L. Worth)认为城市是“一个相对较大，密度较高，由不同社会阶层的个体组成的永久性的定居地”。[22] 芒福德认为，城市是“权力与集体文化的最高聚集点”。[23] 而以下则是我对这些基本前提的解释。

A 城市是人们积极的聚集行动发生的场所。这一点与绝对的尺度和绝对的数量无关，但与定居的密度相关。前工业时代的绝大多数城市都很小，人口低于 2000 的城市并不少见，而高过 1 万的地方就很难得。在神圣罗马帝国(Holy Roman Empire)属下的大约 3000 个城市当中，只有大约 12~15 个城市超过 1 万人口[科隆(Cologne)和吕贝克也在其中]。

一些数据可以为后面的分析提供参考。古代真正意义上的大都市只有屈指可数的几个，其中包括公元 2 世纪帝国时代的罗马和 8 世纪的长安。中世纪达到这种规模的城市有君士坦丁堡(Constantinople)、科尔多瓦(Cordoba)和巴勒莫(Palermo)，后两个城市在 13—14 世纪之间人口大约在 50 万左右。巴格达在 1258 年被蒙古人(Mongol)毁灭之前有 100 万人。同样，中国也有此类大规模的聚居地——如 15 世纪的南京，以及封建时代后期的北京、苏州和广州。北京直到 1800 年代一直是世界最大的城市，人口为 200 万~300 万，后来被伦敦超过。在 17 世纪只有伊斯坦布尔(Istanbul)、阿格拉

（Agra）和德里（Delhi）可以与之相比。至少在前工业时代，每一个这样的巨型城市的背后都有一个强大的中央政府。如果没有这样的统治者，城市就会萎缩和消亡。

B 城市总是集群出现。一座城市不会在与其他城市毫无联系的情况下孤立存在，因此城市总是处在某个城市系统或城市等级体系当中。即使最低等的小城市也有依附于它们的村庄。正如布罗代尔（Braudel）所说，"城市只能在与比它自身更低的生存形式相联系的过程中作为一个城市而存在……城市只有掌管一个领域才能实现自己，尽管这个领域也许极小。"[24] 在中国，城市的等级通过城市的名称反映出来，例如"府"（fu）是最高级别的城市，"州"（chu）次之，而"县"（hieu）更低。同样，16 世纪奥斯曼土耳其帝国时期安纳托利亚地区（Anatolia）的城市也有明确的等级，为首的是伊斯坦布尔，其次是人口为 2 万~4 万的地区性中心，最后是两组等级较低的城市，人口分别在 1 万和 5000 以下。

C 城市具有某种物质上的，或象征意义上的形态界限，这个界限将城市性与非城市性结构区分开来。J·-F·索伯里（J. -F. Sobry）在他 1776 年所著的《建筑》（*De l' architecture*）一书中写道："没有墙的城市不是城市"。即使不存在形态上的界限，城市也会有某种行政上的边界，这是权利和限制得以施行的合法范围。

D 城市内有明确的劳动分工——这里的人有牧师、工匠和士兵，但财富在公民中的分配并不平均。这些差别产生了社会等级：富人比穷人占有更多的权力；神职人员比工匠更有地位。社会的差异性已然生成。城市人口由不同民族、人种和宗教的人群组成，即便在由同种族的人构成的城市里，比如早期西非约鲁巴人（Yoruba）的城市，也有可能会包含奴隶和暂住的商人。

E 城市是一个有利于获取收益的地方——这里有贸易、高度发展的农业和食物剩余的可能、物质资源如金属矿和天然泉水［英国的巴斯（Bath）］、地理资源如自然港口、人力资源如国王。

F 城市必须依靠文字记录。只有借助文字，人们才能够清点与记录货物，制定统治社区法律和建立所有权机制——这是极为重要的一点，因为在最终的分析结论中，城市是建立在所有权结构之上的。

G 城市与乡村有着紧密的联系，必须有一片相应的地域一方面供养城市，另一方面又为城市提供保护与其他服务。本书将不断重复提到的城市与乡村之间的区别实际是不确定的。古罗马的城市与周围经人为划分后的乡村密不可分；离开了它们的农民（contado），伟大的意大利城市佛罗伦萨和锡耶纳就无法存在；同样，新英格兰的城市也有各自相应的乡村和绿地。城邦、城市、自治体（Commune）、城镇（Townshm）所有这些词指的都是某个城市性的定居地及其周边地区的总合。[25]

城市形式常常受制于乡村的土地分割系统。古罗马时期的土地百分体系（centuriation）指的是将乡村土地分割成理论上应该为 100份的方形土地单位，古罗马人通常将城市的正交主轴与土地百分体系中的主要南北和东西向轴相联系。覆盖美国 2/3 土地的"国土测绘"网（The National Survey）决定了美国许多城市的位置和大小（参见"网格"

35–43　城市的特征：

A 积极的聚集（Energized crowing）

B 城市组群（Urban clusters）

C 形体上的边界（Physical circumscription）

D 功能的区分（Differentiation of uses）

E 城市资源（Urban resources）

F 文字记录（Written records）

G 城市和乡村（City and countryside）

H 纪念物的结构（Monumental framework）

I 建筑和人（Building and people）

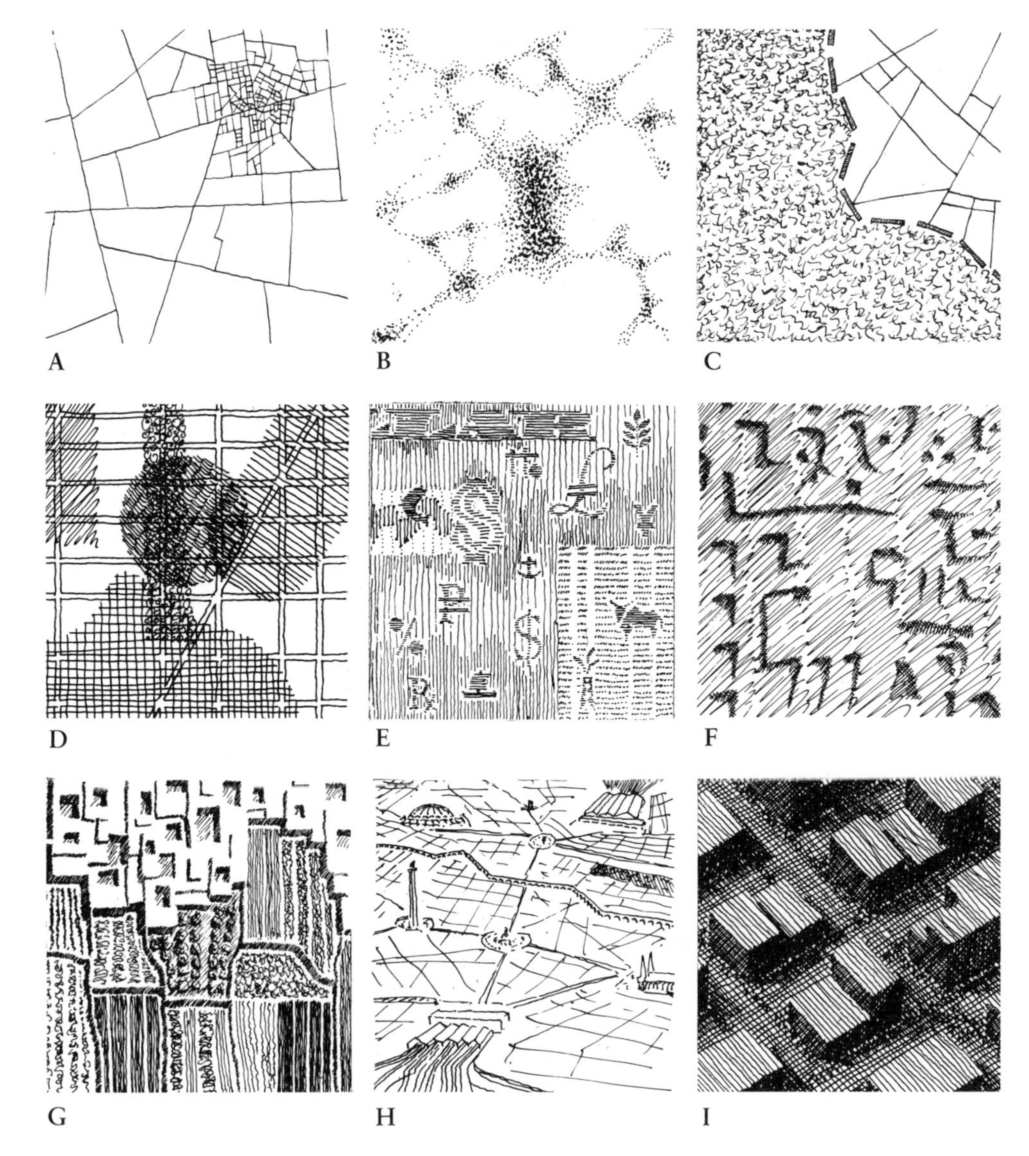

一章）。而我们更加关注的情况是，乡村已有的土地区划常常影响到以后城市的布局，并决定了城市发展的形态。

城市与乡村哪一个更早出现的问题并不是一个简单的问题。中东和中国最早出现的一批城市控制并组织着已经存在的农村。但是在美国西部的开发过程中，城市则先于农场建立，它们使农场的运作成为可能。同样，城市和乡村孰轻孰重的问题也一直是历史上人们激烈争论的对象。这里我举出两个尽可能相去较远的例子：中国的儒家认为精英的职责应该是统治，政府意味着城市，而政府的目的就是要开化乡村，这就与道家和佛家的乡居思想相冲突。托马斯·杰斐逊的农业共和主义思想对于美国这个年轻国家的城市建设毫无帮助。城市是“国家的伤疤”。

H　城市带有某种形式的纪念寓意，这使它们与其他地方相区别，也就是说，城市肌理并非由一成不变的居住结构组成。这意味着城市中有一系列能够赋予城市尺度感的公共建筑物，以及代表城市个性的公共地标。技术性的纪念物也很重要：古罗马有水道；蒂卡尔有一个巨大的人造水库；斯里兰卡的阿努拉德普勒（Anuradhapura）有其雄伟的水利系统。早期的集权政府通常会强调建造在公共领域中的宫殿和庙宇。而在人民的城市里，王宫消失或者转化成为人民宫，庙宇也世俗化了——希腊城邦便是如此，那些拥有公众厅(palazzo pabblico)、市政厅（Rathalls）和“市民”大教堂的中世纪欧洲自治城镇也是这种情形。

I 最后，城市是由建筑和人组成的场所。我同意凯文·林奇的说法，认为“城市的形式、它们的实际功能以及人赋予城市的思想和价值共同造就出一种奇迹”。[26] 在历史的每一个阶段都曾经出现过许多新城市，它们或者流产或者早逝。19世纪铁路公司在它们新拓展的铁路沿线规划的方格网区绝大部分没有能够发展成为真正的城市。相反，我们也可以怀疑那种学究式的观点，认为具有漫长历史并且设施完备的玛雅古城、吴哥城(Angkor Thom)以及佛统府(Nakhon Pathom)不属于城市，因为它们没有居住的人口。可是那些壮美的纪念性场所，那些牧师、建造者、工匠以及商人却是彼此共存的。在这本书中，我们会发现某些没有城市的社会，有时城市则表现为乡村环境主导下的发育不全的机体。我们也应该承认，城市与乡村生活方式有时是相互对立的社会系统。进一步而论，人类定居史的理论必须建立在对乡村—城市这个连续统一体的分析基础之上，作为完整分析单元的城市必须被看作是一个相对的概念。综上所述，城市是最不平凡的、历史最悠久的人类创造物和人类机构之一。城市具有无法抗拒的魅力，对城市的研究既是一种责任也包含着崇敬。

173

本书的内容当然不仅仅只限于过去。我们这个时代新城市依然不断在产生着，有的是通过法律整合，有的是通过单体繁殖。1950年以来英国产生了30个新城。在法国沿塞纳河谷的两条主要轴线上，几个30万~50万人口的新城正在兴建之中——其中包括伊夫林的圣康坦(St. - Quentin - en - Yvelines)、埃维里(Evry)和马恩-拉瓦雷(Marne - la - Vallée)。巴黎地区之外也在建造新城。苏联有数百个新城市，它们与工业的扩展密切相关。美国1960年代启动的“新社区”计划现在也已经产生出可观的结果。

从杰里科到马恩-拉瓦雷是一个漫长的进程，我的这种试图用主题研究的方法涵盖整个城市历史的愿望是建立在矛盾基础之上的。在物质形体方面，城市的寿命极其长久，正如万斯所说：

> *城市最持久的东西是它的物质体，城市的物质体有着不同寻常的耐久性，在适应新的经济需求和体现时代风尚的过程中不断增添新的物质内容，同时又为现在和将来的人们保存过去城市文化的痕迹。*

而与此同时

> *城市社会的变化多过任何其他形式的人类集合体，经济变革常常最快、最激烈地发生于城市，移民的首选目标是城市中心，这使得城市在转化乡村移民的过程中担当了关键角色，同时知识风暴也是在城市中表现得最为剧烈……。*[27]

44　布达佩斯（Budapest）的马克思广场（Marx Square）——原名柏林广场，这里的街道和建筑体现了一个世纪以来城市文化的变迁。照片的右边是 19 世纪末壮丽风格（fin- de- siécle splendor）的遗留物，建筑顶部的红星将它带入了社会主义时代。街的对面是一座玻璃幕墙的商业楼，多层的道路和天桥展现出一种现代后期的城市景观碎片。

本书及其姊妹著作的目标，就是要掌握和研究社会-经济方面的变化性与城市物质体方面的持久性之间的重要矛盾关系。

第一章 “有机”模式

经规划的城市与未经规划的城市

最持续、最原始的城市分析让我们相信，城市有两类，区分两者并不困难。第一类是经过规划、设计，或者说经“创造”而成的城市——即皮埃尔·拉韦丹(Pierre Lavedan）所称的 Ville créée。这种城市在某个片刻被决定下来，其结构模式由某个主导的权力一次性确立。直到 19 世纪为止，这类模式无一例外地表现为某种规则的几何性的图形。最纯净的形式为方格网，或者呈圆形或多边形的中心性平面，街道是从中心向外伸展的放射线；但通常城市的实际几何模式更为复杂，是对上述两种纯粹模式的调配和重组。

47
147
159

另一类城市是所谓的 Ville spontanée——即随机城市，也称作“生长而成的”、“随机发生的”、“自生的”(区别于“外加的”)城市，或者，有时为了强调城市形式中的一个突出的决定因素，也称其为“地貌的”城市。通常认为这类城市是在没有人为设计的情况下产生的，它们不受任何总体规划的制约，只是随着时间的推移，根据土地与地形条件，在人们日常生活的影响下逐步产生和形成的。其形式是不规则的、非几何性的、“有机”的，它们表现为任意弯曲的街道和随意形状的开放空间。人们用“未经规划的演变”或者“本能性的发展”这样的词汇，来强调这类城市形式随着时间的推移逐步形成的过程。

46

以下是一位城市历史学家 F· 卡司塔格诺里 (F. Castagnoli) 所作的表述：

不规则的城市是当实际居住在这块土地上的人们全权掌管城市时所形成的形式。如果某个统治机构在将土地交给使用者之前预先进行过分割的话，那么相应就会出现另一种统一模式的城市。[1]

45 维兹莱 (Vézelay)(法国)。一条有着优雅曲线的街道顺着行进的路线来到一座本笃会修道院的前面，修道院的教堂因安息着玛丽亚·马格德琳 (Mary Magdalen) 的遗体而闻名。这座小镇惊人的发展几乎全部归功于它独特的宗教地位，但是在 13 世纪末，玛丽亚·马格德琳的遗物在普罗旺斯 (Provence) 的圣马克西姆教堂(St.- Maximin)被发现，于是维兹莱被它过去虔诚的参拜者所冷落，它的发展也戛然而止。

从这个角度看，这就是一个关于规则以及规则的必然的结果——控制的问题。于是根据我们对事物的不同看法，我们或者会以形式的条理性为理由偏爱规则城市，或者会反过来指责其刻板。同理，我们可能会反对未经规划城市的随意方式——也可能会赞扬其随机应变的地形处理，具有适应性和敏感性的形式发展，以及它们与社会生活节奏之间天然的、水乳交融的关系。

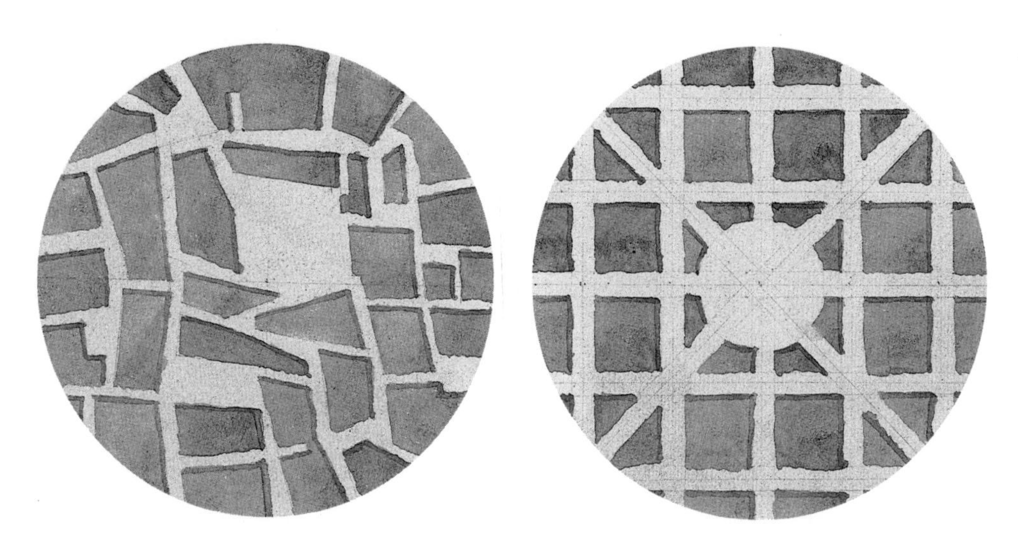

46，47 随机型城市的不规则几何性和规划型城市的有序框架。

由于众多的原因，这种旨在简化我们对城市形式认识的简洁的二分法对我们的阻碍实际多于对我们的帮助。

首先，有必要强调的是，规则城市所体现的规则性是有条件的。在规划平面当中看上去笔直而整齐的道路可能因道路两边建筑体量的随意性而打折扣。

上面所说的不可预见性来自两方面。一方面是建筑与街道的关系，另一方面是建筑在各自地块中的位置，两者都极大地影响着人对城市几何秩序的体验。彭威廉（William Penn）在制定著名的费城方格网规划时就已经掌握了这一点。他在指导实际建设的时候特别注意使建筑沿统一的道路边线布置，并控制沿街建筑的相互间距。他这样写道："要尽可能使建筑物排列成行，或遵守同一条边线。如果业主同意，就将建筑全部定位在地块宽度的中央。"18 世纪时，各地的巴洛克城市建造者普遍强调，甚至在允许的情况下建立了法规，迫使沿街建筑紧贴地块的边线建造以形成平直的界面，甚至对建筑的立面也有统一的要求。[2]

48,49
252

统一视觉形象的目的，是为了控制可能削弱整体规划效果的下一轮建设行为。但即使建筑物像士兵一样沿网格状道路作整齐排列，由于每座建筑自身形体的变化，尤其是高度的不同，还是会导致一种似乎未经规划的繁乱效果。当曼哈顿岛严格的平面网格垂直地发展到空中时，却出现了从混杂到奇异的多种变化。

102

如果规划城市最终效果的形成是有条件的话，那么"未经规划"的城市的不规则性也只是相对的。在这里，曲线是一种常见的元素，但不是绝对的规范。街道片断随意相交，直线性元素常常被一些转折所打断，形成了貌似无规律的布局。这就是理查德·皮尔斯伯里（Richard Pillsbury）在归纳早期宾夕法尼亚州城镇时所说的"不规则模式"。切斯特县（Chester County）的剑桥（Cambridge）就是这样一个例子。[3] 如果这些直线性的元素呈现某种程度的稳定性，那么我们就可以将它们解读为变异的网格，从中找出规则和变异，荷兰的纳尔登（Naarden）和法国的维里尔（Villeréal）便是这样的例子，两者也都是人为建立的城市。

50

在现代，规划的城市与未经规划的城市这两种基本类型之间的错综关系也表现得相当奇特。从 19 世纪初开始，一种新的风格首先出现于浪漫主义的郊区设计当中，后来逐渐发展成一种另类于西方主体城市形式的完整的新体系，这是一种经过仔细推敲的、刻意的非几何的设计，目的是为避免刻板的抽象几何形。这种风格崇尚曲线形的街道系统、片断的线条、突出的间隙和活泼的轮廓线，这类布局以主动的、模仿性的方式重新表达“有机”的宗旨。因此，我们可以称之为“规划而成的有机”，或者更顺口一些，称之为“人为的画境”(planned picturesque)，关于这种风格我们将在本章的最后一节讨论。

48，49　直线街道的几何规则性可以通过强制性的统一沿街建筑控制线而加强，也可以因建筑位置的多变而削弱。

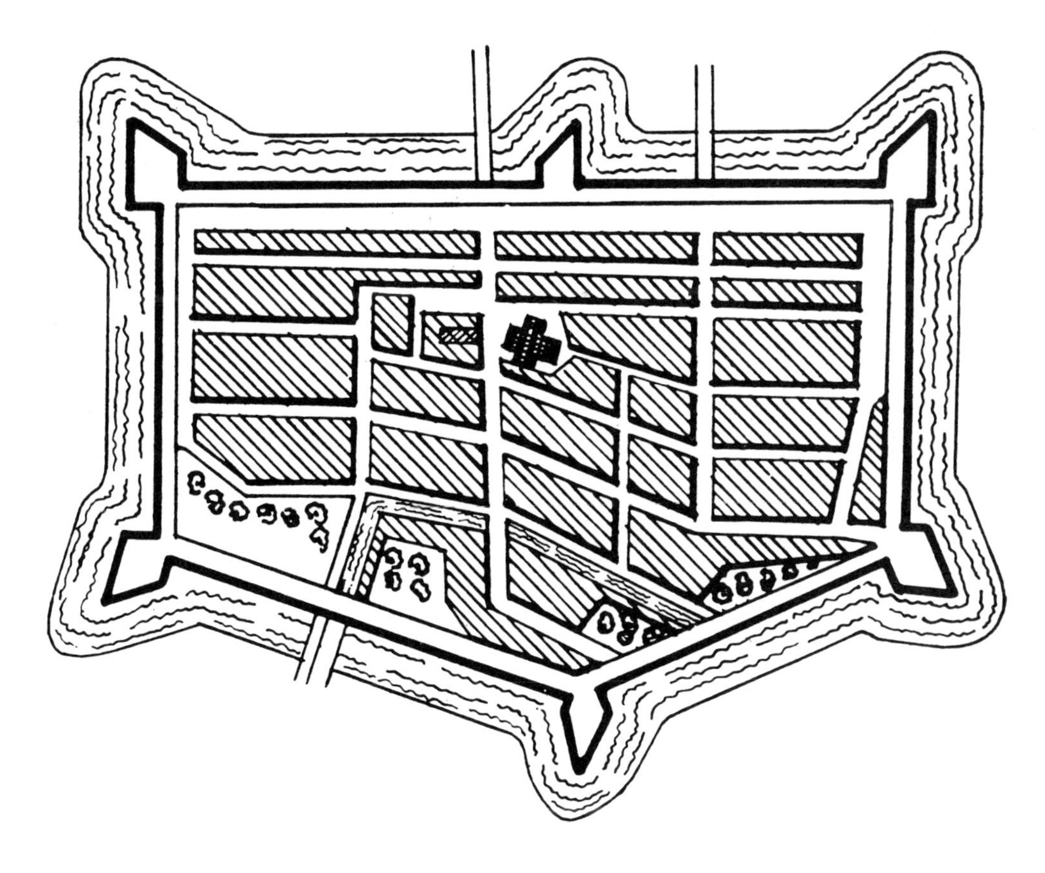

50　1632年纳尔登(荷兰)。倾斜的街道网格形成于1350年威廉五世(Willem V)时期，这时纳尔登作为一座新城重新建立了起来，此前，这里原有的一个定居地遭到了大火的毁灭。17世纪时，由于纳尔登在须德海(Zuider Zee)上所处的战略位置，使其发展成为一个前方要塞。[根据波克斯胡恩(Boxhoorn)的原图复制]

51　1877年波士顿(马萨诸塞州)。在这幅约翰·巴赫曼(John Bachmann)所作的城市全景图里，我们可以看到不规则形和长方形片区的结合。在州政府附近(位于图的中央)的城市传统核心区，弯曲的街道系统遗留了原有地形及过去乡村道路的痕迹——它们是赋予了城市最初形式的东西。在背景的右面是南角(South End)的网格状城市区，这个地区是在19世纪中期的填海工程基础上建造的。

共存和转换

如果随机翻阅各个历史时期的数百幅城市地图，我们就会更加怀疑这种建立在几何基础上的城市二元分类法的有效性。我们会发现规划与“有机”这两类布局形式常常相互依存，就像波士顿规则整齐的拜克湾区（Back Bay)与老城区之间的关系那样。在欧洲，与密集的中世纪城市核心区紧密相连的新城区常常表现为规则性布局。现代殖民地势力在覆盖北非当地纷杂的阿拉伯人城市(medina)以及传统的印度和印度支那城市的时候，使用的也是以对角线为快捷道路、以规整性广场为结构重点的宏大的几何体系。

51
253

这就是我们必须说明的一个观点。无论在中世纪的费拉拉和它后来的“大力神扩建”区 (Herculean Addition)之间，还是在新德里和旧德里之间的差别如何显著，我们都必须牢记费拉拉和德里本身都是城市的整体，无论从历史上还是从物质上都不应该被当作永久性的两个部分。在有些城市里，这两种形式的差别不如上述两个例子那么明显，有时规划的

52　赫拉特（阿富汗）。这张分侧的城市平面图表现了在不同街道等级基础上多种几何性的共存。右侧，城市的超级网格在其巨大的四方块中细分出二级街道系统。左侧，当平面上进一步表示了迷宫般的院落和死胡同之后，城市总的组织结构特性就完全无法辨认了。［根据冯·尼德迈耶（von Niedermeyer）的原图复制］

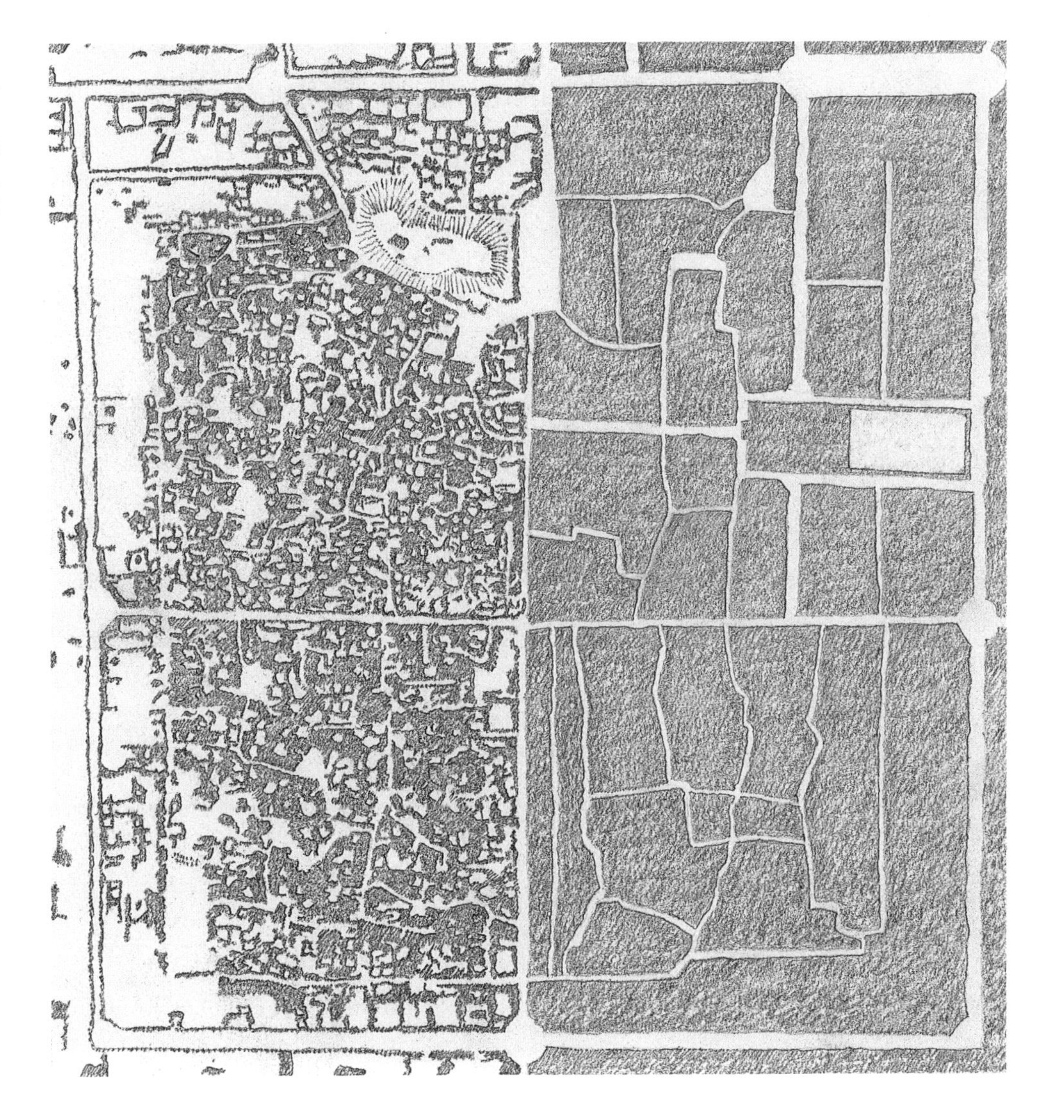

新建部分不只限于一个区域，我们就更应该将城市作为一个错综复杂的综合体，作为历次事件的总和去研究和解释。

绝大多数传统城市以及几乎所有具有大都市尺度的城市，都是由预先设计的部分和随机发展成的部分相互拼接、相互重叠而形成的。“有机”的旧城核心本身就可能是几个部分的结合；围绕旧城的则是一系列较规则的新区；而不时在城市边缘地带以及城市内部某些未占用地块上出现的，由没有土地所有权的人建立起来的临时性聚居地又可能会在某种程度上打乱多年来形成的连续性和条理性。沃尔夫冈·布劳恩费尔斯恰当地提醒我们，城市“是自我更新力量的设计成果”。[4] 所以，那种试图从一个连续的调整过程中将规则性和不规则性形式分离开来的做法是否有益就非常令人怀疑。

对这个问题我们可以作进一步拓展。这两种城市形式并非永远处于邻接状态。它们可能会发生结构改变。随着时间的推移，对早先城市的几何性格局的不断修正可能会导致另一类版本，原来的规则网格会被繁杂的死胡同和狭窄弯曲的街道系统所覆盖。

以阿富汗最西部的大城市赫拉特（Herat）的平面为例，两条基本为直线的商业街呈 52

十字相交，将城市分成4个方块；城市的外围由平行于城墙的道路所包围，形成了一个几近完整的正方形。但在每一个方形地块内，却充满了各式各样丰富混杂的街道元素。至少初看上去情况的确如此。事实上，我们不难从其中分辨出次一级的道路系统来，这些次级道路基本上是以正交主轴线及外围道路为起点，从大致的南北和东西两个方向伸进地块内部。在1916/1917年德国长官奥斯卡·冯·尼德迈耶所作的赫拉特地图中，那些从次一级道路上诞生出来的长度较短的死胡同被忽略，于是城市布局的规则性被夸大了。这种情况显示，赫拉特可能起始于某种规则性的网格平面，但由于长期的使用使原来清晰的线条被磨损了。一方面，我们不能排除赫拉特曾经是希腊化城市的可能性，另一方面，也有观点认为赫拉特是按照印度建筑手册《曼那沙拉》(*Manasara*)中的严格步骤建造的(参见103页)。[5]

再以我们比较熟悉的西方城市为例，分析罗马帝国灭亡之后，那些曾经经过严格规划的古罗马城市［如英国的卡利恩(Caerleon)，意大利的奥斯塔(Aosta)，西班牙的巴塞罗那］的变化进程，我们可以找出它们形式解体的几个主要阶段。欧洲城市在罗马帝国之后经历的衰退与调整的背景是众所周知的——人口减少、经济衰落，从多神崇拜的非基督教文化转化为单一基督教文化时带来的社会动荡，以及后来进入某些欧洲地区的伊斯兰教的影响。在新的社会结构中，没有了剧院、斗兽场、庙宇，或者(如果在信仰基督教的情况下)浴场的位置，古典城市中的市民公共机构被废弃，这种情况造成的结果之一，便是公共空间维护力量的削弱和消失。于是，在理性秩序下由公众持政的古罗马城市便开始解体。此后发生的事情可以归纳为三个阶段。

164

53–55

第一个阶段是“解放几何规则对活动的约束”。网格对人的活动来说是生硬的。除非不得以，我们来往走动时一般不会作直角转弯。罗马帝国之后，城市市政管理瘫痪，人的自然运动不久就在原来严整的网格基础上添加了步行捷径。环绕和穿越废弃的公共建筑的便道慢慢地也变成了固定的道路。

同时，中心市场的交通模式也逐渐开始适应新的城市状态，这些市场有时沿袭了古罗马的城市广场。在中世纪封闭的经济体系中，市场具有极高的价值，市场的优势被严格控制着。城镇保持着较小的尺度。向非本地居民的商人征收的市场税是城市的主要收入来源，这一利益的驱动也使得城镇市民反对开放性的移民和城市的扩张。在城市内部，工匠和店主生意的好坏取决于店面靠近市场的程度。市场周围地带是最有利的位置，除此之外是通向城门的街道。对于工匠和店主来说最有利的城市布局应该是车轴形——即几条街道从中心市场出发向城门放射。而古罗马城市却是以十字轴为主干的网格形，广场位于或者靠近中心。于是，原有网格结构最薄弱的位置自然就会被打通形成穿越地块的街道。

57

56

第二个阶段是“街块的重组”。在古罗马时期，住宅结构由不同家庭的独立住宅组成，一般3~4户住宅形成一个街块，在密度较高的城市则由公寓式住宅，即insulae组成。而伊斯兰城市普遍具有另一种完全不同的居住结构。人口按血缘、部落和种族形成邻里。在这种情况下，贯通的街道就成为这些封闭的社会集团之间的分界线。古罗马时代的网格是开放的，而伊斯兰的“街块”却是内向而缠绕的。所以在伊斯兰接管的古罗马城市——如大马士革(Damascus)和西班牙的梅里达(Mérida)，街道和公共场所等开放空间由于不断地被填充而变得越来越小，通直的大街被截断，原来的街块聚合成为牢固的巨型街块，在致密的结构中建立起内向的交通系统，其中最基本的元素是为同一邻里的居

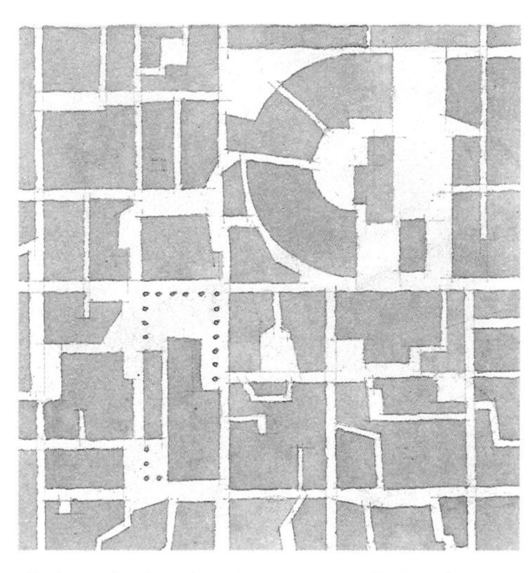

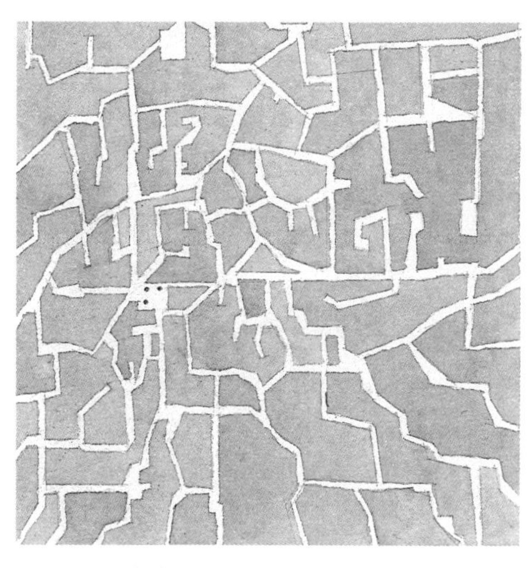

53-55　网格状古罗马殖民地向伊斯兰城市的逐步过渡。左图，古罗马稳固的网格结构中穿插着开放的市场和圆形斗兽场。中图，伊斯兰居民将公共纪念物改造为私人用途，切入街块的路径开始侵犯正交街道格局。右图，改造后的城市只有极少量的开放性公共空间。在由窄巷构成的弯曲系统中，几条直道提供了对原有城市布局形式最微弱的暗示。

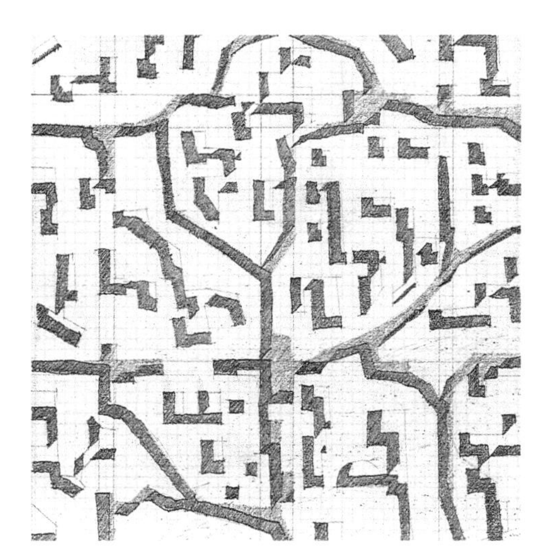

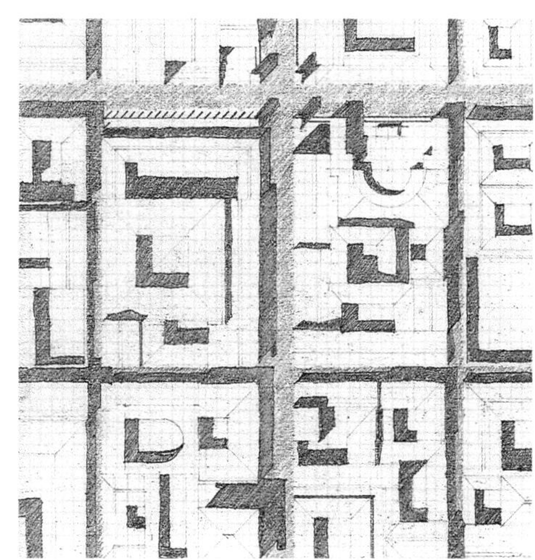

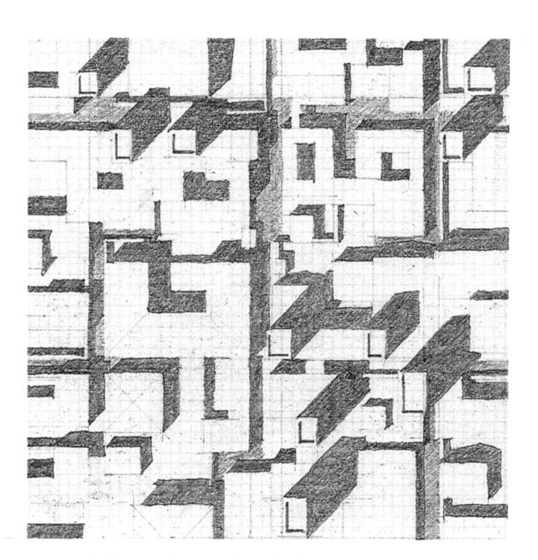

56-58　伊斯兰和封建意大利对已有古罗马城市的调整表现出形式和社会关系方面的特征性差别。中图，罗马帝国在地中海地区殖民地采用的典型的网格平面。左图，经伊斯兰居民重新改造之后，原来的街道被巷道网所取代，这些巷道按宗族或种族在城市里划分出区块。右图，中世纪意大利对同一城市区域的改造可能表现为街块与街块之间的融合，形成配有防御性碉楼的堡垒式封建领地。

民服务的尽端路。

类似这种因居住布局的变化而改变古典时期网格系统的现象也发生在西方，尤其是在意大利。起因是由于贵族家庭迁入城市，并且开始在城市中按照他们乡间住宅的样子建立起堡垒式的府邸。这种堡垒吸纳了周围分散的地块，堵截了一部分道路，并且在四周封闭了起来。相邻的贵族府邸又进一步结合成防御同盟，形成半自治的、核心式的单位，并建造了防御碉楼。所以到了中世纪后期，自治城镇出现的最初标志，就是敲开这些私有的堡垒，使街道和公共场所重新归全体公民所有。

58, 60, 111

第三个阶段，“新的公共中心对城市结构的影响”。像流水一样，交通也会自然形成自己的走向：古罗马之后城市生活的中心点——城堡、大教堂、主教府邸，它们会将交通网络拉向自身。同时，曾经是通往重要公共场所的道路也因为这些场所原有地位的丧失而萎缩。在古罗马城市整齐的网格中，新形成的中心造成的压力如果能够任意发展，便会导致原来城市系统的永久解体。

如果要获得一套与重要公共空间的布局相对应的多层次的交通系统，那么网格形式显然有所局限。这时最简便的做法就在正交框架内确立出重要场所的地点，并

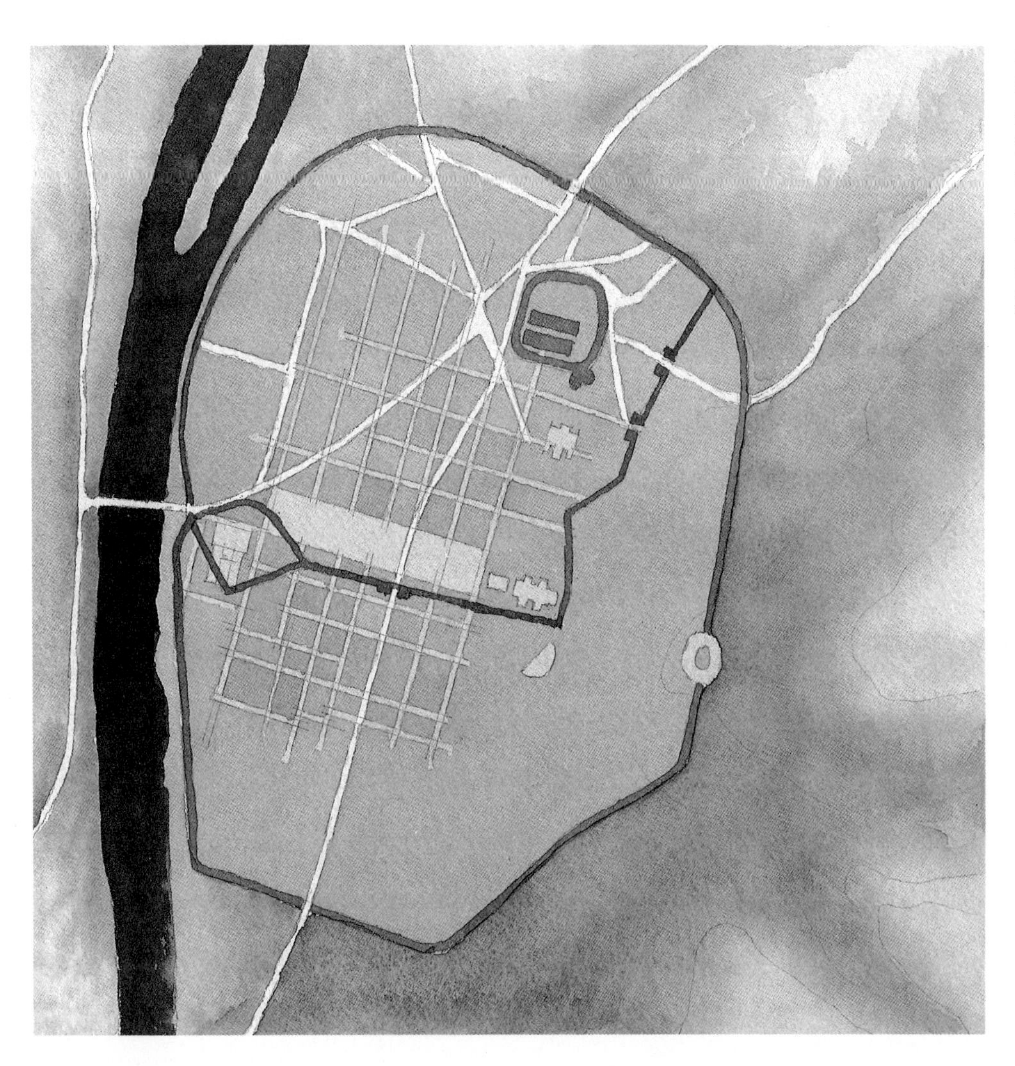

59　中世纪农业定居模式叠加在特里尔城（Trier）(德国)早的古罗马网格之上。在长方形公共广场和严格正交的街道格之外，这座古罗马城市的外围原来还有一圈范围广阔的墙。12 世纪时，特里尔大大缩小了防御圈，将城市 1/3 的城划到了城外。图中白色表示的古罗马公共机构——浴场斗兽场和公共广场被废弃，它们的废墟转变为私人用途。个中世纪定居地的中心移至城市东北角的堡垒式大教堂，场位于教堂门外。改造后的城市街道完全取代了原来的格，一系列发射状路径汇聚到教堂前的市场。[本图根据波(Böhner) 的原图复制]

60　佛罗伦萨（意大利）。中世纪对古代罗马网格的调整充分体现在这幅1427年所作的地籍平面图（catasto）中，这幅地籍图据称是欧洲第一幅为税收的目的评估私人财产而特别制作的土地测量图。在这幅复制的详图中，八角形的洗礼堂位于右下角。

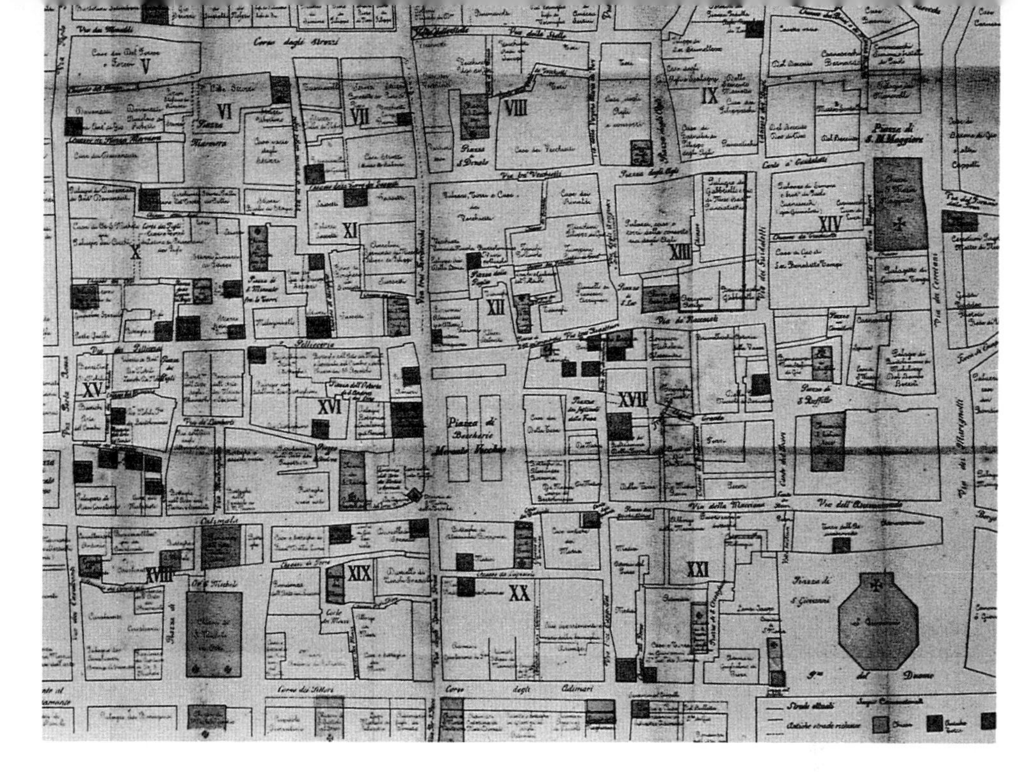

调整对应街道的宽度。古罗马时期的城市设计为弥补棋盘格局造成的道路形式单一的缺点而采取的措施之一，就是布置垂直相交的主轴线，并在轴线交点附近布置公共中心。在罗马城市向中世纪城市转化的过程中，等级制被加到了平均的网格系统之上。110

在西方，如果中世纪城市的市场沿用了古罗马时期的广场，同时主教府邸和大教堂也建造在邻近区域，那么城市的核心区便得以延续，这时，因城市重心的迁移而引发的空间动荡就降至最轻。但在德国特里尔的情况就不同了，在经历了长期的缩减和社会重组之后，古罗马时期的网格被完全抛弃，城墙内形成了以几个领主的领地为核心的类似于村庄的聚居地，由靠近原来古罗马城市北门——尼格拉门（Porta Nigra）的堡垒式大教堂将这些聚居地统领了起来。位于南门外的古罗马市场被废弃，结构改变之后城市活动的中心转移到大教堂门外的市场。[6] 59

这些实例让我们记住，梅里达错综复杂的街道的前身曾经是经过规划的古罗马城市，而我们现在认为是古罗马城市遗迹的佛罗伦萨老区的方格网结构实际上是中世纪后期对封建割据作了大规模的清理之后才再一次形成的——所以，城市形式的动荡和变幻使它们不能够被简单地归纳为规划与未经规划两个类别。60

“有机”模式的演变和发展

事实上任何城市，无论其形式看上去如何随意，都不应该被称作“未经规划的”城市。即使在最扭曲的街巷和最不经意的公共空间的背后都存在着某种形式的秩序，这些秩序是在过去的使用情况、地形的特征、长期形成的社会契约中的惯例以及个人权利和公众愿望之间的矛盾张力的基础上建立起来的。

权力设计着城市，而最原始的权力形式就是对城市土地的控制。如果政府是土地的主要拥有者，那么它选择的任何模式都可以被实现。古代波斯的皇家城市、古代中国的首都、巴洛克时期欧洲王侯所在的城市都是如此。同样，由企业开发的城市，以及甚至在私有权受到限制的一些社会主义国家如苏联和东欧情形也是如此。这类不容置疑的权力所推行的是全面性的规划，由此而形成的城市形式将是一目了然的。

从西亚和美索不达米亚的城市到今天的新城市之间经历了漫长的历史，其中极权主义的设计实践是很有限的。世界上绝大部分城市无法追溯到某个单纯目的的起源。因拥有土地而获得的权力实际上常常是被广泛共享的，因此城市形式体现了一个不断协商、不断变化的设计过程。有时这一过程从规则性平面开始并一直保持着规则性。但更为普遍的情况是，城市图形复杂，难以解读，而由于成因很多，我们并不一定能弄清每一个细节。

有多少城市就有多少种独特的城市图形。两个完全相同的城市图形是不存在的。如果“有机”一词是对一种普遍的城市结构的一种便利的指称的话，那么它就有理由继续被使用下去。而另一方面，如果在暗示或假设中经常会出现一种所谓“生物”体的说法，那么我们也最好要从正面来思考这个问题。

作为有机体的城市

认为城市是一种有机体的观念并不十分古老。当然，这一观念与现代生物学和生命科学的产生紧密相关，它产生的时间大约略早于17世纪中期。一方面，的确很难否认某些生物体与某些城市平面在图形上的相似。你可以在穆斯林阿拉伯人聚居地的平面中清楚地看到叶脉的图形，而讷德林根和亚琛（Aachen）呈环状扩大的平面看上去又很像是树的年轮。另一方面，形象生动地将身体的器官与城市的主要元素作功能上的类比能够强调出城市“生命”的基础性。广场和公园这些开放空间是城市的肺，中心区是城市的心脏，它通过动脉（街道）输送血液（交通）——如此等等。这种直接的类比与文艺复兴时期那种将好的即经过规划的、非有机的城市形式与人所具有的特征相比照的人文主义观念不同，弗朗切斯科·迪乔治（Francesco di Giorgio）在他所著的《论建筑》（*Trattato*）中曾经说道：“城市与城市各部分之间的关系如同人体与人体各部分之间的关系一样；街道就是血管。”[7]

61

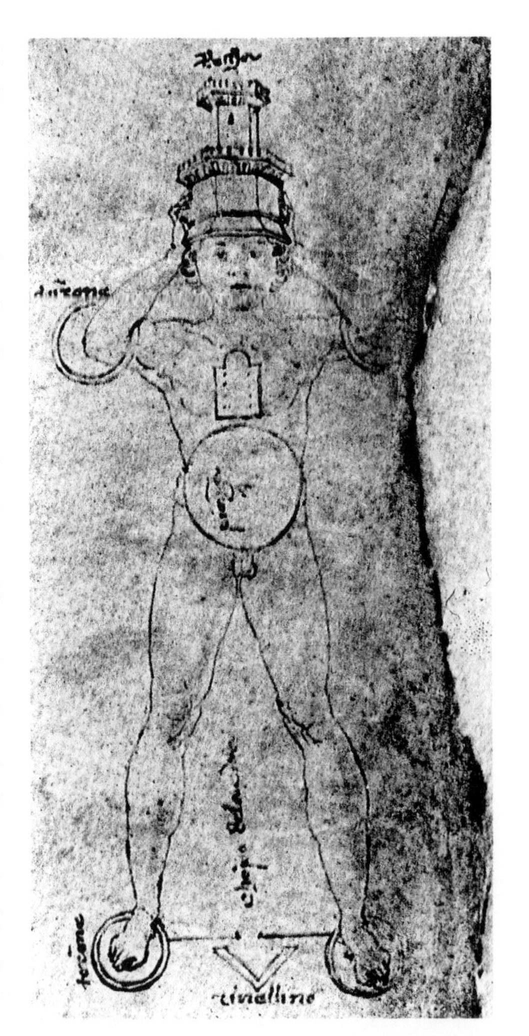

61　人作为城市形式的原型，引自15世纪末期弗朗切斯科·迪乔治的《论建筑》。

最近，这种生物学的类比在经济学基础上发生了惊人的进展。按照这种模型，城市地块或住宅单位就是细胞；港口、银行区、工业区、郊区就是器官或特殊组织；资金——无论其为金钱形式还是建筑形式，是流动在城市系统中的能量。“即使在资本主义时代之前，一切城市的发展都来自于资本积累的过程。”资本积累的物质表现就是城市空间的变化；我们可以将这种变化看成是破坏（贬低）和建设之间的净平衡。[8]

有机体的另两类特征：结构逻辑与病理学也被认为与“有机”城市的行为相一致。动植物有明确的形体和能够自我调节的生长系统。它们必须经历变化和调整的过程，形式上出现的任何调整都是功能要求的直接表现。人们认为有机城市也是（或也应该是）如此。这些城市如同生物器官一样会发生病变和衰退。19世纪有一股持续的城市思潮认为，建造环境与居住者的生理、社会健康之间有着相互依赖的关系。其中大部分论述将造成城市结构病理性恶化的罪魁祸首归咎于工业革命，并建议放弃这些病态的、过度拥挤的城市，宣告其死亡，或者切除这些城市中受到“感染的”部分，即贫民窟。

对于我们目前的研究目的来说，各式各样的类比理论起不到太大的帮助。它们在现代城市设计中的运用，也是花园城市的倡导者最得心应手的手法本身却带有一些虚妄的成分。事实上，由于花园城市及相关理论坚持将城市的不同功能分离和等级化，坚持为城市预先设定最佳的限制尺度，并且抵制变化和不断发展的观念，所以花园城市推出的经规划而成的“有机体”却背离了生物体的行为特征。概念的混乱来自于将城市作为生物这一类比本身的不恰当性。正如凯文·林奇指出的那样：“城市不是生物体……它们不会自然生长、自我改造，也不会复制和修补自身。”[9] 人类的意志和人类的愿望才是城市产生的动因。

在同样与本章的研究密切相关的“有机”城市形式的问题上，我们也应该反对任何假借生物学概念的做法。对真实生命体研究的结果证明，生命体各基本单位细微与分散的行为是受到某种总体原则的强制性制约的。用保罗·韦斯(Paul Weiss）的话来说：“在自然界，同样的总体效果可以遵循某种绝对的规律不断地再现，但达到这一效果所经历的事件的组合却存在千变万化的可能性。”[10] 在“有机”城市中却找不到这类绝对规律发生作用的任何痕迹。“总体有规则但局部自由、多变、独特”的生物学特征如果在某种程度上也适用于城市分析的话，那它可能是在城市内容(而不是城市形式）方面，如保罗·韦斯所说：“即使人口发生着生、死、移民等种种变化，社区仍然能够保持其特点和结构”；或者，更能够反映生物学特征的情形正相反，是在“经规划的”城市当中，因为在网格这样的规则格局当中，各个地块内部可能进行着完全不同的建造活动，而整体的城市模式却可以不受影响。

地形的作用

那么到底是什么决定着这类演变而成的，或者说逐渐发生的城市各自独特的形状？

获得最广泛承认的诱因是自然地形，因为人们最容易从视觉上把握这一点。在世界的有些地方，比如拉丁美洲，人类聚居地的选址和扩建受到土地的决定性影响，根本无法将城市经验从土地的影响中独立出来。人们对里约热内卢（Rio de Janeiro）的记忆永远与山和海湾联系在一起，它们在三百年的历史中完全主导着这个城市的形状。

更确切地说，如果我们注意到某些城市之间共同的自然景物特征，就可以发现它们的一些相互类似的处理方式。河流上的城镇可能会在河道的一边或两边设街道以进一步明确河流的走向。海洋同样也提供了某些设计选择和机会。背靠着长条弧形陆地的自然港口意味某种扇形的街道分布：希腊时期的城市哈利卡那苏斯（Halicarnassus）就以其圆形剧场式的城市平面而闻名；那不勒斯与智利的瓦尔帕莱索(Valparaiso）是两个现代的例子。在整个城市历史当中，险要地形的防御优势使它们成为军事重镇的首选。建造在这种地形上的城市常常大胆地使用带阶梯的街道，并按照等高线布置道路以顺应地势。在古代城市如爱达里昂（Idalion）（塞浦路斯）或特洛伊（Troy），防御城墙与地形轮廓紧密结合，地块与道路也顺应着复杂地形线的进退趋势。

62 *63* *图版 5* *64*

意大利山城一直被认为是人为环境与自然地形良好结合的最佳范例。通过剖析可以发现，这些城市根据各自地形的特点分别采用了一种或几种形式类型。如果地形呈山脊状，那么城市便是线形，城堡和教堂等重点建筑常常位于线的一端或两端，有时也布置在脊线的一侧。其他的主要街道与主脊平行但随坡地下落。城市中另有几条支路朝着邻近主要城市的方向伸展出去，形成某种带触角的城市形式，如佩鲁贾(Perugia)。位于

65

66 67 图版 11

圆形山地并且以居住为主的城市当中，主要建筑常常位于山顶；街道是逐圈下降的同心圆。如果是处在较陡的坡地，那么城市就呈现为阶梯形，如阿西西（Assisi）和古比奥(Gubbio)。

上述做法适用于世界各地。同时我们必须提醒自己，线形城市及其脊状的平面不仅适合山地，也适合平地。圆形城市也是如此，道路既可以呈同心圆也可以是放射状。

回到城市的起源地，美索不达米亚和埃及，我们知道不规则平面的城市如乌尔(Ur)和西比斯(Thebes)都位于平地。绝大多数美索不达米亚城市建造在底格里斯河和幼发拉底河的泥土平原上。对亚述金字塔形古庙的一个最普遍的解释是，当地的早期居民来自于多山的里海地区，因此这些居民以金字塔形来模仿家乡的山峰。在西比斯，平坦的尼罗河岸聚集着纷杂而活跃的居住区，但在地形起伏的西面山坡上却布置着规整的单位(殡仪馆)。

因此在这个阶段我应该从两个方向扩展我们对不规则城市形式的认识。首先我们必须对地形作出更为细致的分析，而不只是对山丘、山谷、河流等主题作一般性的总结；其次，我们还必须关注城市形式形成之前的土地划分，那时的土地划分显然与地形因素相

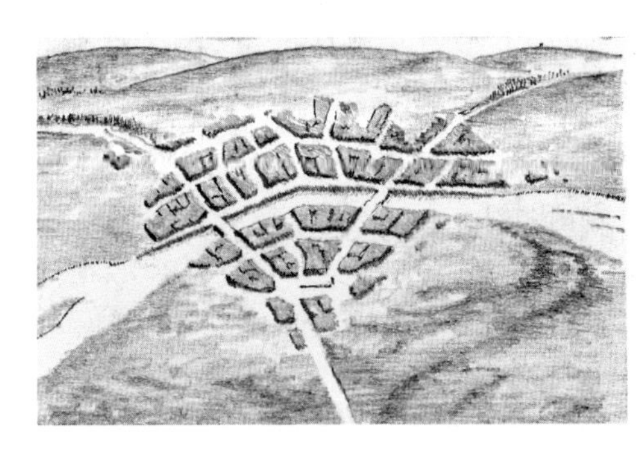

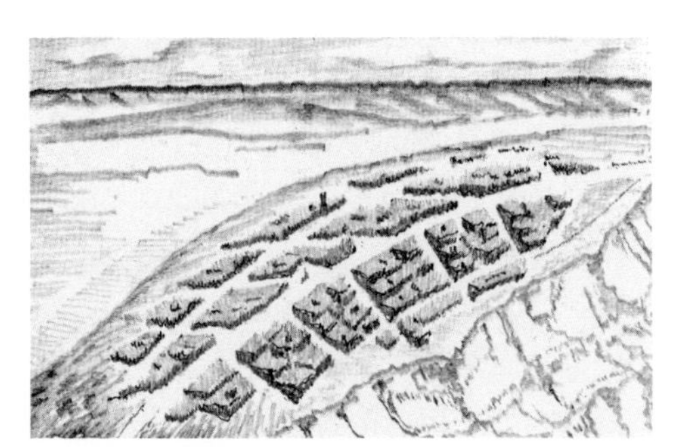

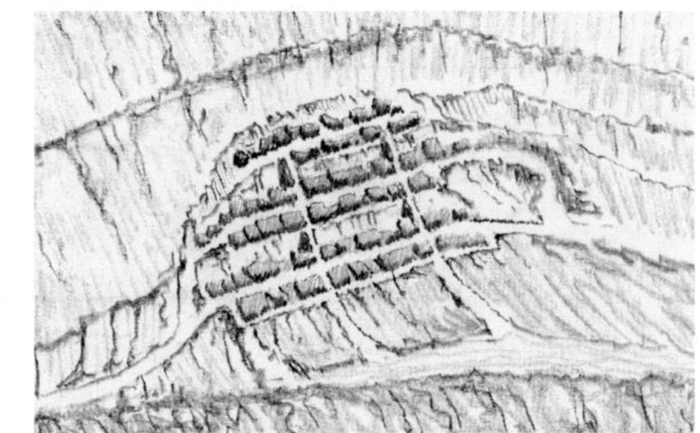

地形作为城市形式的决定因素之一：

62 河流上的聚落

63 自然的港口

64 防御性的位置

65 线状的脊地

66 山顶城镇

67 坡地

关，但也隐含着更深层次文化的内容，诸如土地所有制模式、耕作活动以及公共空地和牧场的分配形式等等。

不规则的城市平面往往由几处特异的地形发展而来。以波士顿为例，其发源地是舍蒙特半岛(Shawmut peninsula)，半岛的东部为海湾，南部为狭长的脖颈。对于这样的特殊地形，并不存在一种直接向城市结构过渡的通用模式。其中某些地理特征可以利用和发挥，但另一些则需要清除。半岛中部原有的3座山丘对早期波士顿的城市形式几乎没有造成任何直接的影响，3座山中只有灯塔山保留了下来，但其高度也被大大缩减。

从上面这些例子可以看出，在城市建造的过程中，“改造”自然景观与利用自然景观的情况一样普遍。许许多多古老城市是在经过砍伐的树林和经过填埋的湿地与海湾上建立起来的。为了布置公共建筑，为了更直接更动人地建立起各个重要场所之间的联系，为了完善功能，为了创造壮美的城市，人们会削平山头、填平溪谷、改变河道或者封湾筑坝。

上述这些举动是如此坚决，如此不畏艰难和一丝不苟，其结果是造就了按照人的意志规划而成的城市形式。但我们不要误以为所谓的“规划”必定是严谨形式和严格规律的同义词。威尼斯和马丘比丘(Machu Picchu)都以独特和极具创造性的方式重新设计了它们所在的环境——其中威尼斯强化了潟湖，而马丘比丘则创造了复杂的阶梯地形，两座城市都没有依照常规的手法去改造地形，而它们的成就却是如此壮观。威尼斯成为一个流动的金丝工艺品；而马丘比丘，用乔治·库布勒(George Kubler)的话来说，是一幅“铺在巨石上的图案地毯”。[11]

73
图版10

在西方，对自然进行再设计的最著名的作品出现在荷兰。有句老话说：“上帝创造了世界，但荷兰人创造了荷兰。”许多世纪以来，这些居住在欧洲大陆地势低洼的端头上的人们与海水的侵袭和河流的泛滥作斗争，他们建造堤防——其中一些，如须德海上的堤防具有恢弘的尺度，修筑水坝，填埋潮汐湿地，在海岸沙丘后面的泥沙地(geestgrond)上开辟出可以供人居住的土地。

一小部分荷兰城市建造在自然高地——如岛屿、河流交汇处、加固后的沙丘以及沙丘后面的泥炭沼上[如哈勒姆(Haarlem)和阿尔克马尔(Alkmaar)]。只有这些城市的最古老部分才表现出其他欧洲中世纪城市所具有的“有机”形态。在其他地方，人们需要对土地进行排水、稳定，并将地面抬高到周围郊野平面以上之后才能进行建设。[12]

在古罗马人占领之前形成的最早的人造地形，是位于在北部沿岸和泽兰(Zeeland)地区的抬高的黏土场地(terpen，也称wierden)。这些地方实际上是当地人经千辛万苦堆积、夯实而成的土垒，其高度必须超过涨潮时海水的高度和河流季节性泛滥时的水位(关于在土垒上建造的城市，参见164页)。中世纪时，商贸促进了河流沿岸和港湾地区城市的发展，而这些地方更易遭受洪水的侵袭。在这些地区发展城市的策略有两种：一是修筑堤岸(dike towns)；二是在堤岸的基础上加筑水坝(dike-and-dam towns)。

堤岸的顶部较宽，可以容纳一条公路；房屋建造在堤岸的侧坡以及在堤岸保护下的低地上。如果水道较窄——比如说是一条运河而不是大河——那么这种堤岸式城市可能沿水道的两边发展，其形状有时会作少许弯曲。在斯洛滕、尼乌波特(Nieuwpoort)和斯洪

68

68 斯洛滕(Sloten)(荷兰)。这座弗里斯兰(Friesland)地区的堤防小镇建造在河流和陆路的交汇处，以镇中间的一座桥为标志，建立于1426年。星形防御工事和护城河是16世纪后期增建的。

霍芬(Schoonhoven)这些城市中，陆路跨越了水道，在这种情况下，城市的重要建筑，如市政厅，一般都位于交叉点上。

在河流和溪流上筑坝之后形成的城市更为普遍。阿姆斯特丹最初是阿姆斯台尔河(Amstel)入海口一个堤岸式的聚居地。之后人们在这个小型聚居地的上游筑造了一座水坝，于是原先的下游部分变成了外港。建有堤岸的运河将水流分出两条，上游成为内港，同时在河道与运河之间形成了一块稳定的可供城市扩展的用地。在这样的城市里，水坝所处的中心位置常常是市政厅、称量厅、教堂等重要公共建筑的所在地。

136

水城(grachtenstad)建造在沼泽和湖泊经填埋之后形成的陆地上。这一类城镇的布局较为规则，但并非千篇一律。通常街道较窄，并且以运河街为主，街块也比较狭长，居住区域的周围有一圈宽阔的护城河。水城常常是在土垒(terp)、自然城堡(burcht)或堤岸式城市基础上的扩展——莱顿(Leiden)就是这样的例子。莱顿建造在过去的农田之上，所以

247

农田的划分模式就被后来的城市所吸收。原来农田里的排水渠成为后来城市中的运河街，而原来农田的分格也就成为后来城市中长方形的街块。如果在城市形成之前土地的划分已经具备某种形式秩序——通常这种来之不易的陆地一定会具有这种秩序性，那么这种秩序必定会反映到以后的城市当中。

土地划分

我们对土地从乡村状态到城市状态转化过程的研究几乎还没有起步。而无论哪一个时代，城市形成之前的土地划分模式多半是不规则城市形式最基本的决定因素。这一项研究之所以困难重重，是因为即使不是完全不可能，但的确很难通过实地考查或翻阅文字档案来重建城市最初的景观。实地考察可以发现城市郊区某些遗存的村庄核心，但这种机会很罕见，同时也无法给我们带来太多的信息。

为建立一个更具广泛意义的研究基础，最有利的出发点应该是近代史。以英国为例，从中世纪开始到 19 世纪中期之前，在某些情况下城市周围的公共开放土地既没有围合，也没有被个人所占有。当这一部分土地转化为城市新的扩展地带时，新建街道系统大多遵循了中世纪留下来的步道或田地上的垄沟。

有一种研究方法是将两种地图重叠起来分析，第一种地图是根据 1836 年的一项法案要求所作的以课税为目的的测绘地图；第二种地图是 19 世纪陆地测量部（Ordnance Survey）按统一比例绘制的极其详尽细致的城镇平面图［这种地图与美国沙伯（Sandborn）保险公司的财产地图一样，蕴藏着极为丰富的城市历史信息］。以利兹（Leeds）为例，如果我们将这个城市某个地块的两种地图作一对比就可以发现，城市形成之前的地产权划分在很大程度上决定了以后城市的形态。一般来说，小的产权地块及分散的所有权模式将会导致只能容纳 4~8 户住宅的小型城市街块；在这样的地区建筑位置自由，形成较为多变而奇异的设计。在较大的产权地块基础上，则有可能形成较大的城市街块和系统性的道路布局。即使在这种情况下，由于属于不同所有者的相邻地块之间并没有试图建立协调性，所以最终形成的城市仍然带有无规划城镇的“有机性”。[13]

69

只有在相对较近的一段时期内，英国乡村土地划分的痕迹才有所淡化，这是因为这时以交通为主导的与现状无关的新建干道更为直接地影响了附近的城市格局。

缺少此类精确的记录，我们就不可以对从乡村到城市的过渡方式妄下结论。一般说来，有一些情况我们是可以确定的。在人类定居的早期阶段，人们对土地的占有通常是在没有正式土地测量资料的情况下进行的。田野、草场和牧场有着不规则的边界，这些主要的边界线划分出了大块的公用土地。当这些农用土地转化为城市建造用地时，原有的主要边界线就成为街道，原来的地块也开始被进一步细分。

在许多古代文化中，农业的法则是建立在土地不可分割的原则基础之上的。然而一旦城市开始形成，围合的城墙将会限定城市的扩展范围，这时新的法律和行政手段出现，以加速将公有土地细分为建筑用地的过程。在城墙的封锁下，土地变得珍贵。拥挤是城市的特征。宫殿和庙宇周围的土地依然是不可侵犯的。其余的则区分为属于公共部分的街道和市场，以及属于私人部分的土地。公共土地总是处在压力之下，街道总是很狭窄，没有公共广场或城市公园。在近东和埃及的古代城市里，公共广场常常就是庙宇中的宽敞内院。

土地分割的方式有两种—— 一种是利用范围和边界(即根据地形特征来建立边界)，由此则产生“有机”模式；另一种是根据仪器测量的数据来划分(见后文 126~127 页)，由

69　利兹北部的波特纽（Potternewtown），城市由联排住宅组成的区块拼合而成。图中粗细不同的点阵线表示的是该地区 19 世纪早期的街道和地产划分图，如果将两者对比起来看，那么这里的城市形式就不显得过分突然。［底图根据 1922 年陆地测量部地图（Ordnance Survey map）复制，地产划分图根据沃德（Ward）的原图复制］

此建立的模式具有垂直相交的几何关系，这两种方式都是非常古老的分割方式。显然无论在什么情况下，定点加步测的方法最早出现，不过即使在城市化历史的最早阶段，上述两种方法在同一文化中也经常被同时使用。埃及金字塔和美索不达米亚梯形金字塔的朝向和定位是如此精确，说明当时的人们一定使用了仪器和精密的计算法。然而与这种精确性共存的却是我们在同一地区的居住地块上看到的那种似乎用更为古老、更为实用的土地分割手段制造的“有机”纹理。同样，在 17 世纪殖民时代的北美洲，英国人在南方使用的是直接的土地分割方式，因为在全面的土地测绘工作开展之前，个体的庄园就已经在各地建立了起来；而北方新英格兰地区城镇的测量和界定工作则是预先进行的。

殖民主义打断了作为连续性人类定居活动基础的从乡村到城市的过渡过程。殖民力量能够快速消除原有的土地占有体系以及这种体系支持下的社会和法律系统，为规则式的规划提供条件。正如 1945 年法国殖民地总督所说的：“在这里，空间是自由的，城市可以按照理性和完美的原则去建造。”[14]

定居模式有时同传统的耕种活动紧密相连。这些耕种活动又受到地形特点和灌溉系统的影响。伊朗一些城市的街道网络就是生动的例子。与人们普遍认为的伊斯兰城市形

图版 9

式——那种“由弯曲的道路组织成的迷宫”式的情况所不同的是，像亚兹德（Yazd）这样的一些伊朗城市却表现出与主要朝向无关的基本呈正交式的城市结构。这种结构无法从气候或宗教的角度获得解释。伊朗住宅选择的朝向通常是为了争取更多的夏日微风和冬日阳光，但是在这里，街道的走向却偏离了最佳的季候轴线，而随街道布置的住宅也是如此。清真寺必须朝向麦加，但麦加的特殊方位并不一定是影响主要街道朝向的决定因素。

其答案，正如迈克尔·博宁（Michael Bonine）提出的那样，在于灌溉系统。如果地形不规则，那么灌溉系统也就不规则。在全面倾斜的坡地上，主体线路形成一种大致的长方形结构，朝着较陡一侧的坡面发展。这些主体线路包括了为农田和居住区供水的地下水道（qanat）、地面以上的水道（jub）以及与地面水道相平行的小径或道路，这些小径和道路将地面水道与四周筑有土墙的方形建筑用地分开。乡村住宅沿着与水道平行的方向一字排开。当城市扩展到这些农村地区的时候，也沿用了这样的结构方式。博宁的结论是：“地形与水，构成了伊朗定居模式中两个最基本的元素。”[15]

村镇聚合成为城市

邻近的几个村庄在行政上统一起来形成一座城镇的过程——也就是亚里士多德所说的村镇聚合（synoecism）的过程在历史中很常见。这种行政上的组合会带来物质形态上的改变，由于组成单位的性质是传统村庄，所以相应产生的城镇一定会带有“有机”的特征。不过也有例外，在狄奥提瓦干，不同社区通过一个祭典中心集合起来，用城市地理学者的术语来说，祭典中心就是一个“聚合中心”，它最终迫使那些松散的乡村集镇服从同一种严格的几何规则。

31,32

近来学者们发现了一种有别于村镇聚合模式的集合方式，在有些案例中，这种集合方式被认为是村镇聚合的初级状态。公元前1世纪西非尼罗河中游冲积平原上的城市杰内-杰诺（Jenne-jeno）和硕马（Shoma），以及更早期中国北部的城市郑州，都是由距离较近的几个聚居区结合而成的，聚居区之间互不连接，社会特征也各不相同。新形成的联合体既没有集中的政府机构，也没有纪念性的设施，因为各社区都避免被同化到同一个实体中去。然而这种联合体又超越了血缘关系，渔夫和铁匠、农民和上层人物——这些人不但有目的地互相合作，同时也为乡村腹地提供产品和服务。这种城市结构刚刚被人们发现和认识，它有别于舍贝里所定义的那种有着核心的上层人士以及寺庙和宫殿建筑的典型性的前工业城市。[16]

村镇联合可以表现为两种方式。第一种方式，是人们离开原来居住的村庄，搬到为吸引他们前往而建造的新城镇中去，例如，在早期的美索不达米亚和伊朗，新城镇的出现常常伴随着附近其他聚落的废弃；另一种方式，是这些村庄集合成为城镇。我对第二种方式更为关注。

对亚里士多德来说，村镇聚合——字面上的意思即“共同居住”——是一种政治过渡。它使人们超越原来的部落/乡村生活，参与到一个自治的团体中去。这种朝城市方向转变的决定并不完全是技术进步的结果，也不是为了争取某种特定的优势——如贸易上的优势而采取的手段。它来自人们的一种有意识的愿望，即以自由和持久的城邦体制来代替过去部落和宗族的不成文法，并为民主试验和公平法则建立环境基础。亚里士多德写道：“当数个乡村联合在一个共同的社区之下，而这个共同社区又达到或几乎达到自给自足的规模时，城邦就建立起来了。”

亚里士多德定义的村镇聚合，指的是各村庄共同决定将它们的领地联合起来，形成一个统一的行政实体。在实际情况中，这种联合常常是非自愿的，有时甚至会遭到强烈抵制。受益者通常是其中的某个统治者或某个机构。比如在诺夫哥罗德(Novgorod)，村镇聚合的受益者就是掌管并指挥着城市合并的主教(后来的大主教)。

让我们回顾一些重要的乡镇聚合的实例。

雅典起初是卫城山上的一个迈锡尼人(Mycenaean)的城堡。根据传说，提修斯(Theseus)将这座城堡与附近的村庄结合起来，并使这个新建立的城市成为由安提卡(Attica)地区各独立市镇(deme)组成的政治联盟的首都。修昔底德这样描绘了这个事件：

(提修斯)解散了(安提卡)各小型聚居区中的议会和长官职位，将它们联合在当今城市统一的议会和政府之下。个人仍然可以像过去一样享有私人土地所有权，但他们必须将雅典作为惟一的首都。[17]

原来的公共广场(agora)位于卫城的西北坡。公元前6世纪被转移到靠近新城市联盟中心的部位——一片比原来位置更北的平整开放空地上，这里原先是城市的墓地。村镇聚合的过程在公元前431年完成。这时伯里克利(Pericles)将安提卡的村镇集中到雅典城墙以内，同时第二次伯罗奔尼撒战争(Second Peloponnesian War)爆发了。[18]

雅典以联合节(festival of the Synoecia)来庆祝自己的成立——正如罗马在每年的七丘节(feast of Septimontium)庆祝自己的联合体成立一样。罗马的情形是，在公元前8世纪的某个时期，帕拉廷山(Palatine)上的罗穆卢斯(Romulus)聚落与其他几个山顶村庄：如埃斯奎利诺山(Esquiline)、西莲山(Caelian)，可能还有卡比托山(Capitoline)上的聚落结合起来。他们排干并填平了曾经作放牧和墓葬之用的分隔各聚落的山谷湿地，在填平后的谷地上建立起一个社区中心——即罗马广场(the Roman Forum)。

70

在中世纪的早期，我们可以举威尼斯为例。威尼斯原来是几个潟湖社区中的一个，这些社区长期以来一直以水体作为屏障躲避罗马帝国灭亡后的战乱。在9世纪早期，潟湖地区的统治者将自己的住宅从现在的利多岛(Lido)搬到了现在圣马可广场(Piazza S. Marco)所在的位置，这个地点是一系列不规则小型岛屿的核心部位，之后这些岛屿联合成为一体——这一特殊的过程造就了威尼斯迷宫似的城市形式以及独特的水街。

73

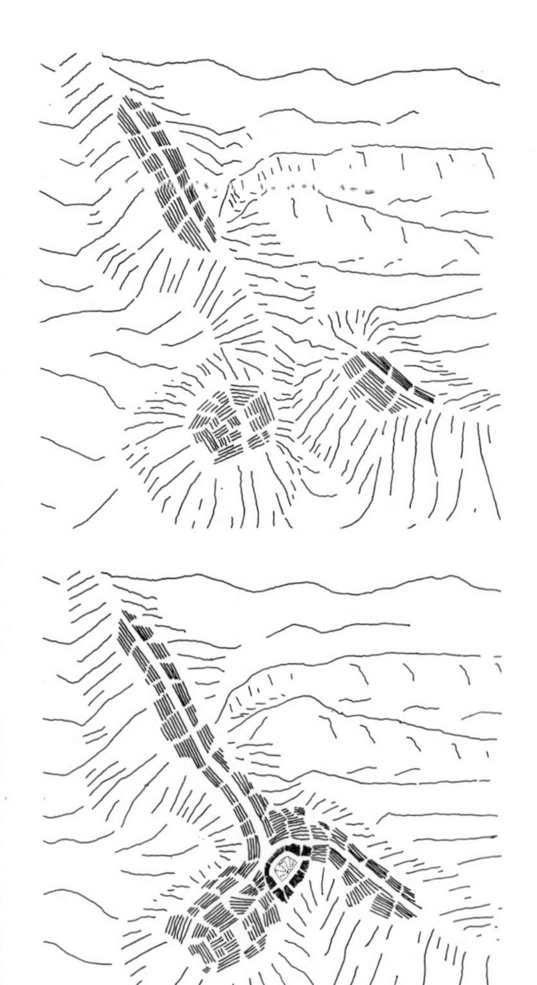

另有三个中世纪的实例，它们分别来自意大利和俄国。根据传说，维泰博(Viterbo)的建立是因为8世纪后期德西得乌(Desiderius)这位最后的伦巴第(Lombard)王下令联合的结果。他将几个小村庄：范奴(Fanum，即 Volturna)、阿班奴(Arbanum)、维图罗尼亚(Vetulonia)和龙古拉(Longula)集合在统一的城墙内，至今人们仍然可以在维泰博的城市徽标上看到这4个村庄的缩写：“FAVL”。同一时期建立的锡耶纳是3个社区的结合，包括主教所在的堡垒城市卡斯塔维齐奥[Castelvecchio，即现在称作西塔(Cittá)的主教堂区]、东部的卡斯塔蒙特(Castel Montone，即现在的圣马提诺)山顶社区及北面沿卡莫利亚(Camollia)山脊的条形社区。这一过程解释了锡耶纳至今仍然保持着的倒丫形城市特征的

71,72

由来。3条主要道路将这3个已有的社区及社区之间的开放空间联系起来，之后，其中的开放空间转化成为城市的公共中心，即坎波广场，这一过程花费了几个世纪。诺夫哥罗德同样也是在大约10世纪时由3个独立的聚居区结合后建立起来的。这一情况也许可以用来解释为什么从10世纪开始俄国突然出现了一大批城市，而在此之前除基辅（Kiev）外该地区可能并没有任何为人所知的城市。

1 76

村镇聚合形成城市，这并非西方特有的现象。在缅甸，伟大的典仪中心阿利摩陀那补罗（Arimaddana）[即蒲甘（Pagan）] 是在大约9世纪前由19个村镇联合组成的。在南亚，加尔各答（Calcutta）市从胡格里（Hugli）河岸的一群小村庄发展而来。英国的东印度公司在1698年购买了其中3个村庄的所有权，于是城市开始在这一地带建立，白人居住地在英国人建造的城堡附近，当地人居住在城堡之外。伊斯兰国家，尤其是穆斯林的伊朗也有同样的例子。卡兹维（Kazvin）、库姆（Qum）、马雷（Merv）、卡孜鲁（Kazerum）都是在结合了一定数量的村庄之后形成的。同样，在欧洲人到来之前，传统非洲黑人城市也是由几个具有联合功能的村庄似的聚落集合而成的。城市铺得很开，并保持着原来乡村的物质形态特点。这些城市几乎全部由一层高的房屋组成，最基本的住宅单位是居住组团，这些居住组团的布局并没有特别照顾房屋与道路之间的关系。

上述几个随机的实例表明，村镇聚合形成城市是乡村向城市转化的最普遍的途径之一，而城市化的另一种普遍过程，是围绕某个重要的城市机构，如宗教中心或堡垒形成城市核心。由村镇聚合形成的城市吸收了原有聚居区的形态和道路系统。原有聚居区之间的开放空间渐渐被填充，保留下来的一部分开放空间日后成为城市的市场和公共中心。一个

70　对页上图，早期罗马，约公元前650年，著名的罗马七丘（Septimontium）是铁器时代（Iron Age）至少3个聚落的所在位置，这些聚落最终结合成一座统一的，以位于低地上的广场（Forum）为中心的城市。

71，72　对页下图，与罗马一样，托斯卡纳地区的城市锡耶纳（意大利）的最早聚落也是一个山顶上的社区。类似的地势条件产生出类似的城市形式：两个聚落之间的低凹地成为锡耶纳的中心广场——坎波广场的所在地（见图1、76）。

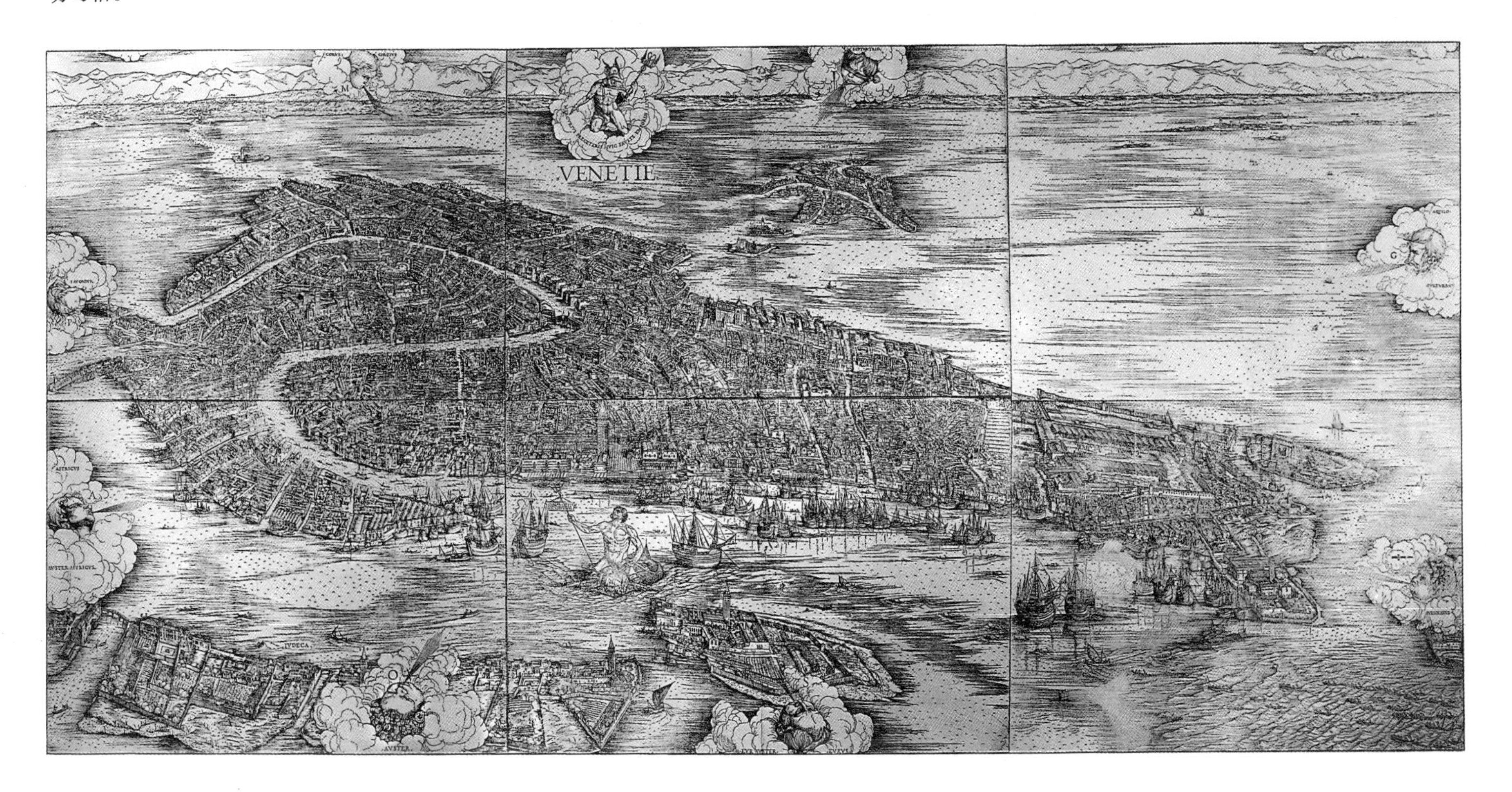

73　威尼斯（意大利）。这幅画由雅各布·德巴尔巴里（Jacopo de' s Barbari）作于1500年，围绕着里亚尔托岛（Rialto）市场独立建立起来的许多教区在相互结合之后，形成了威尼斯这座强大的港口城市。在1200年之前，这样的教区有大约60个，每个教区有各自的市场、宗教盛会和地方习俗。

较近的实例是苏丹的穆斯林城市阿勒尤贝德（Al Ubayyid），这座城市由5个较大的村庄组成，村庄与村庄之间原来是农田。到了19世纪土耳其帝国时代，原来的农田上建起了军营、清真寺、地方政府建筑和公务员住宅。[19]另有一种情况并不十分常见，那就是在某个服务于几个社区的市场的诱导下推动村镇联合的发生。

法律与社会秩序

我前面叙述的有关“有机”模式的大部分内容都与土地有关。地形地貌、土地划分、村镇聚合——这些都是不规则城市形式在物质方面的决定因素。下面我将简单地谈一谈在社会结构和公共控制权基础之上的突发性城市形成过程。

这里我们再一次以传统的伊斯兰城市为例。我在前面的文字里提到，以血缘、部落或种族为基础的伊斯兰邻里结构非常牢固，因此，当它们接受了希腊—罗马城市遗留下来的网格系统之后，便开始对原来的方格网进行融合和改造，形成封闭的巨型街区。当城市不再受既定的抽象几何关系制约的时候，它就能够按照自己的愿望划分出自作主张的纷繁的居住区。巨型街区本身的设计也许丰富多变，但它所服务和表达的社会意向却是明确无疑的。无论是伊斯兰的西班牙还是伊斯兰的印度，无论在9世纪还是在19世纪，情况都是如此。这就解释了为什么旧德里、马拉喀什（Marrakesh）的阿拉伯人聚居区、阿勒颇（Aleppo）、突尼斯（Tunis）等等这些不同的地方都表现出某种普遍的、类属性的特征，使得西方人在面对这些城市的时候难分彼此，而对于居住在那里的人来说，它们的区别却是清晰明了的。

53–56

这种私有化的城市秩序究竟是如何形成的？我们必须记住的一点是，在这种情况下，城市形式只要满足了习俗、所有权和穆斯林的视觉私密要求就能够按自己的方式任意发展。[20]你不会被要求去做什么或设计怎样的城市，你只是被禁止做那些有可能会威胁到人们普遍认同的社会行为的事。例如，对于私密的要求决定了门窗在建筑立面上的位置及建筑的高度。无论在小尺度的住宅组团还是在较大尺度的城市景观中，房间之间对视的情况一定要避免。更为基本的是，对私密的关心使得住宅表现出内敛的特征，因此朝向街道的立面变得相当不重要。但与此同时，一些法律所要求的事务——如对相邻住宅共用的分隔墙以及对尽端路的共同维护等等，使得在邻里结构中相互连接的传统庭院住宅又表现出某种程度的相互依存。[21]

由于居住结构的重要地位和街道公共空间的相对弱势，使得纯净的人为布局无法获得支持；由于建筑物越界，出挑，相互交错，并且样式多变，使得公共空间不断地被调整和打折扣。在道路或尽端路的上空横跨房屋是常见的事。一项首要原则规定，已有使用功能和已有建筑相对于新功能和新建筑来说具有优先权，这一规定助长了上述即兴建造行为的发生。激进的城市改造是不可能出现的，城市的修补，也就是说对已有结构的零星改造才是比较常见的过程。

74

上面的结论当然比较笼统。尽管大部分城市的发展依据的是非正式形成并获得人们遵守的隐含的惯例，以及高于一切的建造习俗，但也存在着地方性的建筑条例（虽然我们现在对此知道得很少）和普遍性的宗教法规。这些规则来自可兰经（Qur' an）的经文和教规（Sunnah）。在穆斯林最初的三个世纪中，这些规则被组织到一个宏大的文字体系当中，覆盖了公共和私人生活的每一个方面，其中包括了与建筑——因而也与城市相关的问题。法规的目的与所有宗教法律一样，是为了协调冲突。它建立了一个全面的先例评判系统，

74 巴格达（伊朗）的一条街道，住宅建筑出挑到狭窄的公共通道的上方。

涉及临时结构、边界、悬挑、高度、使用功能等各个方面，同时这一系统根据各地不同的特点也作相应调整。

一般性的规则很少。公共街道最小宽度的规定——7个库比特（cubit，即10.5英尺，或约3.2m）来自预言里的一种说法：认为这一宽度能够让两只满载的骆驼自由通过。宗教法律还统一了合理的最小净空高度，也是约7个库比特，这是一个人骑在骆驼上不受阻碍地行动时所需要的最小高度。在公共道路范围内种树是不被允许的。尽端路被认为是公有财产，属于朝着这条路开门的所有住户。城市公共生活中最常见的建筑类型是大清真寺、街坊中的祈祷建筑、学校、尊者的墓地、市场、商人区、浴室。这些建筑与住宅结构一样，被锁定在相互依存的社会习俗当中。

迷宫般的阿拉伯居住区实际上有相当程度的理性成分。以旧德里为例：主要街道是市场所在地，集中着大型批发和零售商店。制造、存储和服务中心紧接其后，位于边界清晰的居住邻里——即当地人所称的莫哈拉（mohallas）中间。次一级街道作为商业和居住活动的主要载体贯穿莫哈拉，它们与主要街道连接的部位可以设门，便于封闭。尽端路不参与一般的城市交通，它们深入至莫哈拉的核心部位。在两条或更多条街道交接的地方空间稍有扩大，这些部位被称作丘可（chowks），它们给密度极高的城市提供了喘息的空间。[22]

94,95

如果理性的组织并没有产生出规则的布局，这是因为它一开始就已经不规则，而且也没有任何具体的指导原则以规范出一个纯净的在几何关系上不受干扰的结构框架。传统的穆斯林城市对城市形式不实行系统性的监管，因为西方意义上的政府——无论是古典时期特许城市中的政府或是中世纪地方自治市镇中的政府，对于穆斯林城市来说完全是异质的。在私有房地产方面，公民被赋予了极大的自理权。在旧德里，城市形式的结构——不同功能的融合、道路及重要节点的贯通等等，都表现出某种程度的一致性，在没有任何城市政府组织和维持城市空间的情况下，这种一致性之所以能够存在，就是因为这里社会结构良好，同时传统也确保了“办事方式”（modus operandi）的一贯和连续。如果没有传统的力量和坚定的社会目标，不受控制的城市建设将只会制造无序。

这样的恶例到处存在。现代工业/资本主义城市也许并不是恶性发展的发明者，但它们却将这种发展方式奉为神明。只要读一读弗里德里希·恩格斯（Friedrich Engels）的著作《英国工人阶级的状况》（*Condition of the Working Class in England*, 1845年），那么利兹、伯明翰（Birmingham）、布里斯托尔（Bristol）、利物浦（Liverpool）这些重要工业中心在工业化第一个阶段时的混乱状况就会跃然眼前。铁路的铺设导致了都市外围地区的投机性发展，就像巴黎划出的一些地块（lotissements）那样，第一次世界大战之后的情况尤其恶劣，土地在尚未提供道路和服务设施的情况下就被分拆出售，而在这些土地上建造的房屋也不需要遵守任何规则。最后一种混乱状况是由我们这一代人造成的——那就是近五十年来形成的、无处不在的无产权贫民居住区（squatter settlement）。

无序（disorder）是秩序的一种状态——它与混乱（chaos）不同，混乱是对秩序的否定。无序是暂时的、可更正的，正如鲁道夫·阿内姆（Rudolf Arnheim）所说：“无论在什么处境下，只要条件允许，秩序就会产生。”[23]城市无产权贫民居住区的种类和历史记录了无序状态的各个阶段。对于居住在那里的人们来说，这些未经许可和未经控制的城市区域既非临时居所，也与城市贫民窟（slum）不同，贫民窟是上好的住宅区在败落之后留下的躯壳。而对于他们——即那些打算在城市里留下来的农村移民来说，这些无产权贫民居住区是能够带来作为所有者的自豪感和产生自我提高愿望的永久居所。

城市无产权贫民居住区一开始时是由简陋的棚户建筑组成的，它们位于城市边缘无人使用的土地，或者城市内部很难开发利用的地段，如陡坡、山谷、垃圾场等位置。起初它们很像是难民营——没有植物，没有设施，排污手段是开放的明沟，街道也未经铺设。建筑材料是随手可取的、废物利用的东西，以纸板和废旧金属为主。即使在这个阶段，简陋的棚户并非毫无创意。在赞比亚的城市无产权贫民区，以卢萨卡(Lusaka)为例，村庄的模式在混乱的环境中显得非常突出——20个左右的小屋围绕着一个公共的开放空间形成一个单位，排列出近似的圆形。[24]

提高与改善的过程伴随始终。渐渐地住宅改成为砖和水泥砌块材料从而获得了永久性。在中美洲的城市贫民区(barriada)和棚户区(favela)，鲜艳的涂料驱除了失望感。“许多住宅带有未完工的房间或二楼，围栏也各式各样。”当居住区成熟后，秩序将会产生。于是较体面的自建住宅、低档次的商业机构、商店、学校以及有照明和排污系统的经铺设的街道也将出现。[25]利马(Lima)的圣马丁德波尔区(San Martin de Porres)在1952年刚开始形成时是城市外来人口的占领区，在十五年的时间里它就发展成为一个有着7.5万人口的社区，其中的主要道路是经过铺设的高速公路，道路两侧排列着3层高的建筑物。[26]

图版 13

“有机”模式

许多城市在初始时是很粗陋的;它们的形式是在含蓄和渐进中形成的。在曾经是田野和陡峭牧场的地方，街道将会出现并且相互连接，围合起来的公共空间将会为人们的集体生活提供场所，住宅在扩展的过程中将会变得稠密，并且编织出肌理。建筑物将尽其所能爬上山坡，占据河湾。到了某个阶段，这种自然的布局将会获得一种自我意识。台地可能提示出某种机构和社会的等级。街道的走向将被用来发挥出某些视觉上的愉悦、空间的效果和错综复杂的关系。我们将会发现一些大胆的城市建造者在没有内在要求的情况下，再造上面所说的这些特殊效果。画境式郊区的出现是因为城市回过头来欣赏它自己那自然的初始时期。同时，也是对过去曾经拥有的美德的一种眷恋。一种承载着当代对不规则“小镇风情”的怀旧情绪的信念认为:“有机”模式曾经保障了社会和谐，鼓励了社区精神，而这些东西都已经被林荫大道和交通工程师设计的城市中那些高速公路冲刷得了无印迹了。

图版9　诺杜先(Nowdushan)(伊朗,靠近亚兹德)。城市的平面受到乡村灌溉渠系统的影响。

地势塑造的城市

图版10　上图，马丘比丘（秘鲁）。这座印加城市用宏大的阶梯在高耸的安第斯山脉(Andes)上为自己开辟出一片栖息地。

图版 11　对页上图，攀附在翁布里亚(Umbrian)地区一座山坡上的古比奥（意大利）。这是市中心的照片，有垛口墙的康索里府邸(Palazzo dei Consoli)位于左边，面对着一个被巨大的拱券举起的广场。

图版 12　对页下图，布拉格，涅鲁达瓦街(Nerudova)，一段通向城堡的蜿蜒的上坡路。

图版 13　自由经营而成的城市：拉巴特（Rabat）（摩洛哥），山坡上不稳定的棚户区与山上面较永久的自建住宅区之间的过渡。

图版 14　左图，人为的画境：格伦代尔（Glendale）（俄亥俄州）花园式郊区，根据罗伯特·C·菲利普斯（Robert C. Phillips）的设计，始建于 1851 年。这一局部表现了弯曲的道路、在不同大小和形状地块上的独立住宅以及大量的绿化。

直与曲：设计的选择

在现代时期之前，很少有迹象表明当时的人们能够意识到“有机”的城市形式可以是一种理性的选择。城市之所以有机是因为它们发展成如此。城市设计既然是一种有意识的行为就必须具备某种程度的几何规则性，也应该表现得如此。尽管这样，对城市的思考也并非总是完全清晰。亚里士多德在这一问题上曾经踌躇过。他对事物的真实情形感兴趣，一方面，他从军事的角度看到旧城镇不规则形式的优势。另一方面，他又提倡希波丹姆斯在米利都的设计中所表现的新的城市风格。

当阿尔贝蒂更多地是以一位经验主义者，而不是文艺复兴早期著名的建筑理论家身份看问题的时候，他也再次提出了防御的问题，并且从防御的问题延伸到对尽端路和巷道的支持上。他在《建筑论》(*De re aedificatoria*)中写道：

> *先辈们在所有的城市里都擅长使用复杂的路网和尽端式的街道，那里没有贯通的道路，如果敌人进入其中，他可能会迷路，感到困惑，忐忑不安。如果他胆敢进一步侵犯，就很容易被消灭。 [iv.5, 里奥尼(Leoni)翻译]*

但是阿尔贝蒂还更进了一步。他认为狭窄和尽端封闭的街道有益于健康。尼禄皇帝(Emperor Nero)的新城市法规可能调整了罗马的一些弯曲的街道，但根据塔西佗(Tacitus)的记载，阿尔贝蒂发现街道拓宽后“城市变热，因此不利健康”。而在狭窄弯曲的街道里空气更加清劲，微风和阳光更易穿透住宅，“风暴”的威力也会被大大减弱。

在城市设计方面，阿尔贝蒂承认在山地条件下“有机”布局的恰当性，但他同时更倾向于支持小城镇或“堡垒”。这一点不仅来自于常识，还关系到美。下面这段描写行文极其优美，应该摘录与大家共享。他说，在这样的城市里，

> *如果街道不直接通往城门，那不但会更好也会更安全。要使街道弯曲，有时朝右，有时朝左，有时靠近城墙特别是走在塔楼下的城墙上。城市的中心街道最好不要直通，让它作几次回旋，前移后转，宛如一条河流。因为这样一来，一方面道路显得悠长，让人感觉到城市之大，同时也会给城市带来更多的美与便利，防备各种突发和紧急事件。此外，弯曲的街道使路人每行一步都会发现新的景象，也使每个住宅的正面与大门都可以直接朝向路中央。在大城市中，太宽的街道不美观甚至有害，而在小城市中由于街道的曲折使每个住宅都享有开放的视野，这样不但有利健康也令人愉悦。(iv.5)*

从上面这段话和其他一些文字里我们可以清楚地看出，阿尔贝蒂虽然在原则上支持以几何方式组织的城市形式，但他同时也欣赏大家所熟悉的意大利北方城市，这些城市中的许多并非从罗马网格发展而来，而另一些则早已失去了罗马网格的印记。这些城市有着稠密而纵横交错的居住结构，住宅单位之间相互碰撞、相互依附、紧密相连，由纪念性建筑和一系列有着明确限定的公共空间将城市统领起来。街道的视觉焦点是闭合的，而且对景的形式丰富多样。广场的几个界面在平面和立面上都不需要匹配。在城镇的中心部位，广场与主要街道旁边的用地分割密集而狭长，到了城市边缘结构开始放松，直至化解在乡村之中。街道常常在市场、大教堂、城门、桥头等位置交汇。

经过设计而成的画境风格的起源

一个近年来学术界不断论证的观点认为，晚期中世纪城市远非像它们表面所表现的那样是在未经过人为控制的情况下形成的。我们已经充分了解到，城市历史上曾经出现过不少获得大力推行的建筑规范，也有不少为确保公共空间的完整统一而设立的控制条例。但有时，法规在制定和执行的过程中也对那些本该受到整顿的活跃而精致的城市景观表现出宽容。

以锡耶纳为例，资料显示这个城市就曾下决心要完善和发扬城市早期形成的不规则布局特色，并且为此还制订了控制要求。1346 年的城市议会特别强调：

> *为了锡耶纳的市容和几乎全体城市民众的利益，任何沿公共街道建造的新建筑物……都必须与已有建筑取得一致，不得前后错落，它们必须整齐地布置，以实现城市之美。*[27]

当锡耶纳的邻居和强大的竞争对手佛罗伦萨已经开始热切地在街道设计中体现“美丽、宽敞和平直”(pulchrae, amplae et rectae）这些典型文艺复兴式的对视觉清晰性的追求，并希望重建古罗马佛罗伦提亚（Florentia）的正交系统的时候，锡耶纳却一直珍视着它们的哥特式曲线美学。3 条脊状的主要道路将城市的 3 个部分（terzi）与坎波广场绑结在一起，街道由砖块铺砌，街道交汇处的坎波广场也是砖铺地面，进一步突出了它们的蜿蜒汇合；索普拉街（Via dei Banchi di Sopra）和索托街（Via dei Banchi di Sotto）的交汇口在13 世纪上半叶被重新改造，改造之后的城市街道所呈现出的那种流动曲线，完全能够与建筑中的窗饰以及哥特艺术家笔下充满韵律的织物皱褶相媲美。

75 《在比拉多(Pilate)面前的基督》，局部，作者杜乔（Duccio），引自锡耶纳大教堂中的《庄严的圣母子》(*Maestá*)，完成于 1311 年。

即使在文艺复兴设计理论的冲击之下，一种恋旧的城市美学依然活跃着，在殖民地城市尤为突出。除圣多明各（Santo Domingo）外，在新大陆建造的第一批西班牙殖民地城市都不是网格平面，葡萄牙殖民地果阿（Goa）和里约热内卢也不是网格平面。法国人除了建造像路易斯堡（Louisburg）和新奥尔良（New Orleans）这样的规整平面的殖民地之外，也能够容忍魁北克（Quebec）这样的地方，用约翰· W·雷普斯（John W. Reps）的话来说，魁北克“就像是某个中世纪城市的复制品”。[28]

现在很难弄清这种不规则性在多大程度上是人的主观追求。当然它常常使人联想到地形或一种宽容而随意的定居习俗。只要有一个波士顿，相对应地总会有一个像新罕布什尔州的埃克塞特（Exeter）或者佛蒙特州的伍德斯托克（Woodstock）那样似乎经过精心推敲的不规则城市形式。在 1638 年建成的埃克塞特，一条主要街道沿河岸前进，另一条则深入到城市内部，经过现在的菲利普斯·埃克塞特学院（Philips Exeter Academy）。在两条大路的交汇点，空间放大形成一处公共场所。在埃克塞特之后大约一百三十年建造的伍德斯托克，街道分别在镇的两个端头汇合，在镇的中间形成一块不规则的长形绿地。（由于绿地的形状和尺度，当地传统将它看作由小镇的创始者人指挥的一艘航船。）“伍德斯托克和新英格兰埃克塞特的不规则模式是否出自于某种整体的村镇规划？”雷普斯追问道，“对此我愿意谨慎地尝试否定的回答。”[29] 但是，如果这些结果并非规划的结果，那么我们就必须去解释这些结果是为什么以及如何形成的。

对非几何性城市设计的有意识的、公开的、理性的认同开始于 18 世纪后期。它的对立面是文艺复兴的理论和实践——那种对笔直的街道景观和肃整统一的街道布局的崇拜。三个世纪以来，欧洲及其殖民城市一直服从着这种完美的规则性要求。按照文艺复兴式的

76　锡耶纳，索普拉街。作为锡耶纳的交通主脊，这条街道舒展的悬链状曲线（见图 72）也许反映了某种哥特设计的倾向。这种柔韧的几何性还可以在同时期锡耶纳绘画中衣褶的表现方式中看见，如对页绘画表现的那样。

思维方式，那些有着高塔、防御城墙和拼贴式街景的，旧的积累式的城市早已过时，17 世纪时笛卡尔（Descartes）总结出反对这些城市的理由：

> *相对于那些由同一个人统一设计而成的城市来说，那些由相互之间没有关联的片段组成的，由不同设计人经手的城市就显得不够完美……，所以那些由乡村演变而来的大城市，其比例关系就远不如由同一位工程师在选定的土地上根据自主的愿望设计完成的、更为有序的城市，虽然从个体角度看，老城市里的建筑常常可以与规划城市中的建筑相媲美，有时甚至更出色。*

但到了 1750 年代，整体型城市设计的魅力与古典建筑语言的权威性一同受到了质疑。这种转变最明显地表现在英国。最早的另类探索出现在非城市性质的领域，如画境式的园林。在城市规划领域，反文艺复兴的行动突出表现在两个方面：第一是在城市布局和自然景观中融入曲线形，如巴斯。第二是在街道设计中刻意地放松古典主义原则的要求，在转折增多的同时沿街立面的样式也更为多变，约翰·纳什（John Nash）所做的摄政街规划是其中最著名的例子。

78

然而最关键的还是哥特复兴。这一运动在建筑设计上的表现已经得到过全面的分析；相对而言，我们并没有充分关注到同时期出现的对中世纪定居模式，尤其是对村庄和小城

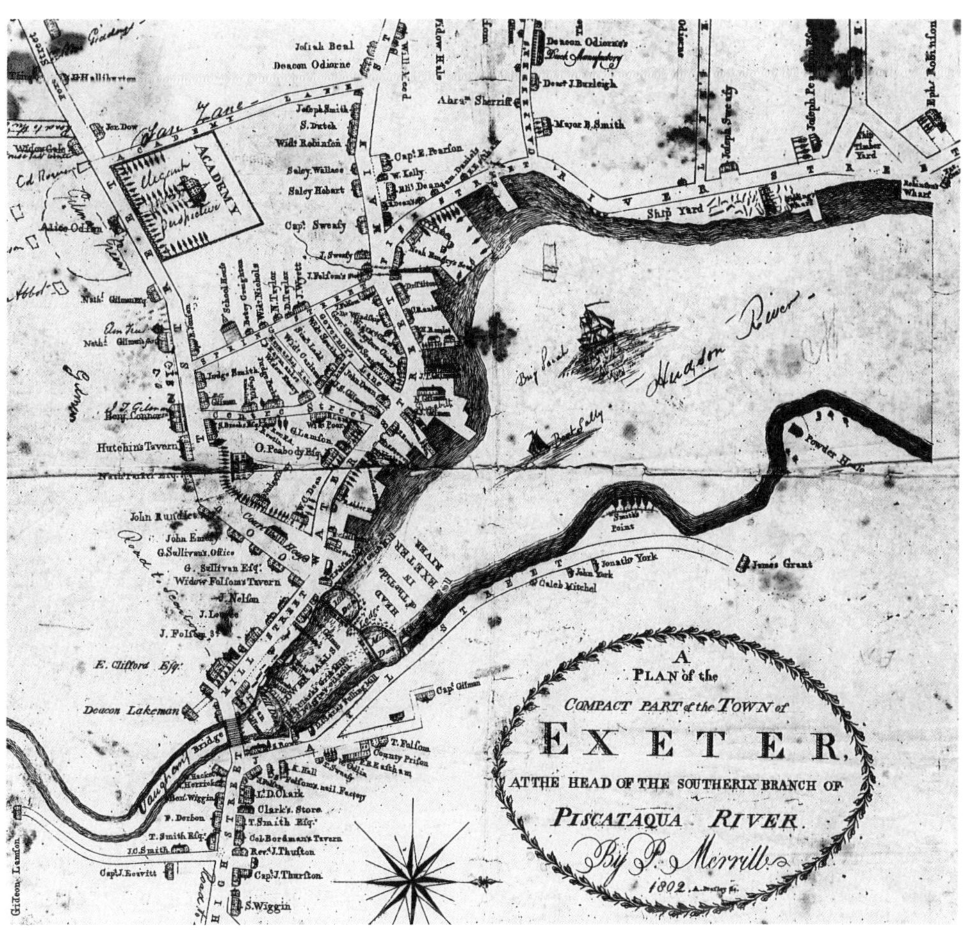

77　埃克塞特（新罕布什尔），根据 1802 年 P·梅里尔（P. Merrill）所作的雕版画复制。布局中结合了不同宽度的道路和不同样式的几何形，创造出一种带有刻意的“有机”设计成分的和谐的城市景观。

镇形式重新发现的思潮。在当时的实践中，这种对过去的思考催生出两种不同的产品，一种属于较富裕的情形，另一种属于较拮据的情形。而这两者——即画境式居住郊区和工业村，从此便推动了现代对永恒“有机”规划美学的再度确立。

早期的模范工业村希望吸纳传统英国村落的各种优点和形式，它们首次在约克郡（Yorkshire）的羊毛生产中心获得试验。以画境原则为基础设计的工人住宅区在19世纪还比较少见。两个著名的实例都出现得较晚，它们的建造者是具有博爱思想的雇主。其中的一个是靠近利物浦的桑莱特港(Port Sunlight)，可以追溯到1887年，于1892年正式建造。另一个是靠近伯明翰的伯尔讷维尔（Bournville)，这是几年之后由巧克力制造商卡德伯里（Cadbury）兄弟构思而成的。在这两个地方人们只是对弯曲的街道作了有限的尝试。在桑莱特港的平面中，一条由墨济河(Mersey)出发穿越整个地区的小溪起到了决定性的作用。在这里“巨型街块”(superblock) 的概念首次出现，所谓“巨型街块”是指住宅背对主要街道，面向内部的绿地，同时在中央绿地中城市交通被全面禁止。

画境式郊区的影响更加广泛而突出。多尔塞特（Dorset）的伯恩茅斯（Bournemouth）被认为是其中最主要的一个。它始建于1830年代，其性质更多地表现为度假村而不是一般的郊区。设计者放弃了按照街道网格布置联排住宅的常规方法，而是沿曲线道路布置独立式的花园别墅。其设计思想来自地形的性质本身。正如在1842年之后担任首席建筑师的德西默斯·伯顿（Decimus Burton）所说：

> *无论现在还是将来，伯恩河（Bourne）流入海洋时所穿越的那一片林木苍翠的河谷都必须是景观中最关键的部分……因此，伯恩茅斯规划中最重要的原则就是要避免规整。*[30]

通过安德鲁·杰克逊·唐宁（Andrew Jackson Downing）的阐释和传导，英国的设计——尤其是英国18世纪的园林和J·C·劳登 （J. C. Loudon）创立的乡村小屋风格影响到了美国的画境式郊区。在美国本地，新的启发则来自乡村墓地的设计以及从19世纪中期纽约中央公园开始的一系列城市公园设计。中央公园的主创者弗雷德里克·劳·奥姆斯特德认为，中央公园是位于城市中心的一个理想化的田园景观，它的作用是“作为一种直接的治疗手段，帮助人们更好地抵御城市生活的有害影响，并弥补人们为城市生活而付出的牺牲”。这里非常重要的一点是：盎格鲁-美利坚式的关于人为画境城市的设计思想带有鲜明的反城市特征，城市公园之所以精彩，就在于它与正统的美国城市形式——网格的对立。这里的情况与美索不达米亚古城常见的情况正相反。在美索不达米亚，规整的庙宇与宫殿建筑区跟“有机”的居住区形式形成对比。然而在纽约，“有机”式公园的存在是为了反衬千篇一律的、机械的、规整的网格——这种被奥姆斯特德痛斥为“商业主义邪恶典范”[31]的东西。

美国的第一个画境式郊区可能要属建立于1851年的俄亥俄州的格伦代尔。设计者为罗伯特·C·菲利普斯。与伯恩茅斯一样，自然景观是设计灵感的来源。菲利普斯利用地形的自然轮廓布置出弯曲的道路系统，从而形成1~20英亩（0.4~公顷）不等的不规则用地分块。不过，最终地形还是要服从美学标准。如果美的东西已经存在，那么就加以利用；如果不存在，就要加以改造。在1869年建造的伊利诺伊州的里弗赛，奥姆斯特德将一片平坦的草原改造成为浪漫风格的园林。数千棵树被移植过来，并建立起由大量弯曲的街道组

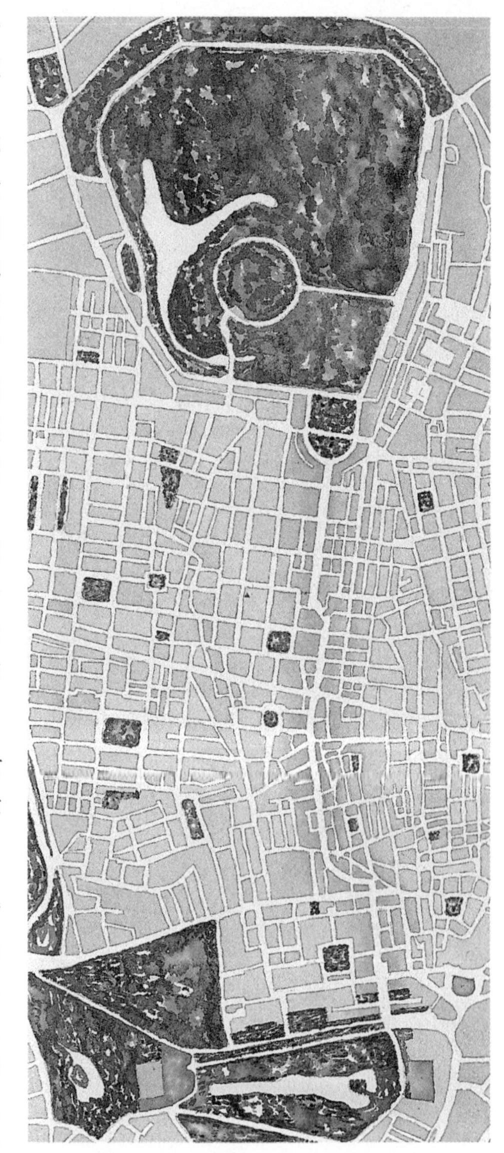

78　伦敦摄政公园和摄政街。19世纪早期约翰·纳什在设计中以精湛的手法将新旧街道系统组织到一起，形成了这种丰富生动的不对称性。摄政街是为了将位于摄政公园（图的上部）的新的公共区和位于威斯敏斯特（Westminster）的行政部联系起来而规划的，它属于在英国很少见的使用皇家特权来推行城市改造的一个特例。

79
80
图版14

79　桑莱特港（英国）最早的规划图。桑莱特港的构想出自肥皂生产商W·H·利华（W. H. Lever），它在推广不规则城市规划和新乡土建筑风格方面影响深远，两者被后来的英国花园城市理论所尊崇。在美国城市美化运动的影响下，1910年这里建造了一条宽阔的绿荫道和一系列半圆形发射状道路，于是原规划中丰富变化的布局被改造得面目全非。

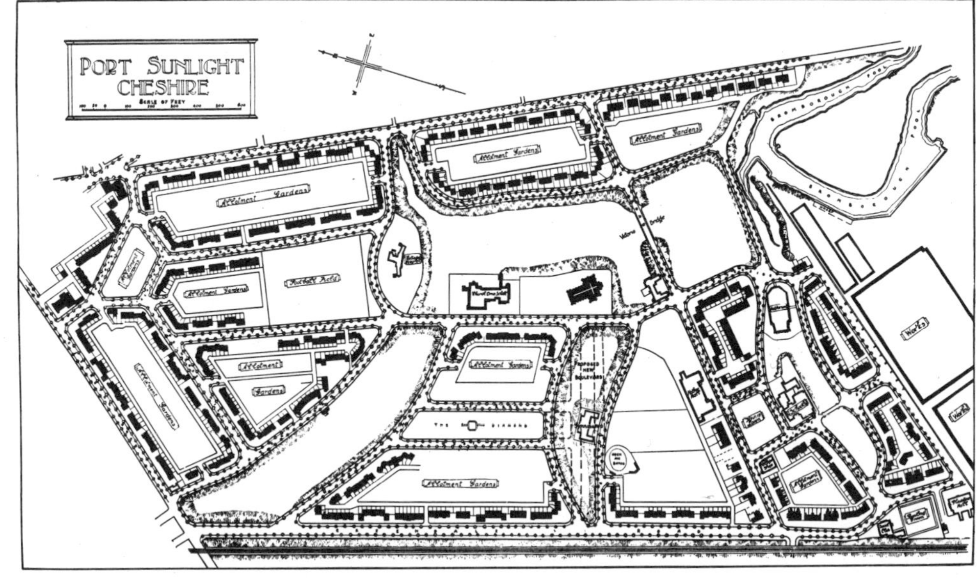

80　伯恩茅斯（英国）风景，维斯托佛（Westover）别墅和巴斯旅馆，约1840年。和其他一些时尚的维多利亚度假城一样，伯恩茅斯的规划强调了与后来的花园城市原则相一致的城市设计特点：完全居住性的街区、舒缓弯曲的道路以及对独立式住宅的偏重。

成的流畅的交通系统。弯曲的街道“意味着悠闲、思索和令人愉悦的宁静”，奥姆斯特德写道，相反，笔直的街道要求人们“急迫地向前，不得左顾右盼”。里弗赛被称作“郊区中的村庄”，并被公开地宣扬为属于“更有智慧和更幸福的阶层”。的确，在普遍为长方形格局的美国郊区地带，奥姆斯特德式的居住社区显得尤其突出，因此这些地方也就成为富裕的盎格鲁撒克逊新教徒白人的领地，排斥了任何其他类型的美国人——包括黑人、犹太人、意大利人以及随着时间的推移不断加入到美国这个民族大熔炉里来的其他人种。 81

一种奇异的转变是：在古代和中世纪，“有机”模式是将富人和穷人融合在一起的综合性结构。但是到了现代，郊区的有机模式却具有了排他性：它是由同类型人组成的私密的世界。同时，它还始终坚持传递着某种反城市的信息，似乎弯曲的街道从来都不是伟大城市同样也具有的永恒特点之一——就像雅典、罗马、锡耶纳和纽伦堡（Nuremberg）那样。这种反城市信息根植在低密度居住所具有的优势以及独立住宅所代表的社会地位当中。

以这种观念看，画境式郊区要远远胜过城市形态，城市形态因其高密度和大面积的刻板布局而令人生厌。如果要使城市形式变得“有机”起来，那就只能采取郊区的布局。至少，工作区和住宅区之间必须有所区别。在大约1870年，北曼哈顿和西布朗克斯的规划者这样写道：

> *被确定为商业和制造业用途的地区应该采用长方形街道和街块布置方式，这样做不但最利于交通，同时还能提高密度和土地的利用率。而作为居住用途的地区……在很大程度上必须采用完全不同的处理方式，在这种情况下，地形因素发挥关键的决定作用。*[32]

分区制控制条例(zoning)在美国的颁布使得上述划分更易推行，所谓分区制最初是一种实施条例(de facto)，1920年代之后被纳入法律机制(de jure)，它的作用是促使工作地和居住地的分离，为创造封闭的单一使用功能的城市发展区提供条件。投机的理念控制了美国绝大部分住宅、小区和新城开发项目，即便是推动了早期唐宁式和奥姆斯特德式封闭郊区的设计思想也被拒之门外。1873年奥姆斯特德曾经为北太平洋铁路公司(Northern

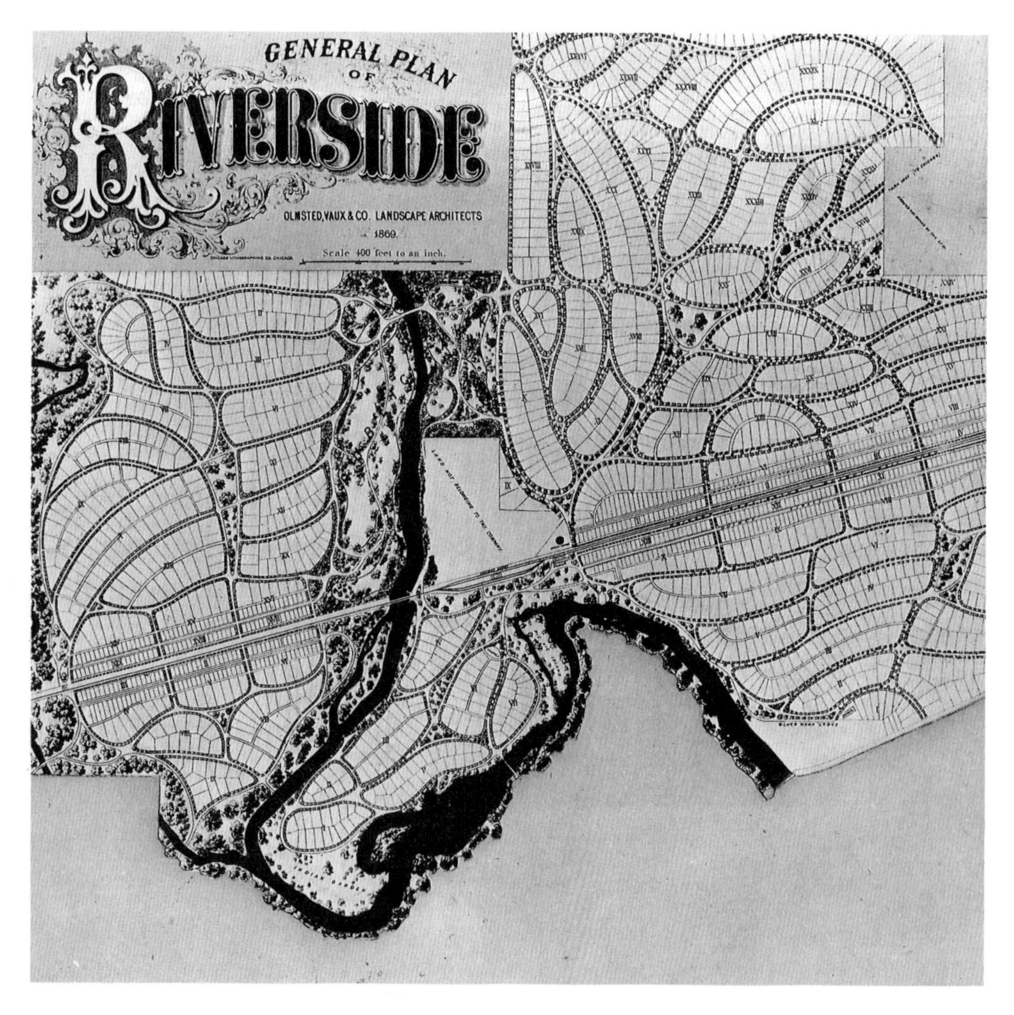

81　位于郊区的里弗赛(伊利诺伊州)的规划，1869年设计。在接受这项为离芝加哥9英里(约14.5公里)的郊区开发项目做规划的委托任务时，弗雷德里克·劳·奥姆斯特德和卡尔文·沃克斯(Calvin Vaux)已经因他们合作的纽约中央公园设计而闻名。他们在规划里弗赛时借用了大量园林设计的语言。围绕小镇铁路两旁的弯曲的居住区林荫道成为新一代郊区的典范。

Pacific Railroad)开发的新城——华盛顿州的塔科马(Tacoma)设计了一个充分利用自然地形的优雅的"有机"方案(其街区形状类似里弗赛)。但是这个方案却完全无法满足房地产商快速投资回报的要求，因而没有被采纳。当时的一段文字资料这样解释这一事件：

(这是)至今为止最绝妙的规划方案。平面中没有一条直线、一个直角或一个处于边角位置的宅基地。街区的形状如甜瓜、梨子和土豆。其中一个街区形如香蕉，长度为3000英尺(约914米)，包含了250个宅基地。这是一个优美的公园平面，但却实在称不上为城市。

花园城市

所有这一切都发生在埃伯纳泽·霍华德之前，霍华德是1898年出版的《明天，一条通向社会改造的平静之路》(*To-Morrow, A Peaceful Path to Social Reform*)一书的作者，1902年他将该书更名为《明天的花园城市》(*Garden Cities of To-Morrow*)。写这本书之前霍华德曾经在芝加哥生活过几年。在芝加哥以及他的家乡伦敦，霍华德见证了现代城市惊人拥挤的状况，强大的投机动力造就了高密度城市中心，从聚集着商业和银行业的城市中心发出的财富吸引力推动着无止境的城市扩张。在喧嚣的城郊结合部之外，紧接着又是另一座城市的郊区，于是在一个地区内便出现一种连续的、弥漫性的城市化状态，后来霍华德的学生帕特里克·格迪斯将这样的城市化地带称作"都市集合体"(Conurbation)。乡村进一步后退，离城市居民越来越遥远。

霍华德提出的解决方案是：由一家开发公司在乡间购买一块能够容纳3万人的社区地块。这样，个别性的私人投机行为可以被排除，建筑可以舒展地布置，绿地可以被充分保留。社区应该保持小的尺度，让每个人都能接近自然。城市要有自己的工业、商业和耕种圈。这样城市和乡村的优点就可以被结合起来。城市周边要以不可占用的绿地围合以控制规模。花园城市不但"拥有最具活力的城市的全部优势，同时又具备乡村的一切美与愉悦"。更早之前，奥姆斯特德在设计画境式郊区的时候也发表过类似的观点。但是霍华德和他的追随者一直强调的是，花园城市不是郊区，它们不依赖某个已有的城市，它们是自给自足的社区，它们有建立在自身人口基础上的就业机会，也有自己的一套行政、文化和服务机构。

我们将在第三章详细讨论霍华德著名的图解。当然，他并没有给花园城市指定弧线形的道路和村屋式的建筑。但是由他的设计理念产生出的实践结果却常常表现为我们本章所讨论的人为画境风格——即由少量标准户型的独立住宅组成形式变化丰富的街道，其中大多数住宅属于中世纪风格，也有一些属于新佐治亚风格。这种实践模式的主创者是雷蒙德·昂温和巴里·帕克(Barry Parker)，他们两人是第一个花园城市——即1902年开始建造的赫特福德郡(Hertfordshire)莱奇沃斯镇(Letchworth)的设计者。莱奇沃斯位于伦敦以北80英里(约130公里)的一条主要铁路线上，在这里运用的一些曾经出现过的设计手法——如巨型街区、独立花园等等——来自于我们前面提到过的早期约克郡的工业城镇以及伯尔讷维尔和桑莱特港。道路系统结合了已有的乡村小道，许多原来的自然景物也获得了保留。

193, 203, 204

226

79
82

在密度方面，霍华德的准则是"每英亩(0.4公顷)12户独立住宅"。在现在的美国，

60 英尺×100 英尺(18 米×30 米),即 1/7 英亩的宅基地绝对是人们所能够接受的最小的独立住宅用地，以 1/4 英亩为标准宅基地面积的开发区也并非少见。所以，以今天的标准看霍华德规定的密度并没有太大的革命性。可是那是在八十年前，当时工业城市的人口密度已经达到了极其不人道的程度，而发展商的贪婪又不受今天各种各样的法律法规的控制。对昂温来说，低于每英亩 12 户的密度也不切实际。他需要的是一种能够增进社区感的设计方式。其中关键的要求不仅仅是一个看上去弯曲而复杂的道路系统，更重要的是住宅的组织方式和密度以及住宅与道路系统之间的位置关系，这些才是造就花园城市的画境式特征的重要因素。

在我看来，他们最主要的创新手法是使建筑的朝向不受街道走向的限制。土地划分中的街块系统被取缔。住宅可以在基地上作任意转动以获得阳光和景观。街块不规则，住宅围绕着尽端路布置，尽端路常常呈 T 字型。昂温最感兴趣的做法是制造系列性的街景。在这方面他的灵感不仅来自他的家乡英国小镇，更借鉴了德国中世纪城镇的视觉设计。他试图将盎格鲁·撒克逊式的对独立住宅和私家花园的偏爱，与欧洲大陆老城镇所具有的那种动人的体量感结合起来。

两座最早出现的花园城市——莱奇沃斯和韦林(Welwyn)的形状并不纯粹。事实上，在镇中心的设计中可以清楚地分辨出巴黎美院式的规则性城市形式的影响，只不过纪念性有所削弱。在 20 世纪的头二十年里，人们广泛尝试了将“有机”的整体形式与巴黎美院的零部件相结合的设计手法。壮丽风格的城市设计的一个最基本的前提是道路的等级化，这种做法不仅出于表现主义的目的，同时也是为了使交通更为流畅，但是这个设计前提却与昂温的思想完全相异，他写道：

226

街道占用的地面越少，就越有可能设计出一个好城镇。沉湎于交通的规划思维是错误的。在作规划时我们应该尽可能避免任何不必要的交通。

作为一种设计规则，花园城市之所以被广泛运用还在于它高度的可适应性，能够与各种理念相配合。花园城市概念不但切合昂温和帕克推广的那种排列着乡村小屋的英国式“中世纪”街道，也可以完全抛弃这种形式而与中高密度的公寓式住宅相结合，甚至还能够适应更规则的布局。

在法国，花园城市的倡导者乔治·贝努瓦·莱维(Georges Benoît-Lévy) 和亨利·塞列尔(Henry Sellier) 将花园城市作为改变无政府主义蔓延式投机开发的手段。第一次世界大战之后，传统的私人住宅建设市场崩溃，塞列尔当时掌管着巴黎地区的住宅建设项目，他有意识地将花园城市作为他负责的机构——塞纳河公共办公厅(Office Public de la Seine)推行的基本设计模式。法国最初的几个工程与莱奇沃斯接近。之后他们尝试了更高的密度。沙特奈(Chatenay)与普莱西(Plessis)的建设就同时表现出这两个阶段：它们原来的规划是英国式的，但到了 1930 年代初期便开始以 4 层高的公寓楼代替了原规划中的独立式住宅。

在遭受了大革命和内战巨大破坏之后的俄国，花园城市（俄语 gorod sad）似乎是一个非常具有吸引力的理念。俄文版的霍华德著作出版于 1911 年，而弗拉基米尔·A·谢米奥诺夫(Vladimir A. Semionov) 在 1912 年出版的一本书中就登载了一个较早的对花园城市图解具体运用的实例，这是一个铁路工人的居住社区，叫作普罗佐若夫斯卡(Prozorovska)。随着 1917 年布尔什维克的当政和紧接其后的对地产私有权的取缔，霍华德花园城市的前提之

82　对页，莱奇沃斯镇（英国），拉西比草场街(Rushby Mead)的廉租住宅，建于 1908 年前后。规划师巴里·帕克和雷蒙德·昂温(Raymond Unwin)在莱奇沃斯创造了具有鲜明特点和丰富多样性的街道系统，与英国当时由沉闷的联排住宅组成的标准的工人阶级居住环境完全不同。通过对道路和建筑的精心定位，已有的树木被保留，同时又新增加了大量绿化，形成了过去只有在首都和度假村才能见到的葱茏景象。

83　花园城市德兰西（Drancy）（法国），1920年。德兰西是塞纳河公共办公厅为分散巴黎人口而规划的多个卫星城之一。建筑师巴松皮尔（Bassompierre）和德路特（de Rutté）忠实地再造了10年前昂温和帕克首创的花园城市模式。

一——土地的集体所有制获得了满足。从1925年国家可以重新开展建设的时候起，针对未来发展方向究竟应该是小型独立住宅还是大型公寓的问题争持不下。之后，在支持分散型建设的一部分人和坚持维护和加强已有城市中心的另一部分人之间就乡村和城市之间的矛盾关系问题又展开了新一轮的辩论。直到1932年，分散型理论被否定。官方文章将霍华德贴上了“小资产阶级知识分子”的标签，并宣布放弃旧城就等于促成了“国家的消失和解体”。[33]

83

有几项因素阻碍了美国接受花园城市的思想。首先美国的体制几乎完全不能容忍集体所有制或者对私人产权使用方式的控制。这些东西全都带有社会主义或共产主义的理念。美国人几乎同样也不能接受对交通尤其是对1920年之后形成的汽车交通的抑制。所以美国人对花园城市形式的把玩带有极端的试探性。但是美国式的花园郊区却一直深受欢迎。1880年代，随着以巴黎美院风格为基调的美利坚文艺复兴建筑风格的开始，及其相应地在城市设计领域掀起的城市美化运动，人们对画境式风格以及复古主义的多元化风格的兴趣开始减弱，奥姆斯特德对城市设计的影响仅限于公园、公园体系以及数百个壮丽风格城市设计工程中的景观设计部分。但是在高尚开发区的设计当中，里弗赛镇式的人工画境风格还是被保留了下来，百万富翁的华丽别墅迁到了郊区，可是这些豪宅却常常影响画境风格的表现力。由于这些别墅常常过大，而且过于张扬，所以很难与规划中的弯曲林荫道和轻松的格调相协调。

当然，在格伦代尔和里弗赛之后也出现过一些能够给人留下深刻印象的实例，如J·C·尼科尔斯(J. C. Nichols)设计的堪萨斯城(Kansas City)乡村俱乐部区(Country Club 84 District)和位于长岛铁路主线上的昆斯区(Queens)弗里斯特希尔花园居住区。两地都是在1915年之前开始建造的，是在社区共同协议制约下实现的较早实例，这些制约条文包括了对土地使用方式、住宅最低允许造价、建筑后退红线、建筑出挑、剩余空间、展示板等事项的控制，当然条文中也包括对种族的限制。弗里斯特希尔由从事慈善事业的罗素·塞奇基金会(Russell Sage Foundation)建造，这个基金会“憎恶那种不适合郊区地形的重复的长方形街块”，决心为那些有足够财力的中等收入家庭提供“英国花园城市式的住屋”。虽然这个社区位于纽约市的范围之内，但它还是对城市的方格网进行了扭转，用总规划师小奥姆斯特德(Olmsted, Jr.)的话来说，这里的大多数街道表现了一种“舒适的家居气氛……纽约特有的那种单调、笔直、贯通的城市大道被简短、宁静、自足的花园式邻里所取代，每一个邻里都有各自的特色”[34]——换句话说，这些特色就是昂温式的系列街景。

花园郊区还进入了其他两个建造领域。第一次世界大战末，由“紧急舰队公司”(Emergency Fleet Corporation)负责实施一项当时已经滞后的联邦工人住宅计划，这个计划最终实现了一批模范社区，如新泽西州卡姆登市(Camden)的约克西(Yorkship)村、靠近特拉华州威尔明顿市(Wilmington)的联合公园居住区(Union Park Garden)、宾夕法尼亚州切斯特的布克曼村(Buchman Village)。1920年代早期，一些私人工业公司在它们的员工住宅

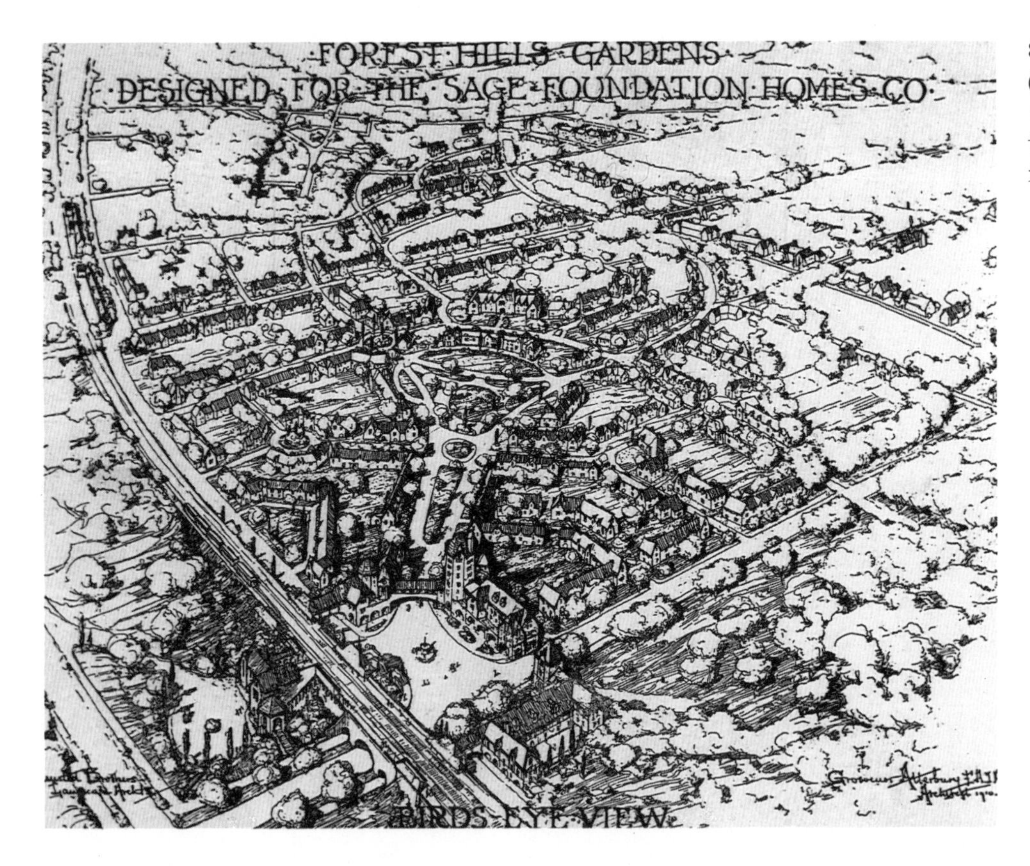

84　佛雷斯西尔花园住区(Forest Hills Gardens)(纽约)，1910年。由格罗夫纳阿特伯里(Grosvenor Atterbury)和奥姆斯特德兄弟合作设计，这是一个模范工人住区，也是美国早期经规划建造的郊区中受英国影响最深的一例。

85，86　拉德本（新泽西），1928年由克拉伦斯·斯坦（Clarence Stein）和亨利·莱特（Henry Wright）设计：高架桥下的步行通道以及1930年前后施工时的鸟瞰照片。用斯坦的话来说，拉德本是按照“汽车时代的城市”标准来设计的，它综合了英国花园城市规划方法的元素与新发明的将步行交通和机动交通绝对分离的规划手段。

区设计中也运用了这种较模糊的郊区模式，如俄亥俄州阿克伦市（Akron）的固特异山庄（Goodyear Heights），以及马萨诸塞州的塔波特制造厂（Talbot Mills）建造的比尔里卡花园郊区（Billerica Garden Suburb）。无论业主是联邦政府还是私人企业，它们的实际做法无非是在郊区网格中加入一些曲线元素，而设计者也一再重申，虽然住宅用地的大小不全相同，但“绝没有不规则到无法使用的地步”。[35]

随后出现了一个里程碑式的设计，这就是1928年由美国的帕克与昂温——即克拉伦斯·斯坦和亨利·莱特合作规划的新泽西州拉德本（Radburn）市。英国式与美国式的人为画境式规划思想在这里走到了一起。拉德本的规划人口为2.5万人，分成3个村，每个村有自己的小学和内部公园。方格网系统被明确排斥。每个村的用地又进一步被分成每个约40英亩（16公顷）的巨型街块，街块之间有下沉的步行通道相连。花园城市的绿带原则被放弃，但霍华德思想的关键部分——社区内部工业在小范围内获得实现，这个小型的工业组成一直存在到1986年。另外，拉德本采用的是私人土地所有制而不是集体所有制。同时，汽车的存在也得到了充分的肯定。 *85*

精英知识分子对这种新型社区投入了极大的宣传热情，这些人里包括了刘易斯·芒福德这样的能言善辩的理论家。这些宣传言论在新政时期持续了一段日子。它们在某种程度上推助联邦政府再次作出直接投资而不是依靠下属部门或通过刺激政策的办法来实现低收入者住宅计划的决定。所谓的“绿带城镇”绝对是现代美国城市史中最奇怪的章节之一，同时也是在美国出现的最接近霍华德模式的城市形式。这些城镇的确有一条绿带——至少开始时曾经有过，同时它们也属于机构所有，这个机构即联邦政府。这种社区概念作为一项郊区改造计划被推销给怀有敌意的公众，而最终实现的社区有3个。马里兰州的格林贝尔（Greenbelt）和俄亥俄州的格林希尔（Greenhills）采用了巨型街区、尽端路和无机动车的内部道路系统。第三个社区，威斯康星州的格林代尔（Greendale）并没有跟从前几个社区的非美国式做法，而是以殖民地的威廉斯堡（Williamsburg）为学习对象。第四个是新泽西的格林布洛克（Greenbrook），这是一个拉德本式的社区，由于法院的阻止而没有建成。不管怎样，政府还是在二战后出售了这些城镇，其情形如同一次大战后政府出售约克西和布克曼一样。[36]

联邦政府的这种城镇模式有着更深远的影响。二次大战后，地产发展商的惯用模式开始发生变化，从不假思索的盲目的方格网转向使用更多的曲线，在这个转变问题上，官方政策发挥的作用也许超出了以芒福德为轴心的逃避主义言论的作用。毫无疑问的是，其中一部分原因与交通容量和交通速度的加大有关，交通的发展迫使人们选择那种能够将不同交通方式区分开来的、能够尽量避免交通冲突点的道路模式。于是规划人员开始接受一些新的观点：认为城市中应该设立快速交通干道，局部道路应该采用环道和尽端路的方式，应该采取巨型街区至少是长条型的街区模式，以及采用三向的T字形交叉口来降低交通冲突点等等。

拉德本是第一个实现了这种所谓的功能性道路规划的社区。1934年联邦住宅管理局成立，这个机构负责为地方银行的私人住宅建设贷款提供按揭保险，为了降低风险并保证住宅的可销售性，联邦住宅管理局不但制定了房屋的建造标准，还规定了被认为行之有效的街道模式。官方宣传册常常冠以《规划可盈利的邻里》或《成功的居住小区》这样的标题，它们还特别偏爱曲线形的街道系统和T字形的道路交叉口。一般认为，苏厄德·莫特（Seward Mott）是促成这类官方画境式风格的关键人物，他的灵感可能来自正统的画境式郊区，如奥姆斯特德的里弗赛或弗里斯特希尔花园住宅区。[37]拉德本模式在美国本土除了带动出一系列绿带城市的实验之外影响力并不太大，但它却成为二战之后瑞典和英国新城计划的基本参照依据。

在战后时期，美国没有能够推行官方性质的全面的住宅区设计政策。但街道设计却受到越来越具体的条例的控制，这些条例规定出统一的后退道路红线要求、统一的侧院和后院要求、统一的住宅用地面积等等，所有这些条例都是针对每一块单独的住宅用地而言的。这就导致了大多数美国住宅开发区呆板单调的局面。由于从那时开始，开发商常常需要自己建造道路和提供其他服务设施，而不能再像过去那样指望相关的市政部门来解决这些问题，于是开发地块常常较小、较分散，而且形状任意，其结果是围绕着不规则的乡村路网形成一种逐渐积聚、逐渐膨胀的画境式居住区。有时候这种弯弯曲曲的居住模式至少从平面上看很像是中世纪的开罗。1960年代，时尚的组团式平面设计在投机式发展项目中十分流行，在一群呈花样状排列的住宅建筑的周围是永久性的开放空地，直到现在，这个尚未完成的“有机”形式的历史还将继续推动我们的城市实践。

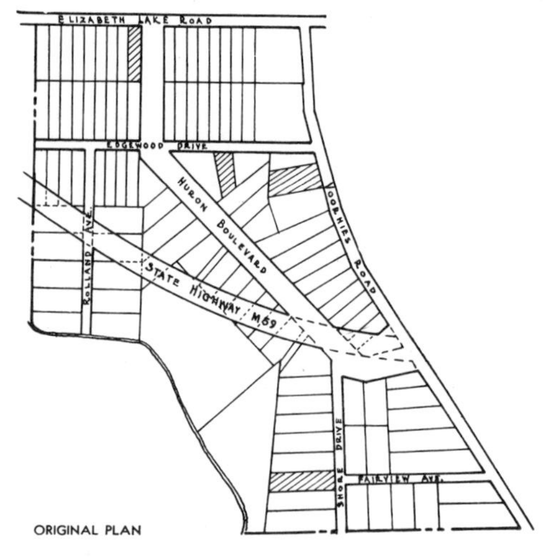

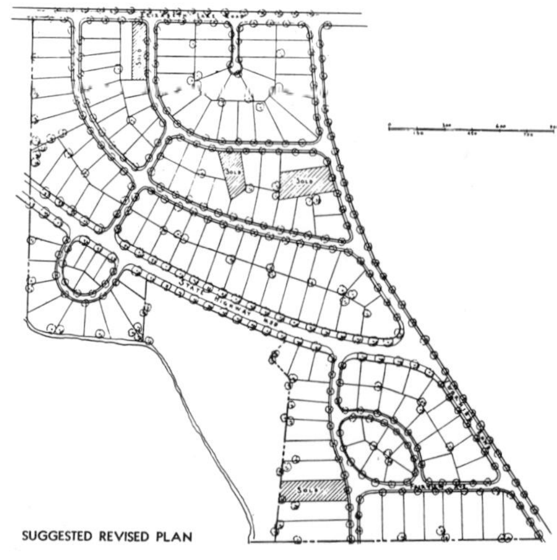

87 一个投机开发性小区在规划调整前后的平面对比，选自1938年出版的宣传册《规划可盈利的邻里》。1934年联邦住宅管理局（Federal Housing Administration）成立时，没有人预想到它在塑造美国建造环境方面能够发挥如此巨大的作用。由于设立了偏向于曲线形道路系统的最低建造标准，联邦住宅管理局实际上在美国郊区爆炸性发展的年代促成了全国范围内对“有机”风貌的全面复制。

保护和历史的教训

欧洲大陆自19世纪后期开始在人为画境的实践方面构成了另一段完全不同的历史。这一历史的核心是欧洲大陆自身形成的新中世纪主义。当英国人从他们的传统村庄和乡村小屋中寻找某种能够与自然自由对话的城市生活方式的时候，大陆的欧洲人在他们的由多层建筑构成的中世纪城镇中发现了对付工业革命种种恶果的办法——这些恶果包括了城市的丑陋、人性的灭绝、社会关系的破坏以及在投机利润和高效交通压力下城市价值的丧失。19世纪中期之后，各地的老城市都开始拆建，目的是要在密集的中世纪城市组织中切出一条条通衢大道，通向正在蓬勃发展着的郊区。而在郊区，便利的交通开始被认为是

88　棕榈城（Palm City）（佛罗里达州）。1940年代后期，大批量性生产技术的发展引发了郊区建设的革命。新型建筑材料、高效能工具、工厂预制的住宅组件以及技术劳动的专业化将郊区开发商转变成为速效城市的建造者。这条由独立式住宅构成的蜿蜒的道路不仅是具有百年历史的曲线的郊区街景的延续，同时也展现了装配线式住宅生产的新成果。

高质量生活的重要指标之一。大众和文化批评家却以越来越厌恶和警惕的目光看待新一代的技术狂热分子——那群交通专家和市政官员们，这些正在以缓解交通为由毫不留情地破坏着古老的城市中心。“开膛破肚”(éventrement）这个词是当时包括奥斯曼男爵在内的一批最著名“拆除艺术家”的口头禅，奥斯曼所做的第二帝国巴黎（Second Empire Paris）的总体规划为激进的城市改造设立了新的极限。当奥斯曼与他的同伙选择追求技术效率的同时，反对派也开始了从文化、社会和历史的角度保护旧城的行动。

90

起先，后者将大部分精力放在阻止对某些重要建筑物的拆毁方面。那些技术狂热分子同样也声称尊重这些建筑，他们的做法是要清除纪念性建筑周围逐渐堆积起来的时间的痕迹，让这些建筑孤立地耸立在巨大的开放空间中央，或处在某个宏大的街景的尽端。而在德国，这一问题带动了对环境关系的关注，这种关注表现在两个方面。

第一个方面主要以美学为主，最有代表性是卡米洛·西特（1843—1903年）和他在1889年出版的著作《建造城市的艺术》，或直译为《以艺术原则为依据的城市建设》(*City-Building According to Artistic Principles*)。早在西特之前，画境风格的老城镇相对于现代几何式的街道而言在美学上所具有的优势已经被人们所推崇。18世纪时，I·P·维勒布兰德（I. P. Willebrand）在他1775年所写的一本关于规划美学的著作——《优美城市的布局》(*The Layout of a Beautiful City*）中赞扬了旧城镇的形体方式。一个世纪之后，普鲁士军队的英雄赫尔穆特·冯·毛奇(Helmuth von Moltke)也在文字中表示，他对维也纳画境式街道的喜爱超过了柏林那些形式拘谨的扩建区。文化批评家威廉·海因里希·里尔（Wilhelm Heinrich Riehl)在1854年出版的书中也站起来反对“当前针对街道布局设立的各种条例”，西特的评论者乔治·科林斯(George Collins)进一步解释道：“有一种观点认为，只要将散步者的足迹描摹出来便可以获得画境式的效果。我们可以在乡间发现这些优雅的弧线，而模仿这些弧线是‘一种荣誉的事’。”[38]

但是西特最终将这些单纯的欣赏发展成为一套城市形式理论。他在辩论中反对“令人气恼的顽固的几何规则”，反对奥斯曼式的尺度，反对那种对正中设有纪念物的巨型广场的狂热，和那种以方尖碑(obelisks)和骑马雕像为视觉焦点的宏伟街景。他对城市形式尤其对他所了解并热爱的中世纪家乡城镇作了仔细研究，他赞美这些城镇所具有的“自然的感觉”。更值得关注的是，他不仅对城市形式中活跃的不规则元素在视觉上的表现力感兴趣，他还将这些形式元素与整体的社会功能联系在一起。城市是建筑与人的集合，而这两者之间的关联在时间的进程中获得发展和维持：它们既不应该被分裂成各个阶级，也不应该按功能和行为切割成区块。在公共建筑与它们所在的周边环境之间有一种逐渐形成的和谐关系。在西特看来，城市学就是相互关系的科学。而这些关系应该根据一个漫步在城市中的人在一瞥之间的感受来决定。街道与广场应该从三维的、体量的角度来设计。“理想的街道应该形成完全闭合的空间单位”，应该避免两边对称，避免等距离地、垂直地与其他道路相交。

西特自己并没有提倡在城市扩建中使用中世纪的街道类型。他在著作中对希腊-罗马的城市方式以及德国皇家伟大的巴洛克传统同样表示了肯定。西特所关心的问题不是容器的具体形态的问题，而是所容纳的东西的质量问题——即空间的问题。但是西特的追随者们的确培养出了一套建立在曲线模式基础上的教条主义，他们设计出的一些完全任意性的

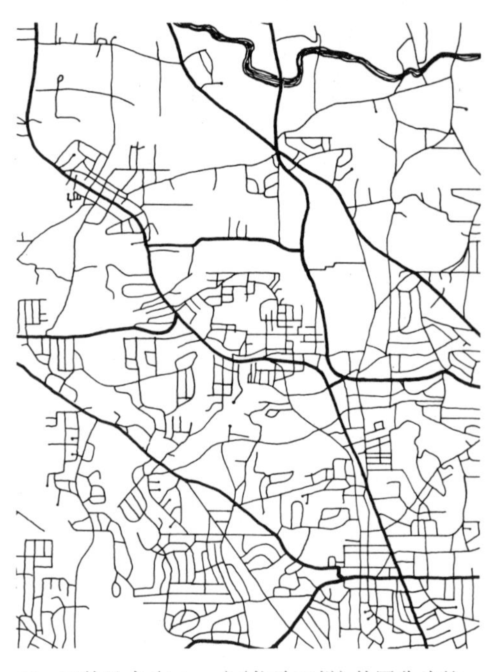

89　亚特兰大（Atlanta）（佐治亚州）外围分片的郊区路网。［根据滕纳德（Tunnard）原图复制］

90　这幅作于1858年的木刻画表现了巴黎进行奥斯曼改造时的局部场景：左岸(Left Bank)13、14世纪稠密的街道网络被笔直宽阔的埃可大街(Rue des Ecoles)所代替。

画境式郊区和城市扩建区引发了针对西特的批评。批评者认为，规整式设计有规则可循，而不规整设计在很大程度上只能依靠直觉。事实上，德国的画境风格不但受到西特的影响，同样也受到英国模式的影响。在一系列新建区，如德累斯顿附近的海勒劳(Hellerau, 1908年)、慕尼黑-佩尔拉赫(Munich-Perlach)柏林的斯塔肯花园郊区(Staaken Garden Suburb)以及由年轻的布鲁诺·陶特(Bruno Taut)设计的同样位于柏林的法尔肯贝格(Falkenberg, 1912年)，街道与桑莱特港和莱奇沃斯镇相比更为不规则和不对称，相对而言，住宅的设计较为简单、平静，并且良好地服从着街道控制线。住宅之间距离更紧，屋脊线连续，屋面较深。对花园式郊区的偏爱一直延续到第一次世界大战之后，当时军火大亨克虏伯(Krupp ,1812—1887年)在埃森(Essen)建造工人居住区时，便继续倾向于使用英国式的画境风格而不是几何形式。

93
92
79

西特的模式在旧城区比在城市郊区更加有用。但与此同时，对弯曲的街道、圆润的转角、出人意料的小绿地、不受几何体量干扰的连续沿街面等细腻手法的维护和运用证明，在现代新城区规划中，这种另类的方法要比投机开发商常用的那种以利润为核心的几何方法更具创造力，实践同样也证明了，在旧城中心，小的调整要比大规模的拆除更为恰当。在布鲁塞尔(Brussels)，市长查尔斯·布尔斯(Charles Buls)站起来成为老城区的维护者。

他试图回答一个普遍的美学问题——中世纪城市是否美，是否属于思考和设计的产物？他认为这些城市具有一种特殊的品质。他在1893年出版的著作《城市设计》(*The Design of Cities*) 的开篇写道：

> *老的城镇和老的街道对于所有那些不至于对艺术印象麻木不仁的人来说具有一种奇异的魅力。它们也许称不上美，但却很有吸引力。它们用一种美丽的不规则来取悦于人，这种不规则性并非来自艺术，而是来自偶然性……*

现代城市设计中的几何性在很大程度上是因为专业人员在平面图纸上工作时，喜欢布置对称图形的职业习惯造成的，可是一旦规划实现，行走在地面的路人并不能感受到这种对称性。但布尔斯认为，无论如何，这里的关键问题不是直的或弯曲的街道的问题。古典建筑群需要一个广阔的视野、一个深远的街景，这样才能揭示设计中的对称性；而哥特建筑群则需要闭合的透视画面和一个丰富的、画境式的环境。

20世纪到来之后，文化和历史的观念占了上风。甚至连巴黎也开始转变思路。下面是奥斯曼的接任者，塞纳河区的行政长官在1909年提交给市政当局的一份报告，旨在反对他那位杰出前任的工作：

> *我们必须避免落入过于僵化的几何规则，我们不能模仿美国城市毫无趣味的方格网……也不能因为滥用几何形式而再次牺牲历史留给我们的美丽作品，在改造和征用规划中这些历史作品被当成了一钱不值的东西。*[39]

法国规划机构思想的转变在非洲殖民地的设计中表现得更为清楚。军事工程师曾经毫不留情地对1830年占领的阿尔及利亚和1881年“控制”的突尼斯阿拉伯人居民区实行了现代化改造。但当法国1912年宣布摩洛哥为它的受保护国，并任命利奥泰元帅(Marshal Lyautey)为常驻全权长官的时候，却立即推出了一套保护性政策。殖民地的所有规划决策必须由位于巴黎的战争部(Ministry of War)制定的时代结束了。利奥泰和他的建筑师亨利·普罗斯特(Henry Prost)提倡将当地居民区和欧洲殖民者的居民区分开建设。利奥泰写道：“宽敞的街道、林荫路、高大的商店和住宅门面、给水及供电设施（对于欧洲人来说）是必要的，但（这一切）却扰乱了原有城市的秩序，使当地人无法按传统方式生活。”所以关键的问题不在于保护个别纪念物，而是要“将地区整体作为历史纪念物看待，不要破坏它的线条和其他各个方面。”[40]

在殖民地情况下，这样的诉求是值得怀疑的。我们可以在利奥泰值得称赞的话语中看见种族隔离的影子。不过，对建造环境提出关注的还有更早的先驱者，他们的动机，即便不是方法，却是不容置疑的。他们的立论远远超出美学或者广义历史主义的范畴。他们的观点建立在我们建造的东西就是我们自身这个基础概念之上。破坏旧的城市结构就等于消灭我们自己的文化个性。

谈到这一点的时候，首先应该提到的人物是帕特里克·格迪斯。他最初参与爱丁堡旧城(Old Town at Edinburgh)工作的时间是1880年代末，之后又分别在1911年至1914年间参与了邓弗姆林(Dunfermline)和都柏林的工作。他不知疲倦地提倡要在任何形式的规划改造进行之前，先完成城市普查工作——他所指的城市普查，是在全市范围内，对地质、地理、经济生活，尤其是城市历史和城市机构作全面的研究。这种调查成为“治疗前的诊断”。紧接其后的是“保守性的手术”。他在1914年出版的伟大著作《发展中的城市》(*Cities in Evolution*) 一书中写道：

91 布鲁塞尔，鸡市街(Marché aux Poulets)，引自《建造城市的艺术》(1902年)，这本卡米洛·西特关于城市建造艺术论著的法文版缩减了原作者关于围合性城市空间的文字，将这部分内容简化为单一化的对中世纪城市形式的歌颂。这幅插图引自译者卡米尔·马丁(Camille Martin)为该书新增的一篇关于街道设计的章节。

93 对页，慕尼黑（德国），慕尼黑-佩尔拉赫花园城市，贝尔莱普西-弗兰德斯(Berlepsch-Valendas)设计，1914—1917年。这个未建成的设计属于从卡米洛·西特的学说发展而来的“人造画境”(forced picturesque)规划学派的作品。一位当代评论者带着肯定的态度提到，虽然这个花园郊区规划是为已经被“划分成整齐网格的”平坦林地而做的，但“设计者并没有让这些道路网影响村镇的布置”。

92 柏林，斯塔肯花园城市，保罗·施米特海莫(Paul Schmitthemmer)设计，1914—1917 年，柏林第一个花园郊区，结合了英国的花园城市理论和德国的新中世纪设计手法。

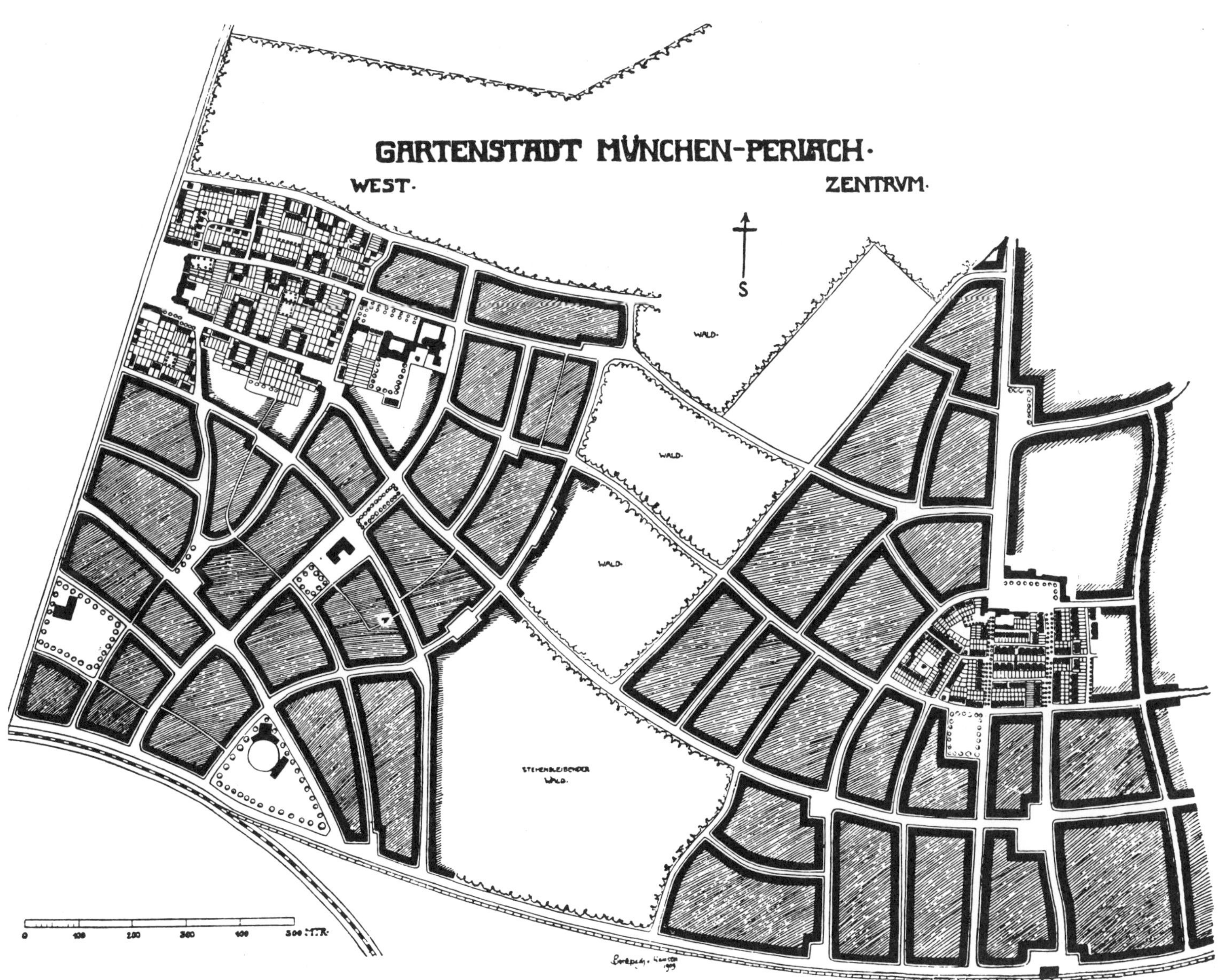

我们不应该像许多人所做的那样，过于简单地从交通这样的基本问题入手，然后再附加上带有某种倾向的美学品质或其他一些东西，相反，我们应该首先寻求进入到我们城市的精神、它的历史本质和它不断沿续的生命体当中……只有这样，我们才能以某种方式分辨和探查出城市的性格和城市的集体灵魂，只有这样，城市的日常生活才能够被全面地体验……[41]

在印度，他试图改变英国军方规划师动辄“开膛破肚”的思维方式，像利奥泰在摩洛哥的做法一样，他仅仅借助于说服所蕴藏的强大力量。他在旧城市纷乱的形式中发现了美，在那里，狭窄弯曲的巷道和巷道中朴素的住宅、主要大街和两旁时尚的建筑物构成

94 “一种不可分割的相互穿插的结构”。表面的混乱仅仅出自于我们的想像——这是一种西方式的、过度痴迷于机械秩序的结果。我们本应该从这里看到“发展中的生活秩序”。他认为，减少住宅区铺装街道的数量和宽度，将节省下来的土地转化为可利用的开放的空间，

95 将会有助于重新建立社会生活的价值。尽可能减少拆除量。鼓励公众参与，带动集体热情，让居民表达自己的个性，如果“在住宅设计上留有发挥余地，允许相互竞争，那么街道也会美丽很多”。

这种缓慢的、小型的、参与式的格迪斯手法几乎没有对现实规划领域造成太大的影响。他的教导不久被花园城市运动所吸收，并始终保持着一种边缘性的作用。但是，并非出自他个人的努力，他的针对城市历史核心的保护更新原则至少在一个欧洲国家——德国获得了确立。到19世纪末，德国的历史保护目标开始与城市天际线和“城市肖像”(Stadtbild)的维护走到了一起。希尔德斯海姆(Hildesheim)、罗滕堡(Rothenburg)和吕贝克这些城市在20世纪初通过了严格的城市保护法。而历史保护又进一步被热切地跟民族主义以及“民族传统的保护”(Heimatschutz)划上了等号。这种对祖国的崇拜经历了1920年代社会主义运动的风浪之后，成为纳粹执政时期一项重要的规划指导方针。当斯皮尔(Speer)等人在第三帝国的各大城市塑造巴黎和维也纳式的壮丽风格的时候，乡村的新城镇正在发展着“民间”(das Volk)的概念。理论家们认为中世纪的年代是最纯净的年代，那段时期德意志没有受到外族和外界的影响。在形体上，这种独立性表现在山墙式的住宅和蕴藏着毫无疑问的“有机”原则的中世纪城镇景观当中。一位规划师写道：中世纪纽伦堡的街道就“像一片树叶的叶脉结构那样，满足着中世纪城市的交通要求”——同样的模式也适用于纳粹的乡村小镇。理想的形式应该采用圆形，仿效传统中世纪的城镇如讷德林根，为配合自然地形，圆还可以作适当拉伸。交通按正交轴布置，这样做也是为了给政治中心制造出一个特殊场所。新城中，在过去市场和教堂所在的地方布置着纳粹党的建筑物。独立住宅交织在自然之中，街道应该顺应地形轮廓。街道不能是方格网，应该“从泥土中生长出来……与自然形式，即已有的地表形态合而为一”。[42]

1945年之后，“有机主义”的历程通过汉斯·伯恩哈德·莱乔(Hans Bernhard Reichow)的漫长职业生涯展开。纳粹时期，莱乔担任斯德丁(Stettin)市的总建筑师和汉堡市(Hamburg)规划部门的顾问。战后他受雇于西德住宅部，主持设计了许多居住区。在战争年代，莱乔就开始将“有机”形式从乡村小镇扩展到后工业时期的大都市。他首先思考的

97 是如何重建被炮弹摧毁的德国大城市。这是他1948年的著作《有机的城市规划、有机的建

94，95　伯尔拉姆布尔（Balrampur）（印度），城市更新规划，引自帕特里克·格迪斯的《伯尔拉姆布尔规划》（*TownplanninginBalrampur*，1917年）。格迪斯的保守手术理论所设想的是在改善卫生与交通条件的同时，保留当地的居住模式。他所做的伯尔拉姆布尔规划通过细致推敲的街道加宽工作来减少拆除量。气候和当地习俗在规划中得到反映，根据这一设计，城市中将分散着一些林荫地，它们是位于街道中段的开阔场所，可容纳印度传统的城市公共生活。

筑、有机的文化》（*Organische Stadtbaukunst, Organische Baukunst, Organische Kultur*）一书的主题。莱乔使用的比喻我们很熟悉——比如树的枝干、叶片的结构、人的肺部等等。他谴责一切"非有机"的城市形式——无论是简单的网格还是壮丽风格的产物，一律都被称作刻板。他认为那些宣扬线性城市为完整城市形式的观念是错误的。线性城市本身是不完全的，它只能是有机城市的一个部件，只有作为一条支干时它才能有效工作。当城市扩张时，如果它的发展沿着放射线进行而没有损害到城市的向心力，那么这种扩张方式才是有机的。用环城路将放射结构封闭起来的做法是反自然的。当城市将它的自然空间填充完之后就会停止发展。"出现的自由"是一切自然美的前提。

莱乔的著作核心体现的，实际上是纳粹规划领域1940年之后的新思维。由于德国各大城市遭受了炸弹的清洗，纳粹党不得不紧急放弃传统的以独立式住宅为核心的乡村化原则，战争的破坏带来了一项迫切的新任务——以更加理性的方式重建城市基础设施，为几百万人提供新住所。这时，曾经被公然抛弃的现代主义原则变得可以接受。城市规划需要的是由大型公寓楼组成的大规模建设工程，这些公寓由标准单元组成，建造在绿色公园当中，使用工厂预制构件，工业区与居住区在功能上分开。这样新城市就可以完全现代化，但不必彻底忘记"有机"的根源。绿带围绕城市，住宅大楼沿着稍作弯曲的大街布置。[43] 这就是莱乔的立场——软化现代主义，配合新的纳粹政策。

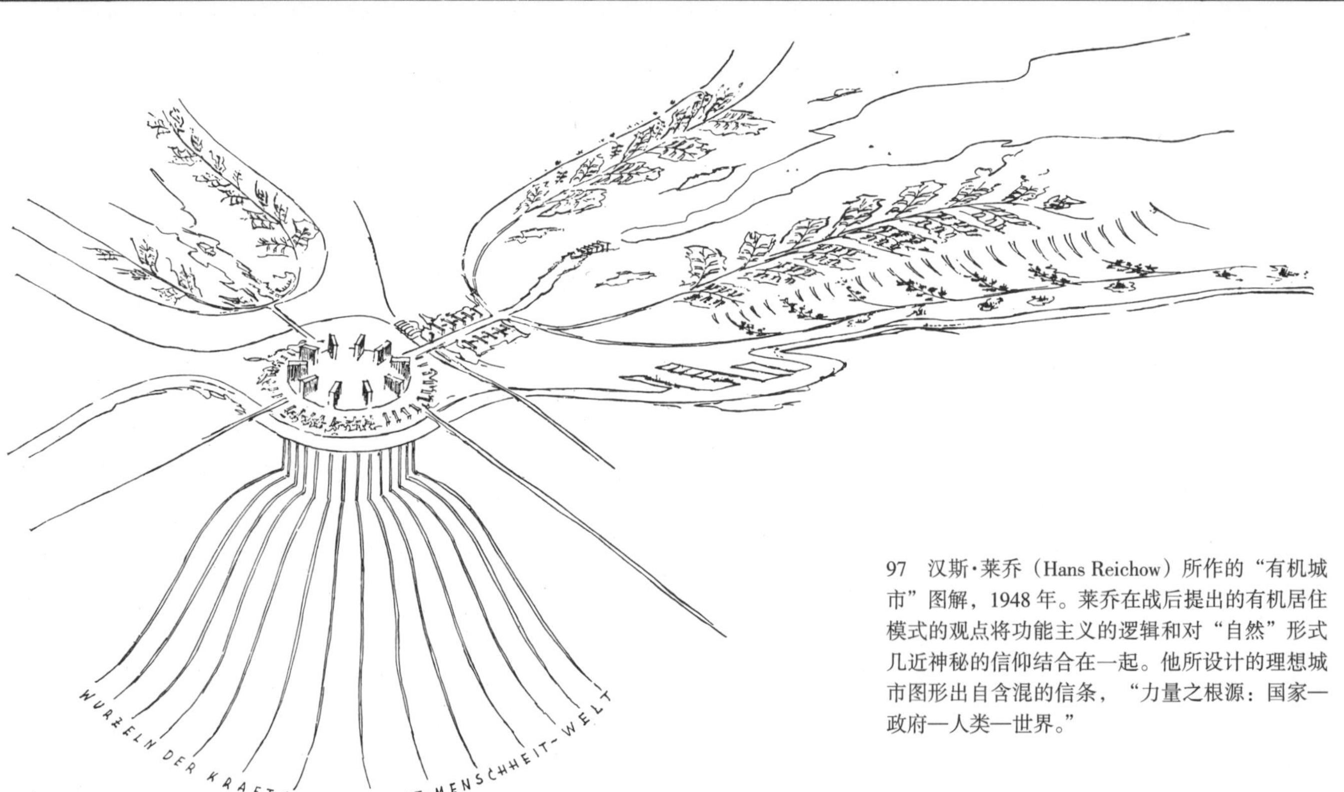

97 汉斯·莱乔（Hans Reichow）所作的“有机城市”图解，1948年。莱乔在战后提出的有机居住模式的观点将功能主义的逻辑和对“自然”形式几近神秘的信仰结合在一起。他所设计的理想城市图形出自含混的信条，“力量之根源：国家—政府—人类—世界。”

96 对页，国家社会主义的新城镇工程，1938年。这个由格罗瑟（Grosser）和舒尔曼（Schürmann）设计的示范城可以容纳2万人，这是第二次世界大战爆发的前一年，在法兰克福（德国）举办的城市规划展览会上展出的几项工程之一。

现代主义和设计而成的画境风格

在过去，现代主义的城市思想与花园城市之间曾经有过互动。年轻时的勒·柯布西耶曾经对画境风格感兴趣，这令他写过一段西特风格的文字，并为家乡瑞士的拉·绍德封（La Chaux-de-Fonds）设计了一个带有弯曲街道和山墙式建筑的花园郊区，当然，我们可以认为这只不过是他年轻时出于好奇而作的举动，之后，他便开始嘲弄这种“驮驴式的道路”。[44] 厄恩斯特·梅（Ernst May）更加符合我们这里所说的情形。他曾经受过昂温的指导，参加过汉普斯特德花园郊区（Hampstead Garden Suburb）项目的工作。当他在社会主义政党执政时期当选为法兰克福住宅局主席时，他将他设计的第一批居住区（Siedlungen）——那些后来成为早期现代主义运动标志物的居住区，看作是对花园城市理论的现代主义解释。这一称号特别切合尼达河（Nidda River）边的罗墨市，在这里，道路柔顺地弯曲着，与形体蜿蜒的超长的住宅楼相呼应。但不久，法兰克福与魏玛时期德国的其他地方一样，新的现代主义居住区开始采用一种建立在诸如“日照”模式这一类伪科学基础上的教条主义体系。 98

二次大战之后，现代主义的胜利回归暂时结束了人们对欧洲城镇传统的画境风格以及花园城市和后继者制造的人为画境风格的推崇。除了英国，没有任何其他地方将花园城市作为解决战后城市问题的官方手段，即便在英国，埃伯纳泽·霍华德的思想和昂温的实践也开始寻求同现代主义的建筑类型——如高层住宅板楼，以及现代主义的“建造在公园中的城市”的想像相结合。贫民窟清理和“城市更新”政策似乎决意要完成炸弹没有完成的工作。只要是现代主义当道的地方就不存在照顾城市历史环境的可能性。在巴比坎（Barbican）工程中，伦敦市的一整片传统街区结构被清除；在梅斯（Metz），一块保留着13世纪住宅的旧街区也遭到毁灭。

98 罗墨市，靠近法兰克福（德国），厄恩斯特·梅设计，1927—1929年。

以现在的主题看，1960年代的反叛活动采取了两种不同的道路。其中一条导致了对现代主义城市思想的内部批判，另一条道路则指向历史和保留的城市片段。两种方向都在各自的领域重新展开了对“有机”模式的历史性讨论，并重新确立了这些模式的重要性。

首先，由一群年轻的现代主义者组成的松散的国际组织“十人组”（Team X）站起来反对他们前辈傲慢的国际主义作风。他们将自己看成是一场新的革命的先驱。他们认为，文艺复兴以来，城市设计的主导思想一直是要对城市实行预先规划和预先设定。在整个18世纪，像凡尔赛和华盛顿这样的理想性规划和一次性设计影响着我们对城市的理解。19世纪和20世纪出现的调控规划进一步加强了要在预先控制下完成城市形式的概念。正是这种固定的、规则性的结构支配着现代主义大师如勒·柯布西耶和路德维希·希尔伯谢墨（Ludwig Hilbersheimer）的城市设计作品（见第二章“网格”，154页）。

“十人组”提倡将城市建设当作“有机过程”来看的新态度。规划的目标是要建立起一个宽松的结构，让今后的发展能够在这个结构之上随时间的推移逐步产生。1952年艾利森和彼得·史密森（Alison and Peter Smithson）构思的先锋性的金巷（Golden Lane）居住区规划于1961年在设菲尔德（sheffield）的派克希尔（Park Hill）实现，这一规划表现了活跃的高层建筑天际线和架设在高层建筑之间的复杂的巨型人行系统。谢德拉克·伍兹（Shadrac Woods）为图卢兹（Toulouse）的扩建区设计了一个类似的规划，他在解释规划时，提到了支干和网格——这些“有机”规划学派常用的传统比喻。在这里，主干就是一条由公共交通支持的步行道。住宅呈线形，接插到主干上。相互交织的几条主干形成一个无中心的网格，在使用的过程中逐渐发展出某些高密度的焦点部位。图卢兹-米瑞尔(Toulouse-Le Mirail)的平面有些像北非的居住区，带有一丝讽刺意味的是，这个地区现在确实主要由阿尔及利亚移民居住。但是人们在那里看到的现实，是纵横在荒芜的绿地上的巨大的多层折板形住宅楼，以及穿行其间的几乎不承担任何步行行为的内部街道系统——这一切对于设计者所提出的关于城市应该“是步行者的领地，规划师应该尊重步行尺度”这一类观点而言，显然是一种讽刺。

同一枚硬币的另一面，是蛰伏在现代主义喧嚣的反历史主义声浪之下的历史保护主义和“城镇风光”(townscape)美学思想的再度苏醒。在旧城和旧城更新问题上，局面发生了戏剧性的变化。1962年在法国，当时的文化事务部部长安德烈·马尔罗(André Malraux)引入了一项新法案，目的是从城市更新的清杀行动中拯救出一批历史性的城市核心。这条法案建立了“保护区”(Secteur Sauvegardé)的概念，挽救了许多临危的社区，其中包括科尔马(Colmar)的泰努区(Quartier des Tanneurs)，当时那里的一些半木构的房屋和带有铺地的狭窄巷道已经被清理出来准备拆除。这个“马尔罗法”(Loi Malraux)后来成为1966年美国通过的《国家历史保护法案》(*National Historic Preservation Act*)和1967年提出了“保护区”概念的英国《城市舒适设施法案》(*Civic Amenities Act*)的前身。[45]

对城镇风光的叙述是一种英国式的现象。同时它也带有一丝花园城市和西特的痕迹，最早出现的著作，是1953年弗雷德里克·吉伯德(Frederick Gibberd)在参与哈罗新城(Harlow New Town)设计的同时写下的《城镇设计》(*Town Design*)，以及1961年戈登·卡伦撰写的非常有影响力的著作《城市景观》(*Townscape*)。和西特一样，卡伦将城市规划定义为“关系的艺术”，他将城市历史肌理分析的重点放在视觉序列、人体尺度及包括了神秘、慰籍、直观和其他情感在内的他称之为“内容”的东西上面。强烈的情感因素支撑着城镇风光学派的权威性。这些情感支持来自对现代主义激进政策的反抗，以及希望按照原样重新建设被战争破坏的旧城核心的大规模群众运动。中世纪的街道网络已经很难恢复，但在那些依然保存着古老建筑躯壳的地方——如华沙、德累斯顿和莱比锡，人们热切地开始再造活动，有时还将残留的建筑局部与现代格局相结合，形成极为刺激的画境式的街景效果。

我们经历了可怕的20世纪二三十年代，当时的老城一方面被法西斯/纳粹所破坏，另一方面又饱尝了现代主义的狂热；我们也经历了20世纪五六十年代，当时剧烈的城市更新风暴毁坏了无数城市中心，而今天我们已经开始学习如何去接纳城市的完整性。正是由于我们对乌尔和底比斯、帝国时代的罗马和奥斯曼代的巴黎这样的许许多多无论是宏大或是偶然的城市空间的接纳，才使得R·克里尔的著作《城市空间》(*Urban Space*, 首版于1975年)和科林·罗(Colin Rowe)的著作《拼贴城市》(*Collage City*, 1978年)中的观点如此引起大家的关注，它们令我们相信我们共同拥有的城市遗产所具有的强大力量。

当轮到我们这一代人来改造和建设已经服务了人类如此之久的城市的时候，我们如何才能发挥新的认识？首先，我们必须放弃对过去的任何有选择的偏见，反对设立这样或那样既定性的环境秩序。在现代主义者纵容下之所以出现破坏浪潮，是他们无视文化延续

99，100　图卢兹-米瑞尔（法国）：图卢兹老城和新城镇的平面，以及从建筑内部的一条街道看到的住宅板楼。堪第里斯（Candilis）和伍兹设计的城市扩建新区可容纳10万人口，面积几乎和原来的老城一样大。这是一个名叫“十人组”的城市研究组织所倡导的“有机”城市建造过程在实践中获得充分实现的一例。

性的结果，而我们却不应该以憎恨作为对现代主义的报复。在我们采取肯定历史的态度的同时，还需注意不要恢复那种人为的将“有机”与“规划”对立起来的城市形式二元论——去划分什么中世纪或古典主义的阵营。西特、布尔斯、格迪斯——他们都清楚这一点，我们也应该这样。所以，克里尔提出的关于中世纪逐步演变而成的有机形式不可能在现代再生的观点是有所偏颇的，他说：

> *在艺术史学家和公众中间流行着一种幼稚的观点，认为……不规则的或“有机”的建筑要比同时规划和建造出来的一组城市建筑更美……事实上中世纪广场之所以深受喜爱更多地是基于这样的事实：首先，没有一个现代城市能够仿制这类广场形式；第二，广场的周围有优美的建筑物。我们这个时代在这个领域也无法与过去相比。*

不错，但是就文艺复兴和巴洛克时代而言情况也是如此。我们不能找回工业革命以前的世界或者甚至其中任何一个局部，即使也许我们非常渴望如此。我们应该满足于尽可能地保护这些东西，知道我们曾经拥有过什么——并且怀着对我们共同遗产的情感和爱献出我们的一份尊敬。这种尊敬应该超越纯粹视觉的兴趣。我们要再一次质疑克里尔的论点，他认为当我们面对旧的街道和广场时，应该仅仅关注其形式。克里尔坚持认为，象征意义是短命的，功能也可能会改变，而不变的是“空间的诗意内容和美学品质”。但是城市形式是历史的事件，我们建造的东西的确就是我们自己。在这一点上我们更宜接受帕特里克·格迪斯提出的理想化的发展历史主义，并且和他一起牢记今天任何城市的发展都应

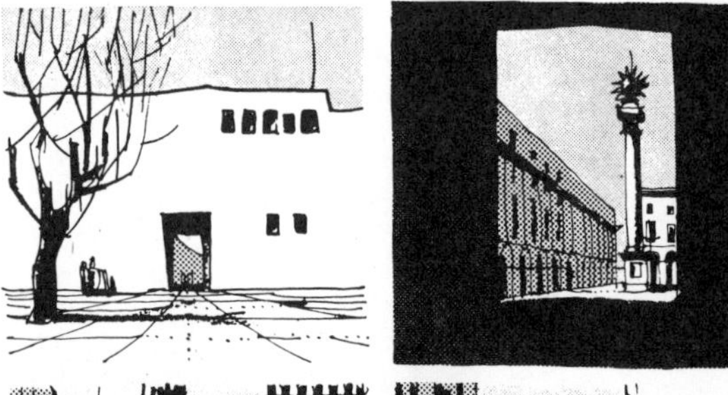

CASEBOOK: SERIAL VISION

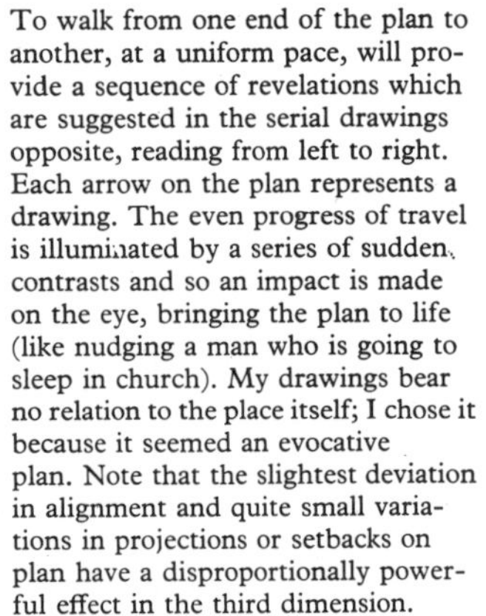

To walk from one end of the plan to another, at a uniform pace, will provide a sequence of revelations which are suggested in the serial drawings opposite, reading from left to right. Each arrow on the plan represents a drawing. The even progress of travel is illuminated by a series of sudden contrasts and so an impact is made on the eye, bringing the plan to life (like nudging a man who is going to sleep in church). My drawings bear no relation to the place itself; I chose it because it seemed an evocative plan. Note that the slightest deviation in alignment and quite small variations in projections or setbacks on plan have a disproportionally powerful effect in the third dimension.

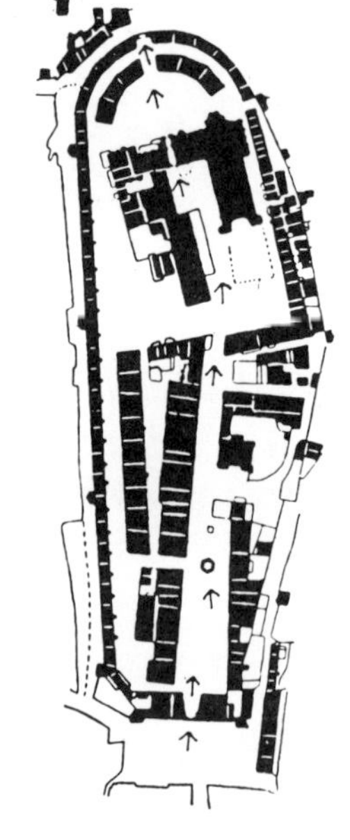

101 戈登·卡伦的著作《简明城市景观》(*The Concise Townscape*, 1971 年) 中的一页。英国城市城镇风光学派的理论家重新发现了那些随着时间的流逝缓慢发展而成的城市在城市肌理上的丰富性以及它们给人带来的永远的愉悦。卡伦对“系列景观画面” (serial vision) 的研究表现了他试图从现代之前的城市中提炼能够指导设计的方法的努力。

该考虑历史条件、地理因素和新时代的要求。除此之外，只要我们能够承认“有机”是一种持久的思想原则，也是一种古老的设计思想体系，那么我们便可以放心地去谈论所谓的“未规划”城市——而不再抱有任何可疑的想要用“规划”的手段纠正它们的念头。

第二章 网 格

序 言

勒·柯布西耶在他的1924年的著作中嘲笑了“构成了大陆每一个城市平面”的“驮驴走的路”。他所指的正是上一章中讨论的“有机”模式。驮驴“蜿蜒前进，左顾右盼，注意力分散，为了躲避巨石和方便攀爬，或寻求庇护而走出一条折线，他选择的是一条阻碍最少的通道”。但这绝不是人的方式。“人走直线，因为他有目标，他知道自己要去那里。”[1] 两个世纪之前英国建筑师威廉·钱伯斯爵士（Sir William Chambers）说过类似的话：“在没有阻碍的平原上……如果人可以直行，那么他就不可能选择走弯路。”[2]

人总是走直线，根据这个原理，在需要离开这条道路的时候他就必须作垂直的转弯，至于转弯的频率则由他自己决定。地形与此没有太大的关系，尤其是在平地上的时候。这种简单的理性的划地规则——即正交的道路关系——就是定居区规划的第一步。

102 曼哈顿岛的南端，直到34街（照片摄于1963年）。纽约是网格作为城市扩展有效工具的最佳体现。在岛的尖端，最早期的荷兰人聚居地围绕着简单的道路和运河系统发展而成。18世纪后期，城市以独立划分的网格状地块无序地向北扩展，将草地和丛林转化成可牟利的地产。1811年的委员会规划（The Commissioner' s Plan of 1811）以一种单一的网格覆盖了剩余的曼哈顿岛，使这里的城市结构标准化（见图118）。在本照片从下向上2/3处可以分辨出这一结构变化。

正交规划的本质

网格——也叫格栅或棋盘——是至今为止人为规划城市最常用的模式。无论从地域还是从时间上看它都是最普遍的一种形式（虽然历史上这种方式的功能并不完全延续）。作为一种能够适用于任何地形的一般性的城市方案，或者作为一种简便的土地平均划分和土地交易方式，没有其他办法优于网格。从亚里士多德的时候开始，贯通的直道在防御上的优势就已经被人们所认识，正交街道系统也被用来监管城市中的暴民。难民营和监狱是最常见的例子。因为由1714年征服了巴塞罗那的菲利普五世（Philip V）建造的堡垒已经被拆除，所以现在巴塞罗尼塔区（Barceloneta）的网格可能显得不如过去严格。但是，当时之所以在堡垒防御城墙外的这片深入海中的土地上布置这种由15条狭长地块和笔直的大街构成的规则性居住区，其直接目的就是为了监视那些“海上的人”，这些人的住宅被拆掉，空出的地方建造了这座堡垒。

165

152

虽然网格设计随处可见，但却常常被人们误解，认为它是无须甄别的简单的概念。正相反，网格是一种极具可塑性的、多变的规划系统，正因为这样它才会有如此巨大的成功。不同的网格规划之间大概只有一个共同点，就是道路的正交原则——即不同方向的街道相互垂直，相同方向的街道彼此平行。即便这一点也不是绝对的，在特异的地形中，正交系统依然可以稍作调整而不影响基本的体系。

155
图版 18

在两个彼此没有联系的文化环境——宋代的中国和殖民地的美洲，分别存在两种独特的、保留完好的网格状城市平面，通过对这两者的深入研究可以揭示出关于网格这种最常见的城市形式的一些学问。

宋朝时，位于中国江苏省南部的古城苏州曾经经历过一次全面的整修，这次非凡的改造设计被记录在 1229 年的一块精美的石刻上。这毫无疑问是一个正交形的规划，但整体布局却表现出一种充满韵律的复杂性，没有刻板的对称、连续的直线或者千篇一律的地块分割。无论从尺度规律，或者从空间结构处理上不断推敲的痕迹上都可以看出，这是一个经过预先设计并且按照精确的尺度和标高数据建造的城市。整个城市中的街道与运河网平行，其中南北向运河有 6 条，东西向有 14 条。300 座跨越运河的桥梁巧妙地组合在各个枢纽位置。双重性的交通网络因偶然出现的几个错动的交叉口和之字形的街道而变得活跃。城市形状是由城墙围合而成的长方形，约 4.5 英里×3 英里（大约 10 公里×5 公里）（原文如此—译者注）。但这个外轮廓为了照顾地形也出现一些突起的部位，城墙的三个角为与运河的水流保持一致而切成斜角。沿城市周边不对称地设了 5 座城门。城市的核心是巨大的建在围墙和壕河之中的政府部门，它位于正中偏东南的位置。所有的公共建筑都形成这样一种由高墙封闭起来的集合体，如果是最重要的公共机构，那么高墙之外还会增设一道水流。政府机关以北的居住区由长条状的街块组成，是整个平面中相对整齐的一部分。街块进一步分成狭长的住宅用地，住宅的正面沿街道排列，住宅花园的围墙朝向后面的运河。[3]

103

104

位于佐治亚州（Georgia）新殖民地中的萨瓦纳始建于 1733 年，它是一个处在精密的地区策划系统中的没有城墙的核心地。城市网格以区（ward）为单位，每个区内有各自的广场，广场的尺度大约为 315 英尺×270 英尺（约 96 米×82 米）。每个广场东西两边的地块上布置了教堂、商店等公共建筑；其余两边总共分成 40 块宅基地。达彼区（Darby Ward）及其中的杰克逊广场（Jackson Square）是第一个建成的区，后来这里成为城市的中心。“区”当然是一个政治概念。城市平面也就是政治系统的蓝本。10 份地产形成一组“什一”（tything），4 组“什一”成为一个区，区的行政长官就是区治安官。“什一”由两条 5 户住宅背对背排列而成，中间是一条共同使用的便道或巷道。所有住宅全部面朝东西向的街道，所以各区在视觉上相互联系，由于共同分享着一部分公共建筑及其他设施，各区之间保持着密切的社会联系。在这种方式下，以广场为中心的内向的“区”系统同样也表现出朝向共同街道的线性格局。连接各广场的街道以及广场本身从一开始就栽种了树木，但南北向的街道和区内小路上一直没有种树。区的单元可以复制，直到 19 世纪，萨瓦纳还一直以这种不变的基本模式向外扩展着。

随机选取的这两种复杂的长方形平面提示了将要在后面的章节中展开的历史分析的内容范围。我们必须关注的问题有以下几点：

103　苏州(中国)，1229 年制作的城市平面石刻的拓片。图中精确地描绘了城市中相互平行的街道和运河系统，细线代表水道，城墙外一圈绳状的图案代表运河。

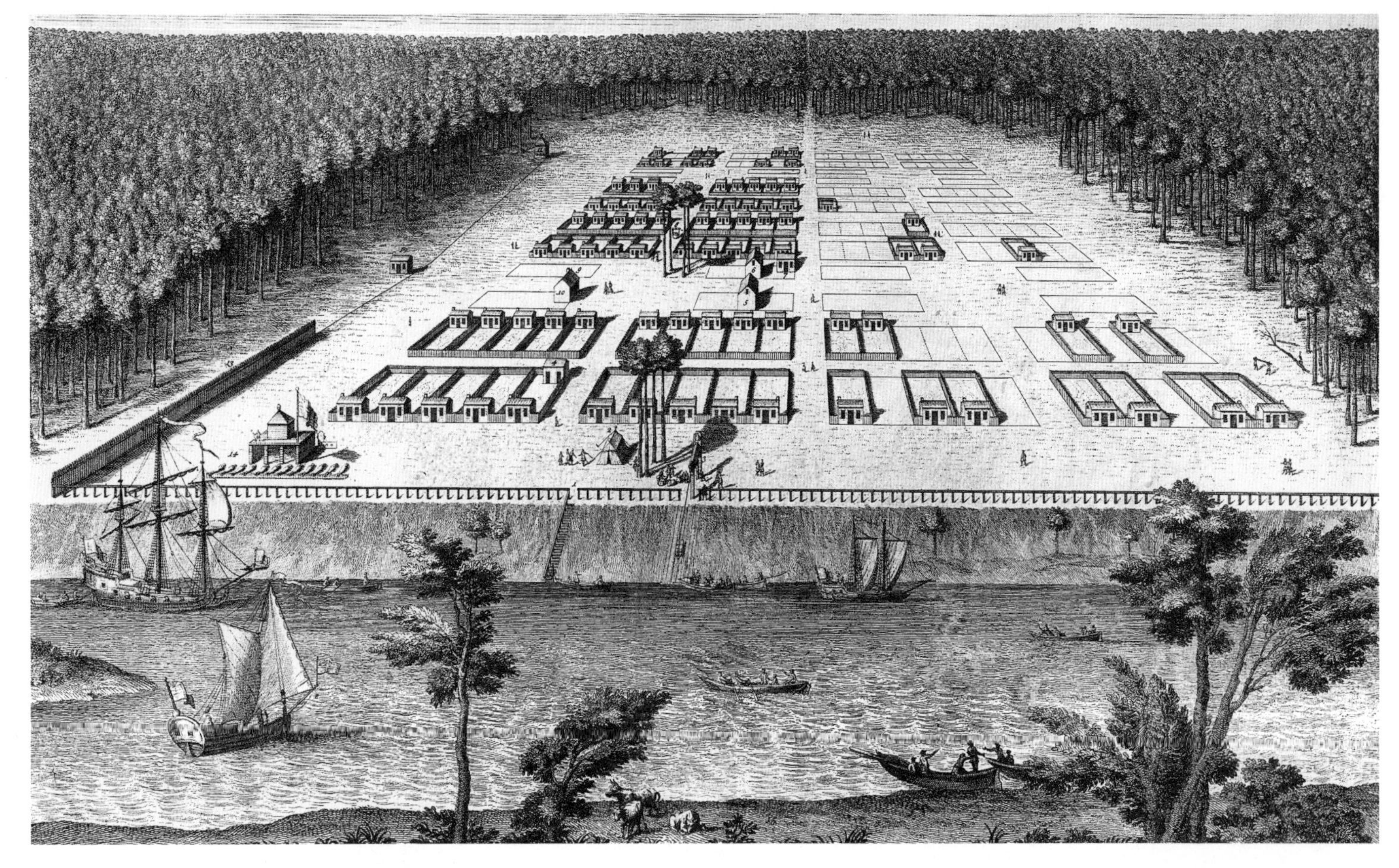

104　《1734年3月24日萨瓦纳的风景》，P·富德里尼耶（P. Fourdrinier）根据彼得·戈登（Peter Gordon）的原图制作的雕版图。在这个聚居区建立一年之后，从建成的简朴的松木小屋和栅栏就已经能够分辨出萨瓦纳规划中“区”（ward）和“什一”（tything）的格局。

1. 街块的尺度、形状及内部组织情况

2. 开放空间及其分布状况

3. 公共建筑的位置

4. 街道网络的性质，即是否制造了某种重点（如强调某个交点），或者有没有系统性的主次街道之分

5. 网格的结束方式是开放端，是由城墙围合，还是锁定在一系列城门之中？

6. 网格与周围乡村及地形特征的关系

7. 最关键的一点是网格的三维效果，例如，曼哈顿的网格和某个铁路小镇网格之间的巨大差别

所有这些问题不仅是形式讨论的基础，它们同样也指向网格平面得以形成的核心动因——即网格所支持的生活方式。

除此之外，网格主题中还充斥了许多不完全的、组合型的或其他混合型的网格方式。这里我另列出以下几种：

图版16

1. 大致接近的网格，其中的道路并非完全平行或严格正交（许多中世纪为防御而建的城镇属这一类型）。

253

2. 在“有机”城市形式基础上的网格状扩建［如柏林、克拉科夫（Cracow）等］。

3. 在原有网格平面基础上的网格状扩建(如旧金山、新奥尔良、都灵)。 232,134

4. 网格与其他几何性规划原则的结合，最常见的是对角线街道，最著名的有朗方设计的华盛顿，或 18 世纪的圣彼得堡规划。 208

5. 现代居住区使用的曲线的网格。

网格和政治

一般说来，网格状城镇能够满足城镇本身的大部分要求：如防御、农业发展、商业贸易等等。选择这种街道布局几乎不需要作太多的事前思考，在历史上的某些年代，这是规划新城时采用的一种最实际的方式。例如中世纪的后期便是如此。所以，当哲学家和制定教规的教长们坚持认为，建立城市是尽责的统治者应尽的责任的时候，他们所设想的城市模式应该就是某种形式的正交形。14 世纪加泰罗尼亚的哲学家弗朗切斯科·易塞梅尼斯(Francesco Eiximenes)在他的著作《基督徒》(*Crestià*)当中所描绘的城市就是一种普遍类型的古典网格。[4]

西方城市史研究中经常出现的简单类比——如网格之于民主社会、巴洛克美学之于集权性质的政府等等——常常过度夸大，有时甚至完全误导。仅举一个例子：这种类比并不能说明为什么法国和西班牙这类专制政权在殖民地地区广泛采用网格平面。

网格能够满足大部分专制政府的象征需求，中国和日本是其中最主要的两个例子。唐代的长安是最严格的网格式城市之一，后来传入日本，并指导了 8 世纪平城京的规划(见 175 页)。在中国古代历史的早期，行政首都是一种全新的创造，它是政治控制下强化的居住场所。城市象征着权力，并服务于权力的要求。正交平面将空间结构固定，以反映一种不可更改的等级：它将宫殿建筑群、政府建筑、宗教建筑和不同等级的住宅分别装进独立的城市封套。贸易是次一级的问题，但同时也被严格地归纳到这一政治网格之中。这正是苏州的迷人之处。它的活跃的网格是中国行政城市在 10 世纪之后逐渐宽松的生动记录，商业和娱乐开始被接纳为城市形式的组成部分。 174 139

由于其文化的偏疏和封闭，这些著名的历史阶段却被我们当作是主流城市历史之外的特例。但所谓西方网格无政治性的言论其实也只是一个神话。举例来说，在早期希腊殖民地，网格并不是保证所有公民都能获得平等土地分配的民主工具，而是帮助延续从原居住地迁居而来的有产阶级的特权，并且支持地方贵族的手段。前往新居住地的第一批移民有权平等分得城墙内外的土地。这种世袭的土地是不可转让的，统治阶级严格禁止土地交易。这些地产的面积很大，有些家庭的用地可以达到 2.5 英亩(1 公顷)。所有者之后又将他们的土地再次分割。在城市内，私人土地只能用于居住。任何土地转让行为或任何土地改造的苗头都会被严厉处置，甚至可能按谋杀论罪。[5]

在长安和平城京之后的许多世纪，通过公共建筑的特殊布局和其他的一些规划措施，网格依然可以被毫不含混地用来支持集权性的政治结构。以布列塔尼(Brittany)的布雷斯特为例，这是路易十四执政时期为扩大法国的海洋霸权而精心策划的 4 个新港口之一。根据研究这些城市的学者约瑟夫·W·孔维兹(Josef W. Konvitz)的描述，科尔贝(Colbert)的工程师桑-科隆布(Sainte-Colombe)1680 年所做的规划是“一种系统性的、不间断的、不加修饰的由街区组成的网格”。第二年，沃邦作了一些改进——尤其是统一加入了教堂、市场和规整的住宅区广场，使网格更表现为政府行为。通过在城区和军械部之间放置这样的一些具有纪念性的城市片段，沃邦有效地使新布雷斯特成为皇家意志的产物——而无需借助雄伟的巴洛克对角线及其他张扬的绝对主义规划手段。法国在美洲的殖民种植园建造的兵器广场（place d' armes）常常位于水边，一般用于容纳一系列机构性建筑（政府大厦、教会和监督机构、兵营、医院等等），这些广场使得新奥尔良或圣路易斯（St.Louis）这样的简单的线状网格城市刻上了皇家行为的标记。

同样，像E·A·古特金那样，[6]认为荷兰17世纪使用的网格代表了“加尔文主义的信条和民主的平均主义”的观点，实际上也是给一种由普通的经济因素造成的城市模式添上了一层简单化的政治讯息。荷兰人推进了一种实用的资本主义商业文化，在那里，巴洛克对角线或骑马塑像点缀下的规则广场都是完全不切题的。

事实上，与平等主义自然对应的不仅仅是网格模式，也可以是任何其他城市形式。无论原来的前提如何高尚，不平等因素迟早会悄然进入。与当时提倡的自由社会相对应，中世纪的新城镇常常带有土地平均制的良好意愿。在洛特河畔的维尔纽夫（Villeneuve-sur-Lot）这样的城镇里，靠近集市广场的地块分割得较小，目的是与它们在地理位置上的优势取得平衡。山地城镇的分割方式是使每户居民的土地与山坡的关系都较类似，但不久半宅基地的形式出现，于是有些居民便有可能在2倍或3倍大的宅基地上建造住宅。

图版16

认为城市网格代表了平等主义土地分配系统的最牢固的观念出自现代的民主社会，主要是美国。人们一般提出的论点是，网格除了是一种“土地勘察、记录和相应的所有权转让的简便手段之外”，还“支持着地产市场参与的基本民主性。这并不是指个人财富不能占有大量地产，而是指基本的初始土地几何分块意味着某种单纯的平等主义原则，便于人们进入城市土地市场。”[7]然而事实却远远不足以令人赞美。普通公民只有在初始阶段才能较容易地得到城市土地，这时廉价的乡村土地正在城市扩张的过程中被快速分割。只要网格铺展的速度高于城市化的速度，同时购买者又缺席的话，那么这时的网格可以被认为是一种平等化的社会工具。一旦这部分土地属于了城市，“这种土地分块的原始几何关系”的优势就会荡然无存，就连尚未建造的土地对于公众来说也是遥不可及的。从长远的角度看，关键不在于网格的神秘力量，而在于成为第一批拥有者的运气。

也许网格真正的平等主义实践最自然地体现在宗教社团当中。两个著名的实例可以解释这一点。

第一个例子是近代天主教会大分裂的结果。1685年南特法令（Edict of Nantes）废除之后，大约2万名胡格诺派教徒（Huguenot）逃离法兰西。他们在德意志的清教区，以及英格兰、荷兰和瑞士定居下来，建立起城镇和郊区。所有这些城市都有一个共同的形式：方整地形范围内规整的道路网格，相同形状、尺寸和颜色的统一住宅，一个小型教堂，和相同的工厂。著名胡格诺派教徒的聚居地包括卡塞尔（Kassel）附近的卡尔斯哈芬（Karlshafen），以及安斯巴赫侯爵（Margrave of Ansbach）属地里的埃朗根（Erlangen）。[8]毫无疑问，这种相同性所表现的正是所有居住者之间相互平等的社会地位。

两个世纪之后的摩门教徒(Mormons)也是如此。上帝通过约瑟夫·史密斯(Joseph Smith)示意后期圣徒(Latter-Day Saints):基督复临(Second Coming)将在一个"完美的时间和地点"发生在美国，而他们的责任是要为这件千年盛事准备好一座适当的城市。1833年史密斯设计了一个理想的摩门城市方案，称为"天国锡安城图"(Plat of the City of Zion)。地图描绘的是1平方英里(2.6平方公里)的土地，由街道网分割。所有尺度都相当宽裕。街道宽度一律为132英尺(40.25米)，街区面积为10~15英亩(4~6公顷)。住宅由砖石砌造，统一后退街道控制线25英尺(7.6米)。随着信徒人数的增加，城市面积可以无止境地扩大。所有地产将立契转让给教堂，个人将会获得一份财产或职位——一个农场、一个商店或机关事务员的职位。

摩门教徒两次试图实现"锡安城图"[一次是在密苏里州考德威尔(Caldwell)，另一次是在伊利诺伊州的诺沃]，最后确定建造在大盐湖的峡谷之中。盐湖城围绕着中心广场上的神庙迅速发展起来。在沃萨切(Wahsatch)山脉庇护下的纪念性棋盘方格系统之外，花园和农场遵从着同样的网格系统继续向外扩展。住宅建造在宽大的宅基地的一角，并且4个一组聚集在道路交叉口。圣经《民数记》(*Numbers*)和《利未记》(*Leviticus*)中描述的方形城市利未城(Levites)，以及《以西结书》(*Ezekiel*)里的耶路撒冷方城终于铺开在原始犹他山区中这片德塞莱特领地(Territory of Deseret)上。这样，摩门教徒就为基督的复临作好了准备。[9]

"更好的秩序"还是常规程序

从历史上看，网格服务于两种目的。第一种是帮助建立有条理的聚居区和殖民地，这是一种广泛意义上的作用。其中包括对远方土地的占领——如希腊人在西西里、西班牙人在新大陆的情形；以及在新开发土地上的定居，就像基督教势力再征服(reconquista)时期的西班牙半岛或者大约1800年之后美国中西部地区发生的情况那样。

105　盐湖城(犹他州)，从北面望去的鸟瞰图的局部，由E·S·格洛佛(E. S. Glover)作于1875年。大帐篷(The Tabernacle)位于图中部，它有一个巨大的曲面屋顶。

第二种作用是将网格作为一种促进现代化的措施，以改造已有的、不够有条理的现状。古罗马人以这种方式清理了伊比利亚（Iberian）和日耳曼（Germanic）的居住区。文艺复兴时期，地方领主们通过建造模范的网格新区的方式扩展他们的中世纪城市结构。15世纪末，埃尔科莱·德埃斯特在费拉拉扩建中采用的由比亚焦·罗塞蒂所做的规划就是早期的一个例子。1628年的一项皇家法令要求芬兰所有的现有城市都要按照方格网作重新调整，以引入“更好的秩序”，同时，所有新建城市也要统一服从这种城市模式。[10]现代欧洲在其殖民帝国的土著城市旁边用网格的方式建造新区——塞浦路斯、摩洛哥、越南都是如此。新建立的现代国家借助网格更新自己的领土——19世纪希腊独立后，对古城科林斯（Corinth）和斯巴达（Sparta）的改造就是如此。现代运动发展了自己的一套网格系统作为革命性新式规划的基础，或者用于对不同国家和不同气候条件下的城市进行再改造。卢西奥·科斯塔（Lucio Costa）为巴西新首都巴西利亚所做的规划据他自己认为就是现代主义原则的完美例证。昌迪加尔（Chandigarh）也是如此，除了勒·柯布西耶设计的著名的公共建筑群区域之外，城市呈现出一种毫无差别的现代主义网格，与繁杂拥挤的印度古城形成强烈对比。

251

153

94

采用网格平面的实际动机是多种多样的。它可以服务于军事目的［如古罗马的军寨（castra）和不列颠的兵营（cantonment）］、宗教契约、商业资本主义（铁路城镇）以及工业区建设。以这种看上去思维简单、没有灵气、毫无变化的格式来容纳多样性的功能导致了人们对网格的众多非议。壮丽风格的倡导者——从巴洛克城市学家到美国城市美化运动的理论家，都责怪网格形式缩手缩脚，无法为公共建筑提供突出的位置。而那些热心维护欧洲传统城市视觉魅力和社会丰富性的人士则认为，正交平面或者是属于原始文化阶段的现象，或者是我们这个时代城市体验贫乏的证明。查尔斯·狄更斯（Charles Dickens）在1842年访问美国的时候，指责费城“整齐得令人乏味。在城里走了一两个小时之后，我觉得这个世界该有一条弯道。”[11]在与比利时老城市中心进行了一番对比之后，1893年布鲁塞尔的改革主义市长查尔斯·布尔斯写道，在现代的城市扩建区里，街道相互平行或相互垂直，表现出一种“僵化的、枯燥的、过于精确的特征”。[12]稍早之前，卡米洛·西特对杰斐逊在美国推行的网格规划也评价不高，他说：

> *使用这样的（分割法）显然是由于这时候土地还没有被人们所熟悉，而未来的发展也不可预测，因为美国缺少过去，没有历史，在人类文明中，美国除了拥有大量土地外拿不出任何其他东西。在美国、澳大利亚和其他未开发的土地上，网格平面也许暂时可以应付。在那种人们只关心开发土地，活着只是为了挣钱，而挣钱只是为了生存的地方，人们也许可以接受被装进楼房，就像青鱼被装进桶里那样。*[13]

较近一段时期里，在美国的规划师和学者中间也开始酝酿一种针对网格规划的偏见。对于像刘易斯·芒福德这样的花园城市倡导者，那些虽然可以欣赏萨瓦纳的结构之美但却否认投机开发式城镇中的简单规划形式具有任何优点的形式主义城市历史学家们，以及对于那些急于将网格与贪婪、冷漠、机械的伪社区产品划上等号的社会历史学家们来说，网格是一个很方便的攻击对象。

当然，认为网格是造成城市体验贫乏和生硬的原因的观点肯定是错误的。任何网格都有可能随着时间的推移演变成为美丽的城市，这要看它如何逐渐地被充实。一旦这种二维的图形确定之后，建筑师、社会规划师、政治家、居民都有机会参与其中。如果网格后来变成一种单调冷漠的城市环境，那主要是在初期规划确立之后，由那些被允许出现的或者不被提倡出现的种种事件造成的。[14] 如果缺乏集体的管理，即使萨瓦纳这样的模范网格也会很快耗尽原有的优势。依靠细心与想像力，原来彼此类同而平淡无奇的网格可能会成为滋养各种兴趣、多样性和人类丰富生活的沃土。当然，也有一些网格在一开始时就试图克服沉闷和平淡。我们还可以举出一些具有共产性质的城市实例来与惟利是图的投机开发式村镇作对比。摩门教徒在遭受宗教迫害而迁徙的沿途规划了一些网格城市，这些城市虽然从图纸上看并不比投机式城镇或铁路公司所作的土地开发项目更有吸引力，但其中却蕴涵着信仰的力量。也许我们的确不应该再随意地谴责网格平面，指责其“弱智，没有美感，某种程度上是人类智力的低级表现”，而应该将它看成是“人类思想历程中最杰出的创造之一”。[15]

历史回顾

谁发明了网格？从本章的概述中我们知道这也许不是一个容易回答的问题。这样的问题类似于询问谁发明了直角，这就关系到几何学，而几何这个词事实上蕴藏着网格的广泛性甚至是不可回避性的根源。几何是关于空间的理论，它研究空间中的形体；几何是线与角的秩序，从创造城市的角度看，建立秩序的最简单方法是建立垂直关系。几何一词从希腊文 geometria 发展而来，它的字面意思就是“土地测量”。所以网格同时适用于乡村和城市、田野和街道，它最基本的作用，是将一片无差别的土地分割成规则的、有尺度标准的地块。

古代的网格

无论在城市或是在乡村建设方面，埃及都有着悠久的传统。在埃及的古王国（Old Kingdom）时代，像吉萨（Giza）这类地方的工匠村落有着原始的网格系统，这是因为在单一社会目的下，网格是组织相同类型人群的最好也是最快捷的方式。每一次洪水泛滥之后，人们要对尼罗河两岸可耕种的黑土地进行重新分割，这时正交网格也是最自然的方式，因为土地上没有任何标识物。河流是一条南北朝向的线性轴，任何其他的东西要么与它平行，要么顺着太阳升起和降落的方向与它垂直。

在古典时期以前，最早的真正意义上的城市网格至少在中古时代的两个地区出现过。其中的一个地区是印度河谷，这里的摩亨朱达罗和哈拉帕在公元前 1500 年左右神秘地消亡，城的西头筑有一个堡垒，城的其他地方为尺度大致相同的街区。主要大街的尺度（大约 20 ~ 30 英尺，即 6 ~ 9 米宽）与住宅朝向的巷道的尺度已经有所区别。没有迹象表明这种规划传统在后来的印度历史中得到继承。但是在《工巧论》（*Silpa Shastra*）中的一个部分 《曼那沙拉》的文字中，却记载着关于在网格模式基础上对印度城市进行理论性设计的精确信息，这些文字形成于大约公元前 1 世纪，但依据的原始资料则要更早得多；而早在大约公元前 1000 年一份记录了一些神秘的城市和建

181 筑条例的泥土占卜文字瓦斯图维亚（Vastuvidya），也提供了包括长方形模式在内的几何性曼陀罗城市图形。

另一个考古学上的地区是在美索不达米亚和亚述，像巴比伦和博尔西帕（Borsippa）这样的城市。似乎可以确定的是，亚述人占领区从公元前 9 世纪开始就流行一种规则性的城市规划，而在巴比伦，网格可以追溯到大约公元前 2000 年的汉穆拉比（Hammurabi）时期，虽然已经被发现的并在视觉上可分辨的街道系统只能追溯到公元 6 世纪的尼布甲尼撒（Nebuchadnezzar）时代。希罗多德（Herodotus）对巴比伦的描绘是“直路相交，有些平行于河流，有些垂直于河流”。中远古时代早期的网格平面还包括大约公元前 915 年或前 732 年被亚述人征服后的马吉多二世时期（Megiddo II）建造的城市。[16]

但是，在所有这些留有痕迹的早期网格实例中，没有一个称得上是协调的整体系统：其中公共建筑和住宅建筑没有统一的设计，街区虽然存在一种由内向外发展的规律，即从中心庭院开始，向四周的房间以及外部的公共马路和巷道扩展，但街区之间的关系却不存在内在逻辑。所以这些地方的规划实际上仅仅只是布置主要大街，并且为神庙和宫殿这些较规整的公共建筑群留有余地而已。真正的成就是在中国和希腊。在这两种互不相关的文化里，城市本身成为形式规划的对象，城市中的每座建筑物都有其相应的位置。

就像我们前面分析的那样，中国的城市网格是一个政治的图形，只有行政首都才可以使用。我们所知道的实例出现得较晚，但是以长方形为基础的、按纪典性方式布置帝都的做法开始于公元前 1000 年的后期（见“图形式的城市”一章，174~175 页）。而在另一方面，希腊的做法没有那么强制，较为实用，尽管并非完全不含有政治的内容。

希腊人似乎早在公元前 7 世纪时就已经在殖民过程中坚持使用网格规划。殖民地在希腊语中为 apoike，即“侨居地”，它是一个“远方的家”而不是一个附属地，这一点与现代西方势力下的殖民地概念不同。如果城市人口增加，超出了周围乡村的承载能力，那么人们就会出去新建一个殖民地。这就是为什么科林斯在西西里建立了锡拉库萨，而锡拉库萨又在更西面的地方建造了阿克里（Acrae）和卡麦里那（Camarina）。这些城市的人口一般很少，约 5000 人。到公元前 600 年，在地中海的西部，希腊的殖民地遍及现代法国的南部、西西里与意大利的南部、利比亚和西班牙。在这些殖民地区域既不存在已有的、需要被保护的希腊乡村结构，也没有古代希腊的神圣器物。所以在这里没有必要像在希腊本土那样，需要通过新旧组合或模仿协调的方式制造一种“有机”的城市。已经存在于当地的土地分割不需要被新城市兼顾。殖民地的土地无论从文化还是从宗教礼仪的角度上讲都是空白的——当然这是希腊人的视角。希腊人带来了他们的神和他们的崇拜，带来了像市民广场这样的自治的象征，他们也带来城邦这个概念本身。

新的土地与希腊本土和爱琴海群岛的情况非常不同。那里有平滑延绵的海滩和广阔的平原。尽管如此，开始时，殖民城市有着相当松散的布局，其中公共空间被安排在一边，留作建造神庙和市民广场，城墙内其余的土地分给前来居住的首批移民。到了公元 7

世纪，网格作为规划手段出现在东方的士麦那（Smyrna）和奥尔比亚（Olbia）（显然与在此之前出现的近东的几个实例不无关系），以及某些西西里人的殖民地，这意味着对第一代聚居地的重大调整。这种从随意性布局到正交系统的改变可以在西西里西岸的墨伽拉希布莱阿（Megara Hyblaea）一带看到。

希腊网格的分割是条状而不是块状的，城市四周由城墙大致围绕着。对早期布局的重新思考是以实践测量法为基础的，由公元前5世纪米利都的希波丹姆斯提出。亚里士多德曾经提到希波丹姆斯发现了"城市划分的方法"，他以这样的方法布局雅典人的港口城市比雷埃夫斯（Piraeus），并指出"他是第一个不参与政治却又能提出最佳城市组织方案的人"。亚里士多德在描述理想城市的时候非常赞同这位米利都思想家所做的城市蓝图，他说："按当今希波丹姆斯式的结构清晰的方法规划，那么私人住宅的布置就会更令人愉快，同时也方便一般性的使用。"[17] 因为希波丹姆斯不可能"发明"了网格，所以对亚里士多德文字的一种可能的解释是，希波丹姆斯倡导了一种特殊的网格方式（见后文127页），并且还将这种方式与一种城市的社会理论联系在一起。的确，希波丹姆斯似乎提出过一种政治体系："将城市人口分成三个阶级——工匠、农夫和士兵，于是土地也分成三个部分，第一为神圣地区，第二为公共地区（居住着士兵），第三为私人地区（为农夫们所有）。"[18] 希波丹姆斯的家乡米利都的总体规划所设想的人口数量远远超过他建议的1万人。围合起来的城市总面积为250英亩（约100公顷），还允许有计划地扩大。这也与希波丹姆斯之前的做法不同，那时殖民地的所有土地都划分给了第一批来的居民，后来的人则没有土地。 108

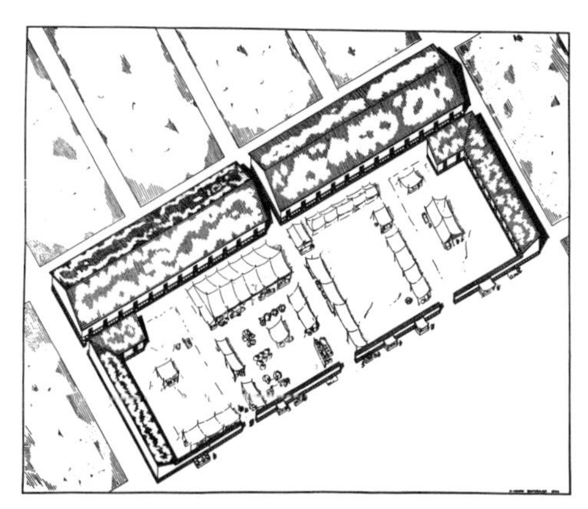

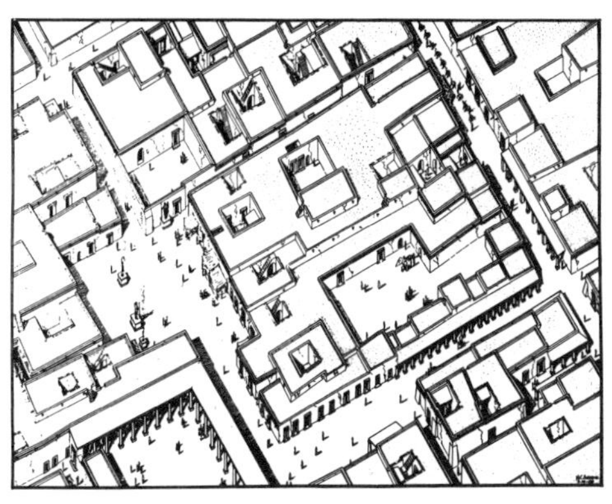

106，107　多拉-欧罗普斯城（叙利亚）的市场，分别在大约公元前300年初建时的状态以及到了公元250年时的状态。希腊化时期殖民地的市民广场占地面积相当于4个城市街区。在几百年的使用过程中，城市中心失去了这个规则性的公共空间，取而代之的是拥挤的集市。［根据沃德·帕金斯（Ward-Perkins）原图复制］

公元前5世纪是希腊历史上城市建设非常活跃的时期。包括米利都在内的旧城市在波斯战争中遭到破坏需要重建，同时为了政治和经济的目的还建造了许多新的殖民地。希波丹姆斯式的网格的兴起可以满足这一要求，在接下去的一个世纪里，网格的流行达到了顶峰。它甚至被用到了并不适宜的地方，比如位于陡坡上的普南城（Priene）。随着亚历山大（Alexander）的征服，网格平面遍布了整个古代世界，远及波斯和美索不达米亚。 120,214

这时出现了两种类型的新城：一种叫Katoichiai，它们是军事营地［如多拉·欧罗普斯（Dara Europos）］；另一种叫Kleruchiai，它们是母体城市的合法后代。有利的城市选址通常是古老商路的沿线，或者是商业活动可以波及的港口。一些迹象可以支持R·E·威彻利（R. E. Wycherley）关于"新希腊化城市批量化生产"的说法：安条克（Antioch）及其港口塞琉西亚-皮埃里亚（Seleucia Pieria）、阿帕梅亚（Apamea）、劳迪西亚（Laodicea）都建于公元前300年左右的塞琉古一世（Seleucus I）时期，它们都有着相同尺度的街区，大约为367英尺×190英尺（约112米×58米）。[19]

这些新城有时比任何希腊过去的城市都要大得多。以塞琉西亚-皮埃里亚为例，它的城墙的周长超过了6英里（10公里），比雅典还要大。底格里斯河边的另一个塞琉西亚城，据普利尼（Pliny）称，有60万人口。对于那些被亚历山大征服的文化群来说，这种希腊式网格及其理性的划分方式是完全异类的东西。希腊化时期一旦结束，当地的人们便重新回到希腊化之前的习俗，网格也被改造。整齐的街区划分被取消，市民广场的开放空间被各种摊档和小店所占据。位于叙利亚边疆的多拉·欧罗普斯的改变就是这一过程 106,107

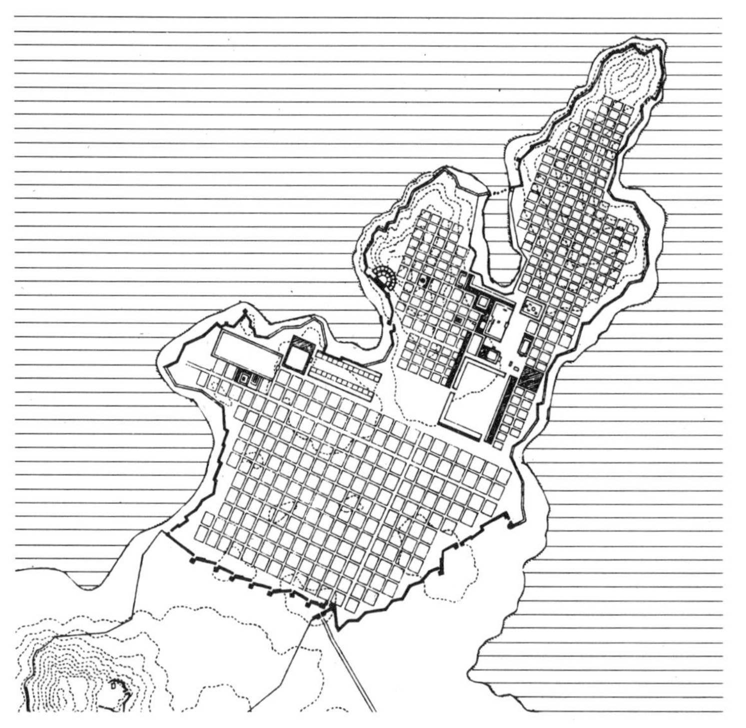

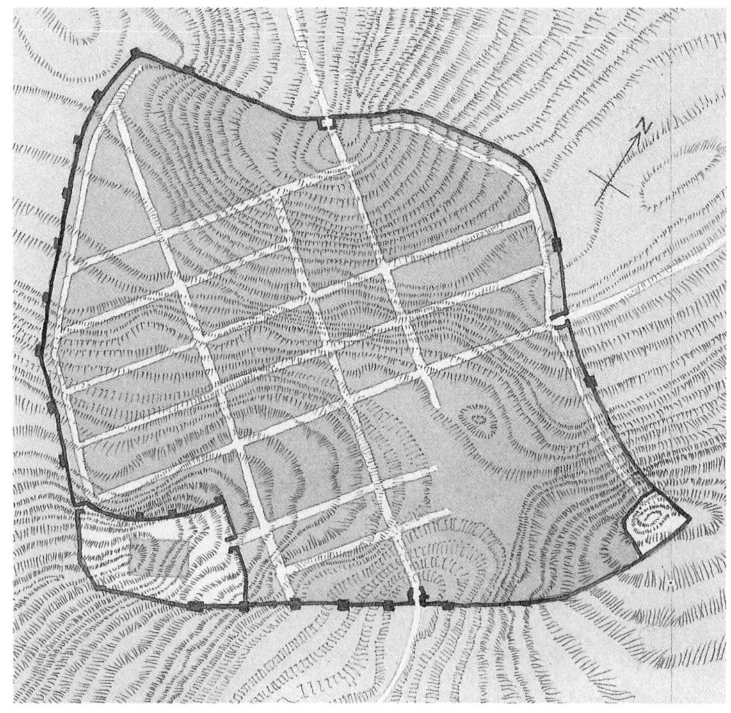

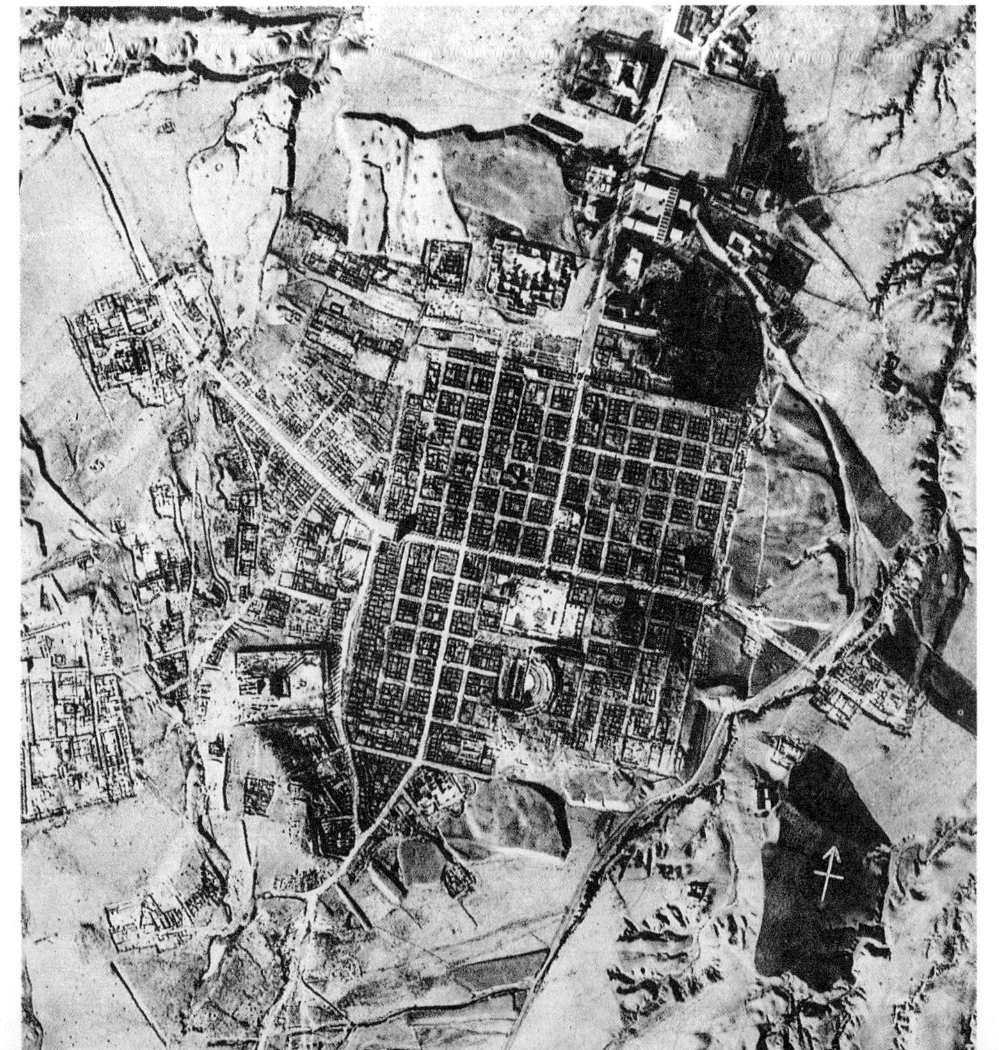

108　上左，希腊网格：米利都（土耳其），经公元前479年波斯人洗劫之后重新建立时的情形。

109　上图，早期古罗马网格：科萨（意大利），公元前273年为控制罗马以北的沿海而建立。科萨的布局是险峻的防御性山岭地形和正交形街道平面的独创结合。图右下部开放空间的区域是城市广场。

110　左图，建立于公元100年的提姆加德(阿尔及利亚）具有正方形的街区和长方形的外边，它是罗马网格最完美的状态。紧贴十字中轴的下方是城市广场和圆形剧场——在城市广场的周围网格的尺度有所改变。(原来的布局不久就由于殖民地人口的迅速发展而变得不足。防御性城墙被拆除，由一圈街道取代，这使得后来城市周围出现了弥漫性的不规则建设。)

最清楚的例证。

来到古罗马的世界，在那里，方格网城市的悠久传统和方格网形式不断地被严格应用的历程，可以从建于公元前273年的科萨（Cosa），和建于公元100年的作为退役军人殖民地的提姆加德［Timgad，即阿尔及利亚的萨穆加迪（Thamugadi）］的对比中鲜明地表现出来。科萨是公元前2—前3世纪第一批出现的意大利殖民地（Coloniae）中的第一个。Colonia一词来源于Colo和Colere，意为"耕种"；Colonus是农夫的意思。古罗马建立殖民地的目的之一是安置战争中的老兵，另一个目的是控制被征服的领土。科萨位于海岬岩石的最高处，为适应地形，主神殿（arx）被放到了南面的制高点上，而广场则处在靠近东南城门处最平坦的位置上。长条形的街区和宽松自由的城墙都取自希腊的模式。 *109*

但是，在不断征服意大利的过程中，罗马人冲出了多山的中央地区来到了广阔的波尔河谷（Po Valley），来到原来希腊人和伊特鲁里亚人（Etruscan）被征服的地方。到了公元前89年建立帕维亚（Pavia）和维罗纳（Verona）以及公元前25年建立奥斯塔的时候，罗马网格已经发展出了自己的特点——这是一种更为统一的平面，街区呈大的方形，城墙结构与网格紧密结合，广场位于两条正交中心轴的交点或交点附近的位置。年轻的帝国在公元1世纪向外扩展的过程中，在高卢、不列颠和北非的关键地区建立了许多方格网城市。提姆加德是其中形式最为纯粹——也是保存最好的一个。提姆加德的网格尺寸大约为每边380码（355米）。它由4个大块组成，每块各含36个街区，总共有144个街区。其中 *111*

111　维罗纳（意大利）。在今天的这个城市中，依然可以辨认出公元前89年古代罗马建立的聚居地网格。在城市中心，纺锤形的厄比广场（Piazza Erbe）是原来古罗马城市广场所在的位置。椭圆形的圆形剧场位于城墙外。古罗马时代的街区现在基本上都已经合二为一。（参见48~51页，147页）

11个街区被广场占用，6个用于剧院，8个用于浴场。当需要新的公共建筑的时候，这些公共建筑就要在网格以外建造。的确，在罗马帝国的最后两个世纪中，城市格局开始变得松懈，形成一种更易变通的不十分纯粹的正交模式（见后文中“壮丽风格”一章）。

军事的地位极其重要。职业军队的扩大和海外永久性兵站的建立导致了标准型军事要塞平面的形成，而这也相应极大地影响到公元前1世纪后期到公元1世纪之间的新的地方性城市的设计。反向的影响也常常被人们所讨论——即这些军事营寨的设计来源于更早之前的城市布局的启发。波利比奥斯（Polybius）写于公元前2世纪的文字也暗示了这一点，他形容罗马军营是“一个方形，街道和其他构筑物像城市那样作规则性的布置”。[20]无论如何，两者的确有相似的地方，从奥斯塔和都灵这样的城市平面的细部对比当中可以明显地看出这一点。相互之间直接借鉴的证据也能够找到，例如，最近的发现表明，至少3个位于英国的古罗马军事殖民地——科尔切斯特（Colchester）、格洛斯特（Gloucester）和林肯（Lincoln）——都是从军事要塞转变而来的，它们依然保留着原来的街道格局。

164

对于共和晚期和帝国早期的罗马人来说，网格代表了一种新的秩序。它不必被浪费地使用在地方性的小镇规划当中，这些地方可以保持其“有机”状态。但是在殖民地、各省的首都（即municipia）及作为各高卢民族行政中心的城市首都都必须按网格方式规划。在不列颠，新建城市都从网格平面开始；在高卢，早期自由形式的罗马占领地后来也经过大规模的清理和平整而变得方直。[21]

一般来说，城市规划是政府的首要任务，是政府广泛行政职能的一部分。这些官方的规划是直截了当的，有时甚至是标准化的。维罗纳和帕维亚就有着相同的网格，街区也一样大。如果有私人赞助者或地方当局的参与，那么城市往往就不会满足于这种平淡无奇的规划。塞普蒂穆斯·塞维鲁（Septimius Severus）皇帝在重建他的出生地——北非的莱普提斯-马格纳（Leptis Magna）时，花费了大量的金钱和心思。他的建筑师设计的方案将两个已有的网格因地制宜地、创造性地结合到一起。

中世纪的新城

在古典时期的后期，我们失去了几个世纪关于网格规划的记录。古代希腊-罗马时期的网格状城市有的已经失去了形式上的统一性，有的则完全泯灭了。关于英格兰威塞克斯（Wessex）的国王们曾经以一种简单的网格建造其主要城市（burhs）的说法也是有争议的。正交规划确切的重返欧洲，那是在公元1100年之后，并呈现在两种不同的情形之下。一种是新城的建造；另一种则是以网格方式对已有的、大多为“有机”形式的城市进行扩建，比如马萨·马里蒂马（Massa Marittima），或1320年至1325年间由塞提莫（Settimo）的圣萨尔瓦多西多教会（Cistercian abbey of S. Salvatore）建造的佛罗伦萨的奥尼桑提区（Borgo Ognissanti）。马萨·马里蒂马的扩建可以追溯到1228年，其标志是一座刻有“城市新的基础和荣耀”这句铭文的塔楼。在几乎同一个时期，法诺（Fano）和古比奥，以及特鲁瓦商人居住的郊区的北面也开始了扩建。与曲折缠绕的中世纪结构相比，这一过程产生出一个大规模的全新尺度。

新城镇位于欧洲的三个地区：

1. 法兰西南部、西班牙北部、英格兰和威尔士。在这里我们可以发现由皇室、像阿方斯·德普瓦捷（Alphonse de Poitiers）这样的有权力的贵族、图卢兹的伯爵以及其他的一些领主或修道院院长建立起来的城市。特别是在法国，一般来说，最高等级的领主常常在他自己的城堡、僧院和狩猎场之外还拥有一座新城，或者叫防御小镇（bastide，这个词源自中世纪法语中的bastir，即建造的意思；其拉丁词源为terrae bastitae，指建有房物的乡村地产）。建造城镇的动机是为了防御、耕种和进行商贸活动，而城镇又常常成为在新开拓的土地上定居及重新安置人口的手段。在西班牙，新城镇的建设还与信奉基督教的国王们在再征服的过程中所推行的改革联系在一起。在法兰西西南部，尤其是在加龙河（Garonne）谷西岸的地带，整个12，13世纪期间都处在法兰西国王及其诸侯图卢兹伯爵与英国国王的纷争之中。两方都以建造城堡的方式来保护他们的所得。13世纪早期，在十字军讨伐阿尔比派（Albigensian）异教徒的战争（1208—1228年）结束后又建立了一系列城市，目的是吸引有着正当思想的居民前来居住，以克制本地的一些运动。一个著名的例子就是位于地中海边平坦的沼泽地上的安格斯-莫台斯（Aigues-Mortes），这个城市是由路易九世（Louis IX）于1240年代建造的，它与十字军的第七次东征有关。

124 112

112　艾格-莫何特（法国）。艾格-莫何特是作为向圣地派遣远征军的基地而建立的，它是1248年和1270年两次灾难性十字军东征的出发港。在皇家的资助下，城墙建了起来，经济随之繁荣，新城市倾斜的道路网格中填满了住宅。但是随着东征热的退却和城市港口的淤塞，艾格-莫何特逐渐流于荒废和衰败。

图版 18
113

2. 瑞士、奥地利、德意志和易北河（Elbe）以东。其中包括由柴林根（Zähringen）地方的公爵建立的城市，由神圣罗马帝国皇帝本人或者他的命臣们建立的城市，以及由东征途中的条顿武士在德意志东部建立的城市。总的来说，这一地区有着数量最多，而且规划得最为细致的新城。

113　海乌姆诺（Chelmno）（波兰）。在这座13世纪由条顿武士（Teutonic Knight）建造起来的新城镇里，一座多明我会（Dominican）教堂成为一条笔直街道端部的视觉焦点，侧面是一座19世纪哥特复兴风格的水塔。

3. 由意大利城邦建立的新城。在这一类型中，城市的主要的目的是将奴隶和农村居民从土地的吸引中释放出来，并将这些人的忠诚转移到城邦这个政治体制上来。这些城邦包括诺瓦拉（Novara）[在13世纪的前1/3时期中建立了波戈马内罗（Borgomanero）]、锡耶纳[建造了蒙特吉奥尼（Montereggioni）]、卢卡[建造了卡麦奥里（Camaiore）和彼得拉桑塔（Pietrasanta）]、佛罗伦萨（详情见后文，128页）。

到了中世纪的后期，上述三个地区中的新城可能有1000座之多，是欧洲当时旧城数量的两倍还多。何况这些记录还不全面。比如，荷兰也有为防御而建的城镇，不过都出现得较晚。这些城镇里还包括菲亚嫩（Vianen）、屈伦博赫（Culemborg）、蒙特福特（Montfort）、海尔蒙德（Helmond），和威尔士的爱德华一世建造的一批城镇一样，它们都是附属于某个城堡的城市；而另一批城市则独立于城堡而存在——它们包括埃尔堡（Elburg）、纳尔登、科特海讷（Kortgene）——与英格兰和法兰西常见的情况相类似。有理由相信荷兰佛洛里斯五世伯爵（Count Floris V, 1256—1296年）在看到圣路易斯、阿方斯·德·普瓦捷和英格兰的爱德华一世掀起的城市建设活动之后，便开始在荷兰建造一系列的防御性城镇，最开始的两座城镇为布劳沃斯港（Brouwershaven）和阿讷默伊登（Arnemuiden），两者都位于泽兰岛地区，建于1280年代。[22]

133

50

甚至在著名的文艺复兴的原型佛罗伦萨出现之前，一部分人就已经从所有这些城市建造活动中意识到，建造新城便是在复兴古典时期的东西，弗雷德里克二世（Frederick II）皇帝在1247年宣布建立位于意大利帕尔马附近的维特多利亚（Vittoria）时特别提到了这种复兴，他还模仿伊特鲁里亚/罗马人（Etruscan/Roman）在建立城市时举行的一种名为“开犁”（Sulcus primigenius）的仪式：用犁耙沿城市的边界线划上一个圈。但这些更多的是一种在文学意味上的而不是在物质形象上的启发，因为周围并没有什么可以模仿的纯粹罗马的网格。据知柴林根家族（Zähringer）的一位公爵在一段被囚禁的日子里曾经研究过仍然保留有一部分古罗马布局的科隆的城市平面，但很难评估这一先前的行为对这位公爵后来的城市规划活动有怎样的影响，他在被释放之后，建立了弗赖堡（Freiburg-im-Breisgau, 1119年）、墨顿（Murten）和罗特韦尔（Rottweil, 1120年）。

防御和经济政策可能是兴建防御性城镇（basitide）的原因，但宗教的鼓动作用也不容忽视。在中世纪的文字当中，王侯对于创建城市的责任是一个经常被重复的话题。最核心的文字应该是托马斯·阿基纳（Thomas Aquinas）在大约1270年写下的一段话：“城市是完美的居住共同体（community）……建造城市是帝王们的责任。”这段话的前一部分是对城市生活的赞誉，这种思想在中世纪从塞维利亚的伊西多尔（6—7世纪）和哈拉巴努斯·莫鲁斯（Hrabanus Maurus）（8—9世纪）开始，已经经历了漫长的历史。[23]但托马斯更进一步，他认为，基于众多的原因，城市生活比任何其他形式的生活更加可取。公共的生活使人与人之间能够相互帮助，分担精神任务，某些人在医药上的发现与另一些人在其他方面的发现可以作相互补充。但最重要的是，城市生活导向一种有德行的生活，城市是有德行生活的前提，因此也是理解上帝的必要条件。既然基督教国王们的任务是要将人们引导到上帝那里，那么他们就必须建立城市。“最强大的民族和最杰出的国王获得其荣耀的最佳途径是建立新城市，或是将他们的名字与已经由前人建立起来的城市联系在一起。”[24]帝王建造城市的过程与上帝创造世界的过程是等同的，因此他们必须在一切重要的问题上作出决定：如城市的选址，规定教堂、法院和工厂的位置，并按居民们的职业将他们分类。尽责的国王有可能创建出理想的城市。托马斯本人并没有提到城市的形状，但是如果他写完那部未完成的、关于统治者的小册子《论君主制政府》(*De regimine principum*)的话，也许就会谈到这一问题。通过亚里士多德的文字他熟悉了希波丹姆斯的实践过程，这是他灵感的来源，在城市规划问题上他也可能以此为参照。[25]

欧洲的文艺复兴

在1500年至1700年间的这两个世纪中，欧洲的新城建设活动并不十分突出。城市发展集中在大城市或者扩大中的城市里，在文艺复兴中获得肯定的网格形式也不时出现在已有城市的扩建区当中。少数几个新城主要建立于16世纪初，位于法兰西南部格拉斯(Grasse)和尼斯(Nice)之间的乡村，这一地区因黑死病的袭击和接踵而至的动荡而一蹶不振，其中瓦洛里(Vallauris, 1501年)、穆恩斯-萨尔图克斯(Mouans-Sartoux, 1504年)和瓦尔博内(Valbonne, 1519年)这几座新城由雷林群岛(Lérins)中的圣何那瑞岛(St.-Honorat)的本笃会创立。马恩河(Marne)边的维特里-勒-弗朗索瓦(Vitry-le-François)始建于1545年，是为弗朗索瓦一世(François I)建造的，在这座城市里，网格与新式的棱堡城墙紧密结合在一起，棱堡是为了对抗以炮术为基础的新一代战争技术而发展形成的。

在1500—1700年这两个世纪中建造了大量的新聚居地的区域，仅限于西西里、斯堪的纳维亚和新大陆。在西西里，拥有无人地区土地的贵族们在偏远的地方建造了几十座封建城镇，目的是为了吸引农民到那里居住，维特多利亚(1607年)和蒙特维哥(Montevego, 1640年)属于这一类。仅仅在1620年至1650年之间就出现了25个这样的城镇。在绝大多数情况下，这些小镇有着简单的网格平面，小镇的中央部位是一个较大的开放空间。有些时候，尤其是在1693年大地震之后的城市重建当中，人们会尝试一些更具试验性的网格设计，这些设计受到了新发表的建筑论文中所引用的设计方案的影响。

17世纪斯堪的纳维亚的城市建设规模同样也相当宏大，其中还夹杂着丹麦与瑞典就波罗的海与北海上的贸易而展开的争夺。其中大部分新城是为了吸引贸易而设立的港口，它们是两个帝国的经济基础；另一部分则是防御前哨。在克里斯蒂安四世时期(Christian IV, 1588—1648年)，丹麦的领土范围包括了挪威、施勒斯维希-霍尔斯坦(Schleswig-Holstein)的一部分及现代瑞典最南端的省份斯堪尼亚(Scania)。在古斯塔夫斯二世阿道弗斯(Gustavus II Adolphus)及他的继任者克里斯蒂娜女王(Queen Christina)和查尔斯十二世(Charles XII，死于1718年)执政时期，瑞典的波罗的王国推进到了日耳曼、俄罗斯和芬兰的一些省份。所以每一个新城都有防御计划，因为这些新城往往建造在外国人的领土上，常常遭到当地人强烈的抵抗。

大约在1600年左右，棱堡式城墙的工艺在经过了数十年的发展之后得到了广泛采用。这就意味着城市无论新旧，都一律被包裹在一圈通常呈星形的带有低矮的尖突状棱堡的，具有大面积攻击力的复杂的防护系统之中。绝大部分新城在这一圈棱堡式城墙之内呈

20

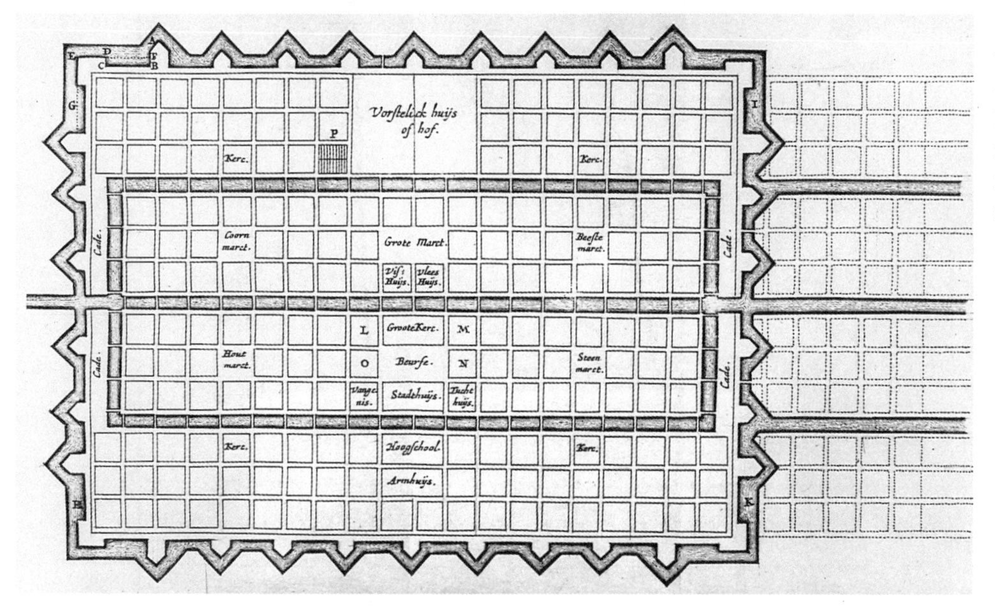

114　希蒙·施特温所做的理想型港口城市平面设计，1590年。文艺复兴城市理论中的规则几何性与荷兰的实用主义在施特温设计的网格规划中得到充分结合。为了经济和防御上的目的，运河交织在城市系统当中。宫殿建筑群和重要的公共建筑及广场占据了中央的一系列街区，各邻里中的教堂和市场平均分布在城市当中。图的右部提示了未来城市街道和运河网扩展的可能性。

现出明确的网格形；也有一些城镇受到文艺复兴时期理想城市的模式——如菲拉雷特（Firarete）所做的斯福尔津达（Sforzinda）的设计影响，采用了放射-向心式街道系统，这种模式后来被炮器时代的军事工程师们吸收和发展。在斯堪的纳维亚，人们则更倾向于使用简单而实用的网格。

北方最重要的城市理论学家是荷兰人希蒙·施特温（Simon Stevin, 1548—1620年）。他的强项是港口城市规划；他发展的模式是安特卫普（Antwerp）和阿姆斯特丹这样的真正意义上的城市。这些城市得以繁荣的关键在于它们拥有滨水地带，而运河显然是延伸港口优势的最佳办法。所以施特温选择采用了一种以运河/城墙为边界的可以延展的网格，几条相互贯通的运河街在长方向横穿城市，并持续延伸到城外。这样，网格可以在城市新吸收的土地上进一步发展，郊区也能够理性地与核心城市相结合。

183
135
114

荷兰的实践影响了桑德海峡（Sund Strait）两岸的丹麦和瑞典。哥本哈根的新区——克里斯蒂安沙文（Christianshavn）始建于大约1640年，在很大程度上采用了施特温的模式。在古斯塔夫斯二世阿道弗斯执政的1620年代，瑞典开始大规模建立新的港口城市，古斯塔夫斯二世本人也曾经与施特温有过短暂的接触。哥德堡（Gothenburg）是在这段时间内最早建立的重要城市，采用的是施特温的方法，后来的延雪平（Jönköping）扩建也是如此。

之后，瑞典规划师完全改变了方向。甚至早在1640年代，在斯德哥尔摩的重新规划当中，运河系统就已经被刻意地从网格中去除，因为运河使人联想到荷兰的商业主义，这与皇家首都的形象极不相称。在此之后，最理想的平面就是放射-向心形式。属于瑞典皇族一员的埃里克·达尔贝格在1650年代访问意大利之后开创了这个潮流。1670年代，小尼科迪默·特辛访问法国并接受了法国的巴洛克城市规划，并以此取代了实用性的荷兰模式。他们的设计作品包括了兰斯克鲁纳（Landskrona）、卡尔斯克罗纳（Karlskrona）和卡尔斯堡（Karlsborg）。

这时，新兴的巴洛克城市美学正在改造着欧洲的首都。巴洛克城市以对角线带来的动感为基础，开始和专制主义的国家政体相结合。在1666年著名的伦敦大火之后就城市重建展开的辩论当中，新式的巴洛克华丽的美学与稳妥的网格之间发生了公开的冲突。一方面是雷恩（Wren）和约翰·伊夫林（John Evelyn）提出的城市组群论，另一方面是理查德·纽阔特（Richard Newcourt）等人提出的网格与广场相结合的方案，后者被马克·吉鲁阿尔德（Mark Girouard）形容为土地测绘员和地产商的产物，它们“易于布局也易于出售”。[26]

但是这里的另一个问题是这两种不同做法所传递的不同信息。当我们哀叹英国人因他们感悟的迟钝而失去了一个雷恩式或约翰·伊夫林式的伟大首都的时候，我们也不能完全将恰当性的问题放在一边——事实上，巴洛克城市形式已经发展出一套政治中心主义的内涵，而在17世纪的后几十年里，国王在英国各项事务中的地位常常是公众关注的问题。除此之外，受英国法律支持的牢固的私人所有制结构也使任何全局性的城市改造计划都无法获得实现的机会。

在美洲的发展

一百多年后，就哥伦比亚特区华盛顿的设计也展开了一场类似的有关恰当性的争论。一方面是杰斐逊著名的谦逊的网格，另一方面是朗方对这种怯懦的网格所表现出的愤怒（见后面章节，209页）。最后，人们放弃了网格，法国人壮丽的帝国式规划取得了胜利。但是杰斐逊的成功更大，因为在此之后，他使得美国的其他地方全部贯彻了永久影响着这个国家空间结构的、严格统一的网格系统。

209 208 132

殖民地的美洲对网格平面早已非常熟悉，与新法兰西式别致的河岸型网格城市如圣路易斯和新奥尔良所不同的是圣劳伦斯河（St. Lawrence）沿岸的教区小镇，这些小镇抵抗着来自巴黎官方的影响，展现出一种轻松的姿态。虽然人们对魁北克和蒙特利尔（Montreal）这些城市的发展有着明确的控制意图，但沿河的其他次一级城市仍然采用了适应地形的、多元化的街区方式。

6

西班牙的影响也呈现出规整与非规整两个方面。例如，在哥伦比亚沿岸建立的第一批城

115 《印度群岛规则》中的网格在港口城市规划中的应用：1586年的圣多明各（多米尼加共和国）。图中表现的是这座城市受到弗朗西斯·德雷克爵士（Sir Francis Drake）率领的英格兰部队攻击时的情形。

116 《印度群岛规则》中的网格在农耕城镇规划中的应用：位于秘鲁科卡河谷（Colca River）的一个殖民地村镇。

市就是未经规划的。但不久，网格规划占据了优势并成为一种普遍的方式。第一个经规划的聚居地是西印度群岛（West Indies）的圣多明各，它是在1493年根据一个大体规则的网格平面建立起来的。南美的大部分重要城市——基多（Quito）、利马、布宜诺斯艾利斯（Buenos Aires）、波哥大（Bogotá）、智利的圣地亚哥（Santiago de Chile）、瓦尔帕莱索——都是在1534年至1544年之间建立的。创建城市的活动一直持续到18世纪，这一时期创建的西班牙式城镇（Pueblo）有德州的圣安东尼奥（San Antonio）、路易斯安那州的加尔韦斯（Galvez）以及加利福尼亚州的圣何塞（San Jose）和洛杉矶。在西班牙人占领的第一个世纪中，还建立了一批地方性的省会城市、矿业与加工业城市以及印第安人的聚居区。无论城市的功能如何，它们的规划平面并没有发生变化。港口城市如卡塔赫纳（Cartagena）（哥伦比亚）的布局与农业中心相似。孔维兹认为，西班牙人"按部就班的实用主义的城市规划方式回避了城市与城市之间的特殊差别，将规划的功能问题与行政控制等同起来，于是形成一种均一性"。[27]

在正式情况下，新西班牙地区的城镇，即西班牙语中的Pueblo或Villa，必须是根据西班牙朝廷发出的指示设计的。1573年，这些指示在菲利普二世（Philip II）时期被统一编撰到一部名为《印度群岛规则》（*Laws of the Indies*）的文件当中，这一文件是文艺复兴思想的忠实产物。其最终的灵感来源是维特鲁威（Vitruvius）的古典著作，维特鲁威的著作于1526年首次被翻译成西班牙文，而题献给菲利普的拉丁文文本则出版于1582年。当然也可以将这些美洲城市看作是具有漫长历史的中世纪防御性城镇的延续。根据西班牙本身的做法，这些在美洲工作的规划者保留了“行政区”(barrio)的划分系统，以及以“行政区”为单位的宗教和社会生活方式，每个“行政区”内有各自的小教堂，并按照职业和行会类型为街道命名。至于这些城市是否受到哥伦比亚到达之前土著城镇的布局影响，目前还在争论当中。墨西哥市的前身——古阿兹台克人的伟大城市特诺奇提特兰具有十字交叉形的平面结构及一个中心广场，但我们对其居住结构并没有确切的了解。位于秘鲁海岸，在印加人统治之前建立的城市昌昌具有正交性质的平面，这是一个由许多不同尺度的堡垒式聚居地组成的巨大的集合体，但相互之间并没有明显的整体结构。印加帝国的首都库斯科(Cuzco)也有类似的“相互穿套的方形”平面特色，但其他的印加城市更接近规则的网格布局。在奥兰泰坦波(Ollantaytambo)，尺度基本相同的一些长方形街区由一条横向的实墙切割，形成平均的两半。[28]

图版 7

这类城市最标准的模式，是两条十字相交的主轴和在交叉位置上设立的大型的公共广场。广场是整个聚居区的关键，其尺度控制了网格的构成。紧靠广场的街区分成4个相等的部分(称作 solares)，分给这里的头等居民。有时街区的朝向有所调整，使其转角朝向某个特定的角度，目的是为了避免主导季候风横扫整个城市——就像维特鲁威教导的那样。

116

《印度群岛规则》没有影响到两种类型的聚居地：一种是提供给印第安人的聚居地——即由托钵僧(Mendicant Fathers)耶稣会士(Jesuits)建立的传教区(reducciones)；另一种是驻防区(presidios)，即军事基地。但这两种类型大部分也使用长方形的平面。在实践过程中，新西班牙地区的城镇、西班牙人的驻防区(presidios)、印第安人的城镇这三种类型社区的差别常常会消失，特别是在1600年之后。

117 纽黑文(New Haven)(康涅狄格州)，1748年詹姆斯·沃兹沃斯(James Wadsworth)所画的城市平面。

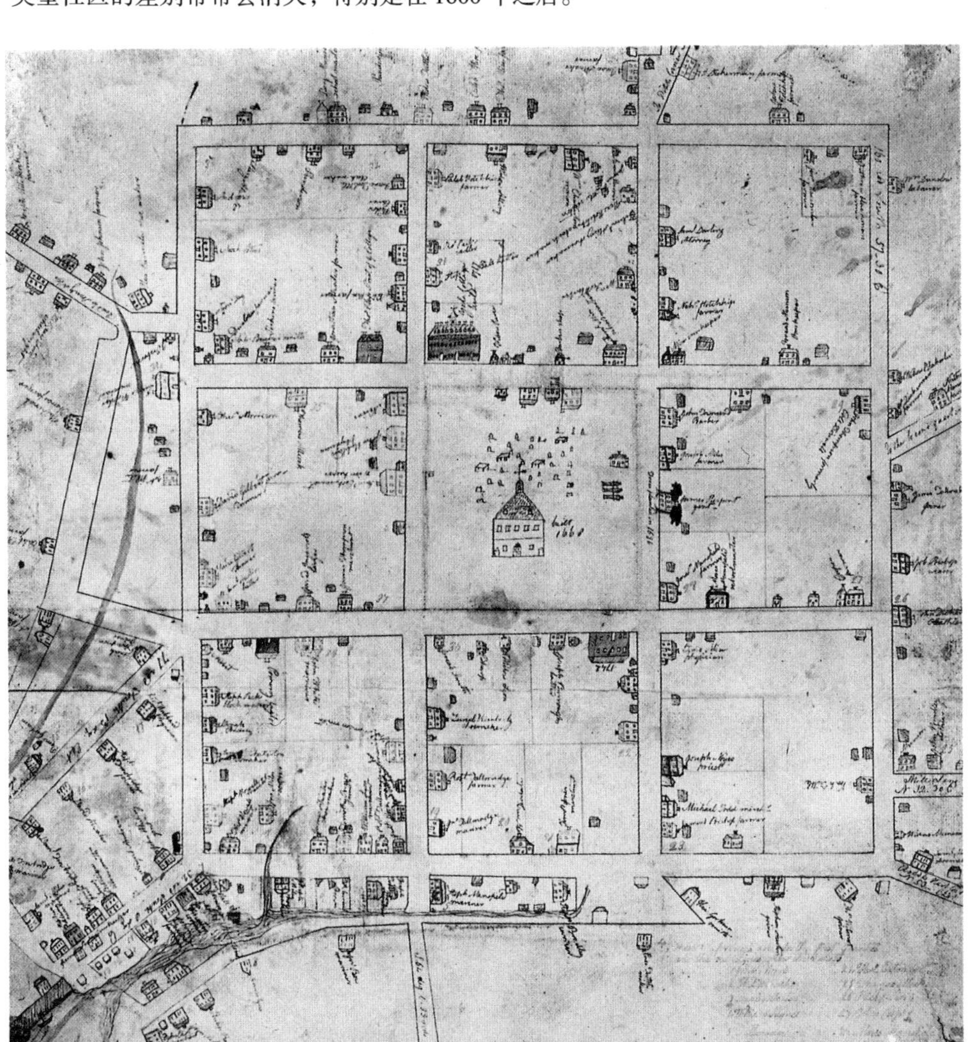

英格兰在新大陆的殖民过程中同样也发挥了网格的作用。新英格兰建立的一开始就是围绕着城镇展开的，在人们前往居住之前，土地就预先经过了测量和划分，但严格的网格模式几乎是完全陌生的东西。纽黑文是一个特例，它的平面呈晶体状，9个相同的方形街区是城市的核心，一系列放射状的道路从这里出发，第10个位于“尾部”的街区则与港口相连。纽黑文建立于1638年，它的规划可能是事先在伦敦或者在英格兰人登上新大陆的第一站——波士顿设计的。建立这一殖民地的目的是要形成一个独立的权力机构，以控制整个长岛海峡，纽黑文的规划似乎可以解释这一野心。但是这个梦想在二十年的时间里破灭了，纽黑文最终成为隶属于康涅狄格州的一个小农镇。

117

147

在中部殖民地，彭威廉为贵格会（Quaker）教徒设计的费城相当出名。但在南部地区，17世纪英格兰殖民地没有发展出成套的城市结构。为配合女王下令颁布的《新城法案》（*New Town Acts*），弗吉尼亚州和马里兰州建立了一些小型的、简易的网格形城镇。这些城镇——如约克敦（Yorktown）的建立——是英格兰人深入腹地的据点，因此受到种植园主和商人们的抵制。随着弗吉尼亚农场对西印度烟草品种和奴隶劳动力的引进，这个地区的乡村性格似乎被确定了下来。惟一的例外是詹姆斯敦（Jamestown），以及1699年成为弗吉尼亚首府的威廉斯堡和马里兰殖民地的首府安纳波利斯（Annapolis）（见“壮丽风格”一章，第220页）。

217

但到了18世纪，南方对中心城市的抵抗开始减弱。在更年轻的殖民地出现了一批新的港口城市，如查尔斯顿（Charleston）和萨瓦纳。1785年，在托马斯·杰斐逊的推动下，国会决定展开一次全国性的土地测绘，这一举动在某种意义上只是将在殖民地美洲的后期开始建立起来的城市规划惯例向未开发的地区推进。当然，这时新开拓的可供居住的土地面积已经超越了任何殖民想像力，作为自由和广泛联合的保证的土地平均分配理想已经成为检验美国革命的真正标准。

104

132

网　格

正交是建立城市秩序的一种方式，但却不是简单的城市设计模式。尽管贯穿城市的历史，网格无处不在，但它却不是一种标准的、一成不变的东西。在平地上，网格是一种理性的土地划分方式。但是网格同样也可以爬上山坡，或者随河流的走向而调整线条。网格的妥协和变异可能来自某些自然因素的影响，也可能孕育着某种刻意的政治和社会结构，甚至可能是完全有意识的行为——就像萨比奥内塔的象征性布局那样。即使在最无想像力的状态——即当街区成为房地产开发项目中的地块划分的时候，它们的排列方式也会呈现不同的状态：它们或者几个一群聚集成城市片区，或者像出租用地那样拉出狭窄的长条以获得最大的沿街面，又或者像贝尔拉格在阿姆斯特丹所做的城市设计那样形成内向的景观内院式街区。事实上，网格的优点就在于它的可适应性。网格最适合中等尺度的城市，但它也能够承受现代大都市的超级街块。原本简单的初始网格可以以几乎无限的方式扩展，形成大芝加哥地区，或者像利马和布宜诺斯艾利斯这样的城市聚合体。

图版15　芝加哥（伊利诺伊州），柯里尔和艾夫斯（Currier & Ives）所作的鸟瞰图的局部，1892年。

网格的变体

图版 16 洛特河畔的维尔纽夫（法国）上空照片。这座城市的核心由两个防御性城镇组成：其中较早的一个位于照片中河的对岸，它建造在空地上，呈现出整齐的网格；近处的一个吸收了一座已有的村庄和一座堡垒，因此形成了不均匀的肌理。

图版 17 左图，萨比奥内塔（意大利），建立于 1550 年代。它略有偏转的正交系统被人们称为“手法主义的网格”。

图版 18 对页，伯尔尼（Bern）（瑞士），由扎灵根家族的贝希托德五世公爵（Duke Berchtold V）创立于 1191 年。中世纪时代的城市核心部分是一片沿着中脊展开的灵活网格。(照片底部一座新建的桥梁为城市末端打开了缺口，老桥仍保留在新桥的旁边。)

图版 19　贝尔拉格（H. P. Berlage）所做的阿姆斯特丹南区规划的最终稿，1915 年。他在方案中提出了由包围内院的大型住宅楼组成的切分网格，住宅的规模和呈现出的普遍均同性是为了要消除阶级差别。图中左下角是火车站，它位于 3 条发射状道路的聚焦点。

《国家土地条例》(*The National Land Ordinance*)决定了绝大多数美国城市的基础结构为网格。在疆界最终确定之前的大约一个世纪，网格状城市几乎毫无例外地遍布整个大陆，从东部传统的殖民地带一直到西部太平洋沿岸。网格同样也成为传统城市——如波士顿、巴尔的摩(Baltimore)和里士满(Richmond)新区的建造标准，但没有任何地方比纽约更加疯狂，当时由3名成员组成的委员会将整个曼哈顿岛划分成相同的街区，一直到第155街，中间没有任何形式的可供缓冲的公共开放空间，而当时的曼哈顿岛还只建设到第23街。委员会在1811年的报告提到不久前朗方所做的华盛顿规划，但报告并不赞同"那些所谓的进步……以及对圆、椭圆和星形"的运用，并直截了当地声明，"城市由人的居住活动组成，而直边、直角的住宅造价最廉，也最适合使用。"

图版15

118

102

208

这种态度的不同以往之处，也是殖民地时代在网格运用方式上的巨大改变在于，城市土地的社会价值被放到了一边，过去那种认为如果没有建造房屋，城市地块就没有实现其真正目标的主流观点被放弃了。对此的另一种表述方法，以彼得·马库斯(Peter Marcuse)的观点为代表，认为1811年的曼哈顿规划代表了对殖民时代封闭型网格的抛弃，和共和新时代开放性网格的开始。封闭性网格基本上是一种前资本主义的概念。它有着牢固的边界，以及在边界约束下明确而固定的布局。边界的方式可能是城墙，也可能是某些能够起到分界作用的自然地貌；位于主轴关键位置上的公共建筑在网格中起着决定作用；有时城市网格的周边围绕了一圈公共用地或者不可买卖的耕作地块。上述最后一种情况是美洲殖民地时期没有城墙的网格城镇普遍采用的边界形式。开放性网格来自于资本主义经济，这时土地转变为在市场上可以买卖的商品。城市网格没有了边界，因此只要哪里存在着迅速及大量获利的可能，哪里就会不断扩展。在这种情况下，网格成为一种便捷的手段，帮助参与土地买卖的商人们将大量性的土地操作过程标准化。公共场所、公园和其他任何将土地调离市场的做法自然都被当成对利润源的浪费。[29]

以下就是纽约的委员会对他们在1811年的规划中作出的不提供任何公共空间的决定而给予的解释。他们认为曼哈顿岛的四周

> *由巨大的海域所围绕……无论从健康、娱乐还是从商业便利的角度去衡量，其地理位置都极为有利。因此基于同样的原因，在土地价格极高的情况下，似乎更应该承认经济原则的巨大力量，而不是像在其他情况下那样，服从恰当性和责任性的要求。*

用简单的话说，只要存在着从城市土地中获利的机会，那么公众利益就会被放到一边。

事实上，在臭名昭著的1811年规划出台之前，纽约市就已经按照这些委员们后来指定的方式行动了。除了华尔街以南一小块土地属于私人所有外，纽约市曾经拥有全部曼哈顿岛的土地。1689年的《东甘宪章》(*Dongan Charter*)在法律上授予了纽约市这一所有权。但几乎与此同时，城市的创立者们就开始转让这一公共财产以填满钱袋，为了便于出售，拍卖的土地一般都以网格方式切割。1796年，土地测量员卡齐米尔·格克(Casimir Goerck)已经测绘了到达曼哈顿中部的大面积的土地，并且将这部分土地分割为长方形的系统。后来的规划委员会只是无动于衷地、毫无差别地将这种做法延续下去。

研究这种新的态度在美国西部的表现也很有教益，当时，加利福尼亚州在1846—1848年的墨西哥战争之后成为了美国的领土。在西班牙的体制下，土地是每个家庭不可放

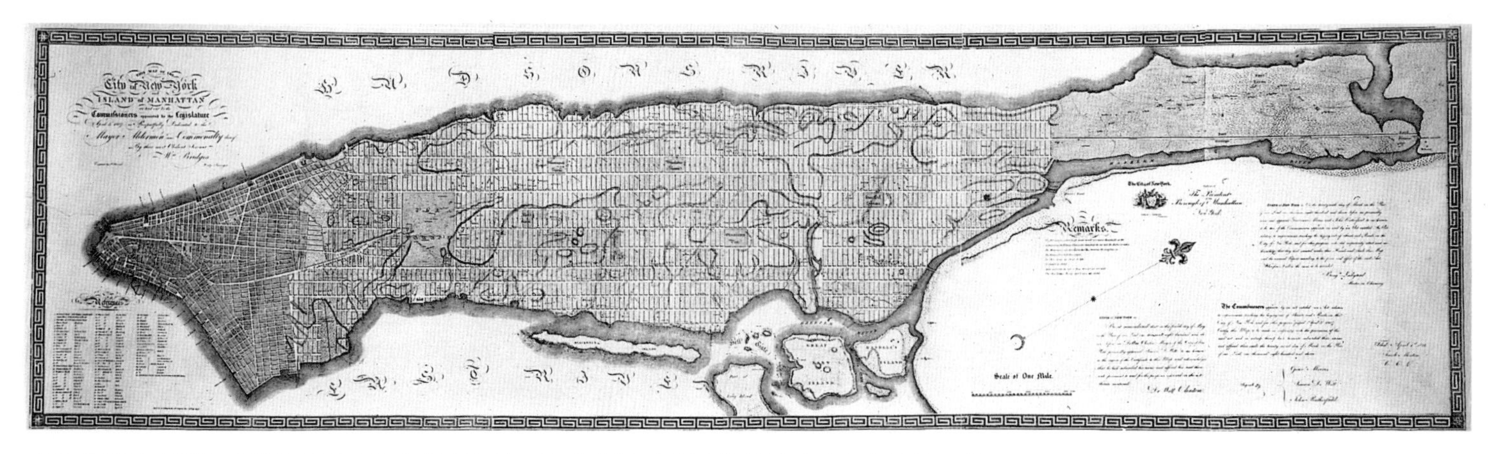

118　纽约市，1811 年委员会的规划。虽然在当时看来，将比城市已有建设范围（本图的左端，及图 102）大得多的地域预先用网格的方式划分起来的想法似乎相当武断，但在对纽约发展潜力的掌握方面委员们却显示了远见卓识。不过，这一规划在其他领域发生的失误，如缺乏公共开放空间和公共建筑用地，缺乏贯穿整个曼哈顿岛的道路等等，却为这座城市制造了不易纠正的难题。

弃的继承物（严格地说家庭并不完全拥有土地，而是从国王那里获得了对于该土地的一种永久性的管理权），城市里有公共的开放空间，以及可供每一个人使用的大量性的集体所有的土地。在美利坚的制度下，具有悠久历史的西班牙式村镇中的社会结构被自由放任的规划方式所取代。原来沿河岸的林荫道或者城镇中心的大广场成为开发的目标。新的市政府只是将那些无法出卖或无法分配的土地拿来作为公共的用途。《印度群岛规则》将城市和乡村作为一个相互联系的整体，而美利坚的规则却认为两者属于不同的范畴。西班牙和墨西哥统治时期并不存在土地税，而美利坚时期这一新增设的税项加速了乡村贵族阶层的崩溃，使得新的统治阶级——美国的商人阶层，前来争夺和分割他们的遗产。在原有城市的周围，网格毫无节制地扩展着。首先，政府并不认为有必要延续原来的西班牙式城市形式，再者，美国的行政机关也没有能力赶在无数个土地投机商和房屋建造商将土地快速蚕食和肢解之前，制定出一套统一的城郊发展规划。

119

投机式的网格规划不需要太多的谋略。刘易斯·芒福德是这样说的：

> *一个办公室职员可以计算出某个街区或某块出售土地的面积……只凭一把丁字尺和一个三角板……政府工程师可以在没有……接受过作为一名建筑师或一名社会学家的训练的情况下，“规划”出一座城市。*[30]

最恶劣的破坏者是铁路公司。它们是联邦政府发放的巨额土地基金的受益者，各铁路公司在铁路沿线布置了几百个新城镇，建造活动主要发生在 1862 年之后，这些城镇通常采用标准平面，被用作土地投机和吸引全国性客货流的手段。在铁路公司相互竞争划分地界的时候，出现了极大量的这种所谓的拟建城镇。私人土地所有者也沿着铁路线开发他们的铁路城镇。建造这些城镇最普遍的一条理由是为农民提供货运点，将他们的谷物送往加工厂或主要集市。但这些城镇的失败率很高。每当一项建立新城镇的提案交到县法院之后，紧接着在很短的时间里可能又将进行另一道法律程序，即撤回该城镇的计划，把土地重新分拆卖给当地的农民。

119　洛杉矶规划，大约 1875 年。这座西班牙式城镇的中心广场被围合在图中十字基准线的交叉点位置，不规则的农业地块位于其右侧和下侧。洛杉矶的第一次网格式扩建发生在这个城市归属美国政府之后的第二年，即 1849 年，是由军官爱德华·奥德（Lt. Edward Ord）规划的。这一网格从南北两个方向框定了原来的西班牙式城镇。1853 年，洛杉矶对剩余的未开发土地进行测绘，并以宽阔的街道将这些土地划分成超大型的方格网。

这些 19 世纪的新建网格绝大部分不超过 30~60 个街区，每个街区有 6~16 块宅基地。村镇规划一般是标准化的，差别仅仅在于大小。例如，某家公司可能选用 300 平方英尺（28 平方米）的街区，每块宅基地的进深为 140 英尺（42.5 米）（原文如此，疑有误——译者注）。平面中通常有两条轴线，一条是沿铁路的工业轴线，轴线上有车站、谷物提升机、煤场与水塔、铁路站长的住宅以及带有露天音乐台的铁路公园等等；另一条轴线是沿主要

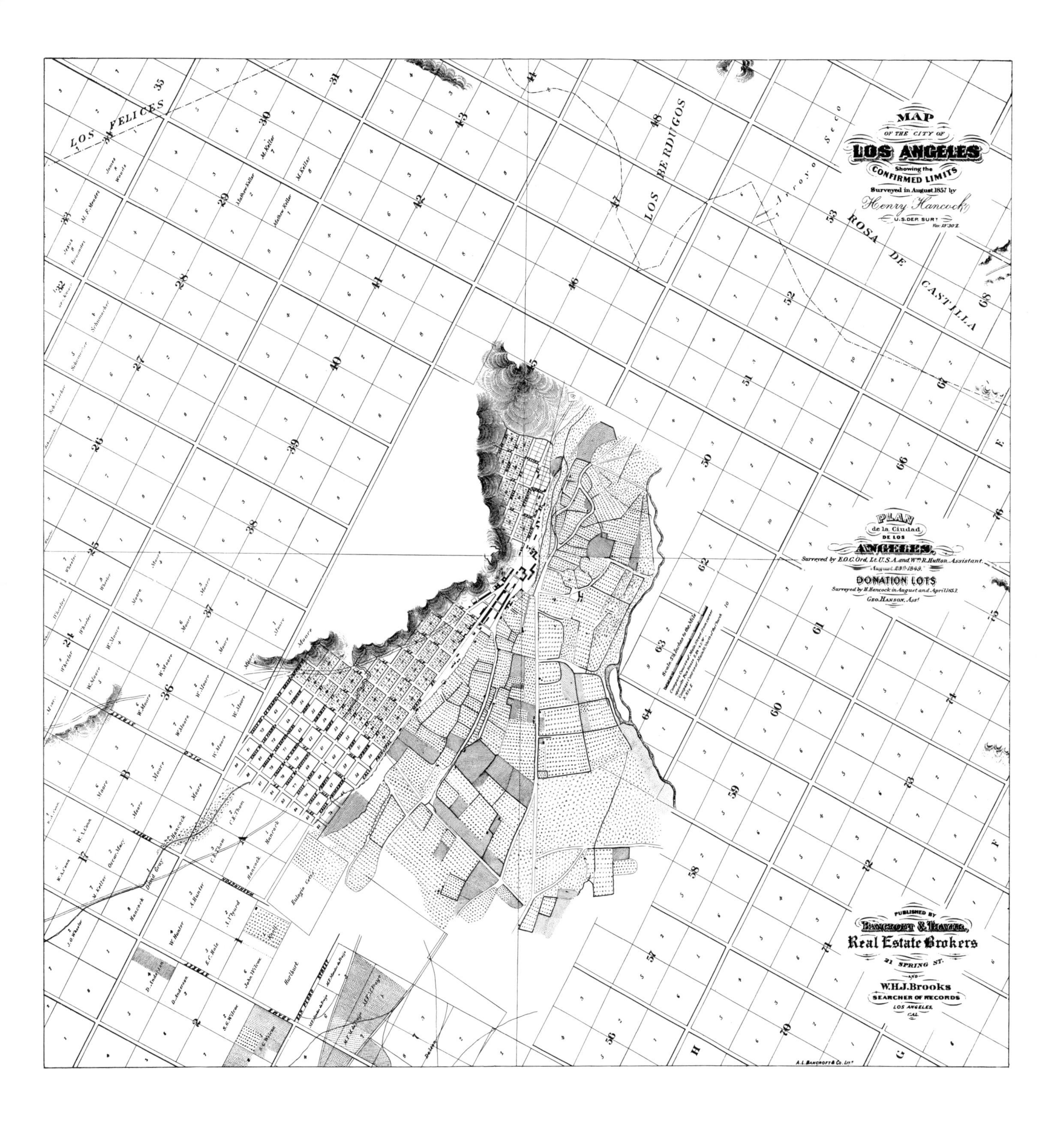
MAP
OF THE CITY OF
LOS ANGELES
Showing the
CONFIRMED LIMITS
Surveyed in August 1857 by
Henry Hancock
U.S.DEP. SUR.
Var: 13°30' E.
PLAN
de la Ciudad
DE LOS
ANGELES,
Surveyed by E.O.C. Ord, Lt. U.S.A. and Wm. R. Hutton, Assistant.
August 29th 1849.
DONATION LOTS
Surveyed by H. Hancock in August and April 1853.
Geo. Hanson, Asst.
PUBLISHED BY
BANCROFT & THAYER,
Real Estate Brokers
21 SPRING ST.
AND
W.H.J.Brooks
SEARCHER OF RECORDS
LOS ANGELES,
CAL.
LOS FELICES
LOS BERDUGOS
ROSA DE CASTILLA
Arroyo Seco
A. L. BANCROFT & Co. LITH.

大街(Main Street)的商业轴线。两条轴线有时重合，有时垂直相交或者呈T字相交，其中横轴为铁路线。如果在网格确立之后才有铁路经过，那么街道平面可能根据铁路商业带来的新的重要性和便利性进行调整。在伊利诺伊州的加尔瓦(Galva)，铁路从对角方向穿越网格。[31]

由投机狂潮引发的城市化运动并非局限于美国。在世界的其他地方，只要铁路的出现帮助开拓了大片的土地，那么同样的故事便会重复。南美洲阿根廷等一些国家也经历了将公共土地转变为私人用途的类似过程。布兰卡港(Bahia Blanca)及其他一些19世纪阿根廷新城的那种机械的、开放式的网格可以同北美芝加哥式的浩大的网格蔓延过程相对应。[32]另一方面，在澳大利亚和新西兰，简单的小镇网格通常被一圈不供开发的绿地所包围，后来，在绿带外发展的新的郊区周边又会形成新的一圈绿带。[33]

图版15

网格的布局

我们在这一章节中所说的“网格”是“正交规划”(orthogonal planning)的简约但不精确的代用词。至少在美国，“格栅形”(gridiron)意味着一种狭长形的街区格局，而“棋盘形”(checkerboard)指的是正方形的街区。这是两种最常见的网格形式。真正的棋盘形一定要以某个模数为基础，因为方形等边。格栅形的模数则可有可无，这要根据狭长街区的规律性，以及街区的尺度同公共建筑、公共空间之间的关系来决定。

完全棋盘状的平面很少见。根据时间的先后，我们可以联想到的这类城市有：土耳其东部尤拉特人(Urartian)的城市泽内奇·泰培(Zernaki Tepe)(公元前8世纪)、意大利北部早期古罗马帝国的殖民地如维罗纳、京都(Kyoto)、为数不多的几个中世纪人为规划的城镇如拉林代(Lalinde)[佩里戈尔(Périgord)，法国]、新西班牙时期的城镇、美利坚时期早期的城市如内布拉斯加(Nebraska)的奥马哈(Omaha)，以及塞尔达(Cerdá)设计的巴塞罗那。长方形的街区形式要常见得多。一般来说，网格平面通常包含一系列不同尺度的街区，就算一开始并不如此，建成后由于街区的合并也会造成这样的结果。

111 115 152

但是城市规划史学家最关心的两个方面——街道网格和街块模式，其本身并不能解释城市形式的特征。一旦总体的网格布局完成，另一个更具体的网格随即出现，这就是每个街块内部的用地分割。影响土地所有者和租用者的用地分配决定必须在街道网确定之前或确定之时作出。如果在一个城市的历史当中，街道网系统的寿命长于更为细密的、更加无形的土地分割系统，这是因为作为公共空间的街道是处在官方监管之下的，这时私人用地划分的变迁则发生在街区内部。但无论如何，街道网与具体的用地分割网总是相互关联、相互依存的。

另外两项重要因素也影响着城市网格的性质。其一是土地的形状，其二是土地测量的技术以及某时某地这种测量技术的相对成熟度。

关于地形

城市总是从土地开始。如果土地平坦，那么网格就可以自由发展。这时规划者面临的对象几乎是一张白纸。在水平的地面上，标准模式可以毫不费力地铺开。规划者也可能会通过挖山岭、填土坑的办法，来制造出一片水平的地形。人们发现，位于高卢的古罗马城市表现出“一种无论是对自然，还是对人为现状的蔑视，它们要求的是一种实质上的空白……（这样）新的城市就可以在一片‘完美的水平面’上展现出来”。[34]

即使在水平地形上，网格布局模式也能够反映多样化的地理特征。例如，河流城市的主要街道常常与河道平行，在这些主要街道之间常常有少量次要的街道作垂直方向的连接。法国西南部加龙河边的防御小镇卡斯特尔萨拉桑（Castelsarrasin）就是这样的例子。在更晚一些的殖民时期，法国在北美洲建设的由狭长街区组成河港城市，则更加清晰地表现出这种以河道为依据的街道布局。 *6*

在起伏的地形上施用纯粹的、一丝不苟的网格形式的情况不多。古代最著名的例子是公元前 4 世纪普南城经过精心设计的网格。普南城原来的位置是在米安德河（Meander）的入口处，常常受到河流淤塞问题的困扰。新规划的城市预计容纳 4000 人，位于一座山脊南端的高地上，地形在东、南、西三个方向为下坡。在东西向的主要街道上，城市街区像剧院座位一样呈现出阶梯状，而供步行者使用的南北向街道则是在某些部位切断形成台阶。对于中世纪城市吕贝克漠视自然地形的现象可以作理性的解释：这座城市处于特雷乌河（River Trave）的包围之中，城市中心位于地势较高的一块脊地上，垂直下坡的街道是从市中心到河岸码头之间最近的路径。在现代城市如旧金山，其网格是投机开发者从交易便利的角度出发划分而成的，而如此带来的关于坡地的使用问题则留给了每一户买家。 *120* *121*

街道网格的普遍原则是在不规则的自然地形与严格抽象的直角关系之间寻找折中点。这样的例子无需到太久远的时代去追寻，在中世纪的新城市当中，我们就可以发现大量对

120　普南城，公元前 4 世纪中叶这座城市的复原图：在几乎不可能的地形情况下对网格状规划方式的应用。［根据 A·齐佩利乌斯（A. Zippelius）的原图复制］

各种地形进行直觉性地、因地制宜地调整之后形成的网状城市形式。在数百个中世纪防御112村镇当中，像法兰西的蒙帕泽尔(Monpazier)和安格斯-莫台斯，以及威尔士的弗林特(Flint)这样的绝对的网格是极为少见的。这些严格的网格城市常常位于平地，由长方形城墙围合起来。但大多数中世纪新城却没有城墙，也并不会在一开始时就限定边界，总体上它们的边界是毛糙的。它们位于不平整的地形上，有时紧靠在一座已有的建造在险峻地形133上的城堡的旁边。因此在绝大部分情况下，“其布局主要是因地制宜和经验主义式的，是防御性村镇的一般形式应用于当地特殊情况”[35]的产物。脊状的地形产生出简单的带状网格，这类网格由一条主要大街和一组沿山坡下落的相互平行的街道组成［如奎安的维尔法兰切(Villefranche-du-Queyran)，以及圣-帕斯图尔（St.-Pastour)］。如果山地呈圆形，那么只需将“有机型”城镇形式中常见的环状平面调整为方形街区［如东赞(Donzac)］就可以了。新温切尔西(New Winchelsea)的规划师就将城市的山顶部分尽可能都划分成网格，而把剩下的不规则边缘地带留给形状特异的住宅用地和牧场。博蒙特(Beaumont)的处理方式是将市场以北的网格扭转，与市场以南的网格形成一个角度，以此来回应山坡地形。已有居住区和已有主要道路对新城镇影响程度的大小，取决于保留这些街道是否能获得快速图版 16经济的效果。构成洛特河畔的维尔纽夫的两个防御小镇分别建造于一条河流的两岸，建造时间相隔 10 年，它们就表现出了这种依存关系。较早的一个小镇位于右岸，建造在一块原始地形上，格局相当严整；而位于左岸的小镇在建造时，基地上已经有一座村庄和两个皮约尔(Pujols)家族的堡垒，所以其形式要松散得多，包含了较大尺度的非直角街区。

对于这数百个城镇平面中普遍表现出的正交性特点，我们应该记住的是，正交系统是中世纪存在的惟一一种理性的城市设计选择。只有这一系统才能方便土地面积的计算和各部分之间的协调。在文艺复兴之前，城市规划者还没有掌握以数学的方法精确绘制自然地形或城市地图的手段。截维·弗里德曼(David Friedman)写道：“中世纪时，只有在以正交方式组织的平面上才能计算出某一点的精确位置。”[36]上一章节我们谈到，锡耶纳所表现出的人为的有机形式是在一个已有的框架中发展而来的。在开放的原始地形上情况就不会相同。只有到了文艺复兴时期才出现了测绘自然地理情况和不规则城市形状的可能性。

121　旧金山（加利福尼亚州）网格以不变的尺度跨越海湾填土区，爬上电讯山(Telegraph Hill)陡峭的坡地。

测绘家和理论家

由于布置正交街道系统的简易性，网格成为那些技术发展程度不高的文化族群也能够掌握的一种手段。让那些在实地划分地块的人接受专门的训练是其中比较基本的一项要求。测量工具沿用了很长的时间，阶段性的改进使得工具的操作更为精确。绳与栓是每个历史时期都被用来确定直线的工具。阿尔贝蒂所说的 hodometer，或称“道路测量器”，在他之前一千五百年的维特鲁威的书中就有过描绘：这是一种已知周长的普通车轮，它的旋转可以被自动地记录下来。

古埃及人能够确定水平性以及两点之间的高差。他们有一种简单的视觉仪器，同时还122使用一种叫作 groma 的原始经纬仪，这种经纬仪后来传给了希腊人和罗马人，直到文艺复兴时期更先进的器械发明之前，它一直是土地测量员的标准仪器。在这个转换器中，一条直线系被用来对准一个主要的方向，另一条直线系则被用来确定地形中与主轴线相垂直的那个方向。

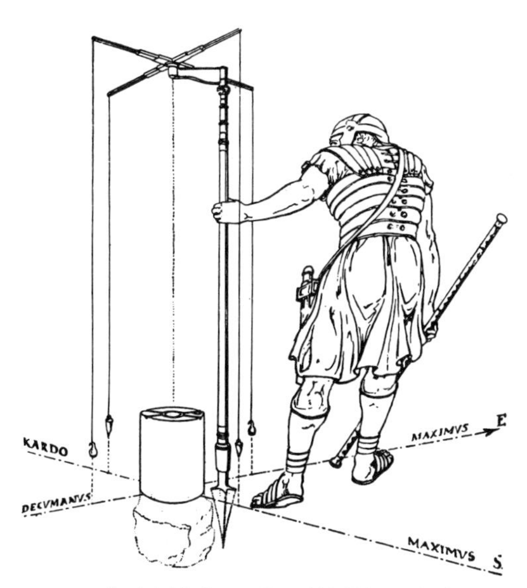

122　一位正在用“groma”工具测量土地的古罗马土地测量人(agrimensor)。［作图：P·弗里杰罗(P. Frigero)］

在希腊的殖民事业中，测量员(horiste)是最早出发的远征队中的关键成员；horiste 一词的字面含义是边界（horoi）的确立者。这是一个掌握着实践技能的人。狭长的带子是用作划分的工具。[37] 迪奥多鲁斯（Diodorus）在公元前 1 世纪后期描述建立殖民地的情况时这样写道：首先是一个请示神谕的仪式（宗教组成部分），之后是寻找泉眼（水资源），建造城墙(防御)，布置由主要大街（plateiai）构成的网格[就他所描述的城市图利(Thurii)而言，在其中一个方向上的主要大街为 4 条，在另一个与之垂直方向上的主要大街为 3 条]。当这些最基本的秩序建立之后，再进一步以次一级道路（stenopoi）划分出供住宅使用的狭长街区，所谓的次一级道路基本上就是位于宅基地之间的步行道。住宅建筑面朝次一级道路，而公共建筑面则朝主要大街。街区为 100 英尺×300 英尺(30 米×91 米)。城市中有一部分土地被严格保留作公共和商业用地，居住区域里同时也能包容一部分经济活动。至于公共建筑和庙宇，它们有时顺应网格，有时则可能由于宗教的原因而独立于网格［如阿格里琴托（Agrigento）、柏埃斯图姆（Paestum）］。剧院常常利用自然的山坡来安排其中的座位。

希波丹姆斯设计的米利都的情况比较令人费解。我们对他的具体工作方法不十分了解，但似乎可以相当肯定的是，希波丹姆斯的系统的特殊之处是它对几何学理论公式的依赖超过它对土地测量员纯粹技术性（和经验性）操作方法的依赖，同时也特别注意针对不同地形作出相应调整。以比雷埃夫斯为例，它的规划系统包括：首先将土地分成几个部分，每个部分有各自的长方形街道系统；其次，预留出供公共功能使用的、有明确边限的公共区域；最后，布置公共建筑。以罗得岛（Rhodes）为例，根据可复原的一部分古代街道模式我们或许可以推断出，希波丹姆斯的几何系统存在三重划分秩序。其中最大的元素是每边长各为 1 个斯塔德（stadion）（约 600 英尺或 180 米的可变单位）的方形。每个这样的方形再分成 4 个每边长各为 1/2 个斯塔德的较小的方形；每个较小的方形又进一步分成 6 个部分，每个部分是 100 英尺×150 英尺（约 30 米×45 米）的长方形。我们无法知道，这种系统在希波丹姆斯死后是否被确立为一种城市规划学派，或者仅仅是对一般测量员的工作方法进行了改进。

我们对古罗马测量员的训练过程了解得很多。这种训练包括算术、几何和法律方面的知识。总的来说他们要与方形和长方形打交道，同时也用得上三角形，但他们并非用三角法进行测量，而是在诸如不过河而获得河的宽度或者在计算高度的时候用到三角形。其他器械还包括建筑测量员最常用的固定方形、在寻找精确的水平状态时使用的水台、确定方位时使用的可携式日晷,当然还有度量时使用的绳子和链条。对规划性城市本身的测量以及对城市周围长方形农业土地的测量没有严格的差别，同样，乡村土地测量员与军事或城市土地测量员之间也没有差别。[38] 在军事营寨的中央设立经纬仪的做法也是一种惯例。

在文艺复兴之前，长方形布局依靠的还是简单的平面几何学，测量员们知道怎样求得地面上一条已知直线的垂直线，由此建立起两条坐标轴，并得出其他平行的测量线。在许多防御小镇中，普遍使用一种带有 12 个节的绳索，通过毕达哥拉斯三角形的 3-4-5 边长关系来获得直角。哥特教堂设计中普遍采用的以作图几何学为基础的复杂模式同样也可以转化到地面上使用，但人们却没有这么做。换句话说，人们认为城市布局中的学问不如建筑设计中的学问那么高深。

值得分析的一个例子是加龙河畔的勒纳德（Grenade-sur-Garonne），这是一个由法兰西国王的大管家于大约1300年在图卢兹建立的城市，其城市平面属于阿方斯·德·普瓦捷手下的规划师们于大约1255年发展出来的城市类型的晚期版本(见108~109页)，属于这类城市的还有多尔多涅河（Dordogne）上的大圣富瓦(Ste.-Foy-la-Grande)、热尔的蒙特利尔(Montréal-de-Gers)和爱德华一世建造的蒙帕泽尔。这类城市的共同特点是都有在等距离位置相交的两对相互平行的街道。4条街道围合成的广场就是市场。一般情况下，城市核心地带的街区呈方形，其他位置的街区为长方形。从城市布局中留下的主要测量线位置，我们可以看出格勒纳德规划的几何基础。这是13世纪早期维拉德·德洪内库尔(Villard de Honnecourt)在他的“草图本”中所描绘的旋转系统第一次在城市规划中得到运用。格勒纳德的形成过程便是如此。两对主要测量线，也就是限定中央方形街区的4条主轴之间的距离，为210英尺（64米）。这是城市规划者作出的最关键的决定。之后他以边长为210英尺的方形的对角线长度——即297英尺（90.5米）作为第一条次轴线与主轴线之间的距离。这个过程不断重复下去，直到确定出城市最外围街区的尺寸。[39]

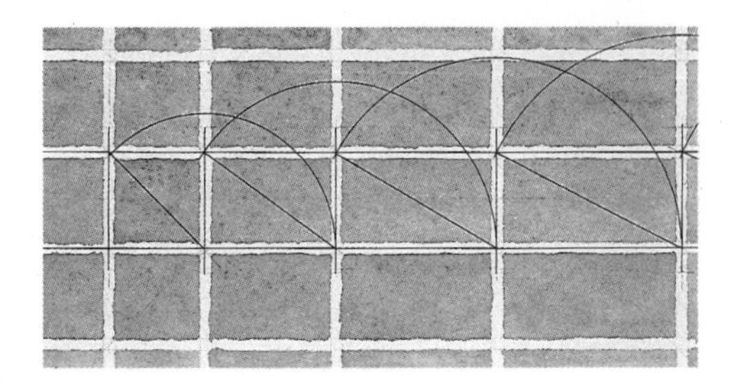

123，124　加龙河畔的格勒纳德(法国)，1300年前后建造的防御城镇。变化的网络提示出一个复杂的形式逻辑，即每一个街块的宽度取自于前一个街块对角线的长度。

具有艺术家身份的规划师

是否有任何迹象表明，在文艺复兴到来之前，一些掌握了先进理论几何学的哥特大师，以及一些参与了大教堂工程的大师，曾经将城市网格作为一种艺术问题来研究呢？戴维·弗里德曼在他最近出版的一本关于14世纪佛罗伦萨新市镇的书中谈到了这一类情况。[40]

这些新市镇——如圣乔瓦尼、特拉诺瓦(Terranuova)、卡斯泰尔弗兰科、亚诺河谷(Arno Valley)上部的彼得拉桑塔和斯卡佩里亚(Scarperia)、亚平宁（Apennine）地区的菲伦佐拉(Firenzuola)——全都位于原有城市北部和东部的乡村。它们建造于平地，一种基本的设计形式适用于所有城镇。城镇中的主要长轴往往就是途经该城镇的主要公路上的一段；广场与主轴垂直。防御用的城墙从一开始就为城镇规定了边限。城墙内设有一条道路，目的是为了方便部队在打仗时沿城墙根行进，其宽度仅次于主要大街。最后在各个角的位置是4个相同的邻里单位，每个邻里单位中有各自的正交轴线。

弗里德曼认为，这种方案与哥特设计中常见的作图几何学相比，表现出一种对正弦几何特别是三角法的成熟应用。正弦函数与圆的几何度量有关，也就是说与弧长和弦长有关。有观点认为，正弦几何可能是佛罗伦萨新市镇平面图形的基础，原因之一，是这些城市里街块的深度自中心向边缘逐渐减小，进深最大的街区面向主要街道，紧接着是宽度相同但深度递减的3个街区。这种递减关系不太可能代表某种社会等级关系。新城市里并没有巨富，所以这样的渐变多半只是一种抽象的几何特征。

如果正弦几何果真在这里获得了运用，那么这一事件将成为中世纪城市设计中的特例。在中世纪，传统上属于高级理论应用范畴的正弦几何是与星象学和地表测量学联系在一起的。它表现在两种器物当中。其中之一是水手用的图表，它能够在科学仪器的帮助下，结合地球表面的直接观察资料，提出实际的航行信息。这种图表被当时人们称为泼图兰图表（portolan chart），它的表面覆盖着一种由放射线组成的特殊的网络图形——这个图

形与风向玫瑰相关，因此也是高级罗盘的一部分；另外图表中还有多组平行线，其比例系统与佛罗伦萨新城中的网格系统相似。应用正弦几何原理的另一种器物是平面天球图上的星盘仪，这种仪器有一个用来观测的视规（这是一条可在圆碟中心位置旋转的直径线）。另一种由星盘仪发展而来的较简单的仪器是四分仪，星盘仪与四分仪在11世纪的欧洲就已经出现。

127

佛罗伦萨新城的平面运用了星盘仪和泼图兰航海图表中的正弦图表，以及1220年左右莱昂纳多·斐波纳契（Leonardo Fibonacci）在比萨所著的《实用几何学》（*Pratica Geometriae*）中的弦长表。有了这种弦长表，测量者可以不再需要星盘仪和四分仪。只用传统的测量工具——线、绳和简单的测定直角的工具，就可以完成同样的工作。测量员先划出一条基线——即城市主要大街所在的轴线，然后做出一条与之相垂直的轴线。之后，他要量出一个尺度适当的圆形上分别相应于11、22、33、44、55个单位弧长的5段弦长，再在城市中轴的两边标出这5段弦的端点。最后，穿过位于垂直轴上的这些端点，分别做第一条基线的平行线，这样城市的基本框架就完成了。但是在这些工作进行之前先要作出一些关键性的决定。有人要计算出相关圆形的尺寸，有人要通过圆周上22、44、55、66个单位的弧长所对应的弦长来决定其余的尺寸。弗里德曼认为，作出这些决定的人就是城市的设计者。

125

佛罗伦萨新城的设计者这种有意识的艺术创造行为超越了测量和划分土地的工作本身的实际要求，它预示了一种新的文艺复兴式的态度：城市与重要的房屋一样，应该是建筑设计的产物。在此后的一个世纪里，阿尔贝蒂与其他一些人就将城市与宫殿等同起来。用阿尔贝蒂的话来说，“城市最重要的装饰，就是与其尊严和功能相称的具有严整布局的街道、广场和建筑。”自菲拉雷特设计的斯福尔津达之后，文艺复兴时期的建筑师们提出了各种各样的理想城市模式，这些城市模式具备明确的边界和经过整体设计的各组成部分。其中以圆形为基础的几何学作为确定比例的手段，在城市设计中的运用非常显著。

183

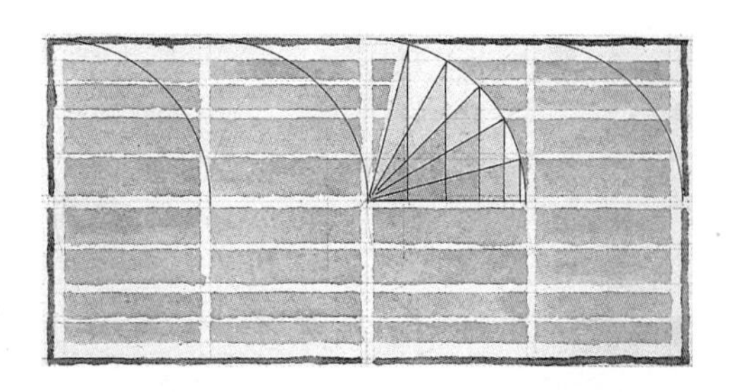

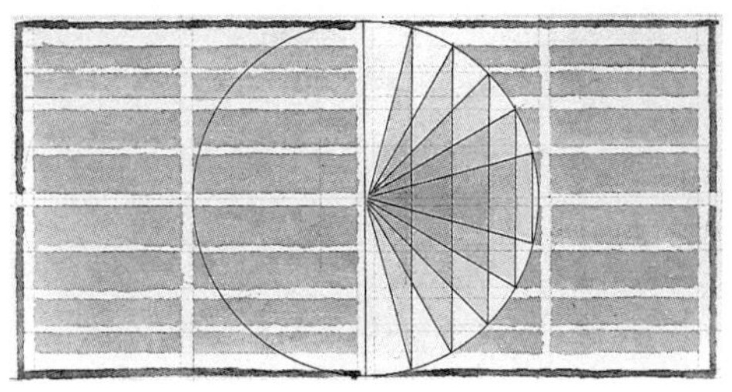

125 建立于1337年的佛罗伦萨新城特拉诺瓦（意大利），这里的街块网格表现出一种进深递减的几何特征，如果我们给平面上的4个方形分别做内切圆，然后给各内切圆做间隔15°的半径，就可以找到特拉诺瓦网格的这种几何特征（上图）。虽然这一描述可以解释特拉诺瓦的平面规律，但它也许并不是这座城市的测量师真正使用的方法。一个更具可能性的猜测是：特拉诺瓦的设计者们在城市网格中使用的尺寸来自于和圆内弦长相对应的三角数据表。

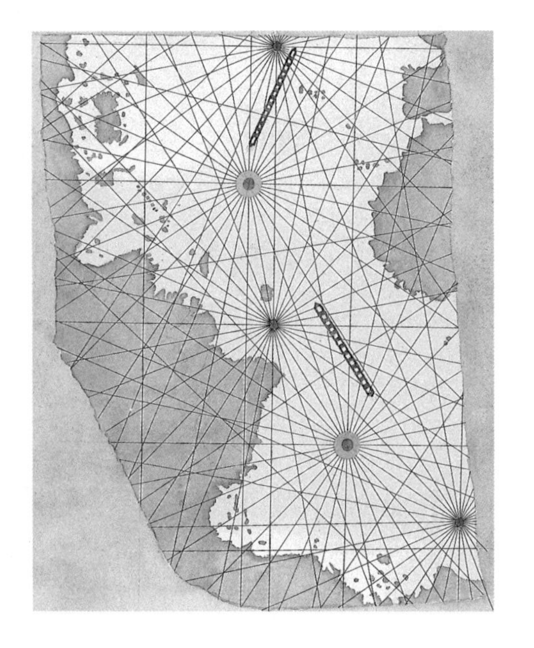

126 左1图，一幅以美洲和西非地图为基础绘制的中世纪航海图表，根据皮里·拉斯（Piri Ra' is）的原图（16世纪）复制。

127 左2图，一个伊斯兰的星盘。

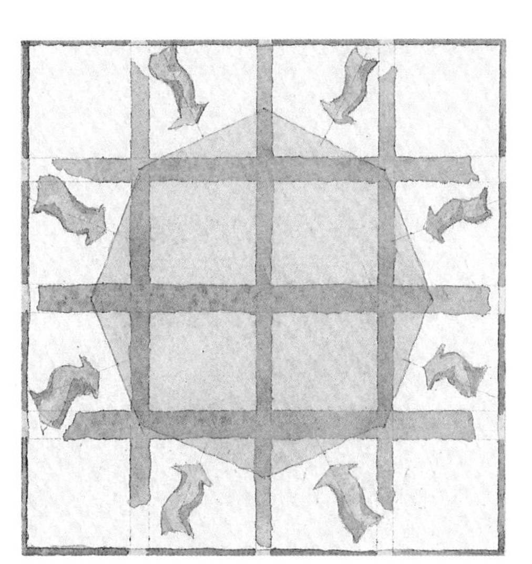

128 风玫瑰和街道系统，根据弗拉·吉奥康多的原图绘制。

最早的例证之一出现在吉奥康多教士(Fra Giocondo)1511年编辑的维特鲁威的著作当中，书里的一张木刻画解释了维特鲁威关于城市街道朝向的一段著名文字，即要使每条街道都避免朝向罗盘中的各个主要方位，因为这些方位被认为是最强烈的不健康季候风吹袭的方向。木刻上画着由16个街区组成的正交形街道系统。在这个街道平面上又重叠了一个八角形，八角形的每条边代表了8个不利的风向，而它们不与平面中的任何一条街道平行。但是吉奥康多教士所做的示意图的创新之处，是将风向玫瑰的几何形状与街道系统、街区的尺寸以及城市的大小协调了起来。这一做法在维特鲁威的叙述里无法找到根据，它是文艺复兴的独创之处。在这里所表现的圆形几何学与网格系统相结合的协调手法，正是二百年以前决定了佛罗伦萨新市镇早熟设计的关键因素。

128

在制作这个图形的时候，吉奥康多教士的头脑里很有可能装着那不勒斯，即希腊城市尼阿波利斯（Neapolis）的古老平面。[41]像那不勒斯一样，在他设计的街道系统里，3条水平向街道的宽度大于垂直向街道的宽度。[42]现代的场地研究表明，公元前5世纪末重建的那不勒斯有3条长街，相互之间的间距为1个斯塔德（这里的stadion约为607英尺，或185米），20条巷道与之垂直相交，巷道之间有序地相隔着121.5英尺(37米)。所以住宅街区的长宽比是5:1。这一设计中的线形在现代的那不勒斯城中心依然保存着。长街缓缓地坡向东面，这是维特鲁威和他的相关资料里提到的惟一一个健康的风向。巷道的坡度更陡一些，朝向南面的港口。但这两个方向都与子午线或与罗盘的长轴成22.5°角，这是维特鲁威的文字提出的布置城市街道的适宜方位。

另一张也被认为是吉奥康多教士所做的图形中表现的似乎是理想化的那不勒斯老城平面，图的中间是一个被分成16个点的圆形或风向玫瑰。其中两个点对应于道路系统中的中央长轴，另两个点对应于垂直方向的巷道。我们知道吉奥康多在那不勒斯的赞助人阿方索二世（Alfonso II）非常热衷于古典时期的文物，在执政时期他曾试图通过延长长街和清理所有巷道的办法来恢复古希腊时期那不勒斯的平面。这张图可能与当时的城市复原工作有关。

129

129 重叠在古代那不勒斯街道网格之上的风玫瑰，根据弗拉·吉奥康多的原图绘制。

吉奥康多教士的这些城市图形除了证实新建立的街道网格与圆形之间的关系外，还具有另一方面的重要性：它们属于文艺复兴时期发展起来的、以图形表达城市的一种新手段——即平面图法，或地平面图，也就是我们现在已经习以为常的城市地图。当时更为常见的描绘城市的手段是侧投影图或鸟瞰图，这些画法与文艺复兴时期发明的一点透视有关，一点透视使艺术家能够在平面上表现三维空间。而平面图法表现的是从无限多个视点观察到的城市，每一个视点都与地面相垂直。这种高度复杂的抽象图形并不关心城市的实际相貌，而是将城市简化为二维的虚实符号。随着16世纪先进的测量技术和测量设备的发展，这种古罗马人就已经掌握的却在中世纪被遗弃的平面图法又重新成为可能。[43]

130

值得强调的一点是，这种新的科学的测绘平面图的出现，以及与此同时期的活动型炮弹的发展，使得人们将城市作为理想型的图形来看待。人们开始客观地研究城市，将城市当作由许多不同元素共同组成的一种完美模式。新的论文也开始提出各种各样的模式，其中包括网格的巧妙变体。在这些论文中最有影响力的是彼罗·卡塔内奥（Pietro Cataneo）的

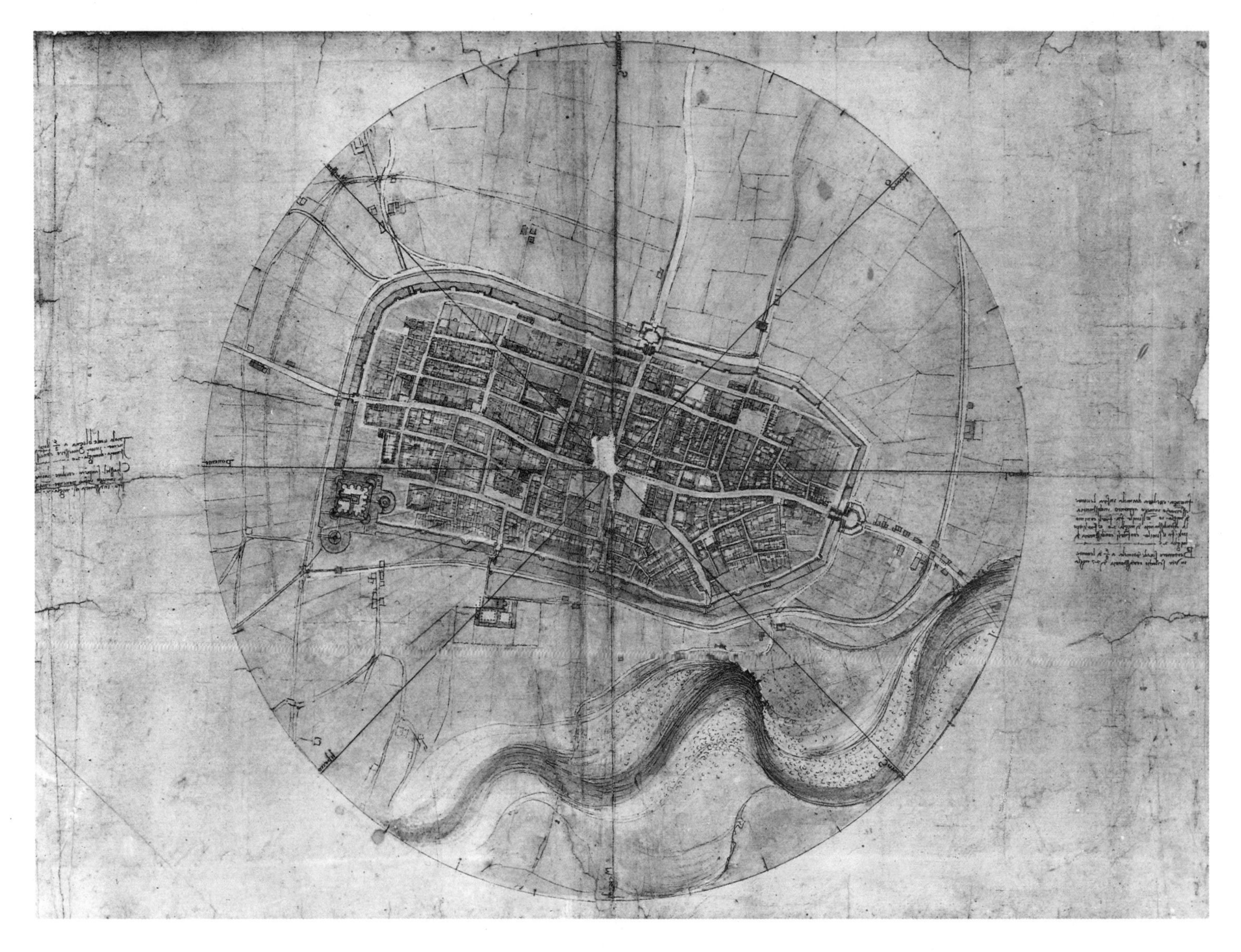

130　伊莫拉（Imola）（意大利）平面，莱昂纳多·达·芬奇（Leonardo da Vinci）设计，1503年前后。这是文艺复兴时期最早出现的一幅城市平面图，城市处在一个被分成8个楔形的大圆形之内。圆形的放射线上分别标注着8个风向的名字。这些线索揭示了这座城市平面得以形成的秘密。达·芬奇发明的一种早期经纬测量仪由一个被分成8块的圆盘组成，圆盘正中是一个罗盘。这个经纬仪用来确定磁北，并使磁北和北风向重合，以确保从不同方位观察时都有固定的参照体系。

《建筑四要著》（*I quattro primi libri di architettura,* 1554年）和温琴佐·斯卡穆齐的《建筑通论》（1615年）。[44]

城市和乡村的协同体系

在经历了这几个关键性的城市设计发展阶段之后的几个世纪里，至少在西方出现了网格城市历史上最清晰和最优美的作品——阿沃拉（Avola）和都灵、黎塞留和诺伊夫布里扎赫、墨西哥城和萨瓦纳都属于这样的例子。街道的宽度、街区的格律以及开放空间经过了统一的设计；通常不具有中心性的正交系统中穿插进了明确的重点。在美洲殖民时代，城市网格通常是更大范围的区域规划的一部分，而区域规划则将长方形的空间结构覆盖到了广大的乡村地带。

131　位于拉文纳（Raven na）（意大利）附近的卢戈（Lugo）的空中照片。古罗马时代用于划分农业用地的土地百分体系的痕迹在艾米利亚-罗马涅区（Emilia Romagna）这个乡村中通过田埂、道路和排水渠的方式保留了下来。（照片右侧为北）

乡村中的网格

控制邻近的乡村一直是城市的主要烦恼之一。殖民计划或土地开拓计划尤其需要有一个公正的农业土地划分方案来吸引定居者。这通常需要某种大尺度的网格。城市和乡村这两类长方形系统很有可能服从同样的规则和同样的度量单位，但施用的规模和尺度却不同。

在古代的中国，度量单位是“里”，大致对应于希腊的斯塔德（约 600 英尺/180 米）（原文如此——译者注）。乡村网格划分了耕地，每个方形地块上住着 8 户人家。但是方形地块实际上被分成了 9 份；地主收取第 9 块土地上的农作物作为地租。这种农用土地的划分方式是否与军队的征募方式存在着联系目前尚不清楚，但是土地的确因此而以 5 块为一组。在日本，出现于 7 世纪的“条里制”（jori）就与一种新的政治秩序有关，它的目的是为了确保稻田的公平分配。主要大方块地的边长大约为每边半英里（805 米）。这些大方块再细分成 36 个大小相同的小方块，叫“坪”（tsubo），每坪又切成 10 条，每条土地由国家定期分配给种植者。“条里制”的痕迹在今天日本南部的某些地区还能够被发现。[45]

古罗马有许多种土地测量方法，其中最常用的是土地百分体系。测量一开始时是确定出两条相互垂直的轴线道路，然后分别与两轴线平行划出地界线（limites），直到形成方形或长方形的网格。方形地块的每边长为 2400 英尺（约 731 米），每块方地需要容纳 100 份小地块（centuriae）。土地百分体系的标准单位是阿克图斯（actus）（120 英尺，约 37 米）。 131

法兰西防御小镇普遍使用一种三重性的土地分割系统。居民分得的宅基地叫作埃诺（ayral）（每份用地在 1000~3300 平方英尺之间，约 93~307 平方米），菜园用地叫作卡萨尔（cazal）（6500~7500 平方英尺，约 604~697 平方米），可耕地和葡萄园与相应的面积单位同名，叫作阿邦（arpent）或约诺克斯（journaux）（每份约为 2/3 英亩或约 0.25 公顷）。这三类用地形成三重同心圆。市区地块的划分延伸至城市的边界，如果建有城墙则到达城墙边。菜园地块或者在城墙内，或者在紧靠城墙的城市外围。耕地和牧场并不总是与城市紧靠在一起。

西班牙人来到新大陆时，土地管理是在区域规模上进行的。早期殖民城市的管辖范围极其广阔。亚松森（Asunción）的范围在任一方位都绵延至 300 英里（483 公里）左右，今天巴拉圭整个国家的领土都曾属于这一城市。分割后的土地基本为方形，每边长 1 万瓦拉（vara）或约 5.25 英里（8.5 公里）；分割后的每份土地称为西提欧（sitio）。城镇位于这些地块的中心或靠近中心的位置。在城镇外围的一侧或多侧设有扩建预留土地——称为艾吉多（ejido）。再接下来是耕作地块，绝大多数耕作地块分给了最早来的一批居民，少量留给后来的住户，另有一些则用于出租，所获租金归入社区公共资源。另外还有一些公共的牧场和林地。每个住户得到一份耕地和一份城里的宅基地，土地不得出卖。这一点显然与古代希腊在西西里岛的做法相似。同时需要指出的是，农用土地的划分方式——即大型的网格——使其能够与未来的城市发展和原有的城市核心相结合，而城镇的网格也可以系统性地扩大，并纳入覆盖面更广的乡村网格系统中。在南美洲，19世纪的扩建街道是更早以前城市网格线的直接延续，有时(如布宜诺斯艾利斯)，相同的网格可以延伸至10英里(15公里)。只是在第一次世界大战之后，某些城市郊区街道才出现一些不规则的形式。

英格兰在北美殖民地的建设过程中也表现出其特有的乡村/城市秩序。以著名的萨瓦纳为例，这个城市就是作为区域规划的一部分来构思的。在城区之外有花园地块(它们是呈三角形的半方块)，再向外去，是主要投资者拥有的更大的耕种地块。在新英格兰，田地的分割模式与城镇的街道模式一样，并不寻求一种严格的网格。[46]城镇的组织犹如有核心地的村庄，一组住宅有时围绕公共绿地，有时沿一条主要街道排列。类似马萨诸塞州的剑桥，或康涅狄格州的费尔菲尔德(Fairfield)和哈特福德(Hartford)这样紧凑的“方形”城市并不多见。在南方，地产分布分散，聚落模式也132较疏松。1785年之后开展了“国家土地测绘”的工作，在前面章节我曾经提及。在“国土测绘”的规制中，每个市镇区(township)单位为6英里×6英里(9.7公里×9.7公里)，每间隔一个市镇区单位，土地再被分成1平方英里(或640英亩，260公顷)的地块，称作段(section)，这样形成的36个段又进一步分解为更易操作控制的半段或1/4131段。这种土地划分法的古老前身有古罗马的土地百分体系、新西班牙的西提欧(sitio)制、日本的“条里制”和荷兰工程师对围海获得的土地实施的圩地划分系统(polder)。在所有这些先例中，土地测量都是随着地形而调整的，只有美国的“国家土地测绘”严格按指北针的方位进行。

在18世纪后期，作为“国家土地测绘”基础的方形市镇区单位在美洲殖民地的南北地区就已经相当常见，所以杰斐逊在当地就可以找到便利的模式。早在1684年，彭威廉就已经声明：“我们的市镇区是方形的，乡镇所在地一般位于市镇区的中央。”罗伯特·蒙哥马利爵士(Sir Robert Montgomery)的阿齐里亚总督辖区(Margravate of Azilia)，规划于1717年，后来成为佐治亚的殖民地，这个辖区即是以640英亩的方形为基础的，市镇所在地位于辖区中央，4个方形的公共绿地位于四角，周围是1英里(1.6公里)见方的种植园。在北卡罗来纳州，每份640英亩的土地分块方法一开始就相当常见。在1765年对抗俄亥俄印第安人的征战中，亨利·布凯(Henry Bouquet)为边疆100户居民的聚落提出过以下的布置方案：“在容易找到河流或小溪的地方，布局一个每边为1英里的方形。这一方形将容纳640英亩土地。”在这块土地中，40英亩(16公顷)将作为街道和公共用地，50英亩(20公顷)将作为住宅用地(每户0.5英亩，即0.2公顷)，其余部分分成100块耕作用地，每块耕作用地为5.5英亩(2.2公顷)。[47]

杰斐逊对美国土地进行网格划分的思想基础是“全权不动产”(freehold)这一概念，所谓全权不动产指的是具有一定尺度和价值的或者能够带来可征税收入的地产。它与租赁地产(leasehold)不同，租赁地产指的是一种租赁状态。全权不动产的持有者享有法律权利。他们享有公民权：可以担任公职或参与投票。地产是公民权与投票权的关键。在殖民时期，全权不动产资格获取的标准是50英亩(20公顷)土地。杰斐逊则希望美国人拥有更大面积的土地。在“国家土地测绘”进行时期，13个殖民地区中的大多数已经放弃了这种严格意义上的全权不动产概念而采用等值税收制。所以杰斐逊在这一点上比较保守。但是他的梦想是要让所有美国公民(至少是白种男人)都凭借自己土地所有者的身份来享受投

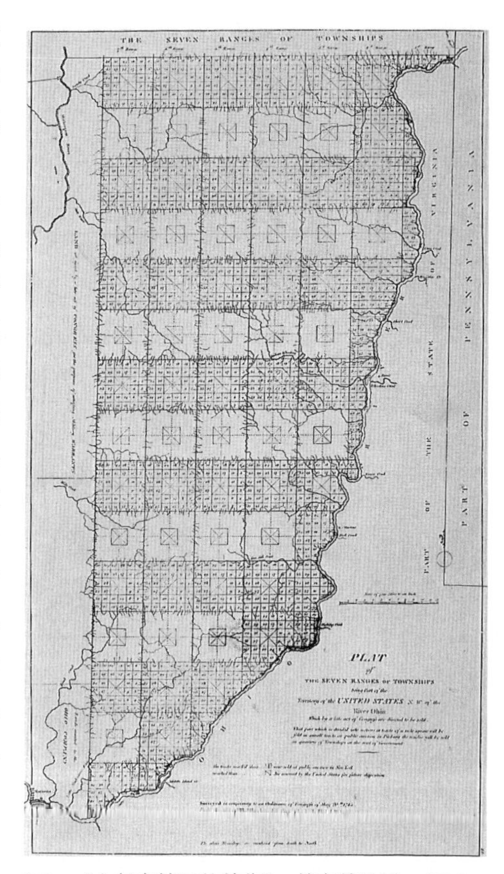

132　“七行市镇区的单位”，俄亥俄地区，1796年：根据1785年“国家土地测量”工作要求制作的第一批市镇区的规划测绘图。注意图中方格网严格的正南北朝向。

票权。在这个意义上，“国家土地测绘”所划分的网格被认为等同于宪法。[48] 基于这样一种情况，宪法获得颁布的确是一件幸事，因为杰斐逊的土地民主和历史上所有类似的经验一样，最终是极为短命的。

网格状的城市扩建区

即便城市和乡村之间存在着一种有组织、有系统的协调系统也并不能保证城市在扩建的时候，其网格能够有序地向周边地区推进。一般来说，只有当市政机构掌握着监管郊区发展权力的时候，城市网格的扩展才能遵守某种统一的设计，并且与旧的城市核心区建立起理性的联系。

郊区的网格可以附加到一个“有机型”城镇或网格型城镇之上。有些防御村镇就表现为嫁接在更早的城堡型村镇边上的网格区。荷兰的屈伦博赫就是一个很好的例子。它的旧的核心区建于 12 世纪早期，城堡建于 1271 年，而位于西南部的“新城”则始建于 1385 年至 1392 年之间。一条从老城市场出发的街道穿过南门，越过排水运河进入新城，将新旧两个城区绑合在一起。[49] 133

这是一种标准的连接手段，既可以运用在“有机型”核心区与后来的网格型扩建区之间，也可以运用在两个不同时期的网格区之间。我们可以任意地找到许多这样的例子，例如勒阿弗尔，它的旧城中的主轴线就延伸到了网格型的“新城”当中，还有文艺复兴时期的费拉拉，在旧城的市场与新建的“大力神扩建”(Herculean Addition) 区中的广场之间就存在线性的联系。如果城市的网格状扩建活动发生在老城建造了棱堡城墙之后，那么连接的问题就变得复杂。17—18 世纪柏林的扩建区多罗西施塔特区 253

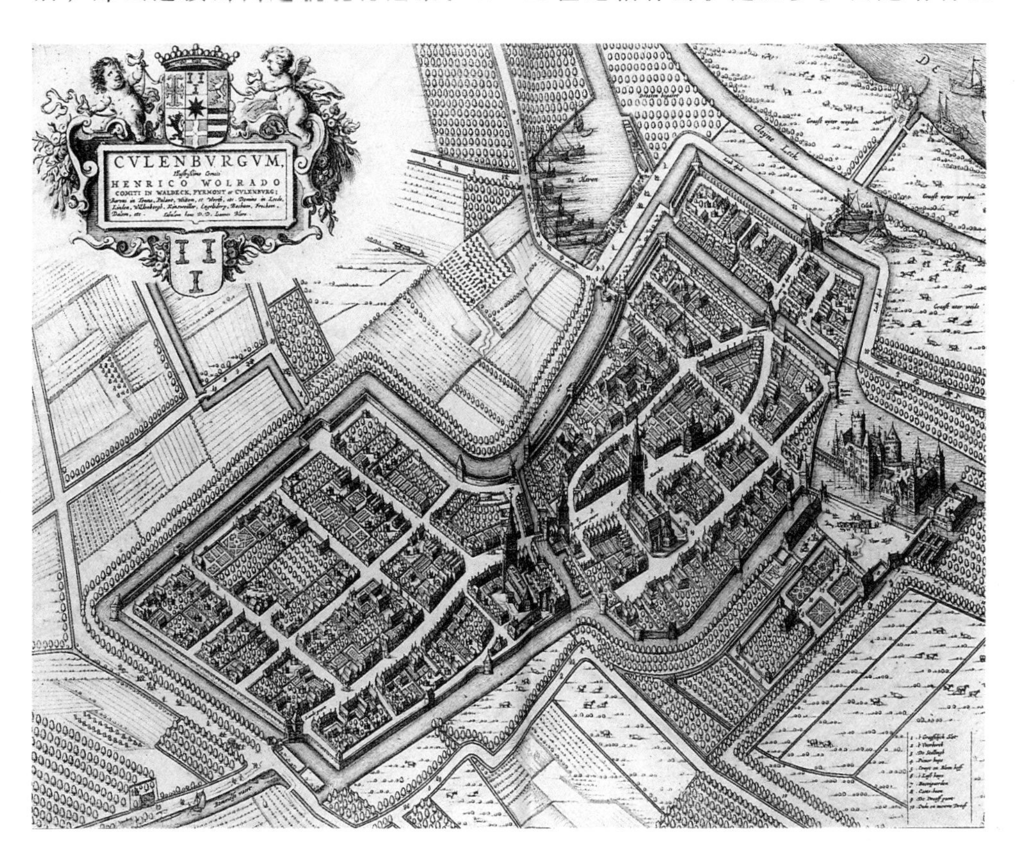

133　屈伦博赫(荷兰)，约翰尼斯·布鲁 (Johannes Blaeu) 所画的鸟瞰图，1648 年。右侧的旧城有一个变化的纺锤形平面 (参见图 138)。

(Dorotheenstadt）和腓特烈施塔特区就是这样的例子；尽管林登大街(Unter den Linden)发挥了强有力的联系作用，但在城墙最终被拆除之前，网格状的郊区始终无法与中世纪的城市核心区相交融。

古罗马时期的城区网格与后来的扩建网格之间流畅相连的最清晰的例子要属都灵。当都灵在萨沃伊（Savoy）时代被选为皮埃蒙特（Piedmont）区的首都之后，它在原有古罗马城市网格基础上增建的网格状新区不少于 3 个——其中，17 世纪早期在南城门外建造了一组 12 个新街区，1673 年开始建造的东区到达了波河(Po)沿岸，最后是始建于 1712 年的西区。在三个阶段完成后，城市几乎成为一个椭圆形。城市里有多个广场，非常接近文艺复兴理论家心目中的理想城市模型。后来建造的网格状扩建区中的街区要比古罗马核心区中的街区大。其中部分原因是由于文艺复兴时期形成的城市住宅理念——这一种大型的具有规则体量的府邸，这样的住宅更能表现新兴城市贵族（政府官员之类）的追求；另一部分原因是由于修道院在这一时期担当了慈善和教育这两项政府职能，所以有必要考虑允许修道院将其所在的较大的街区分出一部分来作为出租之用。沿诺瓦门路(Via Porta Nuova)的最早的网格状扩建区的街区是 400 英尺×280 英尺(约 122 米×85 米)，由于希望形成一条商业地带，所以这里的街区设计有所不同——狭窄的沿街面，一层为小店铺，上层为住家；一条狭窄的巷道在长方向切入街区，为商店的后部提供了货物通道；小货仓位于街区的内院部分。街道的连接并不机械：有些将古罗马时代网格直接延伸，有些稍作弯曲，另一些旧的街道被截断，因为新区中一个街区的宽度通常是旧区中街区宽度的两倍。

134　17 世纪末的都灵（意大利），图中表示了古罗马时代的核心区（位于城墙内的区域）以及后来的网格状扩建区域。

阿姆斯特丹是一个特例，在这个伟大的北方港口城市里，公众力量一直主导着城市形式，使得“有机”系统和网格系统双方的优点能够结合在一起，确保了城市理性和长期的发展。1607 年开始的一项重大规划将城市范围扩大了 4 倍。我们在前面的章节提到，这个城市建立于 13 世纪，当时人们在艾尔河口(Ij estuary)的南部建造了一条拦海堤，又在一条名叫阿姆斯台尔的小溪上建造了一座水坝。之后人们又在原有聚落的东、西两面，平行于艾尔河湾和阿姆斯台尔河的方向建造了更多条排水渠——在 14 世纪末至 15 世纪中期共建了两组。这些排水用的运河渠在南端交汇，住宅沿着运河渠和河道建造。1607 年的规划以当时位于城市边界的一条运河为基础，以与其平行的方式，继续向城市外围未开拓的土地扩展，形成三环运河。第一环运河称为希伦格拉特(Heerengracht)，其位置就是原建于 1593 年的棱堡城墙的所在地，后来建造的两条运河与之平行。每条运河在城市不断扩大的过程中都曾经是新城市的边界。这样，城市不但具有一个总的发展规划，土地使用功能的分配在一开始时就获得了确立；同时又能满足分期建设的要求。运河与运河之间的狭长地块进行了网格状分割，但由于它们的总体形状呈圆环形，所以许多划分出的街区呈梯形。3 条运河的位置由城市当局决定，但是运河之间的土地开发及城市外围新城墙的建造都由私人公司经营。在城市的西部布置了一个工人住宅区(the Jorda an)，其中包括住宅、制革厂、羊毛与天鹅绒加工厂、印染厂。街道网格覆盖在已有的步道和水渠系统之上，与新开挖的运河成斜角。

如果缺乏像都灵和阿姆斯特丹这样的具有统一权力的市政机构，或者像现代德国那样的城市体制，那么网格状的扩建区就会退化为由不同发展商分头建造的，由许多小地盘在地界线位置连接起来的随机拼合体。美国城市发展的普遍现实正是如此，而并非 1811 年曼哈顿规划所表现的那种统一的网格。在绝大部分情况下，那种“能够无限扩展的网

151
134
135,136
137

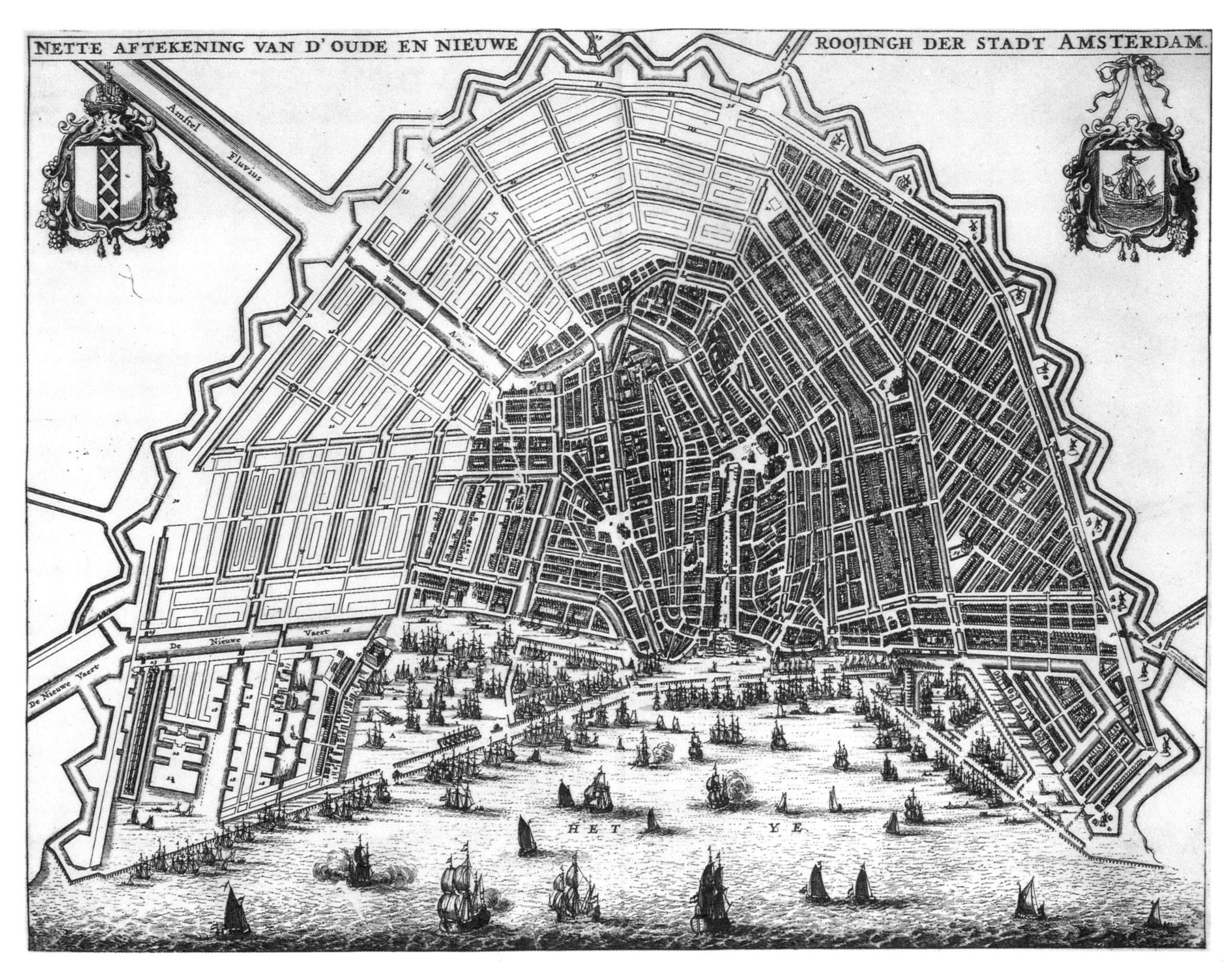

135，136　1536 年由 C·安托尼兹(C. Anthonisz)所作的阿姆斯特丹鸟瞰图(右图)，和 1663 年城市的现状和扩建规划。直到 17 世纪早期，阿姆斯特丹一直是在阿姆斯台尔河上一个 13 世纪中期村庄的基础上建造的，在与村庄原有海堤相平行的方向，人们逐步建造起一系列人工堤防，于是城市相应扩大。1570 年西班牙人摧毁了安特卫普之后，阿姆斯特丹上升为地区性重要港口，于是相应产生了扩建的压力。1607 年的扩建规划提出在低地上填筑建设用地，以网格结构为基础将城市地表面积扩大了 4 倍。

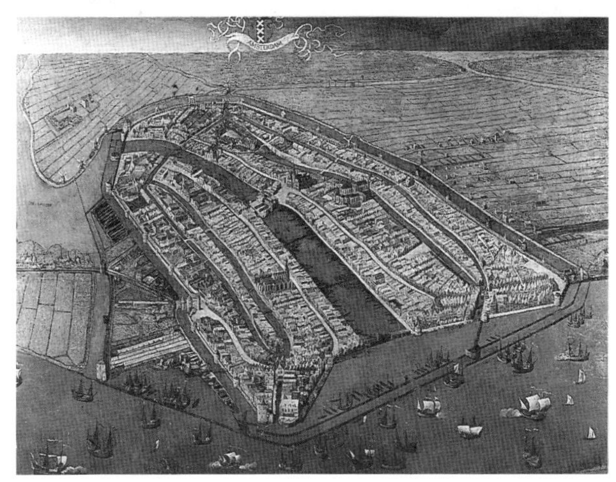

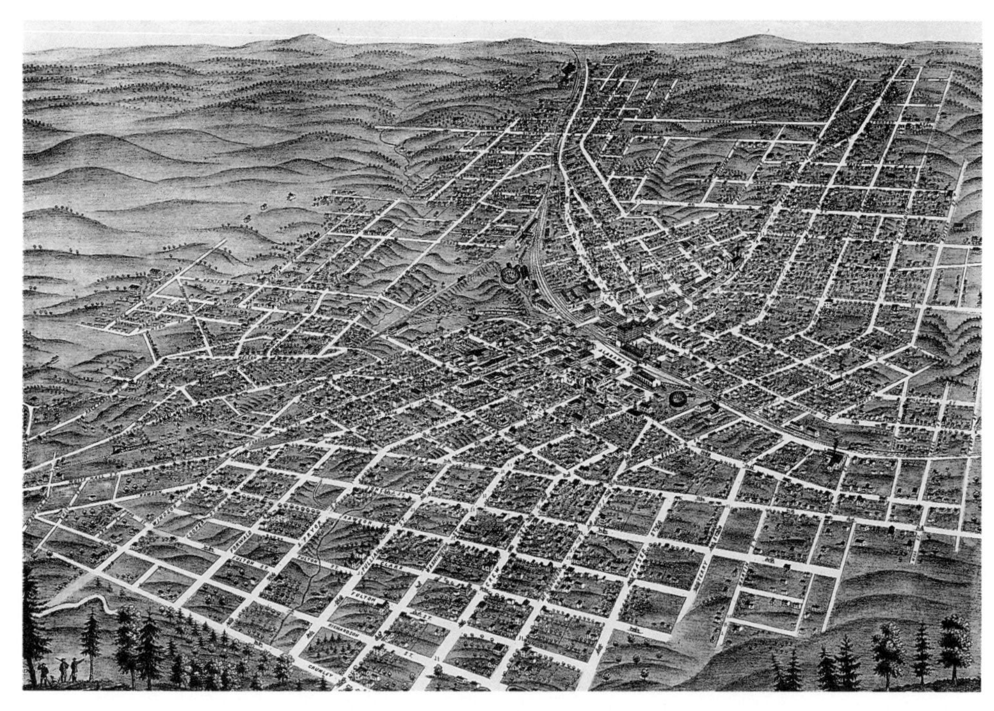

137 《佐治亚首府亚特兰大市鸟瞰图》，1871年A·拉格（A. Ruger）所作的石版图。像许多其他19世纪的美国城市一样，亚特兰大由彼此独立的私人投资商建设而成，城市是由众多相互没有联系的小网格区组成的拼合体。

格”的印象，正是交通工程师对这种随意拼接式网格作进一步简化的结果，他们设计的网格是为汽车时代服务的由不受交通灯限制的高速道路编织而成的“超级网格”。

闭合式的网格：构架、重点和开放空间

随意式规划中的开放性网格不可能产生统一的城市格局。为获得某种具有形式特点的城市结构，城市的边界在一开始时就必须是确定的。

城墙内的城市构架

城墙是最显然但并非是惟一的一种边界限定方式。反过来，城墙也并不一定与街道网格结合成整体。理由很明显：街道网格和城墙的形状各自担负着不同的功能要求。作为最基本防御系统的城墙必须在城市遭受攻击的情况下保证其自身结构的安全，这一要求在城墙设计中是高于一切的。而城墙内的城市网格则负责城市生活的组织——如住宅的布置以及住宅和集市之间的关系、公共建筑和开放空间的分布等等。在复杂地形情况下，城墙还需要充分利用和发挥自然地形中的防御优势，这时城墙起伏多变，使得街道网格不能也无需与之相配合。

109 古典时期的城市，如那不勒斯和普南城、科萨和阿尔巴富森斯（Alba Fucens）的情况都是如此，它们整齐有序的街道网格往往需要随着不规则的“城廓”（enceinte）作一些调120 整。最关键的问题是进入城门的方式。如果能够在不影响防御的情况下作一番协调，那么几条街道就可以直通到城门的位置。不然的话，街道可能需要作一定弯曲才能和城门相连，甚至可能要在未到城墙的地方就完全切断，迫使居民从某些方向出城时，要穿过一段

138　具有纺锤状平面的中世纪新城的典型形式。

无人的荒野。在大多数中世纪新城中，如果城市建有城墙，那么城墙将会贴近建成区域以减少防御导致的巨额费用。城市结构在广场周围经过理性设计的中心区附近相当紧凑，然后向边缘扩展，在城墙的位置出现了异形街区，以配合城墙边的空间形状。有时平行于主轴线的街道会在城市两端弯曲，在城门前汇聚到主轴线上，这就是纺锤形平面，之所以得名是因为城市的形状与纺织用的线筒相似。这种形式的目的是为了尽量减少城市出入口的133数量。这类城市最典型的有不伦瑞克(Brunswick)、奥斯达特(Altstadt)和哈姆(Hamm)。一个较少见的意大利的例子是蒙特瓦尔基(Montevarchi)，它是由享有领地统治权的伯爵盖138迪(Guidi)在13世纪的前半期建造的。

如果城市建于平地，那么防御系统就完全需要靠人工去建造，这种情况更有利于实施街道网格与城墙紧密结合的城市设计。当军队驻扎在荒野中时，除了人为地创造自己的生存环境之外没有其他选择，所以，城墙与网格结构相结合的最佳实例常常出自于军事工程师。古罗马时期的四方形兵营(castrum)就是一例，在共和时代后期，这种兵营的每一个细部都有了标准化的设计。无论这种兵营是否曾经从正交型城市布局中吸取过任164何东西，它的确已经形成一种特色，使得后来的城市规划师又返回来仿效这种模式。

罗马军营有两条平行的街道，分别为主街(via principalis)和次街(via quintana)，它们与另一条主轴线垂直相交。城墙通过城门与这些主要街道密切结合。由于军营特殊的分区方式——供士兵居住的建筑是一队队紧挨着的通长的军营，而护民官的住宅则排列成窄条状，所以造成了宽度不均匀的街区。这种街道的节奏在直接由军营发展而来的城市中得到了延续，就像我们在前面曾经提到过的不列颠的一些例子那样，除此之外，仿照军营模式建造的城市还有奥斯塔和提姆加德等等。110

这种统一的城市系统的成功取决于街道网格的可塑性。如果街道坚持自身的设计原则，那么冲突就会出现。在佛罗伦萨新城中，街道片断性的错位就是这种冲突的表现。在其中最早的一座新城，圣乔瓦尼的平面当中，城墙上的塔楼与街道相对应，每条街道都终止于塔楼的位置。但是塔楼的间距和街道的间距是根据完全不同的要求决定的。街道的间距与宅基地的尺寸和街区的长度有关，所以它是变化的。而塔楼的位置则应该考虑武器的射程以及如何从塔楼到达城墙上的每一点，所以在理想情况下塔楼的间距最好保持一致。在圣乔瓦尼的平面中，塔楼的间距给不均匀的街道间距作出了让步，但后来的规划就放弃了这种塔楼与街道之间的协调关系。

16世纪，随着炮械的出现而产生的棱堡式城墙防御系统不可避免地使城墙与街道网格完全脱离。最有效的棱堡防护墙应该呈多边形，所以任何试图将这样的形状与正交式街道网格相衔接的努力都会是徒劳的。至少在接近城墙内边的部分，街区将出现异形，就如卡塔内奥和斯卡穆齐的设计，以及模仿这些设计建成的阿沃拉所表现的那样。棱堡式城墙的5几何形状预设了一种向心式的街道系统，但这种系统与一般的城市生活组织模式有矛盾。145所以，网格街道和棱堡式城墙在无法相互配合的情况下共存着。17世纪时，棱堡式防御系159统显著扩张，与内部的城市网格相比，周边防御结构的尺度更为巨大，因而也强化了两者之间的差异。

街道的节奏

无论是因为受到自身防御性外壳的限制，或是有农田和公共用地作为城市的自然边界，一个封闭的网格系统都会存在某种程度上的内部结构关系。设计者这时可以运用的手段包括：具有节奏性的街道布局、具有鲜明特点的中心的设立以及开放空间的分布。

街道节奏的产生各有不同。设计者可以通过调配不同宽度的街道或不同长度的路段来形成韵律。在网格划分过程中，主要大街与巷道的交织可以形成韵律，街区大小的变化也将直接影响道路之间的距离。在美国的铁路小镇中，作为商业轴的主要大街宽度最大（通常为 100 英尺，或 30 米），与其相交的主要道路为其次（80 英尺，25 米），而住宅区内的街道则不超过 60 英尺（18 米），以保证足够的私密性。在另一种情况下，象征性决定了长安这样的中国古代城市和仿照长安的日本城市中多样化的街道宽度。在这一点上，建立于 710 年左右的日本城市平城京（奈良）表现得最为清楚。从南城墙到宫殿大门之间的南北轴线是城市中惟一的一条最宽的道路，它将城市对称地分成东西两个部分。次一级道路划分出占据整个城市北部的宫殿区，以及南北主轴线两边供官员居住的特权街区。一般居住区街道的宽度是统一的最小宽度，所有街道的两边栽种着杨柳树。而系统中最低等级的街道是将每个街区进一步分成 16 个用地方块的巷道。

139

103

但是街道的行程本身还可以有多种变化，就如宋朝重建的苏州那样。在苏州及其他中国网格型城市当中，T 字路口的目的是为了阻挡邪气，而入侵城市的势力也将与邪气一样在 T 字路口受到阻遏。

西方城市也有 T 字路口的情形，例如在中世纪的防御小镇博蒙特，大部分街道在东西方向中断。这样做的理由并不清楚，但在另一些防御小镇如拉蒙琼（Lamontjoie）和圣克莱尔(St.-Clar)，其目的似乎是要形成一条封闭的环路，以减少街道的总数但又不破坏平面

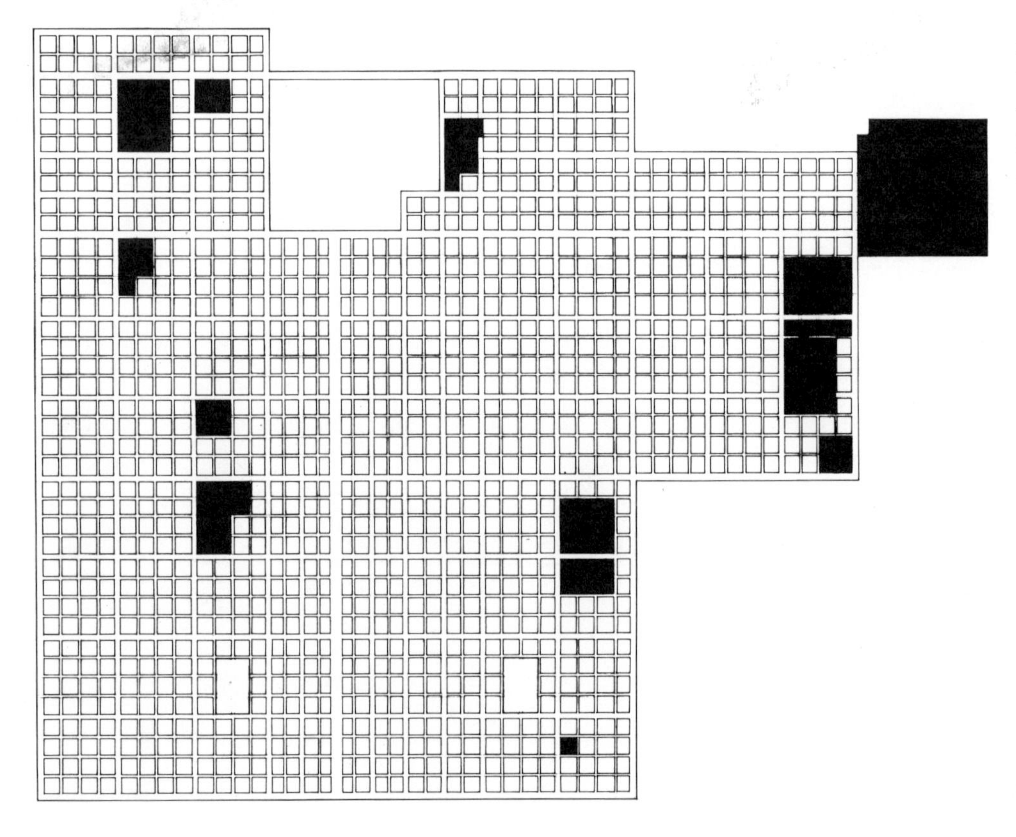

139　平城京建立于公元 710 年。平城京以中国古代的都城长安为样板，街区的大小和比例可能也受到当地已有耕地网格的影响。图中上部白色的区域为宫殿，庙宇为黑色。[根据铃木（Suzuki）原图复制]

的对称性和几何美。彭威廉设计的费城平面中也有这种T型系统［在里顿毫斯广场(Rittenhouse Square)附近区域］，其目的可能是为了打破网格平面的拘谨和单调。当代规划师推崇T字型路口，是认为这种路口可以减少正面对撞的机会，而且可以为重要的和趣味性的建筑物提供对景通道。

但是在萨比奥内塔，这种方法却有最极端和最引人入胜的表现。这个小城始建于1550年代，这时原来围绕着维斯帕西阿诺·贡萨格·科罗纳(Vespasiano Gonzaga Colonna)家族寨堡（rocca）周围的小型聚落已经开始按照多梅尼科·琼蒂（Domenico Giunti）的设计改造成为一座典型的城市。在此之前几年的1549年，另一位贡萨格家族的成员曾经邀请琼蒂负责瓜斯塔拉（Guastalla）的城市发展规划。两地都是堡垒式城市，有强大的城墙围护，包含一个家族寨堡、两处城门和比较特异的街道网格。其他相似之处还有：两座城门之间由平面中最长的一条大街相连，但这条大街在与城门连接之前又分别作了两次垂直的转折；与这条大街垂直的一条街道在结束的两端都被设计成为掉头路。

140
图版17

毫无疑问，萨比奥内塔不同寻常的道路一定是刻意而为的。许多现存的能够标志出原有街道位置的端部街区可以证明这一点。但是当时这么做的目的到底是什么？也许我们可以将这种街道布局解释为城市对不同功能领域划分的要求：其中包括私密的公爵属地、公共的公爵属地、居住和生产区域，以及上述三种功能交汇的中央区域。库尔特·福斯特(Kurt Forster)就作了这样的解释，但在后来的分析中，他进一步认为萨比奥内塔应该被解释为对网格形式的手法主义运用。从艺术–历史角度出发的对手法主义的标准分析认

140　萨比奥内塔（意大利），建于1550年代。图中，防御体系——包括城墙及南部城堡附近的空间表示为黑色；城堡本身为灰色，已被拆除。相对与其他城区而言，公爵家族的建筑表示为更深的灰色。(根据福斯特的原图复制)

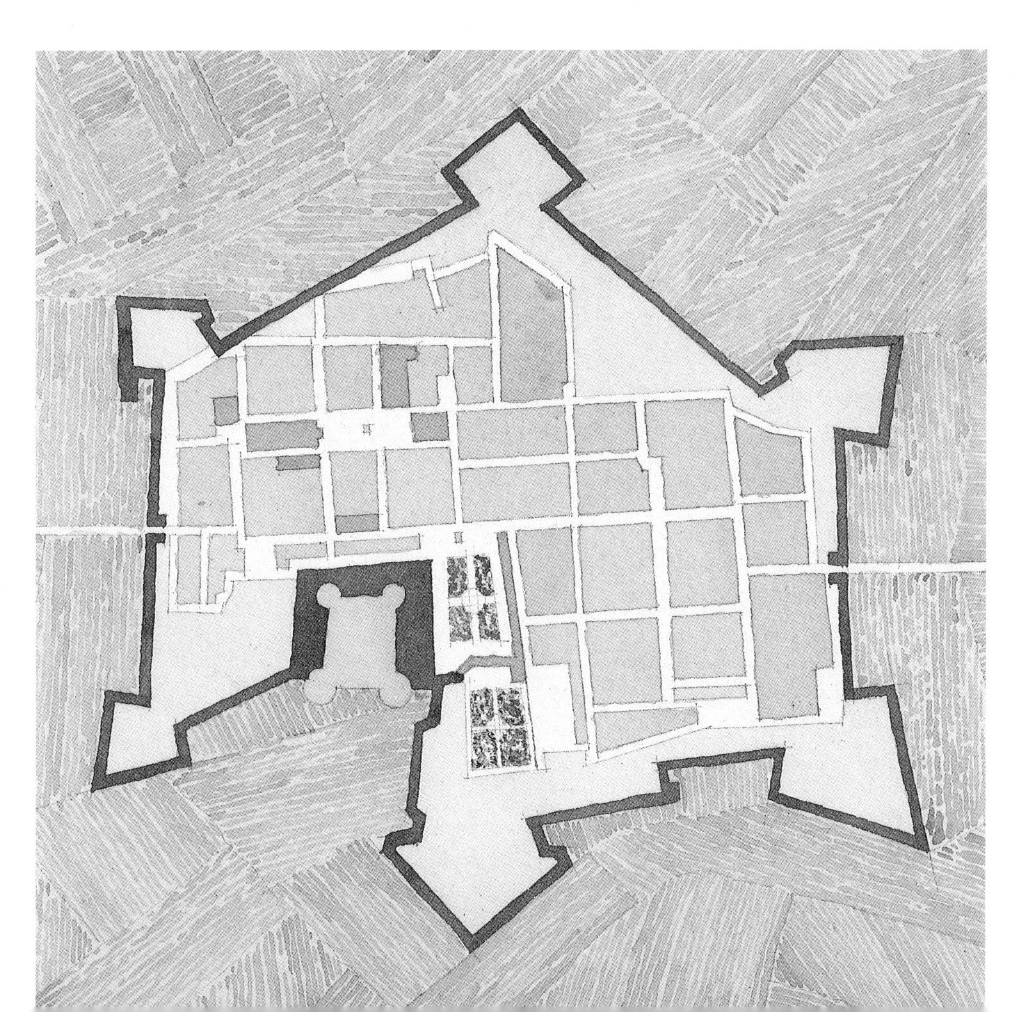

为，这是一种反叛主义的风格，它通过对文艺复兴盛期的理想形式规则进行把玩以制造张力。就如手法主义的画家们不顾比例地拉长形体，将文艺复兴的透视主观地加以倾斜以形成对角线，以及在构图中制造令人不安的不平衡等等手法一样，贡萨格与他的建筑师在城市设计中同样也沉湎于手法主义的游戏：建立网格，目的是为了打破它。福斯特指出，迷径是贡萨格家族的标志，维斯帕西阿诺（Vespasiano）也许想要通过城市的手段将它表现出来。[50]

在网格平面中制造聚焦点的最有效的方法是使两条轴线——南北与东西轴线——在中心位置正交，并在交叉处放上一个公共广场。这是希腊网格与罗马网格的区别所在。罗马网格的核心更为居中，通常是在两条正交轴的相交点，由城市广场和其他公共建筑组成的市民中心位于交叉点上或交叉点附近。绝对正交的布局比较少见（如提姆加德）。更为普遍的情况是相交点处于偏心的位置，有时两条轴线中的一条或两条同时到广场的位置中止，有时一条轴线在广场处分成两条［如锡尔切斯特（Silchester），特里尔，柏埃斯图姆］。在现代文字中，这些主要街道被称作“南北向街”（cardo）和“东西向街”（decumanus），但这种称呼并没有可靠的古代根据。在古代，这两个词表示的是乡村土地规划系统中的主坐标轴，其中的“南北主轴”（cardo maximus）和“东西主轴”（decumaus maximus）的方位通常由河流和陆地轮廓这类自然地形特征来决定，只有当这两条坐标轴完全对应于城市中的正交主轴时，这两个词才能被适当地套用于城市。但情况并非总是如此。例如在古罗马时代的佛罗伦萨，根据罗盘布置的城市网格与乡村土地规划系统中的坐标轴就不存在对应关系。

110

在古罗马的东部地区，城市的重心是通过强调其中的一条轴线而取得的，这条主轴的两边通常设有柱廊，柱廊贯穿整个城市。在特米索斯（Termessos）、柏吉（Perge）、赛德（Side）、帕尔迈拉（Palmyra）和大马士革我们都可以看到这种情况。位于底格里斯河上的塞琉西亚城的主要大街实际是一条运河，它终止于城市南端的一个广场。成熟的柱廊式街道的正式出现要到奥古斯都（Augustus）时代之后。在希腊化时期的城市安提阿，柱廊街位于城市的边缘。也有说法认为，在主要大街设柱廊的想法可能出自希律王（Herod the Great）。

图版 20

古罗马的正交轴在有些中世纪时期的市镇里保留了下来，12 世纪的切斯特便是如此，因为修道士卢西恩（Lucian）（必然地）从正交轴中看到了圣十字的象征。[51] 而在大部分中世纪新城当中，正交轴显得较为孤立，除非这些新城本身具备基本的线性网格结构。即使在这类城市中，还存在着一种重要的变体形式：两条商业街在城市中心位置相交，即所谓的“十字街”（Strassenkreuz）模式。这一模式最早的实例本应属 1120 年代由柴林根公爵家族建立的菲林根（Villingen）和洛特维尔（Rottweil），但这两座城市很可能在一个世纪之后进行过修建，1218 年柴林根家族终结，这些市镇被移交给霍亨斯陶芬家族的皇帝（Hohenstaufen emperor）弗雷德里克二世。正交轴形式在 12 世纪的确极为少见，但在 13 世纪则多了起来。这一类实例包括斯瓦比亚（Swabia）地区的市镇，这些市镇可能受到弗雷德里克二世的规划师的影响，例如，由尤森伯格（Uesenberg）的鲁道夫二世（Rudolf II）建立于 1249 年的肯青根（Kenzingen），两条交叉轴的宽度相差很大（其中短轴较宽）；除此之外还有与霍亨斯陶芬家族联姻的巴伐利亚公爵韦特斯巴赫（Wittelsbach）建立的一些市镇，如伊萨尔河（Isar）上的兰道（Landau，建于 1224 年）、凯尔海姆（Kelheim，约 1231 年）、代

141

141　交叉轴街道上的市场："十字街"式城市平面。

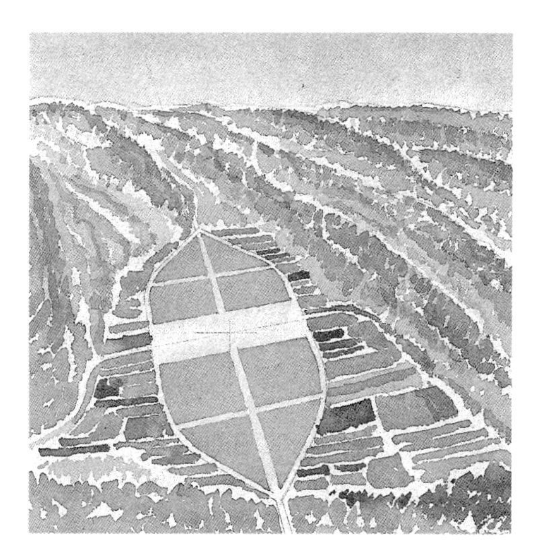

根多夫(Deggendorf, 1242 年)、多瑙河(Danube)上的诺伊施塔(Neustadt，1260 年至 1270 年间)。

142　中央集市广场："长方形广场"式城市平面。

143　纵向街道加宽后形成的广场。

144　美国法院广场类型(从左下图开始按顺时针方向)：占据一个街区的广场，哈里森堡式的广场，费城式的广场和占据四个街区的广场。

广场的分布

在奥地利，轴线交叉处形成一种方正的广场，即所谓的直角广场(Rechteckplatz)的类型。这种市场型的广场有时在与主要大街相垂直的方向上拉长。在旧的卡林西亚(Carinthia)地区的拉德施塔特(Radstadt)以及在现在的意大利境内的文佐内(Venzone)就是其中两例。这种做法的优点是广场可以随着城市其余部分的扩大而拉伸。这种类型后来传到托斯卡纳地区，之后又在14 世纪佛罗伦萨新城中出现。不过在意大利，古罗马的传统也起到了一定的影响作用。14 世纪后期帕维亚城市改造中出现的横向广场的原型可能是维罗纳的厄比广场，厄比广场是在城市最原始布局中保留下来的真正的古罗马长方形广场。 *142* *143* *4* *111*

在法兰西、英格兰和西班牙的防御型小城镇地区，中心集市广场与网格之间有两种独特的联系方式。一种情况是，广场在网格结构的中央占据了一整块街区，到达广场的路径是从围绕广场周边的道路来到它的四角；相对较少见的另一种情况是，广场位于交叉口的正中央，在这种情况下，到达广场的路径是轴线街道本身，而广场封闭的四角则分别切入城市的 4 个街区。这两种形式一直沿用到中世纪以后。例如《印度群岛规则》就规定中央广场应该既可以从每条边的中部也可以从端部进入——但这种模式很少在实践中执行。在美国中西部和南部各郡的首府，法院位于中心广场开放空间的中央，到达中心广场的路径有四种：在所谓"街区式广场"类型中，道路位于广场的周边；在"哈里森堡(Harrisonburg)式广场"类型中，分别增加了两条从一组对边的中央出发的道路；在"费城式广场"类型中，广场位于道路的正交点，广场的四角封闭；而"四街区式广场"则如其名称所暗示的那样，占据了街道网格中的 4 个街区，因此它再现了新西班牙规则制订的模式。[52] *124* *116* *144*

卡塔内奥和斯卡穆齐论文中的城市方案使多中心的网格得到了推广。在多边形棱堡式城墙规限之内，网格被一系列广场所穿透——主要广场位于中部，而另有许多大小不等的次要广场以某种对称的方式分布在周圈。这些广场之间的联系使网格具有了整体性，而 *5*

不仅仅是一种平均的街区网。为了适应主要广场和卫星广场的形状，街区的大小也相应发生了变化。

卡塔内奥和斯卡穆齐的理想网格也被运用到实际的城市设计当中，这类城市包括位于兰斯（Reims）东北部的查尔斯维尔（Charleville，建于1608—1620年）、彭威廉规划的费城、西西里岛的新城如阿沃拉和诺托（Noto）、18世纪的法兰西城镇如维何斯瓦（Versoix）和卡鲁日（Carouge），以及更远处位于印度洋沿岸的葡萄牙殖民地达曼（Daman）。其中以阿沃拉最为典型。这座城市是在经历一次大地震之后，由西西里建筑师安杰洛·伊塔利亚教士（Fra Angelo Italia）于1693年设计的，伊塔利亚显然阅读过卡塔内奥的著作。阿沃拉的平面是一个六角形的网格，这种平面形状并未受到当时防御工程理论的支持——这一点在沃邦设计的诺夫-布里沙（Neuf-Brisach，1698年）与蒙多芬（Montdauphin，1692—1693年）中都已经得到证明。阿沃拉的5个广场作十字形排布，其中最大的一个广场位于十字形的交点，其余4个位于十字形的端点。城市中的6个教堂成对分布，它们的布局以城市的一条主轴为基准，在两边取得平衡，使对称性进一步加强。[53]

在所有这些空想与现实的理想网格当中，位于中心的主要广场对于城市的空间组成和社会结构来说具有关键的意义。斯卡穆齐特别规定领主的宫殿必须位于中央广场的显著位置，主教堂也是如此，周边的小广场则用作市场。不过，文艺复兴之后的网格也曾经探索改变这种正统的中心性。黎塞留是一个筑有传统薄壁城墙的长方形城市，位于南北向城市长轴上的“主要大街”连接了两端两个尺度相同的广场。北边的一个广场是完全居住性的广场，而另一个广场则是城市真正的中心，教堂与市场大厦面对面分别位于开放空间的两边。城市中有一个市镇厅，但没有领主的府邸，因为主教的城堡建造在南城门外的花园里。[54]

萨瓦纳早先的平面形式以及围绕着6个独立的广场组织起来的片区系统也许在某种

147 145 146 104

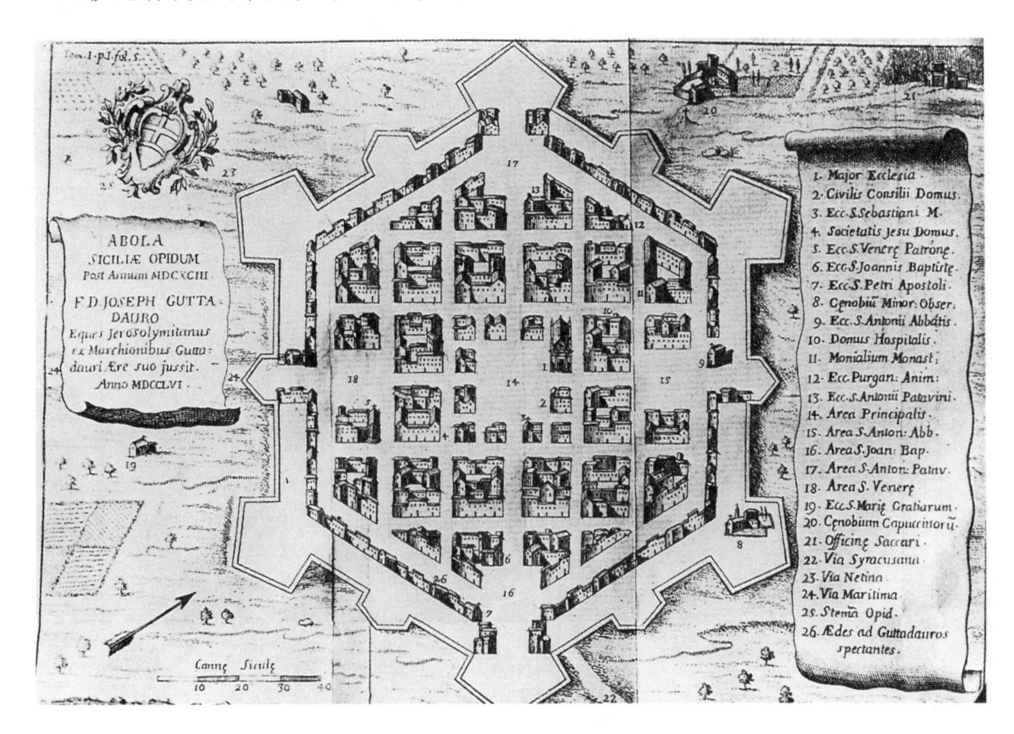

145 阿沃拉（西西里岛），V·阿米科（V. Amico）所著的 *Lexicon Topographicum Siculum*（1757年）中的平面。对于这位西西里岛的总督来说，1693年1月11日的地震灾难却给他带来了实现一座理想网格状城市的机会。当原来的山城阿沃拉被破坏后，人们选择在海滨平地上重建，重建的阿沃拉具有当时全新的城市规划特点：严格对称的平面，取代原来石砌城墙的低矮的防御土墙以及宽且直的城市街道。

146 黎塞留(法国)，1628 年由雅克·勒梅西埃(Jacques Lemercier)为红衣主教黎塞留设计。对城市、城堡和花园的统一设计代表了文艺复兴城市规划梦想的实现。其中城堡在 1820 年代被拆除，过去它位于城市的南面——即照片中左侧的方形空地上。

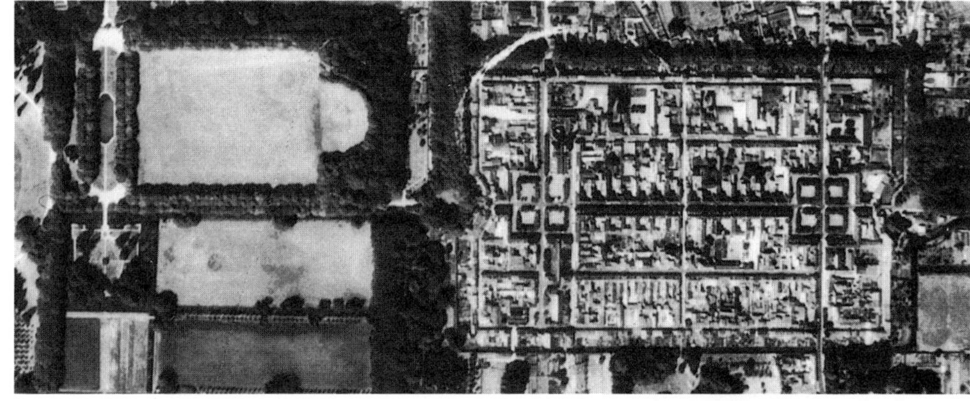

147 费城（宾夕法尼亚州），1774 年约翰·里德(John Reed）绘制的城市平面。费城的规划于 1683 年由彭威廉制定，它是第一个以方格网形式布局的美国大城市。

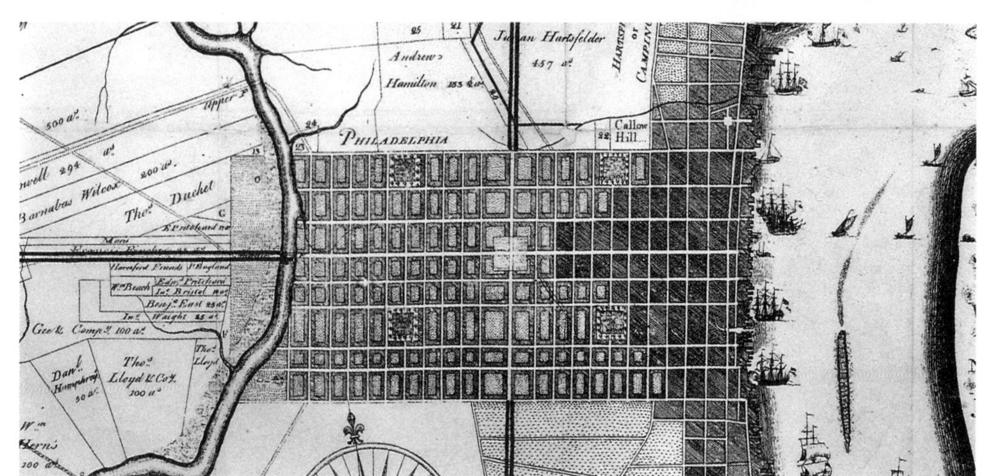

程度上与卡塔内奥的设计相似，但萨瓦纳广场的尺度平均，并且作两列布置，这一点却与卡塔内奥平面所特有的中心性和等级性完全不同。萨瓦纳这一优美城市平面的渊源目前尚不清楚。在 1666 年伦敦大火之后征集的重建方案中，至少有一个，即前面提到过的由理查德·纽阔特所做的规划方案表现了类似卡塔内奥式的 5 个广场、以街区为大小的片区以及在每个片区内的巷道交叉处设置的内部广场。不过这个模糊的设计影像只不过是一个粗略的图解而已。与卡塔内奥更为接近的同样常常被拿来与之相提并论的城市是彭威廉所规划的费城，但我认为两者并不具备可比性。

从二维平面上看，费城显然属于卡塔内奥体系。但它的特殊性并不表现在平面当中。*147* 相交于中央公共广场的两条主要大街的宽度为 100 英尺(30 米)，其余街道的宽度是其一半——这在当时是极为宽绰的尺度。4 个较小的广场用作休闲公园。住宅街区本身很大但建造量却很小，因而具有某种田园情调。彭威廉在 1681 年的备忘录中为城市的建造作了一些说明，其中提到：

> *将每座住宅都放在……地块的中部，在宽度方向也是如此，住宅的四周都留有空余，可以作为花园、果园或绿地，这样就可以建成一座绿色的城市，它永远不会被烧毁，也将永远完整。*

事实上，彭威廉所规划的城市的公共性极其微弱。例如，规划中惟一的一处对商业的考虑是含混地提到过“仓库场地”的设置。同时，规划中也没有提供一处经过具体设

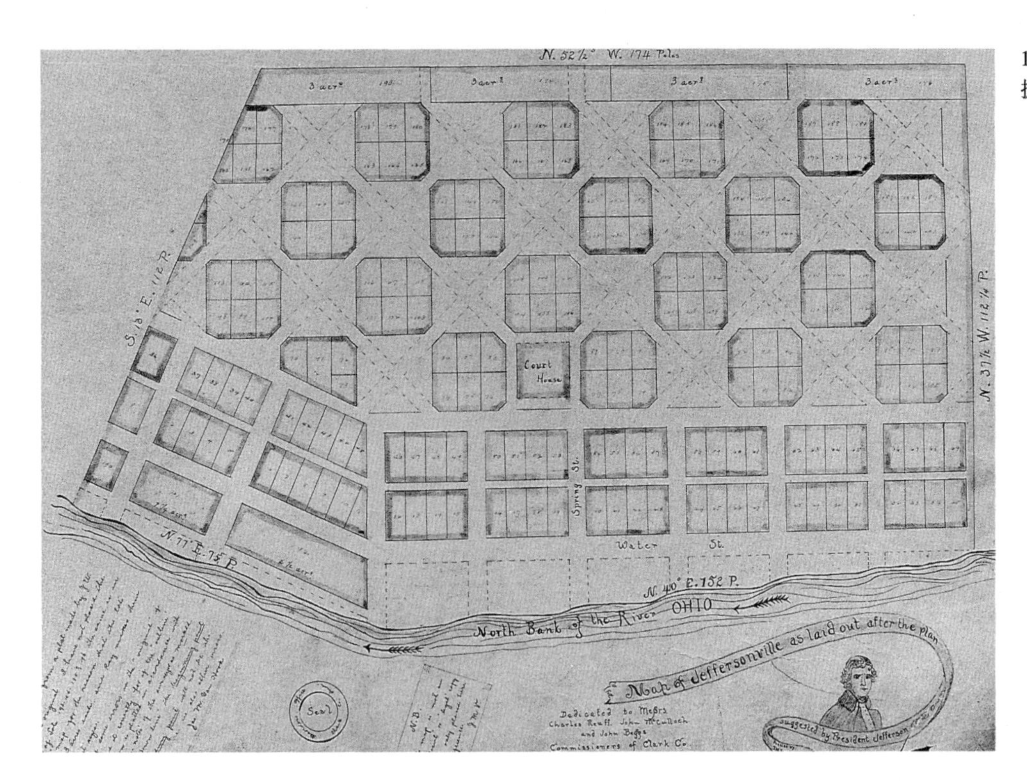

148　杰斐逊维尔（印第安那州）的城市平面，根据1802年J·W·雷（J. W. Ray）的原图复制。

计的城市中心，这一点与新英格兰城市那种围绕着新教徒议事厅生成的中心性形式迥然不同。彭威廉是一个贵格会教徒，我们应该记住这一点，而由贵格会成员组成的社会是没有固定的管理机构和固定的礼拜场所的。所以在某种程度上，彭威廉设计的费城与17世纪伦敦规划的开发区相似，它更多的是一个居住区而不是一个城市。一旦费城不再能够完全控制那里的土地所有者，那么这个高贵的贵格聚落便要开始承受调整的压力。来自彭威廉和彭威廉的教派之外的文化价值开始发生作用。公共公园被占用，宽敞的街区也变得拥挤。

在此之后还有一个值得一提的城市实例，它同样也试图像萨瓦纳那样，寻找网格结构和开放空间的相互平衡——这就是位于俄亥俄河（Ohio River）河畔的印第安那州的杰斐逊维尔（Jeffersonville）。杰斐逊维尔的规划是在托马斯·杰斐逊于大约1800年所做的方案构思基础上发展而来的，在设想中，种有“草皮与树木”的开放空地与划分后的街区相互间隔。杰斐逊如此设计的理由是为了防止当时一种传染性黄热病的蔓延。杰斐逊维尔的实际建造者约翰·格瓦思米（John Gwathmey）为原有方案增加了斜切开放广场的对角线街道，这种做法的目的大概是为了跟上朗方华盛顿规划的潮流，因而在某种程度上它又重新掀起了杰斐逊与朗方之间关于城市形式的争论。这一奇怪的结合产生了两种相互重叠的网格——一种是城市街区网格，另一种是在前者基础上扭转了45°的街道网格。［属于同一类型，但去掉了广场的规划方案，在那个世纪末阿根廷的两个主要城市拉普拉塔（La Plata）和贝洛奥里藏特（Belo Horizonte）的初期平面中再次出现。］在建立之后的十五年时间里，杰斐逊维尔被改造成为寻常的网格。几年之后杰斐逊独创的系统在密西西比州的新首府杰克逊（Jackson）再次被运用，但是杰克逊的各个开放广场上后来也陆续建造了房屋。

148
208

街块的组织

作为正交规划中的基本单位，街块及街块的三维结构赋予了城市网格多种不同的特性。历史上用来表示街块的术语常常与岛屿有关——如岛（insulae）和小群岛（Îlots）等等，在新索尔兹伯里（New Salisbury）[威尔特郡（Wiltshire）]，街块第一次被称作“棋子”，这就“表明规划师的思维一直没有脱离城市与棋盘的类比”。[55]

从简单的量的层次上看，街块最显著的特征是其尺度与密度。而两者并非永远固定不变。原来网格中的街块越大，就越容易被新的“穿越性”的街道切开；而街块内部围合起来的开放空间越大，那么如果未来城市人口增长，就越容易形成更高的建筑密度。由于土地使用状况造成的经济价值的不同，人口在城市中的分布从一开始就不是平均的。相对于远离商业活动区域的街块而言，中世纪城市集市广场附近、从集市广场延伸出去的街道上，以及类似于吕贝克这样的港口城市中的码头街上的人口密度要高得多，同时这些区域里的用地划分也更小。在美国，许多城市网格在铁路沿线、码头和法院广场附近的密度要高出其他区域。

当然，街块的尺寸与形状还直接影响到进一步细分时单份用地的数量与形状。古希腊网格中的条形街块可以布置4~10个背对背的拼接住宅。在奥林索斯（Olynthus），所有街块彼此相同，都是120英尺×300英尺（37米×91米），每个街块又被一条通长的巷道一分为二。普南城的街块为120英尺×160英尺(37米×49米），每个街块再分成4户或8户住宅。这种方形的街块更接近后来罗马的做法，不过罗马的街块面积变得更大。例如，佛罗伦萨的街块平均约645平方英尺（60平方米），奥斯塔的街块为230英尺×260英尺（70米×80米），温切斯特（Winchester）的街块每边为440英尺(134米）。由于广场具有不同的比例，所以在需要容纳广场的地方，周围街块的比例、节奏和宽度就开始发生变化。古罗马街块的使用方式很多：它们可以完全为商铺，或者像奥斯蒂亚（Ostia）那样完全为公寓楼，也可以是底层为商铺的内院式独立住宅。因为在大多数情况下这些街块的使用功能预先被设定为朝向内院的单层或二层建筑，所以上述比例十分恰当。但中世纪后期那种高耸、狭窄，并且面朝街道的联排住宅却不太适合这样的街块。所以在罗马网格基础上建立起来的中世纪城市，其原有街块常常被一分为二，在通长方向形成两条。

120

110

60,111

街块从分散式集合成方形；或者从宽大的长方形分解为细条形的过程也存在于中世纪本身的历史当中，并非仅仅是在改造古罗马流传下来的城市时才采取的做法，它是中世纪后期商人与手工艺人的城市的一个重要组成部分。在12世纪末期，从佛兰德斯(Flanders)、北德意志，到霍亨斯道芬（Hohenstaufen）统治时期的西西里，城市处在从农业经济向商业经济全面转化的高峰期。这一过程在柴林根家族的基地伯尔尼得到了最为清晰的记录。所有柴林根家族城市的共有特点是土地被分成某一固定数量的耕地(areae)，用来分给城市创立者的随员和家眷。每位这样的成员获得的一份土地可以再划分出数个宅基地(casalia)。每份土地的大小是不同的，但标准的长宽比例为2:1和3:5；长边与街道平行。每份土地再划分出的宅基地的数量也是可变的——分别为3、5、7个。在早期，这些分地还带有裁判和税收的功能。住宅退后于街道，因此街道空间并没有被完全围合。从12世纪中期开始，这种本质为乡村式的土地划分系统逐渐被抛弃，因为这时条形的用地系统决

图版18

定了能够更好地适应商业经济的城市框架，而城市中的农业组成部分则退居其次。新的地块的比例有时变得相当极端：在巴塞尔（Basel）为 13 英尺×150 英尺（4 米×46 米），在伯尔尼为 23 英尺×175 英尺（7 米×53 米），在日内瓦为 23 英尺×213 英尺（7 米×65 米）。住宅高而窄，紧贴道路边线而建，街道的特征因此大大改变。[56]

在中世纪后期为商业目的新建或扩建的城市当中，狭长形的街块可以容纳一系列排列紧密，沿街面窄但进深长的用地。这些所谓的“租地权基地”（Burgage plots）使人们清楚地认识到，街块和建筑基地的尺度从一开始就是由将要占用这些城市土地的建筑类型和使用方式决定的。意大利城市地理学家创造出的“主导类型”（tipo portante）这一术语，指的就是在网格划分之初，在开放的空地上形成的标准的城市结构。在租地权基地这类情况下，住宅的正立面沿街道的边线平齐地排列；住宅后部剩余的宅基地可能成为一个生产庭院或牲畜庭院；附属建筑可能后退到庭院的最末端。这样，在同一条街道上可能一边排列着住宅另一边排列着附属建筑。在所谓的“双排型”（double-loaded）街块的情况下，两排住宅分别面朝各自的街道，附属建筑被推到街区的中央，在两侧附属建筑的中间有时夹有一条只能供一人通行的便道。随着时间的推移，一些本来作单行排列的租用权地块，由于庭院的末端建起了新住宅，中间的空地逐渐缩小，最终转化为“双排型”街块。

在农业功能构成了城市生活重要组成部分的那个年代，短方向朝街的狭长基地是当时特有的东西，而这种形式在 19 世纪的城市模式中仍然可以发挥作用。在波兰的国有纺织制造业城市罗兹（Łódź），其麻纺织工的居住区建于 1820 年代中期，呈现为由长方形用地组成的网格，每份用地的尺寸为 65 英尺宽，985 英尺深（20 米×300 米），居民可以在这里种植自家的亚麻。大约在同一时期，荷兰“先驱者”（voortrekker）将这种狭长形的地块模式带到了南非。在这种农业性质的居住网格中，“荷兰角”（Cape-Dutch）风格的独立住宅位于长进深基地的最前端，后院则是大面积的耕地。

但到了 19 世纪，这种长进深的用地形式及其产生的理由——城市农业与商业的结合，却流露出明显的中世纪色彩。当时最迫切的需要是为工人提供出租住宅。在英国，忙于利用这一机会快速致富的投机商们在城市郊区廉价的土地上建造出由联排住宅组成的窄长街块，郊区就是由这些零散的网格状开发区拼合而成的。在北部和中部地区，联排住宅常常表现为“背靠背”形式——即没有间隔空间的双排住宅。这种住宅类型出现于刚刚进入工业化阶段的中世纪城市，因为城市核心区域的出租权地块在居住密度增加的压力下必须作出调整。于是，在由住宅和商店组成的密实的沿街建筑背后的狭长院落中，渐渐地在其中一个侧边的院墙上加建出了一条披屋，而另一侧院墙边只留下一条狭窄的通道以供进出与通风之用。有时在一个这样的出租权地块上可以加建出几十户简陋的住宅，韦克菲尔德（Wakefield）一个 420 英尺（128 米）长的地块上的情形便是如此。[57] 在密度已经饱和的城市中心区之外，人们又在零碎的空地和可供开发的小块农业用地上建造起多层的背靠背住宅。简陋的住宅面朝着如巷道一般的街道，如此形成的病态的网格迅速蔓延，包裹着像利兹和曼彻斯特（Manchester）这样的主要工业城市的外围。在利物浦，由 3 层高的背靠背住宅组成的街块将巷道夹在中间，而这些巷道则是街块中部的“庭院住宅”的惟一出入路径。

19 世纪的社会改革和城市发展已经消除不光彩的背靠背房屋现象。而与之相对应的中产阶级模式，那种在 19 世纪英国通勤式郊区中可以普遍见到的由联排住宅构成的零散

149　米德尔斯伯勒（Middlesbrough）（英格兰），照片上反映的是19世纪后期遵照建筑条例规定围绕着新市政厅及其广场（图中左侧）建造起来的高密度建筑区块，随着1850年当地铁矿的发现，城市经历了惊人的发展：1869年这座城市被人们赞颂为“幼年大力神”。

的网格形式却依然完好地存在。这种形式同时被处于社会阶层两极的不同人群所需要。从贵族化的佐治亚风格的联排住宅发展而来的做法，是将郊区地产分割成由式样统一的建筑组成的随意的街块网：同时还有对建立阶层差别的偏好。在社会阶层的另一端，工人阶级的住宅模式不断得到改进，1875年《公共健康法》（*Public Health Act*）颁布，规定了最小宽度为40英尺（12米）的所谓“满足补充条例的街道”（bye-law street），并且要求住宅的行列与行列之间必须有强制性的开放空间，在这样的规定之下，维多利亚晚期的投机建造商们便有理由按照一种固定的标准模式进行开发，这种模式就是宽而直的街道、作简单的条状排列的近乎完全相同的住宅，以及在背对背的住宅之间留出的窄小的分隔庭院。街道的布局是发展商控制范围之内的事，所以联排住宅区街块的长度仅仅取决于发展商可以调用的土地的面积尺度以及他自己的常识判断。800英尺（245米）甚至更长的联排住宅也非闻所未闻，尤其是在靠近铁路的地段上。 *149*

19世纪英国的租用权地块逐渐发展成为潜在的贫民窟的滋生地，而类似的过程在远近地区都曾经出现。在罗兹，为普通纺织工人提供的长进深的宅基地上建造着沿街排列的工业中产阶级的时尚住宅，而被深深的庭院阻隔在另一头的却是在这些市中心区昂贵的地段上以尽可能高的密度建造起来的阴暗的多层出租房。在以大进深宅基地为基础的网格上建造起来的殖民地城市，如南非的彼得马里茨堡（Pietermaritzburg）和苏里南（Surinam）的帕拉马里博（Paramaribo），我们可以发现类似的情形，只不过增添了种族的色彩：黑佣们隐居住在院子后面的披屋或临时房里。在华盛顿特区，街块的形状虽然不同，但社会过程非常类似；19世纪后期，在国会大厦的附近，上层阶级大型高尚街区的内部也隐藏着黑人移民家庭生活着的巷道式聚落。

在美国，殖民时期网格对以后建设的影响，是使后者倾向于采用宽大的街道、街块和宅基地范围。主要街道的宽度很少小于75英尺（23米）。早期网格中常用的宅基地尺度可以在萨瓦纳（60英尺×90英尺，18米×27米）、阿拉巴马州的墨比尔（Mobile）（75英尺×150英尺，23米×46米）以及俄亥俄州的玛丽埃塔（Marietta）（90英尺×180英尺，27米×55

米）找到。铁路小镇中标准的街块面积为 300 平方英尺（28 平方米）（原文如此——译者注），其中宅基地尺度为 50 英尺×140 英尺（15 米×43 米）。当人口增加时，就不可避免地需要增设新的街道和巷道，导致了上述各项标准的降低。

在费城，地块分拆的过程发生得较早。大尺度的街块被狭窄的巷道切开，将彭威廉设计的“绿色乡村城市”转化为由高密度联排住宅和巷道式住宅构成的城市。在正统的美国城市历史文献当中，这一转变常常被人们所哀叹，由于街块内变得拥挤，巷道破烂肮脏，所以地块分拆的结果的确造成了优美的城市结构的退化和衰败。但形式美与社会公正、恰当性与必要性必须对照起来衡量。现在，我们可能会对费城所经历的过程作出新的评价。填插式的建造使许多人获得了房屋所有权，其数量远远超过城市初始时的低密度结构所允许的限额。有资料显示，到 1930 年代，费城大约 50%的住宅里的居民是房产权的所有者。之所以能够实现这一比例是因为住宅的价格相对较低，而住宅价格低廉的原因又是因为人们掌握了一套极为高效的，在城市网格结构中插建联排式住宅的施工技术。相对于其他类型的住宅而言，窄面宽型的住宅在基础、通道和节点等方面的建筑标准要低得多，因此大大节省了人工和建材开支。

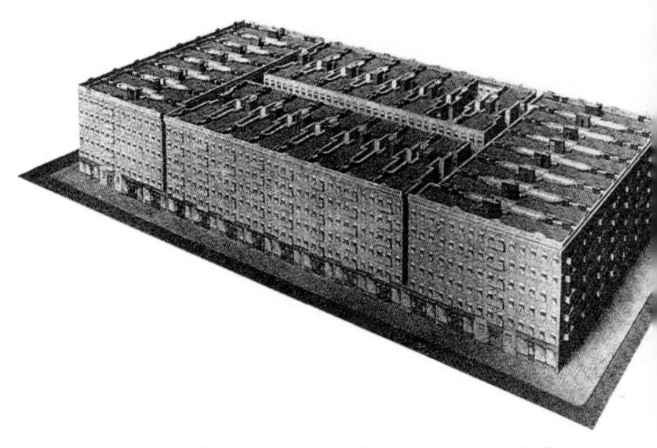

150　假设已经发展至最高密度极限的纽约城市街块模型，这样的街块由“哑铃”状的出租公寓组成，1900 年。

118 在旧网格和现代城市密度的冲突方面，纽约市写下了最为生动有力的篇章。由 1811 年委员会规划确定的 2000 个街块进一步被分成每个为 25 英尺×100 英尺（8 米×30 米）的单位用地，窄边面向街道。原有规划没有在街块中间设置巷道，因此便不存在通过再分割而获得可到达的新增住宅单位的可能性。到 19 世纪中期，在原来带后院的单户联排住宅的宅基地上建造了占地面积达 90%以上的出租公寓。1879 年用心良苦的《廉价出租150 公寓住宅法案》（*Tenement House Act*）制造出了后来被凯瑟琳·鲍尔（Catherine Bauer）称作“可能是世界上最糟糕的合法建筑形式”。[58] 这就是所谓的“哑铃”式出租公寓，这一名称的由来是这种公寓的平面形状。它是覆盖率达 80%的单栋建筑物，只有在靠近分户墙的位置才留有一个极小的采光井以提供微量的自然光和通风。直到 1900 年，纽约市开始意识到 25 英尺（8 米）宽的用地单位已经无法在承受如此之高的建筑密度的同时，满足最起码的通风和自然光标准。惟一的解决办法就是将数个用地单位集中起来以建造大型的建筑。

这种情形同样也扩展到住宅领域以外。一般性城市建筑的尺度已经改变，它们无法和已有的用地单位的尺度相协调。在工业化国家，巨大尺度的新建筑类型——公寓楼、火车站、商业办公楼、政府机关、百货商场、货舱等等——都可能需要占用城市网格中的整个街块，而纽约的宾夕法尼亚火车站甚至需要占用两个街块。在美国，城市网格结构相对较新，因而降低了向大都市尺度过渡的困难。对于渴求土地的机构来说，相对廉价的“主导类型”（tipo portante）——木构架独立住宅并不构成巨大的发展障碍，所以中央商业区可以延伸至住宅街区的周围，在这里只需花费较低的成本就能集中获得可以建造大型建筑的地块。

图版 23 欧洲的情况更复杂一些。奥斯曼规划实现的巴黎大型街块是大手术的结果。大规模的*图版 90* 征地和拆迁改变了城市的街块系统，“解构”了（demapping）中世纪致密的街巷网络，将原来小面积的单位用地集中起来形成大块的新建筑基地。19 世纪后期，这些手段在整个欧洲被广泛仿效。有些时候，新的大尺度街块可能被安排在城市边缘没有被使用的地段上，这种情况创伤较轻。维也纳就是利用城墙拆除后留下的大片空地来建设沿城市环道的超大*图版 4* 型公共建筑和住宅建筑的。当地的建筑师奥托·瓦格纳（Otto Wagner）在 1910 年提出的

151　表示了詹姆斯·霍布雷希特规划的扩建区的柏林城市平面图；1865年F·勃姆(F. Boehm)所作的石版画。[图中已有城市为深灰色，包括城市的历史核心区，以及核心区旁边17、18世纪的网格状扩建区——多罗西施塔特和腓特烈施塔特。穿越网格的宽阔的东西向道路是林登大街，它将宫城(Schloss)和巨大的蒂尔加藤公园(Tiergarten)联系起来，参见图253。]

“大都市”规划(Grossstadt)中，构思了一个由7层公寓建筑为基础组成的巨大的街块网格，这个网格系统包容并保留了历史核心区，同时自身又可以无限制扩展。 254

依靠严格控制下的私人开发来推动无止界的、网格状的城市扩建区，这种现代都市概念的模型可以追溯到1860年代两个获得实践的规划方案——一个是詹姆斯·霍布雷希特(James Hobrecht)所做的大柏林规划，另一个是伊尔德方索·塞尔达(Ildefonso Cerdà)所做的旨在成为全西班牙城市扩建范本的巴塞罗那规划。 151

霍布雷希特规划的参照对象是1820年代弗里德里希·威廉三世(Friedrich Wilhelm III)手下的皇家园林主任彼得·约瑟夫·伦内(Peter Joseph Lenné)所做的未曾实现的城市扩建方案。伦内的主顾是贵族阶层，所以在他的规划中，街道数量很少，在这些街道围合起来的巨型街块之内是昂贵的房产，日后这些巨型街块可以按照业主的愿望作进一步划分。然而到了霍布雷希特的时代，柏林已经成为一个重要的工业中心。这时城市的首要任务是提供

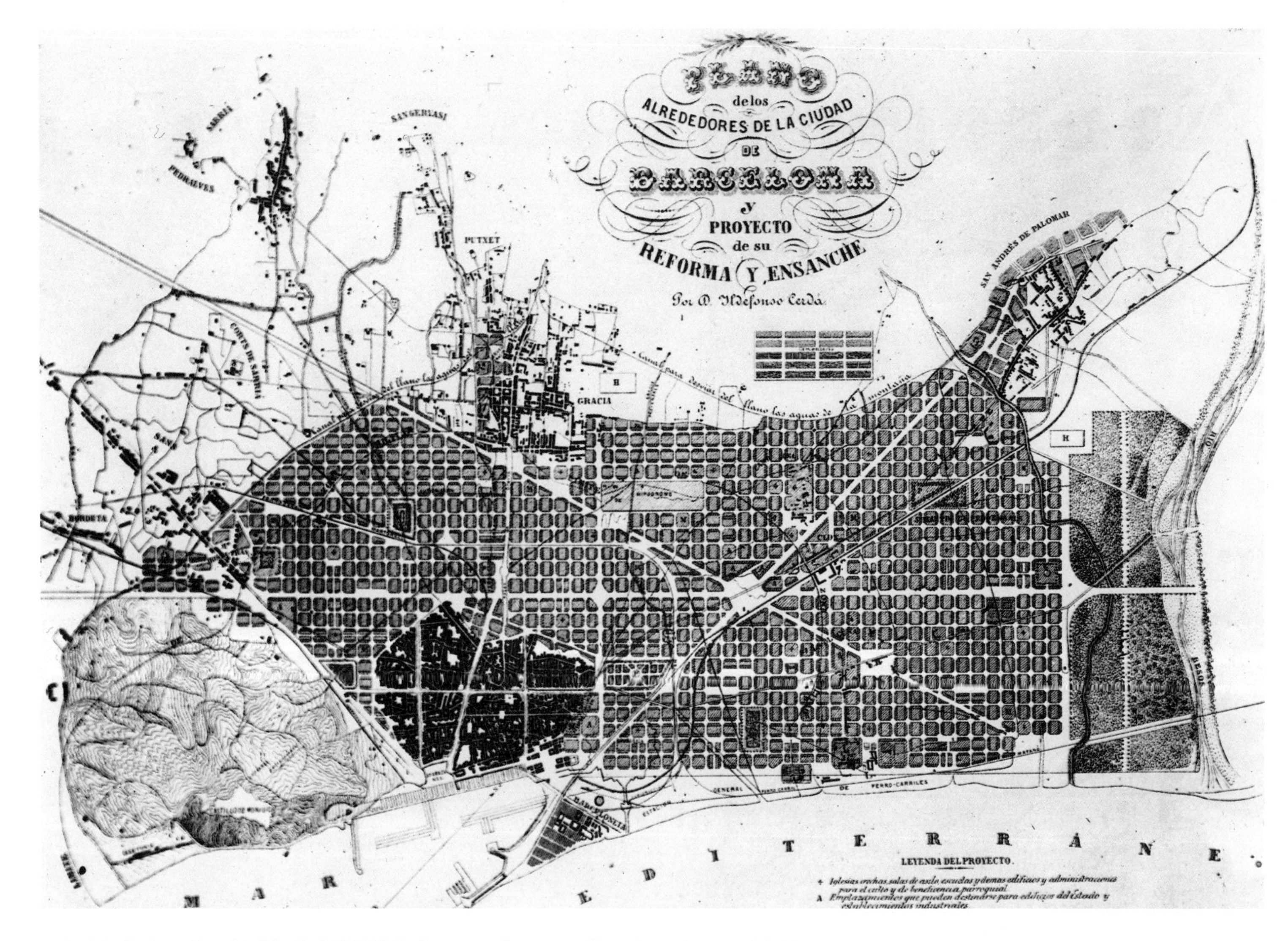

工人阶级住宅。所以在霍布雷希特设计的大至820英尺×490英尺（250米×150米）的巨型街块里，填满了5层高的出租公寓排楼(Mietskasernen)——这使得网格在新一代城市学家的眼中被视作贫民窟的屋主和过度拥挤结构的混合体。

152 巴塞罗那（西班牙），1858年的城市平面，表现了伊尔德方索·塞尔达规划的扩建区。不规划的中世纪城市核心区——图中左下侧深色部分——被巨型林荫道网格（未实现）切开。18世纪建造的巴塞罗尼塔的网格位于一个三角形的半岛上。塞尔达规划的由八边形街块构成的网格覆盖了已建城市之外的整个海滨平原，同时规划还规定只能在八边形街块的两边建造房屋。

152 塞尔达的规划完整保留了巴塞罗那老城区，而将毫无变化的网格铺满了中世纪城墙以外方圆10平方英里（26平方公里）的平地。街道的宽度全部相同，为20米（66英尺），方形街块的四角被切除，切角处斜边的长度等于街道的宽度。建筑同样也将被锁定在这种比例关系当中，它们的高度必须与街道宽度相同。塞尔达认为，这种方形街块“是数学平等性的最清晰、最真实的表达，这种平等是权利和利益的平等，是公正本身”。[59]

在这个近乎麻木的重复结构当中，只有几条对角大道以突兀的“X”形打破了网格状格局。但是单调只是一种表面现象。绝大部分街块只可以在两边建造房屋，而且这两边的位置并不总是相同；每个街块上除了建筑物之外都必须是景观绿化。在这样的前提下，建筑体量和开放空间就可能形成一种万花筒式的千变万化的组合，而建筑类型既可以是巨型的方院楼，也可以是现代主义之前的条形板楼。

但塞尔达并没有认真考虑私人所有制和投机市场的力量。他为街块上的建筑设定了4层的限高和28%的覆盖率。但在塞尔达的规划推行后的一个世纪左右，这一花园城市式的密度被翻了4倍，街块的四边都建起了房屋，而且高度也相应增加，每个街块中央成为结构彼此相同的内院。今天，有些街块上的建筑高度达到12层，覆盖率高达90%。体现塞尔达社会平等主义愿望的理想图形被扭曲了：中产阶级占据了宽大的网格区，工人阶级则被排挤到城市边缘的工业区或者老城破败的房屋中居住。

20世纪的网格

现代主义时代的来临标志着各种试图用新的建筑类型来拯救传统网格城市的实验的结束。从1880年代到1920年代，社会改革的倡导者——至少是其中那些没有皈依花园城市理念的人——一直将内院式街块作为解决廉价出租公寓问题的答案。1890年代，内部为大面积露天庭院的围合式街块作为慈善性工程分别在柏林和纽约建成，柏林工程的设计者为阿尔弗雷德·梅塞尔（Alfred Messel），纽约工程的建造者为威廉·菲尔德父子公司（William Field and Sons）。1910年，这种建筑类型受到德国的改革家如保罗·沃尔夫（Paul Wolf）和布鲁诺·默林（Bruno Möhring）的推崇，认为它们可以成为取代柏林臭名昭著的出租街块和霍布雷希特在城市周边规划的出租公寓排楼的改良方案。最后一例是贝尔拉格（Berlage）1915年所做的阿姆斯特丹南区规划，规划中布置了由立面相同的住宅围合成的、中央为内院的长条状街块，其目的是为了减弱阶级差别。但是在1920年代规划实现的过程中，贝尔拉格的意图被扭曲。在阿姆斯特丹学派富有才华的建筑师米歇尔·德·克勒克（Michel De Klerk）和皮特·克雷默（Piet Kramer）的指导下，建成后的街块各具特点，建筑物在体量和细部处理上都互不相同，因而弱化了贝尔拉格设计中对围合内院和街道空间的限定效果。

图版19

然而时代终于超越了贝尔拉格。对于现代主义的城市设计师来说，网格已经无法成为社会平等发展的结构基础。呼吁住宅改革的檄文——如沃纳·黑格曼1930年所写的痛斥柏林廉价出租公寓的《冷漠的柏林》（*Das steinerne Berlin*）和凯瑟琳·鲍尔1934年所写的具有广泛影响力的著作《现代住宅》（*Modern Housing*）——都将网格状街区当作难以对付的城市不幸的根源。现代主义理念谴责高密度街块，因为它们剥夺了租住者本应该享有的接触光线、空气和日照的权利。而现代城市似乎永无止境的交通增长也构成了对网格最强有力的谴责。人们这时认为，网格在根本上就是马车时代的产物。机动车使网格更加不利，以至于城市街块变成了被围困的岛屿。1933年的一项评估说明，机动交通将都市区域的半径扩大到原来的3倍，每日的交通范围扩大到原来的9倍。[60]交通流量与速度使得街道变得极其危险，对于儿童更是如此。

所有上述因素为放弃现行网格，转向以主要交通干道和内向性巨型街块为基础的设计思路提供了理由。于是，网格变成为分隔居住社区的框架，而不再是单位建筑用地的组织手段，这样的情况在西方历史上是前所未有的。在西方之外的某些文化环境中，严格的街块系统确定出大的城市框架，而在这样的框架之内则发生着尺度更小的、更为复杂活跃的互动行为。直到10世纪左右，中国皇城中大型街块的界面仅仅表现为一种幕障——而古代早期的某些城市中甚至更直接地表现为围墙——但复杂而具体的组织活动则发生在街块的幕障之内。与此类似，老斋浦尔（Jaipur）城市中每边长达半英里（800米）的方块分割与其被称作街块，还不如被当成城市的“片区”（sector）。在每个这样的大方块之内包含着肌理更为细密的由松散的“小网格”限定出的邻里（mohallas）。而每个邻里内又容纳了40~50个住宅单位，其中居住着属于同一类阶层、行业或种族/宗教的人群。

180

现代主义的巨型街块的界面与上述情况不同。在欧洲，一种常见的手法是将独立的条状建筑相互平行地布置，长向的立面朝向一条草坪，短向的立面常常处理成空白面，朝向作为住宅区之间隔离带的主要街道。美国式的巨型住宅街块带有一种特殊的社会追求：创造团体精神。过去的街道网格将居民限制在“噪声、灰尘、废气和危险环抱下的长方形岛屿上”。[61] 人们无法参与有益的社会生活，城市居民被描绘为孤独、颓废地漂浮在“巨大的失望海洋上”[62] 的游民。因此美国式的解决手段是将巨型街块设计成为自足的社区，每个街块内都有各自的商店、学校和社区服务设施，目标是促进巨型街区内部的社会交流。

这些思想最早于1915年在芝加哥转化为具体形式。当时“城市俱乐部”（City Club）主持了一项旨在探索大城市边缘地区创造性设计途径的方案竞赛——希望新的设计能够放弃旧式网格和小型街块的构造，采用统一的大约为四分之一英里见方的土地分块系统。“人类特有的变幻的情绪必须借助多样的而不是单调的东西来加以抒发，”一位评审员这样写道，“而这就需要利用轻松和趣味来与严肃形成对比。”[63] 所有获胜方案都将长方形的区间道路保留作为固定的框架，在这个基础上引入舒展的弧线和松散的街块结构；所有设计都强调了自然景观，并且将诸如学校、教堂之类的公共建筑布置在这种内向性地块中的焦点位置。

关于这种“家庭生活社区中的邻里单位”的第一次重要的政策性阐述出现于1929年由社会学家克拉伦斯·A·佩里（Clarence A. Perry）为鲁塞尔·赛奇基金会（Russell Sage Foundation）准备的论文当中。佩里的方案结合了美国画境式郊区和英国花园城市的特点，围绕“社区中心”组织了自由而随意的区内街道系统。一些建筑师，如美国的花园城市倡导者亨利·赖特（Henry Wright），甚至提议从法律的角度对美国的网格进行修改，使其成为土地开发的基础。[64]

1930年代之后，美国巨型街块规划的概念越来越向国际建筑师协会即CIAM的理论靠拢。根据1933年CIAM发布的《雅典宪章》（*Athens Charter*）中提出的现代主义纲领，交通和交通设计是现代城市形式的决定性因素。CIAM的学说关注快速发展的交通新技术与缓慢演变的城市躯体之间的不协调关系。在实践中，现代主义的手法是将一栋栋独立的建筑物分布到由疏松的快速干道网组织起来的绿色环境当中。早在1920年代，底特律和明尼阿波利斯（Minneapolis）的规划师就已经构思了这样的大型网格框架，用以补充但不是取代街道型网格。在底特律，城市“全面实行每隔3英里（5公里）左右设一条红线宽度为204英尺（62米）的干道，并在原来66英尺（20米）宽的道路网的基础上（1.6公里），每隔1英里设一条红线宽度为120英尺（37米）的次级道路系统”。[65]

一位在芝加哥工作的包豪斯（Bauhaus）流亡者，著名的路德维希·希尔伯谢墨提出了一个更为全面的、旨在重塑美国城市网格的规划设想。在美国式的邻里单位概念和更为激进的欧洲现代主义城市思想的启发下，希尔伯谢墨提出“居住单位”（settlement unit）的概念，“居住单位”实现的办法是在旧有网格城市中有规律地封闭街道和有选择地拆除建筑物，从而逐渐改变网格的形态。在由此而形成的新的模式当中，邻里将会被公园带所隔离，同时，道路系统中新增加的居住区尽端路又能够使邻里免受外部交通的干扰。[66]

希尔伯谢墨的工作是改造和利用传统的居住模式，但正统的现代主义规划则是要在空白的土地上建立起大型的城市高速交通网。新城镇为实现这种规划提供了最彻底的机会，战后被炸毁的城市虽然不如前者条件理想，但同样也可以操作。1946年，在汉斯·夏隆（Hans Scharoun）带领下的一群现代主义设计师为柏林的重建提出了一项“总体规划”，这一规划方案推翻了城市原有的环形-放射状的交通系统，制定出一套由64个四叶形立交结点编织成的高速公路网格为基础的大都市计划。城市中只有中世纪的核心部分被作为博物馆保留，任何战后遗留下来的其他残余结构都将被拆除。夏隆写道：“炸弹和战争机械性地减轻了城市的拥挤，使我们有机会从自然与建筑、高与低、窄与宽各方面重新组织城市景观，形成一种崭新的秩序。”[67]第二年这一规划被否决，保守派的卡尔·博纳茨（Karl Bonatz）取代了夏隆。

153

昌迪加尔（Chandigarh，建立于1951年）是第一个从零开始的现代主义城市，它的居住区模式的特点是相互穿插的绿地系统和限定巨型街区的高速交通网。巨型街块或者设计者所称的“区块”（sector）的大小是800米×1200米（0.5英里×0.75英里），采用了黄金分割的比例。每个巨型街块都是一个内向性的、集中管理的社区，所以周边的交通干道上几乎不发生任何街道生活。每个街块都由一条主要的区内通道在纵向将其一分为二，这条通道即是商业街；各街块的商业街彼此连接形成一个线性的购物系统，表现出现代主义对传统集市形式的关照。这些商业街的路线从城市的一端到另一端并不完全贯通：在与主要交通干道交叉的部位常常发生偏移。同时，一条中央的公园系统从垂直方向穿越街块。在两条主要轴线交汇的地方是市民中心，相当于古罗马网格中的城市广场。但城市真正的焦点是国会，它是由勒·柯布西耶设计的一组英雄主义风格的建筑群，其中包括高等法院、立法委员会、秘书处和政府职员官邸。这个片区以800米×400米（2625英尺×1312英尺）的巨型网格为模数。建筑群以无与伦比的喜马拉雅山脉为背景，体量也与之相匹配。虽然整个国

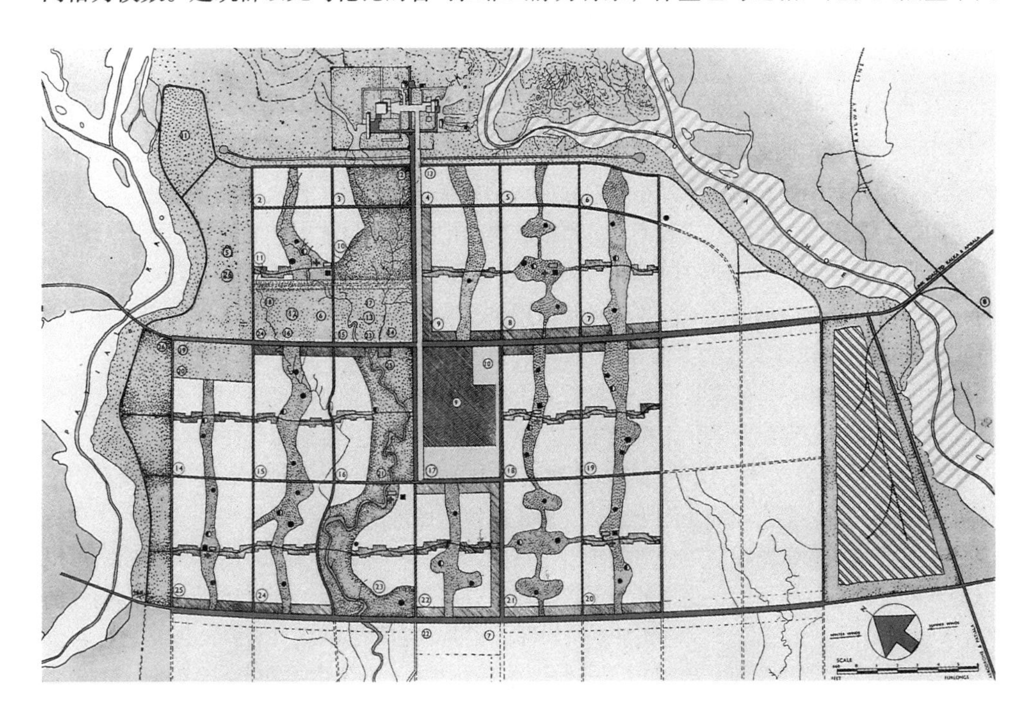

153 旁遮普地区（Punjab）首都昌迪加尔（印度）的规划方案，1951年勒·柯布西耶设计。图中市场街和公园系统分别在水平方向和垂直方向穿越巨型街块。中部颜色较深的地区是城市的商务办公区。政府行政区在平面的上部，位于巨型街块网之外。

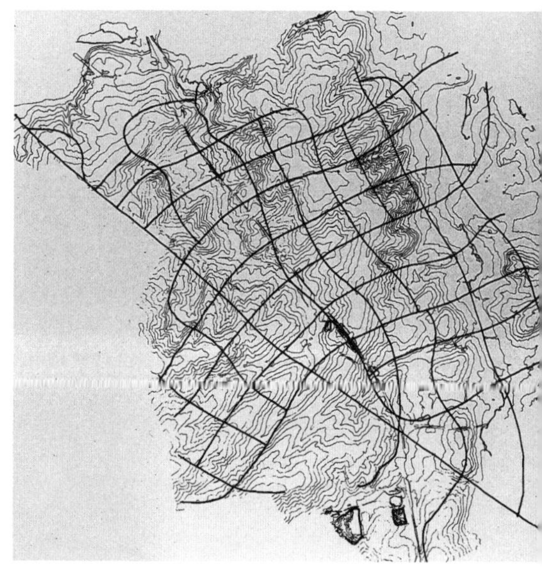

154，155　米尔顿·凯恩斯市（Milton Keynes）（英国），赫尔穆特·贾科贝（Helmut Jacoby）所作的市中心区鸟瞰图和画在等高线上的道路网格。和其他现代主义超级网格一样，米尔顿·凯恩斯的大距离交通干线网的作用是划分出城市片区，而不是传统意义上的城市街块。城市中心区占据这些片区中的一块，它在城市大框架之内，由次级道路、建筑、停车场等以相互正交的平面方式组成。

会广场被设计成步行区，机动交通被限制在低于地面的、直接通往停车场的道路上，但旁遮普灼人的烈日使建筑物之间的空地几乎无法让人驻足。

154,155　近年内，最彻底地实现了现代主义网格的实例是米尔顿·凯恩斯（始建于 1967 年），它是英国新城计划中的最后一个城市。这里的网格系统是划分出 1 公里（0.6 英里）左右见方地块的机动车道路，网格形式并不十分严格。网格中的线条呈平缓的波浪形，随着微微起伏的地形升降。道路两旁种有厚厚的树墙以吸收交通噪音。这里，网格的意象是多方面的：花园城市概念中的画境式绿色环境被借用于改造理性的网格，道路工程师们“徒然地将实用性的结构打扮成自然美的样子”。[68] 设计中没有特别的交通中心，避免了霍华德花园城市原型所采用的，后来被所有新城规划所仿效的中心式城市平面的根深蒂固的交通拥挤问题。城市中心实际上是一个购物中心，被一条机动车道从建筑上部穿越。（204）

巨型方格网之内的建设全凭私人发展商自由发挥。无论是多层公寓楼或是独立住宅都可以接受，当然也有些地块用于工业、商业或娱乐休闲功能区。虽然规划者提倡多功能混合，但现代主义试图将城市分解为不同“功能区”的理念仍然盛行。内部的交通网可以用于步行或骑自行车。但是这里的方形街块并没有按照花园城市的模式被设计成内向性的“人为规划的居住邻里”。米尔顿·凯恩斯的设计意向似乎是要回到开放性的网格，让机动车道路和内部街道贯穿于整个城市。我们也许可以这样认为，在米尔顿·凯恩斯，现代主义和花园城市的经验开始寻求为传统的目标服务。

的确，过去二十年为找回传统城市，为保护历史遗存和重述传统城市经验而进行的抗争同样也帮助人们重新发现了传统的城市街区。事实上，网格从未消失过。曾经被现代主义城市景观所取代的另两项传统今天也被找了回来：一种是“有机”的城市景观，即在围合的空间系统中通过紧凑的空间序列制造出画境式的、出其不意的效果；另一种是巴洛克城市景观，其特点是完整的图形构成、戏剧性的视觉效果、利用规则性广场和街道对景烘托纪念物体的手法以及透视画面上的层次感。

相对于上述两种人为设计的城市经验而言，网格的巨大优点在于它恒久的有效性。人为城市经验的倡导者坚信，社会生活之复杂需要有复杂的街道系统与之相适应。而网格的前提是，城市形式作为一种地面的线条肌理，是上演我们生活的基础媒介。我们在这样的媒介上如何表演，以及我们将通过什么样的过程来创造出一个像样的、富有自豪感的社会则取决于我们自己。在塑造街道与公共空间的过程中，我们的愿望和思想得以展现。网格在被赋予任何特定的内容之前，作为一种概念性的形式秩序它是中性的、没有等级层次的，这正是它的优点。网格既没有图形上的特殊性也没有理念上的故作姿态。它重复、单一，甚至冗余。正因为此，它需要我们不但尊重它，还要进一步完成它。作为设计师，我们的责任不单是欣赏它的一般性，同时还要开发它在二维形式中无法包含的空间特点。网格本身不带有任何内在的束缚。网格的实现依靠的是不同的设计者。

第三章　图形式的城市

圆和多边形

亚克桑地和帕马诺瓦

亚利桑那州的旅游景点之一，是位于科迪斯高速公路交叉口（Cordes Junction）的东北部，离凤凰城（Phoenix）60 英里（约 100 公里）的一个地方。在那里，一群奇异的、未完工的建筑物停息在荒凉的高台地的边缘——如同印地安人崖穴住宅的废墟，人们也许会提醒自己留意这个地区的历史，只是这些建筑物并无意与它们所在的土地相结合。这里更像是一个开放式的建筑市场——散落着有趣的部件，但相互之间又不存在联系，由于它们在旷瀚的沙漠之中彼此靠近，所以看上去它们似乎分享着某种共同而迷茫的命运。 158

这里就是自 1970 年开始断断续续建造着的亚克桑地。它的构想者是保罗·索莱里（Paolo Soleri, 1919—　），索莱里出生于都灵，是一位苦行者式的哲学家兼建筑师以及“生态建筑”（arcologies）一词的发明者，这些俯视着艾夸弗里亚（Aqua Fria）河谷的随意性的建筑碎片便是“生态建筑”展示在人们面前的最初实物。索莱里发明“生态建筑”一词的目的是为了表达一种能够有效适应生态的建筑；更确切地说，它指的是索莱里自己构想的一种未来城市，这个城市由一个单一的巨构式建筑物构成，它的目标是要扩大社会福利，同时最大可能地减少对土地、能源和原材料的消耗。就亚克桑地而言，它的最高目标是要在一个 25 层高的太阳能生态建筑物中容纳 5000 位居民；这一建筑将仅仅占用 3000 英亩总用地中的 14 英亩（即 1215 公顷中的 5.7 公顷），其余的地盘将留给耕种、休闲和环境美化。反映亚克桑地构想的绘画和模型令人赞叹，同时索莱里多产的想像力还创造出了其他几个姊妹版本的纸上生态建筑，以及相应的哲学宣言。[1] 157

但是在经过了二十年辛勤劳动之后的今天，亚克桑地的收获却显得少而芜杂。原来设想中的整体性城市被改成分散的建筑物。索莱里的建筑语言也变得普通起来——桶型的穹隆、圆、1/4 球顶、半圆形落地拱以及无边框的圆形窗洞等等，细部非常粗陋。其中最寻常也是最主要的建筑物是一个服务中心，里面包含一间餐厅和一个礼品店。参观票的收入是建设经费的主要来源，除此之外还有现场制造的铃铛。事实上铸造厂是最早建成的建筑物之一，同一时期建造的房屋还有现在用于展览铃铛的陶器屋，其结构是用混凝土模塑造

156　纳哈拉（Nahalal）（以色列），1921 年理查德·考夫曼（Richard Kauffmann）设计的一个“莫夏夫”（moshav），即以色列的一种农业合作居住区。

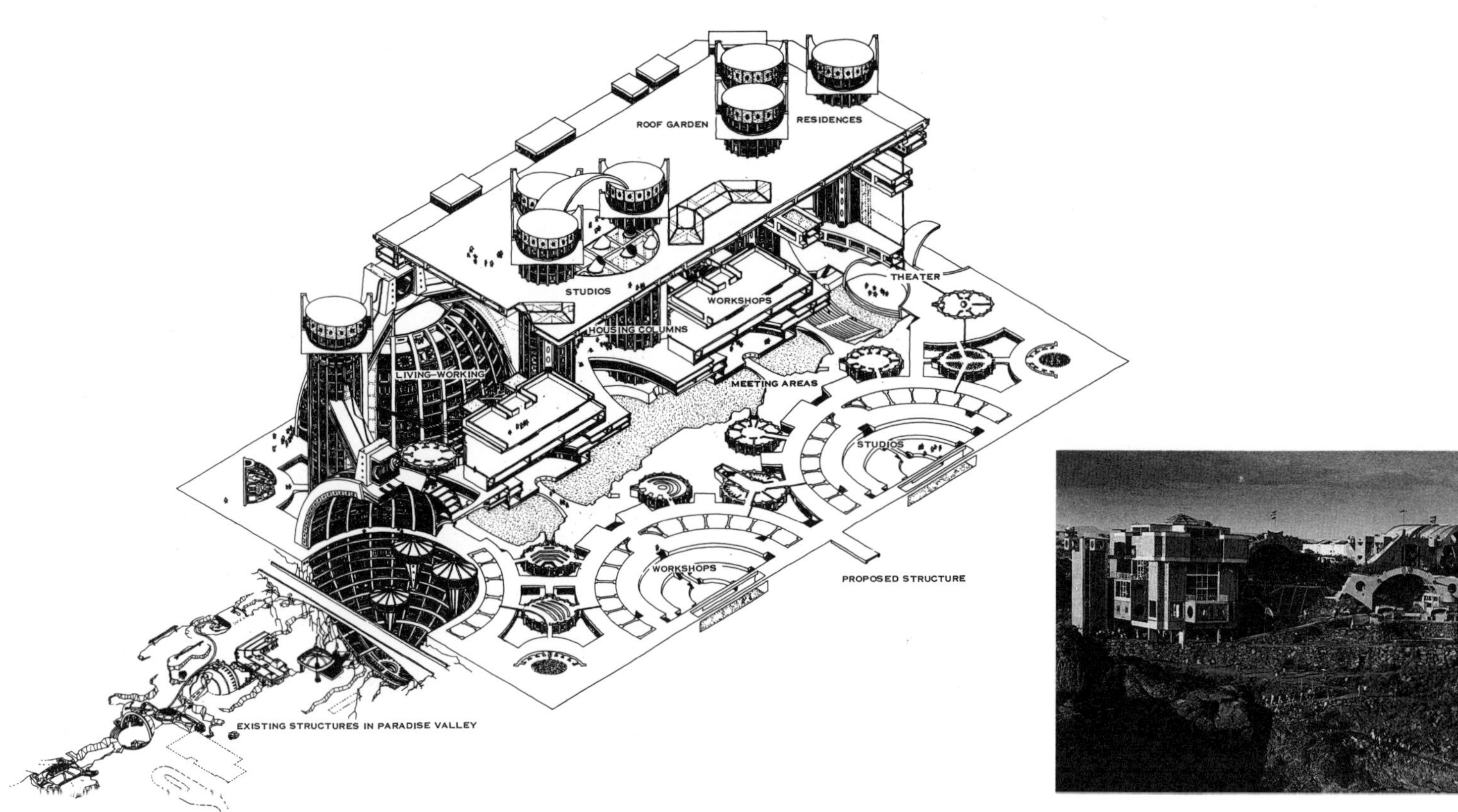

157，158　亚克桑地(Arcosanti)(亚利桑那州)，作于1960年代后期的原方案的轴测图及当时的施工现场。

的泥胎框架。除此之外，还有一个音乐中心，两栋居住着30多个居民的简朴的住宅和索莱里自己的住宅。位于南北两端的拱是敞开的，没有具体的功能，只是布置了一些焊接和电工作坊，早晨和中午工人们也在这里用餐。

这里的工人被称作“作坊工”，他们几乎没有或很少有建造经验，他们交学费参加一个为期5周的“学习班”或工作室，“学习班”的内容主要是从事一些没有报酬的活动。他们中间的一个人自大地将自己描述为“建筑工人、新时代的幻想家、僧侣建造家、自觉的先驱者、发展过程的审视者”。他们住在河谷下面的营地里，而居民则住在生态城市中。到了将来，索莱里的世界是没有阶级的。“平等的基础已经……奠定。”但在这个不完美的初始过程中，张力就已经出现。有些“作坊工”认为居民们是住在山上的一群冷漠的人，与山下营地里的人有隔阂。“他们似乎将自己看成是上等公民。”[2]

索莱里不能引发人们的兴趣。乌托邦也不可能存在于今天的世界：它属于遥远的年代。亚克桑地不是一个模范社会。它只是一个关于城市未来的实验作坊而已。按照索莱里的观念，形式必须首先出现，它们缓慢而逐渐地塑造着人的行为。使用跟从形式，或者，如索莱里自己所说：“工具总是在时间上先于操作。”当生态建筑的年代最终到来之时，城市将不再有贫民窟，不再有犯罪和种族隔离。“社会模式在包容它的物质模式的指导或影响下形成。而一个单一的包容系统是没有隔阂的文化的最佳基础。这时候人对自我的关心将会扩大到对人类整体的关心。”[3]

图版 3　在索莱里的故国，威尼斯的南部，一个具有完美的多边形形状的城市已经存在了4个世纪。一开始时它是威尼斯共和政体(Venetian Republic)的一个军事前哨，名叫帕马诺

159 帕马诺瓦(意大利)，1593 年的最初的设计，引自布劳恩和霍根伯格编著的《环球城市》。

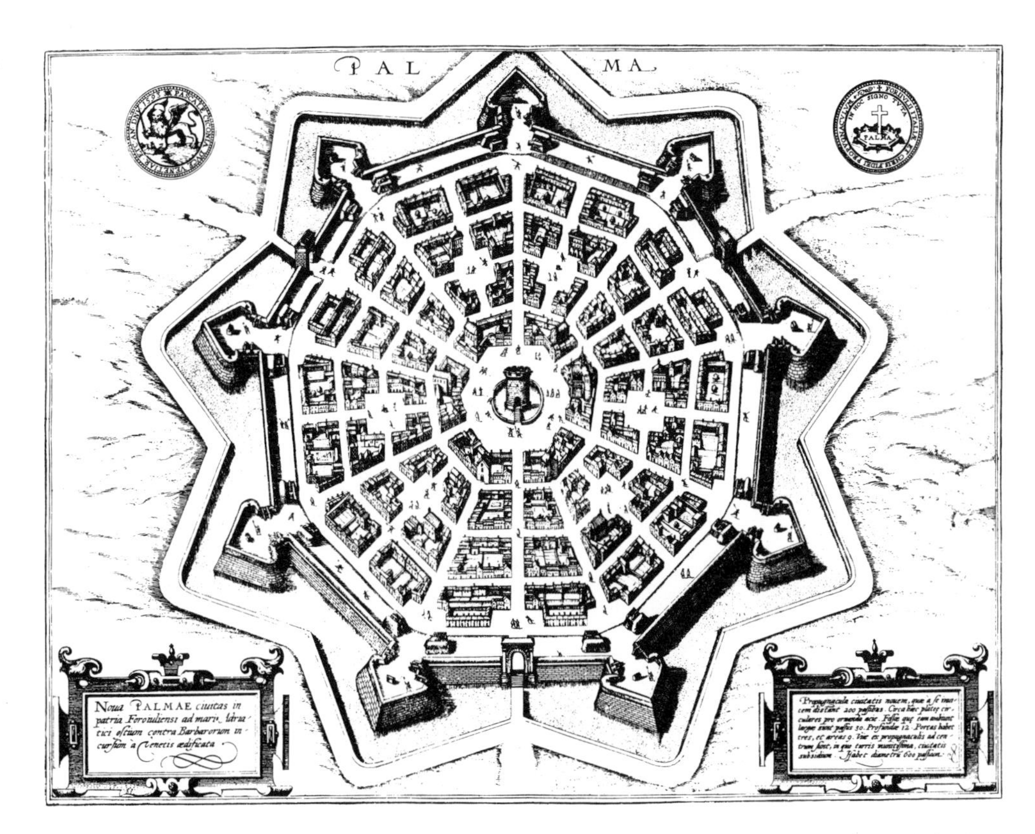

瓦，地处弗留利（Friuli）地区的重要交通枢纽。它初建于 1593 年，棱堡式护城墙完成于 1623 年。1667 年至 1690 年间增设了第二圈防御结构，在 1806—1809 年法兰西人占领其间，又建成了带有高超的外垒系统的强有力的第三道防御圈。在每一个历史时期，帕马诺瓦的防御工事都代表了当时的最高水平。[4] 159

帕马诺瓦是 16 世纪在意大利建成的惟一一座完整的放射状城市。包括斯卡穆齐在内的几位杰出的军事工程师和规划师共同参与了这座堡垒式城市的选址和概念设计。城市的外轮廓是九边形，但中心广场却是六边形，即使在当时，9 个棱堡中只有 3 个与中心广场通过直道相连。在紧靠城墙的内环路上布置着外国雇佣兵的军营——包括希腊人、斯拉夫人和日耳曼人，以及阅兵场和兵器库。骑马的警察驻扎在城外的 3 个点上，他们在周边巡逻以防止内乱。中央广场和附近地区供指挥官以及忠实可靠的威尼斯当地士兵居住。只要封闭汇聚到广场上的 6 条放射状道路就可以将广场隔离和防护起来。中央广场和城墙之间的区域是市民区，在这里增加了几条放射状道路，它们在到达中央军事区之前就已经中止。3 座城门分别位于 3 段城墙的中部，与 3 条主要通道相对应。与城门相连的道路直通中央广场，有些街道的中段还布置了小广场。

帕马诺瓦只遭遇过一次战争，是 1615—1617 年发生在威尼斯和奥地利之间的格拉迪斯卡（Gradisca）战争。之后它扮演了威慑性的角色，在奥地利人统治下它是一个兵营城市。1866 年，它终于放弃了军事要塞的作用，当时弗留利地区刚刚归属新建立的意大利王国统治。如今帕马诺瓦依然存在着，保持着它的完美和一丝悲哀，见证着一座单纯目的的小城镇如何在顷刻之间脱离了时代。现在，在砂砾铺设的中央广场上偶尔摆出一个小商品市场，而在那几条从中央广场出发的放射状道路上，为数不多的几个当地居民坐在被过往游客占据了的临时街边咖啡店里休息。游客的数量不多，主要是军事建筑的爱好者。小镇最有特色的东西是它的理想式平面，但城市形式本身从来都不会构成一个受人关注的旅游项目。

无论是亚利桑那沙漠里那个刻意的球形的尚未完成的生态城市，还是威尼托地区为战争而建立的放射状城市，本章我们将关注这一类有着不可变通形式的城市，这类城市是在某个时间为某种假定的或某种被宣称的秩序度身定做的图解。任何城市的背后都存在着一种初始的形式愿望、一种抱负，存在着一门与公众相关的复杂的艺术。其中涉及到选择——这里，而不是那里；有武断的决定——这么大，而不是更大；还有任性的改变——拆除那个，建造这个。在我们前面称之为“有机”形式的城市模式里，或者至少说，是在前现代时期的“有机”模式当中，我们看到的是一种合乎常情的、可变的秩序，它适应地形、适应土地原有的特征、适应人们在彼此靠近情况下的生活规律。而在网格形式中，我们赞赏的则是一种能够包容极大多样性的简单的几何思维。相比之下，本章讨论的城市，则是由某个对这个世界应该如何理想地运作怀有坚定信念的人或机构独立构想而成的，同时也是在这个人、这个机构，或者是在一套周密原则的绝对指挥下实现的。

就其本性而言，这些城市常常停留在理论的层面。纸上的理想城市要比建成的理想城市多得多。而在缺乏集中性的资源和政治控制力量的时候，也就是说，在没有政权支持的情况下，这些城市需要经过艰苦努力才能建立起来并保持下去，而这些努力又常常荒废在建造行为当中。亚克桑地也许是个例外，但它已有的短暂历史并不能预示一个顺利的未来。

如果这类理想城市最终获得实现，它们处在纯粹状态的时间往往很短，它们将会被现实，被在没有严厉监管的情况下才得以出现的、真实的状态和行为所改变；而在另一种情况下，它们可能会被新的一种专制主义秩序所取代或推翻。在现代伊朗哈马丹市（Hamadan）繁杂的城市结构中，我们已经找不到希罗多德描绘的埃克巴坦那（Ecbatana）7 重同心城墙的痕迹。稻田覆盖了当年日本都城平城京那具有严格等级性的几何形式，只留下几处村庄和寺院。如果说帕马诺瓦直到今天仍然基本保持着原样的话，那是因为它不是作为一个有生命力的社区，而是作为理想城市博物馆中一件不经意的展品而存在的。

139

乌托邦和理想城市

在天性上，这些城市常常需要借助于完整的几何形设计，如圆形、聚焦性的方形以及各种各样的多边形等等，同时它们遵守严格的向心规则——如放射集中式或轴线式布局。但我们应该注意不要沉湎于发掘每一个这类特殊空间图形背后的象征意义的冲动。

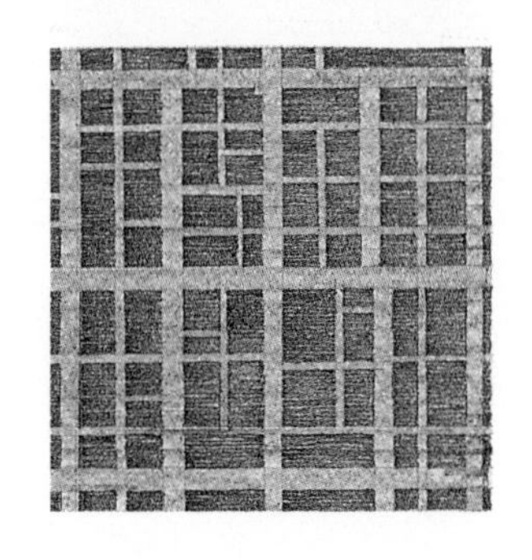

首先，城市历史上有一些异想天开的几何形应该是被忽略的。加利福尼亚州有两个例子，一个是科罗纳（Corona），现在这里已经属于大洛杉矶东部地区；另一个是科塔提（Cotati），“索诺玛县（Sonoma）的中心”。前者建于 1886 年，享有“圆形城市”的称

160 瑟科维尔（Circleville）（俄亥俄州）“方形化”的过程：从上至下，1810年该城市的初始平面，以及该城市分别在1837年、1838年、1849年和1856年时的状态。（根据瑞普斯著作中的原图复制）

号，城市里有一条直径为1英里（1.6公里）的环形的“林荫大道”，但是环道内是普通的投机开发式城市网格，环道之外也是一般的长方形农田。科塔提在1893年建立时，城市呈六边形的放射状平面，其原因是城市的所有者，一位名叫托马斯·S·佩奇（Thomas S. Page）的博士，有6个儿子，于是他希望建造6条分别与他们同名的街道。 *160*

19世纪美国惟一的另一个关于理想城市形式的试验是俄亥俄州的瑟科维尔，它位于赛欧托河（Scioto）边，1810年由一位叫名丹尼尔·德累斯拜克（Daniel Driesback）的人设计，是一个有着放射状道路的圆形城市。这是一个具有美洲特色的图形，因为城市中间有一个圆形广场，广场中有一座八角形的法院，据说这个圆形广场是在印第安人建造的圆形土方工程基础上发展而来的。但圆形的周围仍然是可以无限延伸的方形网格。不久，网格也将中间的圆形吞没；在短短的几十年时间内，瑟科维尔就完成了从圆形平面向方形平面的过渡。1840年，詹姆斯·西尔克·白金汉（James Silk Buckingham）在设计他的模范城市维多利亚之前到瑟科维尔参观，他这样写道： *201*

> *美国人对过去留下的东西几乎毫无敬意，从整个民族角度看，他们似乎完全缺乏对文物的兴趣，以至于这个叫瑟科维尔的有趣地方很快就可能会失去它原有的奇特的东西……圆形街道很快被直线街道取代，中央大厦本身也已经不可避免地要被拆除，空出的地方将建造仓库和住宅，所以，也许不用一个世纪，赋予这个城市名称的圆形的特点将会消失，而正是这一特点才使这个地方成为这个国家的一件最完美也是最有趣的城市历史作品。*[5]

其次，从本书的目的出发，必须在理想城市和乌托邦之间划出一条界限。一个乌托邦并不一定是一座城市。乌托邦是没有场所性的，它们不受场地和状态这些特殊性的制约，乌托邦的设计条文中关于自身物质形态的规定也很模糊。而理想城市则存在于相互关系当中。它们常常需要表达统治者与他的子民以及与更大范围的同代人之间的关系，同时它们的存在还需要参照一个较大的地理框架和一个已有的文化环境。即使有些理想城市不受政治专政主义的控制，并且为了要追求新的开始而有意远离寻常的地理环境，它们的形式也是针对某种被认为不可接受的特殊秩序作出的结构式反映。但是乌托邦对抗的仅仅是人类社会中那些不具体的、普遍的弱点和不公正。

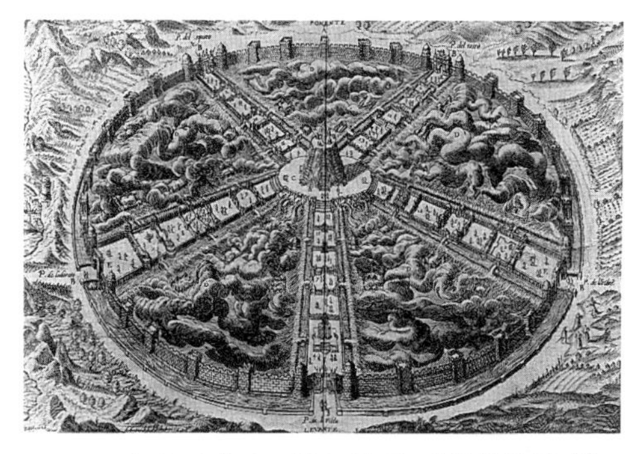

161 巴尔托洛梅奥·德尔贝尼，《真理的城市》引自他本人所著的 *Civitas veri sive morum*（1609年）。

因此，我本身并不关心托马斯·莫尔（Thomas More）构想的乌托邦首都空幻城（Amaurot）、托马索·坎帕内拉（Tommaso Campanella）的“太阳城”（Città del Sole），或安德里（Andreae）的克里斯蒂安诺波利斯（Christianopolis）。上述这些，以及其他一些哲学家的城市构想在彼此之间是相互支持的，这类构想可以一直追溯到柏拉图（Plato）的《理想国》（*Republic*）和奥古斯丁（Augustine）的《神之城》（*City of God*）。他们对现实城市运作的理解是极其天真的：他们没有从城市中学到任何东西，而只是借用了城市设计中最初步的图形——几乎总是那些带有圆形或向心性方形的理想设计，他们将这种简单的系统与自己的道德哲学相匹配。与城市现实相去更远的是一些比喻性的城市，如巴托尔托洛梅奥·德尔贝尼（Bartolommeo Delbene）的《真理的城市》（*City of Truth*，发表于1609年）：它以亚里士多德的《尼各马可伦理学》（*Nicomachian Ethics*）和文艺复兴时期城市理论中的放射-向心模式为基础，设计表现的是一个圆形的城墙，分别代表5种美德的5条道路从中央的智慧区发射出来，越过了邪恶的泥沼。[6] *161*

162 塔提·苏莱曼(阿塞拜疆),大约公元1世纪时期帕提亚古国(Parthia)的圣地。中心是一个名叫 Adhur Gushnasp 的圣火,它的意思是“战士之火”或“王火”。

最后,还有一种经过理性发展过程而形成的“几何性”城市,它们同样也与本章讨论的理想城市现象无关。位于托斯卡纳地区的路西格纳诺(Lucignano)的形状是同心圆环,这些圆环是城市逐步发展的结果,类似的城市在意大利国内外都还有很多。同样,一些荷兰老城市中的放射状道路是由于荷兰人在已有土垒结构上进一步发展的结果——土垒是用泥土和草皮堆成的人工护垛,目的是为了防止土地被海水浸没,在前罗马时期和罗马时期,这些土垒上建造着村庄,村庄周围是小型的块状田地。大的土垒周围还有环行道路和排水渠,农田也作放射状布置,这也就是为什么吕伐登(Leeuwarden)或米德尔堡(Middelburg)这样的城市具有了一种放射-向心状的结构。

除此之外,有两类理想模式与我们这里讨论的主题有关,但严格地说,它们应该属于前城市或非城市的情形。第一类是用于崇拜的场景。我们发现史前的圣地,如英国的巨石阵(Stonehenge),它们有着某种非常精确的宇宙图形,按照天体运行的模式引导人们的生活。由于许多古代理想城市的动机是为了要在地球上建立宇宙秩序,让城市平面成为天堂和人世之间的一种媒介,所以,索尔兹伯里平原(Salisbury Plain)上的巨石阵和现代罗马尼亚境内的达西亚首都(Dacian Sarmizegethusa)也应该被看作是对这类秩序的回应。现代阿塞拜疆(Azerbaijan)境内具有巨大圆形墙的波斯教湖泊圣地塔提-苏莱曼(Takht-i Suleiman)同样也是如此,其对应关系甚至更为直接。波斯的圆形城市与这些宗教格式不无关系,就如米底人(Mede)的城市埃克巴坦那中的七颗行星,以及萨珊王朝的(Sassanian)城市古阿[Gur,菲鲁扎巴德(Firuzabad)]中的十二宫图形与建造这两座城市的牧师们的神幻想像力密切相关一样。

162
182

后来,那种带着敬畏的心情占用土地并试图安抚宇宙神力的最初愿望逐渐扩大到更加普遍的系统,这时我们的一切运动——不仅仅是太阳和月亮的运动,都开始与土地发生关系,在这种情况下,我们本章讨论的内容便有了恰当的切点。这时候,社会开始在一个完善的信仰下运转,而这个信仰就是:某一位人类的代理者——无论他是国王、皇帝或是教主,掌握着宇宙和谐的关键。这个人坐在人类金字塔的顶端,有了他的操控,一切将井然有序,我们每个人都做着他交待给我们的与我们所处的位置相符合的事情。

所以理想城市与巨石阵或塔提-苏莱曼不同,它同时带有信仰和统治模式两种印记。那个处在最高位置上的人类代言人能够与神相通,他直接或间接地通过仪式与天国对话，有些时候他自己就是神。有一句亚述谚语这样说道："人是上帝的影子/奴隶是人的影子/但国王就是神。"统治者被赋予了这样的权能之后，便可以用城市图形来组织整个人群，而组织的依据是社会阶层，人群中的阶层关系与城市一样具有极大的多样性。根据不同的职业或者籍贯，人群被排列和归类，或者根据中央机构赋予的身份，被划到城市图形之外。

另一类虽然不完全却已经具有某种雏形特点的图形是一种并非通过中央政权产生的社会布局。因克劳德·莱维-施特劳斯（Claude Levi-Strauss）而出名的巴西马托格罗索省（Mato Grosso）波洛洛人（Bororo）的圆形聚落就是其中一例，这些村庄严格按照 4 个主要方位布置，男人的住宅和舞台位于圆形的中央，空间分配反映出村庄中的部落和阶级结构。印第安晒延部落人（Cheyenne）的临时集镇同样选择了圆形，南非恩戈尼族人（Nguni）的围栏村也是如此，他们以栅栏圈出圆形以保护其中的房屋和牲畜。

但是从我们的角度看，上述这些图形所缺少的，正是一种巩固的能够将这些图形转变为一种永久性秩序的政治权力。我们知道在一些非洲村落里，当旧族长去世，新领袖产生的时候，整个村落就会掉转方向，从面朝死去的旧族长的茅屋的方位改成面朝下一任族长的方位。但是王朝式的城市却是长期不变的。这正是王朝的特殊之处。当政治风暴掀起，新的政权产生之后，就会出现两种选择：或者认同过去的政权以建立自身的合法性和延续性，或者放弃旧皇城，建立新首都以渲染新政权同过去朝代的决裂。

但是，有时虽然没有经历重大的视觉改变，但同样的圆形可能记录了从自愿性社会结构到强制性社会结构的过渡过程。19 世纪时，祖鲁人（Zulus）的围栏村已经扩大到城市的尺度，君王的围栏占据了聚落的中心，武士及家属们的棚屋围绕着中心构成了 4~5 个圆圈，而当围栏村发展到这个阶段的时候，它的形制就更加接近古阿或者圆形城市巴格达。

163　亚述国王亚述巴尼拔的营地，引自尼姆鲁德（伊拉克）的一幅雕刻画。画中厨师和仆人正在为君主的归来作准备。［根据莱亚德（Layard）的原图复制］

特殊环境

军营的设计

对于有些特殊的社区，如军营、修道院和工业城市来说，人群内在的等级或编制就会直接表现在社区的布局当中。我们应该将这些地方看作理想城市的雏形，尽管其中的关系方式是人为的，有时社区的几何性状也不完善。

兵寨这样的军事营地当属此类，因为居民中预先存在着某种等级和规范。结果虽然不尽相同，但环境结构的紧凑性总是一贯的。在位于尼姆鲁德（Nimrud）的亚述巴尼拔王宫中，王座的正面有一幅亚述浮雕，浮雕描绘了一个围合在圆形城墙中间，设有两条十字交叉道路的军营。古罗马兵营是严格的长方形，以两条相交的道路为中心，两条道路分别叫主街和次街（via quintana）［原文如此，可能有误，是否应该为执政官街（Via praetoria）——译者注］，它们通往 4 个主要的城门，并将军营分成 4 个区。而在西班牙人建造的驻防区（presidio）里，有一些小型的住宅供少量士兵居住，主要是已 163 164

婚士兵，他们的任务是保护居住区，扩展传教使命和壮大西班牙人的村镇。在驻防区里，这些简单的灰泥住宅与一座白灰粉刷的小教堂、一个“皇家”仓库和一间岗哨一起，围绕着一个可以用作演兵场的广场排列着，驻防区的周围还有土坯墙围绕。单身男人住在营房当中。

一般兵寨的组成包括：普通士兵的营房、条件稍好一些的分开的军官区、一个军械库、一座教堂和一座医院；在现代兵寨中，已婚将领的住宅常常位于军事区之外，它们编组布置，一般表现为规则性的郊区。即使兵寨依附在某个平民居住区的旁边，而不是以独立形式存在，它们也会保持自己的一套空间结构，与城市的形态不发生关系。英国人统治时期在印度城镇边上建造的兵站就属于这种情形。这种严格的规整性特征在现存的位于贝汗布尔（Berhampur）和白沙瓦（Peshavar）的兵站地图中表现得相当突出。

根据我们当代的经验，这种强制性的聚合体可以用来跟规划形成的集中营相比照。长条形的营房建筑同样也是集中营里的基本元素，这些基本元素平行排列，与道路垂直或者平行，形成一种物质框架。营房将人群单一化，消除了人群中曾经存在的社会差别。在日本人的战争监狱里，如二次大战中建造的奥尼尔集中营(Camp O’Donnell)，士兵原有的连队结构被打散，他们按照各自平民时的职业经验被分到各个营房中。[7]一般的集中营都大致类似地设有监房、医院、公共厕所和指挥部等必备设施，但不同的集中营最终将按照各自不同的目的完成自己的结构。

1942年春天，美国政府在西部和中西部建造了10个“再安置中心”，目的是为迁移人约11万名原本生活在太平洋沿岸地区的日裔美国人。这些平民没有受到任何犯罪指控，但却处在了全面的军事限制之下，这一针对无辜平民的大迁移被认为是一次难得的社会实验机会。官方的政策是要在这些再安置中心里发展自治政府，并使居住在那里的人重新经济独立。有些高级官员，如负责印度事务的专门委员约翰·科利尔（John Collier）认为，从这一运动中获得的经验可以“用于统治和管理占领区，以安抚和重整因战争而流离失所的

164　位于卡利恩（威尔士）的古罗马军事要塞，建立于公元75年前后，建立不久便以石结构重建。图中表现了一个标准的基地平面——一个被一条主干道切开的长方形。在主干道和长官道（via praetoria）相交的T字路口上有军营总部大厦（principia）和长官大厦（praetorium）。军队的营房在主干道的另一边（前景中）。和维罗纳一样（参见图111），卡利恩的圆形剧院也位于城墙外。离城墙更远的地方是一个普通民众的城镇，它的格局和图形化的军事要塞形成了强烈的对比。[艾伦·索里尔（Alan Sorrell）绘制的复原图]

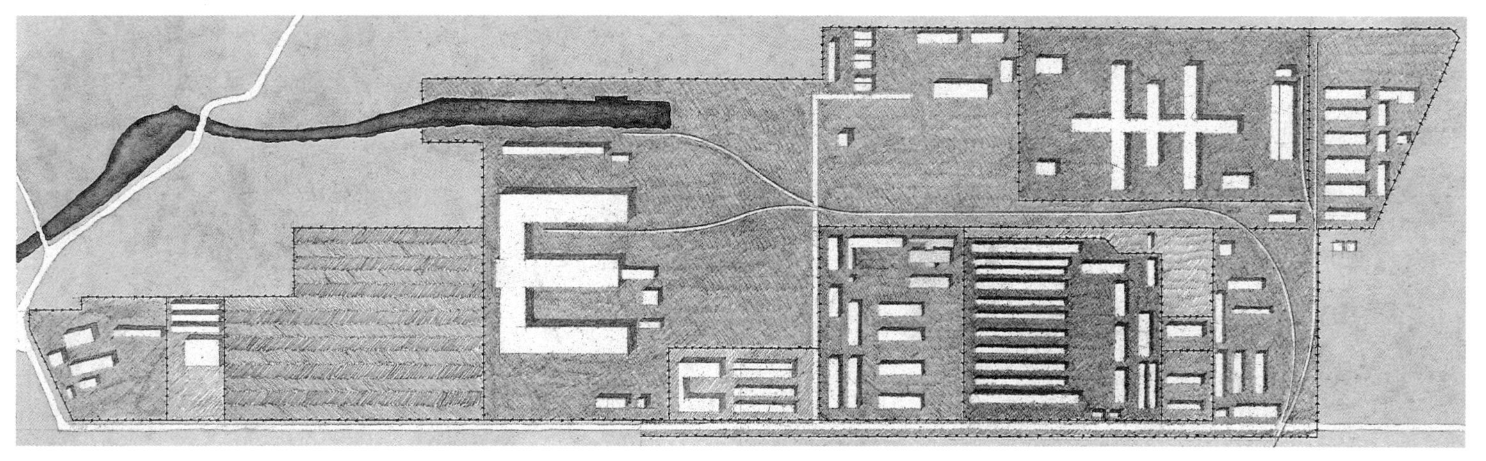

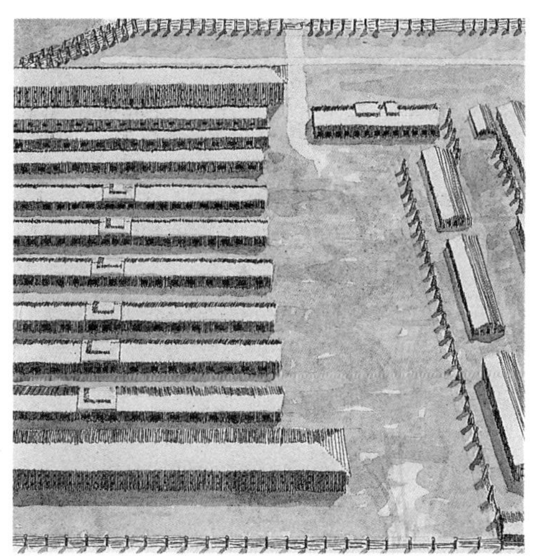

165 上图，汉堡（德国），纽恩格梅集中营和军工厂。这里原来是一个砖厂（图中最左侧可见）；大规模的扩建发生在1940年之后。

166 纽恩格梅集中营犯人区的放大图，图的左侧是一排牢房。

数百万人”。

然而，尽管这些目标听起来相当高调，但再安置中心采取的却是集中营的格局。3个安置中心中最大的一个位于亚利桑那沙漠中的坡斯顿（Poston）。[8] 这个中心的目标是容纳1万人，工程开工后的几个星期就已经宣布可以开放使用。方圆几英里之内，牡豆树和其他土生植物被彻底清除，一旦卡车、拖车和集装箱将梁、板、油毡、钉子等材料运送到场地，毫无遮阳设施的营房就以最快的速度出现在炎热的沙漠尘土之中。每个区块中设有14排营房、一个娱乐厅、一个集体食堂、男女公共厕所、一个洗衣和烫衣室。除了36个这样的居住区块之外，还配有一间250床的医院、一个行政中心，和一些堆放运入物资的仓库（面积占4个区块）。两条宽阔的防火通道穿过这些区块，安置中心内还有一条中央大街，在某些路段这条大街与一条运河并行，大街上布置着一间干货店、一间修鞋铺和一个室外电影场。战争迁移局制定的自治机制是由各区代表组成的社区理事会，和该理事会建立的负责监管法律和秩序的法制委员会构成的，理事会负责与项目总指挥的联系工作，但这样的自治机制却丝毫不能对营区的物质结构发挥影响。在这一粗略的规则框架之上，许多区块内组织了一些特殊的活动——其中一个区块建造了体育中心，另一处有一间木工房，还有的建造了戏剧台、佛教和基督教中心、图书馆、警所等等。坡斯顿证明了这样一个规律：在任何“理想”城市中，只要居住者被剥夺了行动的权力，那么“理想”形式的图形就不会受到挑战。

纳粹集中营的规划可能要复杂得多——尤其是在1940年之后，因为这时被关押者达到了惊人的数量，集中营的操作急需改进。位于汉堡的纽恩格梅（Neuengamme）是一个相对较小的集中营，它的地形呈长方形，一条位于北部和西北部的运河及码头为集中营提供了交通服务，同时该运河还与一条来自集中营东部的铁路线相衔接，火车站位于东部。在铁路线的南部和西部，占据了集中营总面积大约1/4的地方是犯人区，犯人区与更往西边的纳粹党卫队居住区分开。从平面上看这两部分并没有太大差别，只是党卫军的军营更少一些，建筑体量更小一些，毫无疑问也要比犯人的监房宽敞得多，每个长条形的监狱又分成两个部分，它们密集地排列在犯人营地的一侧。与营房相垂直的建筑物的类型也基本相同，在党卫军一边，它们是空袭掩护所和军官食堂；在犯人一边，它们是病犯的牢房、禁闭建筑和一幢带有灭虱间、浴室与死刑室的房子，而更东面的三条“特殊营房”为妓院。

165,166

从三个侧面包围犯人及看守者生活核心区的是大面积的工场和制造区，主要有一间制砖厂、以及位于东部铁路线两旁的军工厂和步枪靶场。火葬场较隐蔽地设在铁路线以西，位于工场区的西北角。[9]

对于像修道院这样具有自愿形式的机构来说，规矩的场所也许是不恰当的。但是，如果男人和女人们自愿加入到一种僧侣的社区当中，那么他们就要遵守严格的日常生活程序，并且服从毫无松懈的监管。相关的修会将对一切关系到修道院组织和建造的问题作出决定，至少西方的情况是这样，而统一性就是服从的证明。在有些时期，如加洛林王朝(Carolingian Empire)期间，修道院是国家机构，受政府管理。

对于西方绝大多数修会来说，修道院的设计图形都是从中间的大教堂开始的，教堂决定了主要轴线，而修道院则位于教堂的南面。之后，再从这个不可缺省的核心出发，按正交关系分别布置辅助性的房屋，为新来的僧人、仆人以及到修道院来的客人提供的住处。有时候这一部分内容可以达到一座小镇的规模。从保存下来的一幅素描图里我们可以看出查理曼(Charlemagne)时期修道院的标准格式，功能性的建筑——如干燥窑、面包房与酿造房以及工场等等——布置在修道院的南面；圈养的动物位于西面；院长住宅、学校和访客住房布置在北面；东面是医务室、墓地和草药园，以及一个供见习修道生使用的小型修道院和教堂。在正式的修道院建筑群范围之外，数百个农奴和仆人在田间和果园劳动，为修道院提供物资。[10] 在以后的几个世纪中，查鲁尼会(Cluniac Order)的本部修道院查鲁尼(Cluny)，以及西多会(Cistercian)的几个基地如克莱沃(Clairvaux)等等发展的规模非常大。

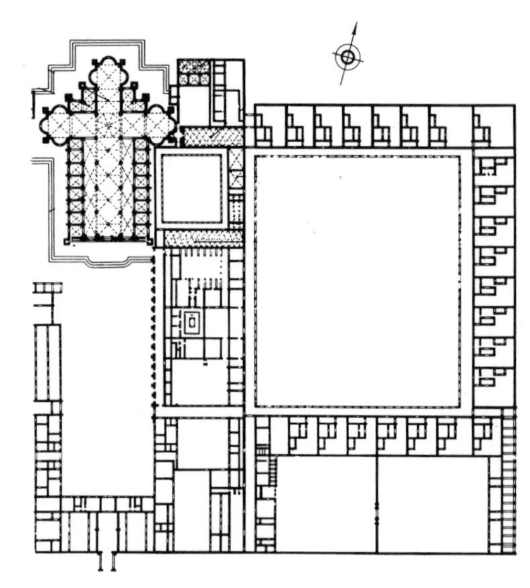

167　帕维亚的卡尔特修道院（the Charterhouse of Pavia）(意大利)，于1396年由米兰大公维斯康第(Giangaleazzo Visconti)建立，修道院的规划具有极为清晰的几何秩序。图中局部表现的是其中的教堂（左上侧）以及由卡尔特会僧侣(Carthusian)的房间环绕起来的大回廊；在教堂与大回廊之间有牧师会礼堂（chapter house)、一座小回廊、食堂和大公的宅邸。在图中未显示的左侧还有马厩、客房以及容纳修道院世俗活动的一些建筑物。[根据理查兹（Richards）的原图复制]

19世纪，提倡共产的社会主义运动催生了数百个乌托邦新住区，美国尤其突出。它们没有像修道会教团那样的完整统一的结构，绝大部分住区在布局方面随机应变，一边建造一边构思。但是摩门教的网格，以及像纽约州的摩登坦斯（Modern Times）和俄亥俄州的乌托邦镇那一类带有极端几何形的奇异设计应属特例。更为常见的是像阿马那教(Amana)的村庄和锡克教（Shaker）的社区如马萨诸塞州的汉考克（Hancock）所表现的那种松散的建筑组群。

但我们在作出判断时必须倍加注意。在上述情况下，旁观者看到的只是“混乱”的一面，但是这些团体中的直接参与者却能够将这里的环境与某种明确的社会设计联系在一起。例如，访问者看到的阿马那村庄只不过是沿着主要街道作简单排列的住宅——因此德语里就有“街道村庄”(Strassendorf)这一词汇——但公社成员们自己则更关注街块内部和“步行街”系统。汉考克这座小镇自认为在其布局关系中，“房屋与村落的边界相垂直，建筑物按不同功能有层次地布置，特殊功能决定了特殊的建筑形状，色彩则根据千年法则(Millennial Laws)来确定。”[11]

19世纪的企业城镇受严格的计划控制，由顽固精明一心寻求利润的个人拥有并操作，这些企业城镇与共产性质的社区形成对比，因为共产社区的生活方式实际上就是要挑战新工业社会的价值。由于不同的原因，这两类社区对城市设计的贡献都不算太大。共产社区的成员缺少整体规划所需的知识和技能，他们的试验不断变动发展的特点也不利于整体性规划的形成。至于工业家们，由于他们图谋私利的动机以及以常规生产为中心的特点，从表面上看似乎也不大可能除了建造工厂和基础设施之外，在城镇组织方面花费太多精力。

大多数工业社区事实上是暂时性的、肮脏的生活区，它们蜷伏在高效坚固的工厂以及工厂主和工厂经理们高尚住宅的阴影之下。

大部分企业城镇如此，但不是全部。在欧洲和美国散落着少数几个模范的工业城镇，它们的名字人们比较熟悉：如约克郡的萨尔泰(Saltaire)、维也纳南面的纳德伯格(Nadelburg)、芝加哥外围的普尔曼(Pullman)、位于墨西河(Mersey)边靠近利物浦的桑莱特港，还有位于埃森的克虏伯 (Brupp)工厂等等。这些地方在当时和现在的学术文献中都已经被大量提及。这些模范城镇是怀有理想主义思想的工业巨头们的发明成果，这些人担当起他们所雇佣的工人的家长角色。他们主动为工人的身心健康负责任，并且将这种信念投入到城镇设计当中，目的是要让工人们头脑清醒、正直向上，并且高效多产。 *169* *79*

模范工业城镇图形中的三个主要组成部分是工厂、教堂和工人住宅。其他福利设施则根据工厂主本人的想像力而定。每个城镇都试图为总的工业大环境树立起一个原型。几乎所有这一类的工厂主都怀抱着要拯救工人阶层的愿望，更准确地说，是要发展出一种与雇主利益相一致的工人阶级文化。

由身为公理会成员的工厂主泰特斯·索尔特爵士 (Sir Titus Salt)创立的萨尔泰可以被认为是这一类城镇的代表，因为它布局清晰，并且有严格的社会契约。萨尔泰是于1851年在约克郡靠近施普莱(Shipley)的地方为索尔特的羊驼毛帝国建造并于1860年代后期完成的。当时它位于乡间，现在则已经被布拉福德(Bradford) 的郊区所覆盖。当时《伯明翰邮报》(*Birmingham Post*)的编辑以赞赏的口吻这样写道： *168,169*

> *萨尔泰不是围绕着厂房随意建造起来的一批工人住宅群，这是思考和设计的结果，它实现了一个伟大的构想……它至少表明我们可以付出某些努力去打破存在于工人与雇主之间的情感隔阂。这是一个对于未来人类进步怀有梦想的人所能构思出的最为精美的画面，在这个城市里，教育向每一个孩子开放，——劳动获得尊敬，——放纵被禁止，——每一个人都能享受生活的尊严和高尚的心智愉悦，——而不幸也被未雨绸缪的思考和仁慈的心灵所抚慰。*[12]

索尔特很有可能受到迪斯雷利(Disraeli)在小说《康宁斯比》(*Coningsby*, 1844)和《西比尔，又名两个民族》(*Sybil or the Two Nations*, 1845年)中所描写的模范工业村的启发，这些工业村的创立者——如米尔班克先生 (Mr. Millbank) 就认为，正在兴起中的工业世界里蕴藏着巨大的能源，“这些能源正在快速发展出新的阶级，这些阶级还没有被完善地组织到社会结构当中，它们在社会系统中的责任也被完全忽视”；或如特雷福(Mr. Trafford)先生，他“有着温柔的血液，怀抱着老式的英国情感，在他职业生活的早期就已经接受了一个正确的关于雇主和被雇佣者之间关系的概念，他认为在这两种人群之间除了工资关系之外还应该存在其他的联系。”[13]

在萨尔泰这个城市里，最重要的结构元素是一条向上攀升的笔直的街道，即维多利亚街，它从亚耳河(River Aire)岸开始向南行进。在地形平坦的地方，厂房与教堂面对面隔街布置，它们的尺度不同但显然形成一对整体。与教堂并列的是凯旋门，凯旋门构成工厂前方办公楼的入口，两个建筑使用了相互匹配的带有“意大利建筑风格”的轻石料。河的对岸是公园。

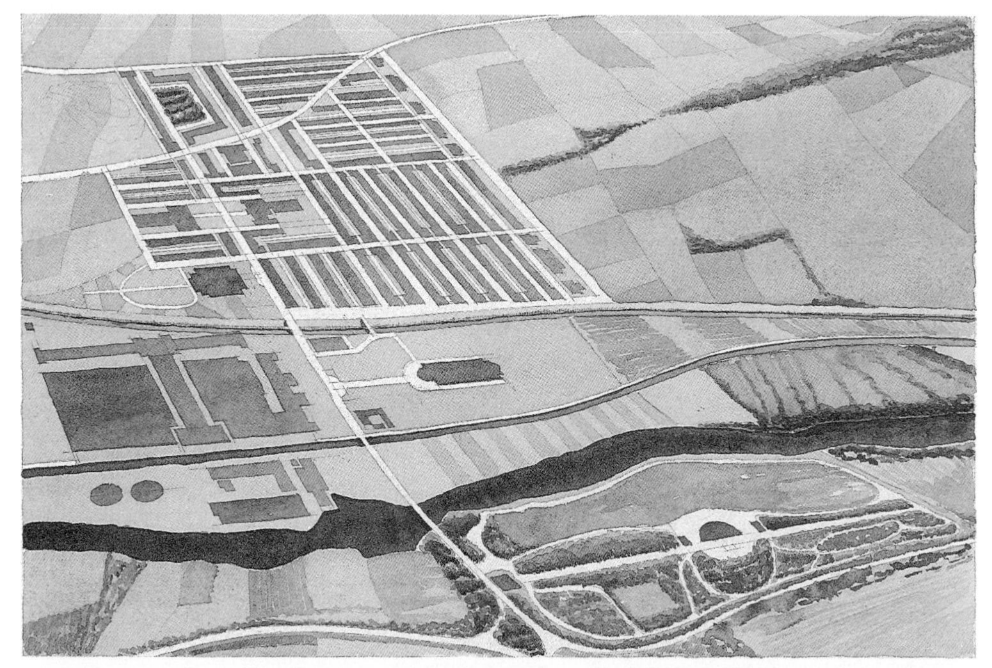

168，169 萨尔泰(英国)，平面及鸟瞰照片。生产区位于前景(平面图中的左下侧)，它的对面是一座带有圆顶和半圆形前廊的教堂。维多利亚街穿过两者之间(向照片及平面中的左上方延伸)。在沿维多利亚街的远处有一座庞大的T形的带有塔楼的建筑，它就是萨尔泰俱乐部和学院；正对着它的是“厂区学校”。

离开这个城市中心，经过了一排商店之后，维多利亚路来到了另一个设有公共机构的十字路口。路的一侧是“厂区学校”，它离街道较远，另一侧是萨尔泰俱乐部与萨尔泰学院。这些机构在工人们的不同人生阶段帮助他们提高知识和智力水平。教堂巧妙地利用了一系列幕障将男女学生分开，“同时又使他们处在老师的统一控制之下”。毕业之后，学生们可以在街对面的学院里终身研修其他学问，“在那里你可以交谈，研究生意，休闲和振作精神，同样也可以接受教育——基础性的、技术性的或科学方面的等等。”学院还代替了酒馆的角色，因为泰特斯爵士在他的模范小城市里禁止“啤酒店”的存在；学院的“目的就是要发挥原有公共场所具有的优点而不是助长其中的歪风邪气”。在这些公共建筑的后面，即维多利亚街的西侧，住宅建筑整齐地作平行排列。

小镇的轴线到山顶的位置结束，这里是一间救济所和一间医务所，它是泰特斯大度气质的重要表现，同时也是他和工人的契约中的谈判筹码。救济院像是一条联排式的意大利别墅，可以容纳全部4000个工厂职工中的60位老弱病人。住在救济院的人还能获得少量退休金。入住的资格以年龄和需要为依据，而且必须严格地是泰特斯爵士所裁定的那些“正直的人”，在泰特斯死后，这一资格则由一个理事会来审定。申请必须被一位有正式资格的医生和一名神职人员提供的书面声明所支持，还需要有一封关于职业经历的证明信。这种有选择的慈善措施远不是提供给整个工人阶级的全面性的福利计划，它奖赏那些循规蹈矩的人，这些人一方面把一生都献给了企业，另一方面还要符合雇主的基督教美德，以及在包括卫生、娱乐等内容在内的科学社会知识方面的双项标准。不符合这些标准的工人及其家庭则被排除在这一工厂天堂的门外，由他们自行面对衰老的余生。

神圣的城市

因为宗教是前工业社会的基础，所以我们可以说，所有前工业城市都有其宗教性的一面。但本节将要从中分离出来讨论的是那些专门性的圣地式的城市，它们的物质组织表现出一种刻意的宗教仪式的特点。这些圣城中有一类——如麦加和耶路撒冷，它们本身就是宗教的发源地；还有一些则集中膜拜某一个主要的神灵，比如在底比斯的亚蒙神（Amon），或在贝拿勒斯（即瓦拉纳西）的湿婆神（Shiva）；而在另外一些城市里，国王需要稳定自己的统治，他们采取的手段就是在城市形式中打上复杂的宇宙图形的烙印，阇耶跋七世（Jayavarman VII）在吴哥城所做的事情便属于这类性质。

并非所有的圣城都寻求通过可见的设计来表现象征性。在贝拿勒斯混乱的结构当中，我们无法从1000多个寺庙和500多座湿婆神像的组织规律背后，看出印度教宇宙观中的多重性框架。有一种断言称这个城市的每一个重要庙宇的周围都可以找到一条供巡游用的街道，而这一点就是这座城市宗教规划的基础，但这一断言尚未得到证实。然而根据印度史诗中的文字记载，在庙宇大解体（mahapralaya）之后出现的第一批城市当中，印度教的宇宙图形是通过神的标志和朝圣者的路线（或称 yatras）描绘出来的。这一理想图形是一系列的同心圆，越接近中心的地方神性越高。这7个圆代表空气的7个层，它们与代表方位的射线在8处相交。而在这56个接触点上，布置着象首神甘奈沙（Ganesha）的神龛，甘

图版 1

奈沙是湿婆的儿子，也是神界的卫士。[14]

另一方面，在东亚和南亚的一些圣城当中，类似的宇宙图形从一开始时就决定了城市规划的图形。这些城市产生于中世纪，它们是国王们政治权力(和宗教纯洁性)的证明。著名的例子有建于11世纪的上缅甸(Upper Burma)首都蒲甘，高绵帝国(Khmer Empire)的神圣中心、具有“上帝之城”荣誉的吴哥城，以及印度南部的庙宇城市马杜赖，马杜赖绝大部分是16世纪和17世纪的产物，它的建立与Nayaka王朝及其创始人Vishvanatha有关。[15]

173
25

在这一政治过程的初期——也许可以追溯到公元1世纪，许多部落首领接纳了神圣王权(deva-raja)的理念，开始崇拜王权及王权所特有的东西——宫殿、王座、伞盖、男性生殖器——这些东西都存在于圣城里。[16]为了表现其虔诚和权力，国王按照圣书——如《工巧论》里所描写的宗教程序来布置圣城。因为城市是国家用来确保人间和天堂之间达成对话的契约，所以城市的选址要经过泥土占卜来仔细推敲。神庙和城市都要按照同样的圣图来布置。它们都必须朝东，并与罗盘上的4个区相一致。4个城门与主轴线对应。主神庙和王宫位于中心。一系列同心环路形成的方形将核心区包围，同时这些道路也是圣像巡游时经过的路径。这些环路的名字是泰米尔(Tamil)年历中圣灵造访城市的那几个月份的名字。沿街部分是按不同阶层和不同职业划分的生活区。

170,171

印度南部斯里兰格姆(Srirangam)的空间模式显得尤其纯粹。[根据扬·皮珀(Jan Pieper)的分析]这一模式从整体的地形开始的。斯里兰格姆是印度南部四个毗湿奴神(Vishnu)朝圣地中的第一个。如果按照某种指定的步骤造访斯里兰格姆的话，那么朝圣者就相当于参拜了整个泰米尔地区。这座城市也是散布在高韦里河(Cauvery)沿岸一系列圣地中的一个，它的位置似乎是处在这条河流中的“末端岛屿”上。这片大地理范围的圣地最后聚焦到城市周边的圣土(Holy Field)一带，圣土再分成几个同心的区域。最内部的区域中标有8个供朝圣者在洗浴仪式中使用的水池或“水箱”(第9个设在主神庙内)。如果按照某种秩序在这8个标记间移动，那么朝圣者就相当于在城市里巡回了3次。城市外围区域呈钻石形，钻石形的上下两个端点分别是沿北面的科烈隆河(Coleron River)和南面的高韦里河的两条石阶道或焚化场，而东西两个端点上则分别是城外的两座重要的庙宇。

城市本身由7道同心墙包围而成，靠里4重墙的区域为庙宇区，靠外3重墙的区域为住宅区。两条垂直交叉的道路在正方位穿越各城墙。在各穿越点有山门作为装饰，山门的高度从外向里逐渐降低。紧挨着庙宇区的两条环路(Uttira街和Chittira街)上清一色地居住着婆罗门种姓的人。第3条环路(Adaiyavalanjan街)的西北角和东南角上也居住了一些婆罗门居民，但另两个角上则居住着低一阶层的人——东北角是农业工人和农民，西南角是工匠和佣人。除极少数特例外，花车节的巡游活动一般不不可扩大到第3条街道，巡游只限于在Uttira和Chittira街上进行，而且只能沿顺时针方向。

173

吴哥城建于1181年至1219年之间，历时约四十年，这个城市在创造的过程中表现了印度教和佛教共有的宇宙图像。天帝居住的仙山是这个宇宙的轴心；仙山的周围是一系列较低的陆地和海洋，那是人类和神灵居住的地方。吴哥城通过严格的正交型平面和奢华的装饰性建筑风格实现了一种宗教性的结构。巴云寺(Bayon)位于城的中央，它是城中最大

170，171　印度南部斯里兰格姆：圣城中心的平面图，及包括该城市和高韦里河(Gauvery River)沿岸一系列朝圣地在内的整体区位图。

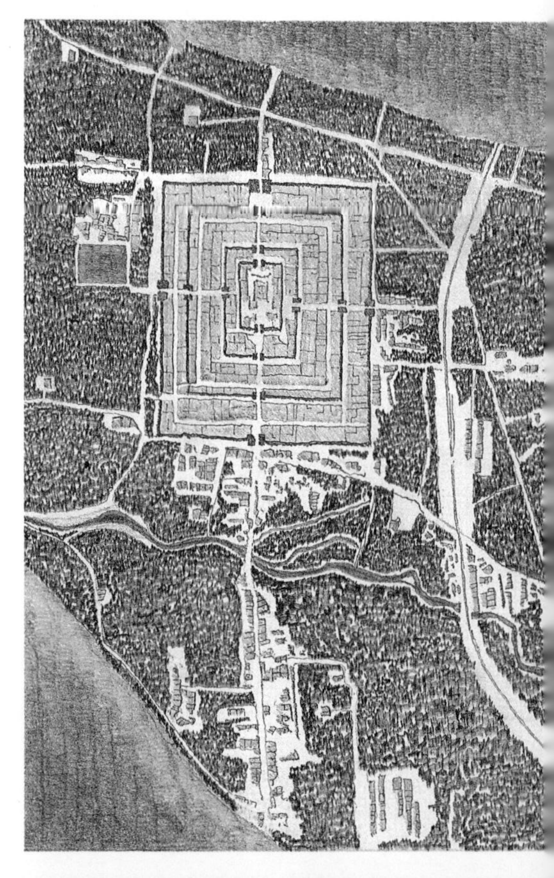

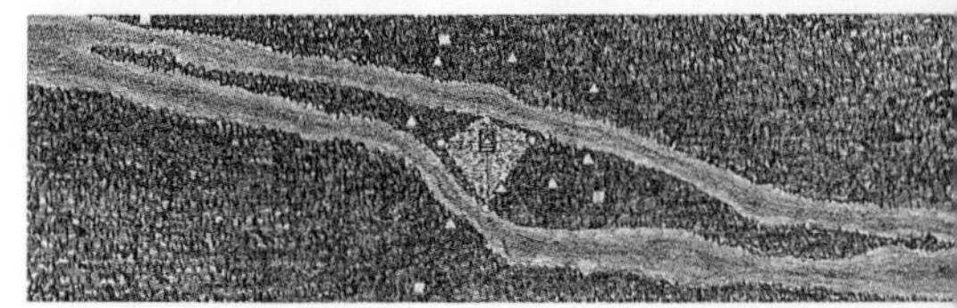

172 柬埔寨吴哥窟（Angkor Wat），越过护城河见到的寺庙。

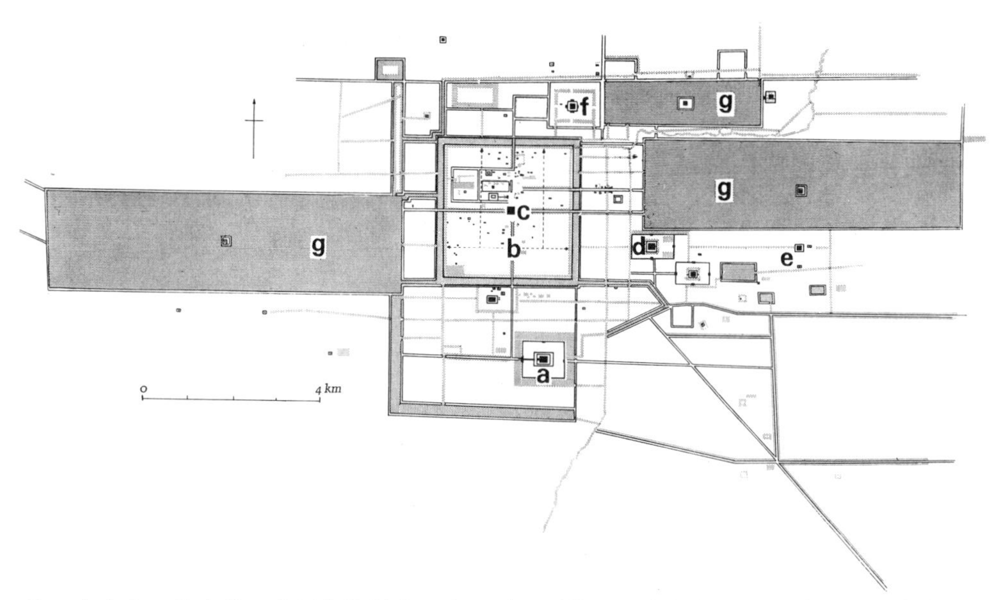

173 吴哥城布局简图，其中：a. 吴哥窟；b. 吴哥城；c. 巴云寺；d. 大浦隆寺（Ta Prohm）；e. 普拉普寺（Pre Rup）；f. 普瑞克汉寺（Preah Khan）；g. 水库。

的一座庙宇，代表着上帝居住的须弥山（Meru）。围绕巴云寺的是一座围合式的皇家宫殿，宫殿再向外是一道城墙和一条宽阔的护城河，它们与宇宙结构中较低层次的元素相联系。护城河上有 5 条石头铺砌的堤道越过。皇城形成每边约 2 英里（3 公里）的正方形。主轴线上 4 座城门的塔楼分别朝向 4 个正方位，4 个塔楼的顶端与中央宇宙里的门塔一样，矗立着观音（Lokesvara）四面像。运河由位于护城河东西两侧的人工湖供水，河道穿越了整个城市，同时也灌溉着城墙外的土地，在城外，普通的民众住在人口稠密的村庄中，村与村之间有稻田作为分隔，而庙宇则从它们各自所在的方形院墙中突显出来。这些庙宇中最著名的是吴哥窟，它有 5 座塔楼，象征着须弥山的 5 座山峰。周围的人们在参拜的同时还供奉着庙宇，信众达数千人之多。172

在基督教世界中，我们没有发现类似这种发展精深的在城市组织中包容天国空间结构的实例，传统伊斯兰土地上也没有出现这类情形。在这两种宗教中，描绘天堂物质状态的文字相对比较缺乏。这些文字提到天堂中有 4 条河。提到世界上某些特殊的脐心石（omphaloi），例如耶路撒冷的亚伯拉罕石（Rock of Abraham）。但这样的文字不足以依据来建造一座圣城。关于神圣耶路撒冷本身的意象基本上也是非常一般的。

基督教中最值得关注的做法是用特殊的几何和数理符号来塑造圣城。最早的实例是 7 世纪和 8 世纪建于法国北部的本笃会（Benedictine）修道院森图拉（Centula）或称圣里奎尔（St.-Riquier），它是附着在一个约 7000 人的小镇旁边形成的圣城。修道院建筑现在已经不存在，它属于三一教会（Trinity），布局大致呈三角形，这一形状也包含了这一层象征。从一幅 1612 年所作的描绘该修道院 11 世纪时情形的风景画中，我们可以看到 3 座教堂分别占据着三角形的 3 个端点，其间有墙和柱廊相连，形成了一种扩大的回廊式建筑。周围的 7 个小村庄也同样参与了宗教功能，它们就像罗马的 7 个朝圣点。武士、商人和手工艺者生活在城里彼此独立的邻里当中。

在过了很长一段时期之后，在鲁汶（Leuven，又名 Louvain）的东北部建立了尖山镇（Scherpenheuvel）。这是 1603 年由天主教荷兰的统治者阿尔贝特大公（Archduke Albert）和他的妻子伊莎贝拉（Isabella）在当地原有的一棵供奉圣母的橡树的位置上建造的，献给圣母玛丽亚的一座七边形星状城市，海星（stella maris）。之所以将这里建造成朝拜地，目的是为了对抗不断扩大的荷兰新教势力。在城的中部是一个七边形的花园，这是象征圣母玛丽亚的围合的花园（hortus conclusus），在橡树曾经生长的花园中央位置上建造了一座朝圣用的小教堂。七角形花园与护城墙之间的地方打算用来建造城市。一座皇家城堡选择了其中一个主要位置。3 条游行道路经 3 座城门穿过城市，通往广阔的乡间。“在所有这一切的背后存在着一个理念，”布劳恩费尔斯这样写道：“就是将星形的城墙与星形的象征意义联系起来，以加强整个结构综合体的力度。”[17] 城墙于 1782 年被拆除，但放射状设计格局一直保存至今。

政治图形

如果说圣城强调的是信仰的中心性，同时又将自身转化为天堂的缩影的话，那么代表世俗权力的理想城市也将使用同样的图形来为统治者及其军事防护势力塑造某种视觉上的首要地位。在神权政治的统治体系当中，或者在急于表现虔诚并试图吸纳宗教机构的政权之下，庙宇、教堂和清真寺从来都不会远离权位。但是政治性图形强调的是单一中心的统治权，其最有表现力的手法就是轴线和圆。

线形系统

轴线布局常常用在那些能够支持轴线这一前提，并且能突出其重要性的整体性城市图形中。轴线的出现需要依靠两种诱发因素中的一个：其一是宇宙观，其二是物质和文化表征。

对于前一种情况来说，中国显然是最具探索价值的例子。中国的规划者们毫无例外地通过强调南北轴线即利用子午线来布置都城。这种做法与一种关于宇宙及统治者在宇宙中位置的思想体系相对应。在中国人的宇宙观中，地是一个稳定的立方体，而天则是圆形。空间被认为是一系列有规律重叠的方形，它的正中间是严格按照罗盘方位布置的都城。而都城的支柱，则是统领南北主轴线的宫殿，宫殿朝南（其他重要建筑物也是如此），南方是朱雀的方位，象征夏与火。北方则是冬与破坏性蛮族的来源地。北的颜色是黑色，除了供奉神灵和祖先的时候外，皇帝永远背对着北方。

城市形式中的每一个细节，具体至房屋在“坊”（即邻里）中的位置和它应有的大小等等，都必须由官方的规则来确定，规则的依据当然还是各人的地位。在皇宫中的明堂，皇帝根据自然的周期来调节自己的行为，在不同的季节中更替使用不同的室，一年之后完成一次轮回。这种天道由上天传给了第一任皇帝，也就是传说中发明了测量术的大禹王。它呈一个九重的正方形，同时也是明堂的图形，但其固定性并不是绝对的。每当都城迁移时，宇宙的中心也跟着调整，因此这里谈到的秩序是一种存在的秩序，而不是几何学或地理学上的秩序。每一代皇帝都想要有自己的国都，所以他或者会在继承来的国都上增建，或者会另外选址重新建造。[18]

如果新朝不急于使用前朝遗留下来的旧城的话，那么建造新都城的基本模式可以有两

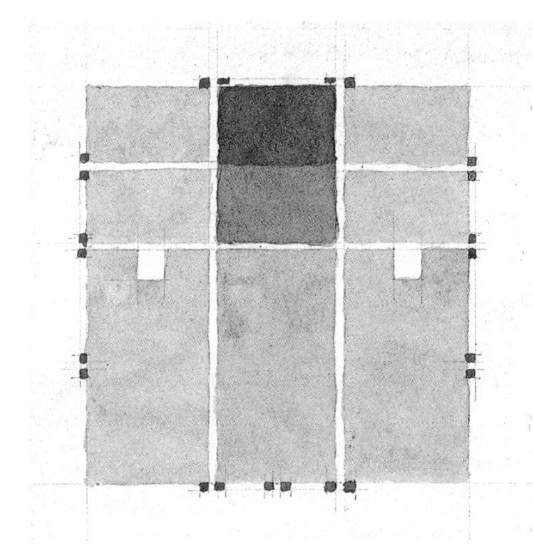

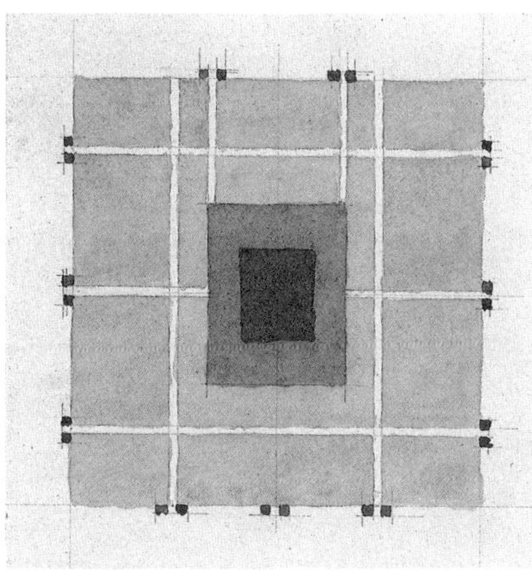

174，175　中国古代都城的两种古老形式：一种皇城居北，背靠北城墙，长安属于此类（上图）；另一种皇城居于城市中央，北京属于此类（下图）。

种。两种模式在公元前1000年左右都已经存在。事实上，到第一个统一的王朝汉朝时，即西方基督教产生的时代，中国已经在城市建筑方面积累了大量的知识和实践。正方形或长方形的形制已经确立，同样确立的还有城市必须按照东南西北四个正方向布置，必须“坐北朝南”，功能相互区分，以及对城市中的土地神、皇宗和天神等祭拜场所的布局要求。两种都城模式在实践中都可以根据具体地形对原有的理想形式作出调整。尤其是当中国人迁移到东南部长江流域建都时更需要如此，因为那里是多山地区，与早期北方的平原地形不同，实现整齐的图形式规划就比较困难。

第一种模式以唐代（7—9世纪）的长安为代表。在这里，皇城位于中轴线的北端，我们前面讲到过这一点。长安位于陕西省中南部渭河岸边。唐代时，长安的外城墙周长超过22英里（36公里），人口约100万。在同一地点建造的前朝都城——即西汉的长安则要小得多，一般居民居住在靠近城门的城外。 *174*

到8世纪时，唐长安的规划“已经成为东亚统一规则的典范”。[19] 日本在708年建造的平城京模仿了它，8世纪其他的一些日本都城［如难波（Naniwa）、信乐（Shigaraki）、久尔（Kuni）］，以及渤海国的上京龙泉府（在现代黑龙江境内）也都模仿了唐长安。平城京比1/4的长安略小，它的网格是永久性的，但是，与中国模式不同的是，平城京没有城墙。平城京是元明女皇（Gemmei）的都城，它的前身是藤原（Fujiwara），由天武天皇（Temmu Tenno）规划，并由他的继任者建造。平城京于694年启用，被认为是第一个经整体规划的日本国都。城市中的长向道路朱雀路（Suzaku）将城市分成东西两半，同长安一样，宫殿位于城市北端。[20] *139*

在另一种模式中，宫殿位于城市的中部；北京就属于这种情形，当然它是较晚的一个例子。似乎是忽必烈在1267年建造他的蒙古都城大都时复兴了这一古老的模式，这种模式已经很久没有被采用，忽必烈这种做法的目的也是为了赋予他的非汉族政权一种正统性。北京是在元大都的废墟上建造的，仅仅保持了旧的形制。的确，当宋朝在960年将开封作为北方首都的时候，中国的都城已经失去了它作为天宇秩序象征的纯粹性，除此之外，城市还增加了作为商业和制造业中心的功能，商店遍布整个城市结构当中，而不像长安那样：市场呈严格控制的封闭式格局，对称地设在中轴线两边。南宋的首都杭州则相当不规则。后来保守的明朝定都北京，在大都的启发下，城市规划才又回到传统宇宙学所规定的严格的规则性原则中来。 *175* *图版2*

北京模式的依据是公元1世纪时一本名叫《周礼》［周（王）的礼仪］的著作。这篇文字提出的要求是：“惟王建国，辨方正位，体国经野，设官分职，以为民极。”[21] 城市建设从四方形的外城墙开始，每边墙上设3个门。主要的东西、南北向道路将这些城门连接起来，除城门外这些道路只受到一次阻隔，即位于城中央的皇城。在南北和东西方向上还各有6条次要街道，“南北向的街道应该可容纳9条战车道（经涂九轨）”。祭拜皇帝祖先的寺庙位于城中心的东侧，而供奉土地和粮食的祭坛位于西侧，南面是朝廷，北面是市场。

如果没有这一类玄妙信仰系统的约束，那么政治轴线就由宫殿的位置来决定，同时还需要照顾到地形，如果当地还存在着过去的文化或过去的政权遗留下来的人文古迹的话，那么还需要考虑可能有的象征联系。在这方面，让我们从古代的中国一直跨越到20世纪早期的不列颠，以及不列颠统治下的印度新首都。在以后的章节中我们还将多次提到 *176*

新德里，但本章主要关心的是其中的政府轴线。就如当年埃德温·勒琴斯(Edwin Lutyens)设计的那样，新德里由一条名为“中央大道”或“国王大道”(King' s Way)的东西向主要道路组织起来。这条大道从山顶布置了一座拱顶政府大厦的制高点雷西那山(Raisina Hill)出发，向东通往普拉那圭拉(Purana Qila)，也叫英德拉派特(Indrapat，或Indraprastha)，普拉那圭拉是被英国人建立的这个新德里取代的历史上的几个旧德里中间最古老的一个。

207 新德里的城市形式来自华盛顿的中央林荫道，在华盛顿，宽林荫道的一端是国会，另一端是林肯纪念堂。但新德里却带有独特的不列颠殖民地的象征意义。在政府大厦的前面，总督官邸与雄伟的秘书处大厦并列，在中央大道的尽端形成一组纪念性的视觉焦点，这两座建筑的前面是行政委员会的办公区。正式任命的政府官员们住在靠近政府中心的南北两侧，其中职位较低和年限较短的官员住在北侧。在靠近国王大道东端的地方是一个放射状图形，放射形的中央布置着一座凯旋门，这里住着印度“本邦”中的贵族。1913年的一份总结报告中对这条轴线从东向西至最高处的总督府结束的序列作了象征性的描绘。“它将人们的想像从机械带到了主动力本身”，政府大厦不仅是新城市的中心，还是“统治

图版 28

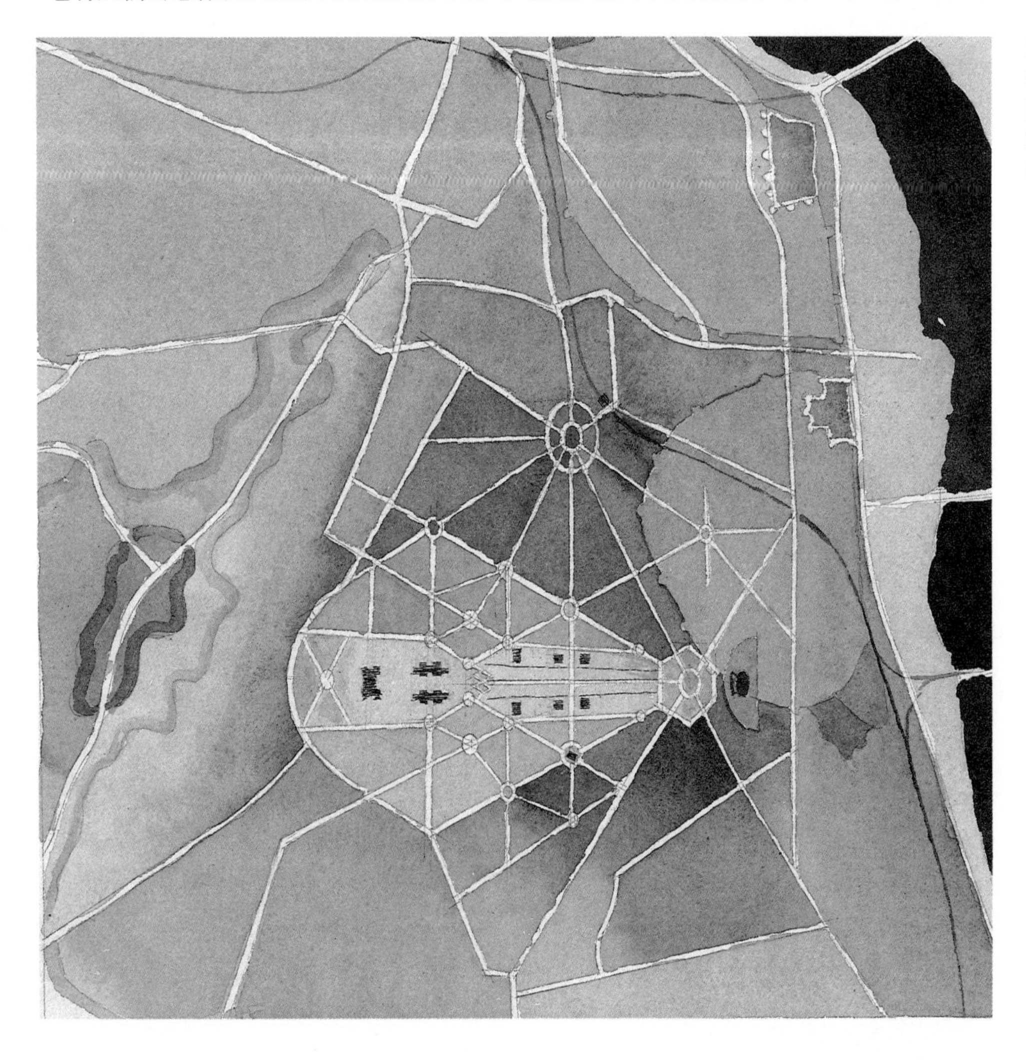

176 新德里的简略平面，图中可见东西向的政府轴线(图中中央偏下位置)、轴线以北的康诺特圆形广场(Connaught Circus)以及亚穆纳河(Jumna River)边留有城墙遗迹的旧德里，或称沙贾汉纳巴德(Shah jahanabad)(图中右上角)。

177　新德里，国王大道向西看，面朝秘书处和政府大厦，1945年。照片反映的是“胜利周”游行时的盛况。

印度帝国的基石；它是政府地位的最高表现形式”。[22]

皇后大道与东西向轴线垂直相交，在原计划中，火车站将位于皇后大道的北端(未建)，英国圣公会教堂位于南端。在两条大道的相交处有4座大型建筑，包括东方学院、国家博物馆、国家图书馆和皇家档案馆，它们围合成一个文化广场。皇后大道西侧，在火车站与秘书处之间，是地方行政人员和欧洲职员的居住区。往外是印度职员的居住区，而更远处的地方是“非公务人员”居住区，这里的人地位和阶层太低，所以没有资格住在都城里，这些人包括勤杂工、扫地工和清洗工。总的来说，这种等级分明的住宅区从主轴线开始，沿放射状道路向外作扇形扩展，从秘书长到助理秘书长、书记员、监管员，之后是较高阶层的欧洲职员，再到印度职员。加尔各答报纸的记者提出了这样的疑问：“让那些付得起汽油和车旅费的高官和富人住到郊区去，让他们的下属走路上班，这样不是更好一些吗？”显然，这位记者没有能够理解理想城市的前提，或者羞于承认其中的逻辑。

事实上国王大道轴线以及国王大道途径区域内的六角形网格限定出了一个精密的建立在种族、职位和社会经济地位之上的空间结构。如果某人被分配到这个结构中的某个位置上，那么这个人的地位就可以从他的住所的经纬坐标、宅基地范围、与政府大厦接近的程度、房屋的大小、所临街道的宽度、街道的名称和区段，以及住宅类型的名号和门牌号（如 4 区 1E）等等数据中精确地表示出来。[23] 临时性的国王接见营也同样采用这种细致的等级制，1903 年柯曾爵士（Lord Curzon）为庆祝爱德华七世（Edward VII）加冕而搭建的仪式场地即是如此。

现代主义对纪念性怀有偏见，同时还坚信传统社会机构与现代建筑无关，所以它不大可能被新德里用来作为表达权力结构的语言。于是，作为一件 1960 年代的产品，巴西新首都巴西利亚的政府轴线就成为破旧立新的标志。在 200 米宽的林荫道两边，规划师们排列了各种政府机关，也许是为了强调象征意义上的平等性，所有建筑都采用了相同的板楼式设计。两个传统上最有威望的部门——外交部和财政部的建筑形式相对突出，并且靠近位于轴线东首的三权广场，三权广场周围的建筑由国家立法部、行政大厦[也叫高原宫(Palace of the Planalto)]和最高法院组成。立法部建筑群横跨在轴线上——其中的两幢高层板式建筑是秘书处，看上去像两片白色塔墙，处在压轴的位置，高层建筑的两边是两个半球体，向上的半球为参议院，向下的半球为众议院。沿轴线向下，在政府机关大厦群的西面，有一座形状突出的建筑，它总体上呈圆形构架状，上部集中形成尖针样的顶冠，这座建筑即是大教堂。西面的另一边，是国家剧院——再往下，另一条主要城市交通干道在这里腾空跨越林荫道，在主轴线的上方形成巨大的平台。主轴线在穿过立交平台之后，来到电视塔，电视塔之后是风格较为平和的市政机

178　巴西利亚，政府轴线向东看，面朝三权广场(Plaza of the Three Powers)。大教堂位于右侧，大教堂和广场之间由一条政府办公带公开。

关建筑，最终到达火车站。

集中性的系统

另一种标记政治秩序的手法，是按重要性递减的趋势从城市中心向外围逐圈扩散，而不是让一条主要轴线统领其中。这类手法可以细分出两种变体：一种是向心型，另一种是放射型。

1. 向心性的组织

向心性意味着圆，但在城市图形中，圆形充其量只是相对的。日本的“城下町”(jokamachi)，即城堡城市，是16—17世纪取代衰落了的日本中央政权的、集所有权力为一身的封建贵族阶层的象征，城下町几乎没有表现出任何理想城市的几何纯净性，但它们毫无疑问是一种中央权力的体现。这些城堡城市，其中包括江户(Edo)、大阪(Osaka)、高岛(Tokashima)，高知(Kochi)和熊本(Kumamoto)，是新生的封建大领主“大名”(daimyo)的所在地，城市的核心就是“大名”的城堡。在城堡的外围排列着两圈仆从的住宅。在仆从住宅与城堡建筑之间，处于主要城墙与内护城河保护之内的地方，是高官的住宅。外圈住宅内住着阶层较低的仆从，那里基本不设保护措施，但有时可能会有一道外护城河或泥土路障作为防护。外圈住宅的边上布置着一系列神庙和圣祠；它们形成第一道保护圈，把守着主要道路和入城的各个关口。在两排仆从住宅之间，住着被大名特别恩宠的商人和手工艺人。[24]

179

东南亚地区的宇宙观将圆形及圆形在城市中的表现形式——中心型理想城市，与方形及方形在城市中的表现形式——网格型城市结合了起来。这种结合最玄妙的文化表现是印度的曼陀罗(图形)。

曼陀罗是一种图形式的神秘的宇宙符号：它是一个圆形，中间部分最为重要，它是永恒的所在。人是他自己的世界，即他自己的时/空界的中心，他在这个位置上接受宇宙的奉献。但是绝对的、超越现世的秩序则存在于方形之中，方形显示的是一种至高的原则，即婆罗门(Brahma)——这是现实世界在初创时就被赋予的几何形式。圆与方这两种理想形式由一些基点固定，它们的周长可以被1~32之间的任何数字除净，产生出1~1024个单位，或称pada。

由祭司从这些变体图形或曼陀罗图形中选择出一种作为布置城市的基础。其中，有一种具有城市特征的曼陀罗图形叫作“万字形”(swastika)，一种十字状的曼陀罗叫作dandaka，还有一种莲花瓣状的图形叫作padmaka。早期的城市规划现在已经无法发现，一个罕见的例子是位于奥里萨邦(Orissa)的Shishulpargh，这是公元前1—2世纪间建造的一座带有城墙的城市。但是，如果我们可以信任现存建筑书籍中的描述的话，那么城市中的住宅区块就应该相当于曼陀罗中pada，同一pada内集中居住着同一类职业的人群，而只有在每个pada内部才允许出现一些较随意的巷道和步行小径。抽象的曼陀罗图形的痕迹也可以在现实城市中找到，加德满都(Kathmandu)(尼泊尔)附近的Kirtipur就是一例。

181

天象学家兼国王Sawai Jai Singh(1700—1743年)在拉贾斯坦邦(Rajasthan)设计以他

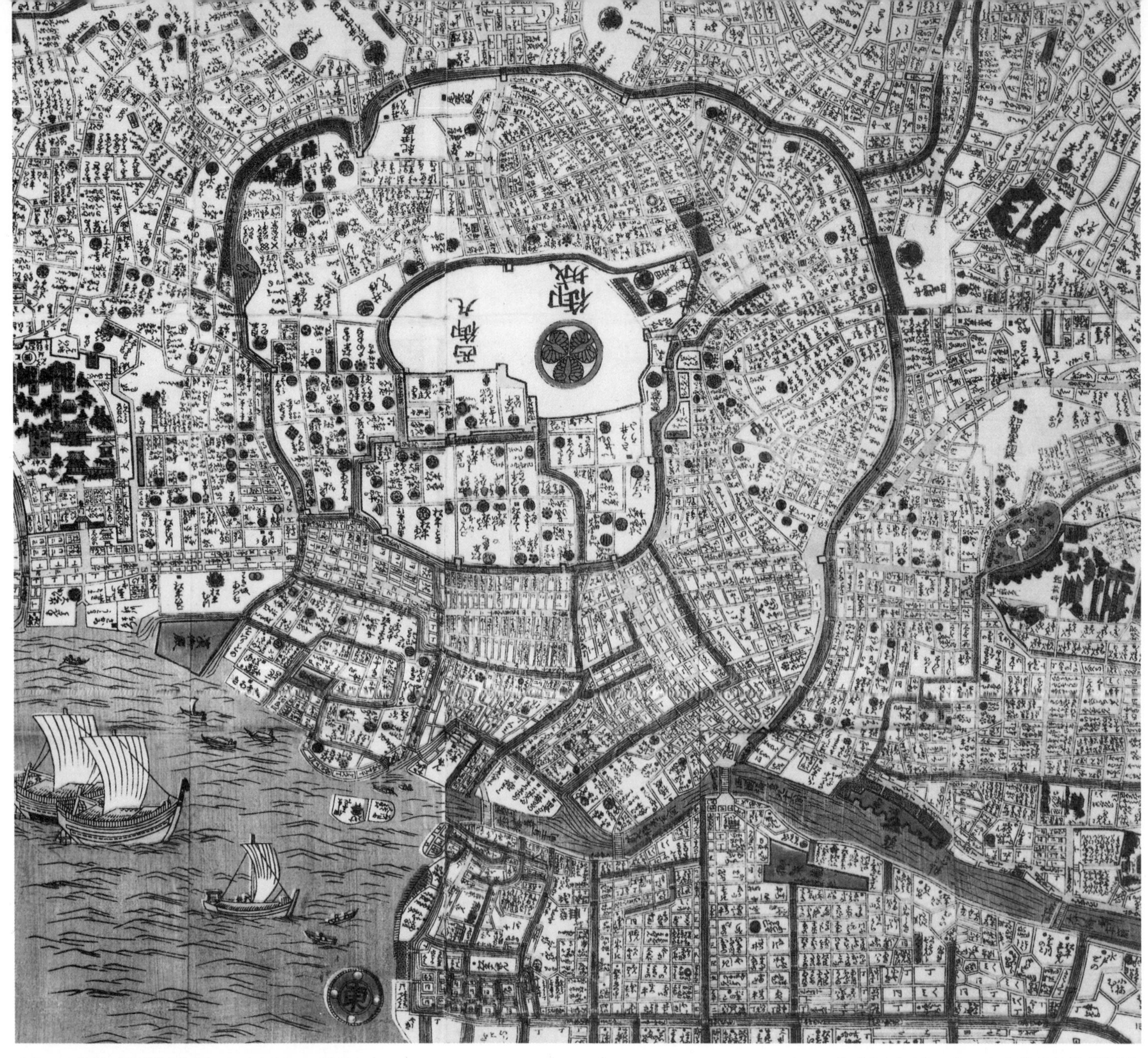

179　1849 年“大名”城市江户（东京），木刻图的局部。东京是在 12 世纪晚期围绕着武藏省(Musashi) 地方长官（Edo Shigenaga）的城堡建立起来的。相对于平城京（见图 139）清晰的几何性而言，江户是按照一种虽然不规则但却极具目的性的模式发展起来的，表现出武士城堡城市特有的系统特征。在 17 世纪初之前，这里是日本封建政府的所在地，人口超过 100 万，可能是当时世界上的最大城市。

180　斋浦尔(印度)，以一个古老的曼陀罗图形为基础的由 9 个方形组成的城市平面。

181　古代印度文献中提到的 4 个与城市平面相关的曼陀罗图形：圆形的 vastupurusha、万字形的 swastika、dandaka 和 padmaka。

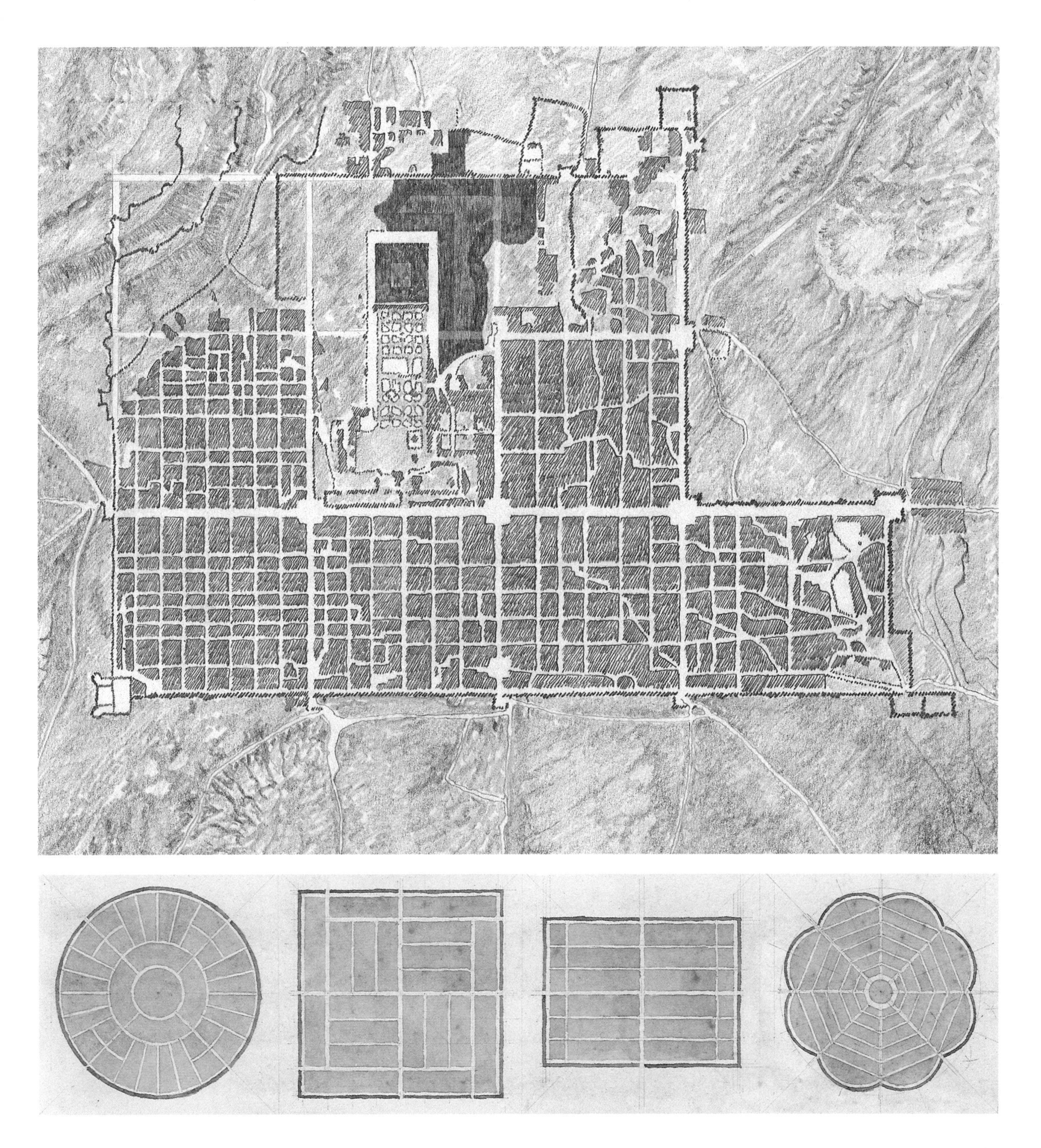

180 自己的名字命名的首都城市斋浦尔时，为了政治目的，有意识地复兴了这些古代城市规划的传统。[25] 他采用的是曼陀罗中的 prastara 图形，由 9 个方块组成，由于那哈嘎山(Nahargarh Hills)的原因，西北角的方块被移至东南角以服从地形。网格稍稍朝东北—西南方向倾斜，目的是为了避免某些风向给该地区带来的不利气候影响。中央的方形上是宫殿建筑群和天象台，其他地块是住宅，内部街道也按正交方式布置。南北方向的主要道路有 3 条，东西方向的主要道路有一条。在主要道路的交叉口形成 3 个公共开放空间，叫作 chaupar，每个 chaupar 为 330 英尺×330 英尺(100 米×100 米)，全部为步行空间，chaupar 四周的建筑立面也受到统一控制。国王的宫殿占据了曼陀罗图形中婆罗门的中心位置，天象台则赋予了城市与上天沟通的机能，而曼陀罗就是与上天相关的符号。Jai Singh 在斋浦尔的做法可能还有另一个来源，这就是表现在 Transoxiana （即现代乌兹别克斯坦）的穆斯林传统，15 世纪时，帖木儿帝国的统治者 Ulugh Bey 就在首都撒马尔罕建造了一座天象台。而 Ulugh Bey 又可能受到更早的当地传统的影响，其代表就是奥克瑟斯河(Oxus)沿岸靠近撒马尔罕 Khwarazm 地区中的 Koy-Krylgan Kale。这是一个圆形的城市，可以追溯到公元前 4 世纪，其功能是一个有城墙的陵墓或神庙，和一座天文观象台或更准确地说是一个圆形的星盘。

如果我们接受舍贝里提出的关于前工业城市经典模式的理论的话，那么我们就可以认为这种向心原则具有更为广泛的普遍性。因为在这一模式中，中心始终被政府、宗教以及精英阶层的居住区所占据，低阶层的人被谴往外围，可以说，所有前工业城市，无论其城市结构如何无序，都会表现出这种向心性的意图。

在殖民地城市中，社会阶层从中心逐渐向外降低的过程隐藏在无差别的正交网格——或者说是形式感更弱的空间结构当中。上一章我们分析了根据《印度群岛规则》建立起来的新西班牙地区的网格城市。在那里，中央广场及周围地区是最高阶层人群的专有领域，住着纯粹西班牙血统的家庭，其渊源可以直接追溯到征服时期；这些人处在城市最中心的位置，向外去，社会阶层的等级逐渐衰减，直到城市的最边缘，那里居住着黑人与白人的混血儿。

新英格兰曾经流传过一本 1635 年出版的名叫《城镇的布局》(*The Ordering of Towns*)的小册子，其作用和影响力与《印度群岛规则》相当，它为农业性社会规定了与《印度群岛规则》类似的空间等级。这位作者提出的城镇方案是围绕议事厅的 6 个同心圆，议事厅是“整个圆环的中心”，围绕议事厅排列的住宅形成第一环，第二环是公共田地，再向外是放养牲畜的草地。小镇最初的边界就到这里为止，并一直保持如此，直到这个殖民区财富增加，有能力建造第四环、第五环住宅。在这几环住宅之外，是一条宽阔的沼泽和森林地带，这里 2/3 的土地被分给最先来到这里的居民，但这些土地仅供使用不可居住。根据各人的地位和财产决定土地分配的做法强化了社会中的等级差别。当第一代殖民者的子女不可避免地要求得到比契约允许的数量更多的土地时，空间秩序便开始消失，小镇初始的规则也就解体了。[26]

将城市和城市区域描述为一系列同心圆的习惯在 17 世纪或更早的时候就已经形成了。在西方，这种说法的古典起源要属柏拉图所说的亚特兰蒂斯(Atlantis)，这是一个由土地和水体组成的 5 重圆形围合成的卫城。但无论是从文字还是从视觉的角度看，文艺复兴时期才正式赋予了这个规则一种特殊的城市形态。

戴维·弗里德曼使我们注意到14世纪后期的一幅建筑拱顶的绘画对佛罗伦萨城邦所作的早期带有象征性的描绘，这幅画首次将我们引入上面提到的思路。政治符号如百合和鹰位于这幅画的中央。周围是16条代表城市16个地理分割区的臂膀以及它们集合成的四大块。再往外是两条行会组成的外环，每个行会有各自的盾徽为标记，同时还有各行业的守护神。城墙构成城市的最外圈——在这幅象征性的空间和政治结构图形中，城墙是惟一一个属于真实城市的物质元素。[27]

佛罗伦萨共和政体的大臣及人文主义者莱昂纳多·布鲁尼(Leonardo Bruni) 在1403—1404年所作的赞美佛罗伦萨的文字中的描写则更加具体一些。他将城市和周边区域描写为一个理想的视觉整体，城墙环绕着城市核心和位于中央的市镇厅维齐奥宫（Palazzo Vecchio）——这座“城堡中的城堡”。城墙外是郊区、乡村的府邸和地产，再向外则是一圈附属小镇；而“在最远地区的外面还有更大范围的环线的轨迹”。显然，从这里我们看到的是文艺复兴式的“完美城市”理想的雏形。的确，从15世纪的最后二十五年往后，佛罗伦萨的形象便忠实地表现出布鲁尼所描绘的这种几何性，即一座带有城墙的圆形城市以及城市周围的乡村和远山。但在布鲁尼的赞美文章中的另一处，他披露了这种向心城市图形的另一个来源。“城市站立在中央，尤如士兵和他的主人”，他写道：“围绕在城市周围的是一些小镇，各自有各自的位置。诗人完全可以将这种情形比作众星捧月。”[28]这种星象学的比喻使人联想到中世纪时，用一系列同心圆来表现托勒密（Ptolemaic）宇宙观的做法。14世纪末比萨（Pisa)的公墓（campo santo）就是这样一个例子，它包含的元素里有行星、太阳和九个级别的天使。

图版 33

在古代，政治力量的与星象之间的联系被认为是一种常情，所以天界中的圆形与王权从中心向外辐射的情形没有冲突。在近东，这个专制统治的摇篮，城市便毫不犹豫地以圆环的方式扩散。亚述人及之后的波斯人似乎对这种帝王式的图形运用自如。希罗多德记录了这种传统。根据他的描写，建于公元前715年的米提亚(Medes)首都埃克巴坦那（即现在的哈马丹）坐落在伊朗西北部平原中一个低缓的山地上。他说这是一个彻底的圆形，有一个由7层同心环墙组成的复杂的系统。每层环墙漆成不同的颜色，以便和某一个行星联系起来，最外层墙为白色，代表木星，中间银色的墙代表月亮，金色的墙则代表太阳。国王与他的随员住在中央，向外是级别逐渐降低的官员。普通民众住在最外层墙的外面。

帕提亚和萨珊（Sassanians）时代延续了这座传统。对他们的宇宙城市的核心内容我们还没有充分探究，但已经有足够的依据证明，这种以宫殿和神庙为中心的圆形城市形式是对帝王统治的有意识的图形表现。Hatra就有两层圆形城墙，城中央是一个大型的庙宇建筑群。另一座帕提亚时期的城市——伊朗南部Darabjerd的城墙也是正圆形，城墙内有两座石山，其中一座山上建有城堡，另一座山上很有可能是一座神庙。靠近它的城市古阿(即菲鲁扎巴德)是萨珊王朝的第一个首都Ardashir-Kurra的旧址，由王朝的创立者Ardashir一世（Ardashir I，公元226—240年）建造。城市的巨大圆形至今仍然可见。城区内按放射线组织，分成12个部分，每个部分以黄道上的一个星象命名。

182

182　古阿（即菲鲁扎巴德，伊朗），公元3世纪时萨珊王朝的首都。

2.放射状组织

将向心性的空间与连接中心和周边的放射状道路网相结合，这种做法在交通方面很有道理；但更关键，还在于政治上的原因，这种图形是对绝对权力无所不在的本质的一种强烈的视觉表现，而放射状的街道有时也兼任进一步分隔中间阶层的作用。

虽属这种图形，但并不完全符合的实例随处可见。即使在传统的非洲社会，只要哪里有政治上的集中体制，哪里就会有放射状的向心城市出现。阿善提(Asante)、约鲁巴(Yoruba)、豪撒(Hausa)、干达（Ganda）地区的情况都是如此。例如，在约鲁巴的城市伊费（Ife），放射状道路从王宫出发，穿越几条同心圆道路，到达不同的乡村领地。这些次一级的乡村领地根据其所有者的头衔和社会地位的不同，与王宫之间形成不同的距离，每个领地的首领都有责任维护通往自己领地的那一条道路。

8世纪的圆形城市巴格达是近东放射-向心式城市规划的最杰出的例子。巴格达也叫Madinat as-Salam或“和平之城”，根据哈里发（伊斯兰教领导人）阿勒曼苏尔的构思建造，是伊斯兰第二个重要王朝——阿拔斯王朝（Abbasid）的首都。设计延续了上一世纪被伊斯兰征服的波斯帝国的皇家传统。巴格达实际上位于底格里斯河（River Tigris）岸，离埃克巴坦那东部不远。

阿勒曼苏尔建造的城市的旧址从未进行过开掘，但不断有相关的文字记录出现。[29] 在圆形的中心是一个巨大的庭院，其中包括统治者的宫殿、清真寺、两栋警卫和警察楼。能够进入其中的人很少，而且只允许步行。这一圆形庭院的周围是阿勒曼苏尔子女们的住宅、他的佣人和奴隶的区域、财务部和军械库等政府部门以及宫廷职员的总部。这些建筑物的大门原来开向圆形庭院，不久后便根据法令开向外面的一条环路，这条环路将哈里发的私人区域与一条宽阔的居住带分开。这条居住带内生活着他的军队，这些军人从整个穆斯林世界中精心挑选出来，代表各个不同的种族部落。城市被双层城墙围合起来，城门只有4座。4条拱廊式街道穿越居住带，将城门与中央庭院联系起来，这4条街上曾经布置着仅供皇城内居民使用的市场，后来阿勒曼苏尔担心安全问题，下令撤走了市场。

西方中世纪时期没有与之对应的、代表政治权力的放射-向心型城市图形。有时，"有机"形式会被用来与此作对比，例如德意志的讷德林根，圆形在这个城市里的作用是包裹松散发展而成的城市结构，同心圆的道路代表了城市在不断扩大过程中逐渐向外扩展的城墙，而从中央出发的放射性道路是为了缩短从各个方位到中央市场和大教堂之间的距离。

古典时期的城市遗迹同样也很少表现出独裁性的政治图形。那时候，权力应该掌握在人民手中，"中央"位置是市场（agora,集会市场），而卫城，即"城市之首"则是神居住的自然高地。宫殿是不存在的。在柏拉图描绘的理想城市亚特兰蒂斯（Atlantis）中，卫城处于中央，周围是圆形的墙：从这个中心开始，发散出12个区，每个区居住着不同的人群。在阿里斯托芬（Aristophanes）的剧作《鸟》（*The Birds*）中的一个寓意含混的章节里，也许是因为赞扬了希波丹姆斯的正交系统（见前章105页）的关系，作者似乎流露出对网格形的赞同和对放射形的排斥——

> *我用一根直杆量好，这样*
> *圆可以改为方；而中间的地方*
> *一个市场；各条街道通向这里*
> *直接到达正中央；就像*
> *一颗星星，虽然是圆形，但光线直射出去*
> *向四面八方……*[30]

不过，这已经是希腊人在理想城市概念方面走得最远的情形了。他们没有建造出任何理想城市，罗马人也没有，因为他们一定看到一个至少在理论上平等的公民社会与极端规划之间的对立了。

罗马人为政治图形找到一个功能上的理由。维特鲁威曾经顺带提到过圆形城市，他的解释是："城市不应该是绝对的正方形，也不应该有明显的突角，城市应该呈某种圆形，这样从不同位置都可以观察到敌人。"至于放射状的平面，维特鲁威从主导风向的角度对其作出了解释。主导风向总共有8个，8条向心的道路可以避免不利的风道。实际上，就如我们上一章所讨论的那样，维特鲁威并不想要创造出放射状的街道系统，而是要利用风向玫瑰来创造出一个"安全"的网格状街道系统，是塞撒尔·切撒里阿诺（Cesare Cesariano）在他1512年版的维特鲁威著作中，将维特鲁威关于风向玫瑰的章节直接解释为放射状城市，但这一解释为文艺复兴时期艺术家们的争论提供了支持，证明他们设计的放射状城市平面是对被遗忘了很久的古典城市设计原则的复兴。 *128*

另一个思想逻辑也来自维特鲁威。在一个完全不同的场合，维特鲁威分析了古典建筑人形化的特质，他试图通过一幅令人惊异的、呈飞鹰状展开的人体图形来证明圆和方是最完美的几何形，在这个图形中，人形体上的每个端点，都与这两个完美几何形的边界相接触。意大利文艺复兴理论开始将放射状设计——或者至少是某种具有统一性的设计，看作是表现了人文主义完美性的图形，同时又更进一步从城市-政治的角度，将完美的社会秩序与人文主义的统治者联系起来，于是类似这样的讨论便逐渐转向支持放射状城市。

183 斯福尔津达的例子

菲拉雷特设计的斯福尔津达是最早的一例。这一设计是在1457年至1464年间为米兰暴君弗朗切斯科·斯福尔扎（Francesco Sforza）所做，并以他的名字命名的，但从未获得实

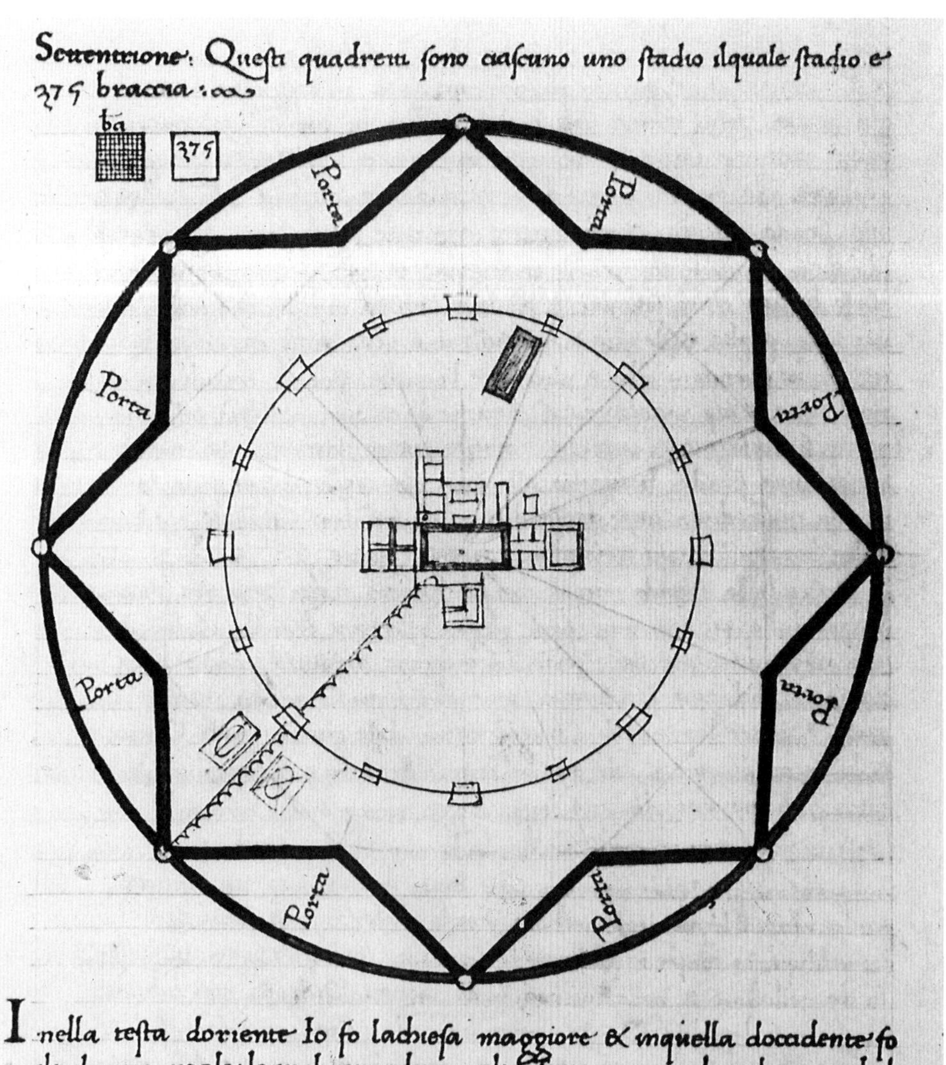

183 菲拉雷特为理想城市斯福尔津达所做的设计，1460—1464年前后。

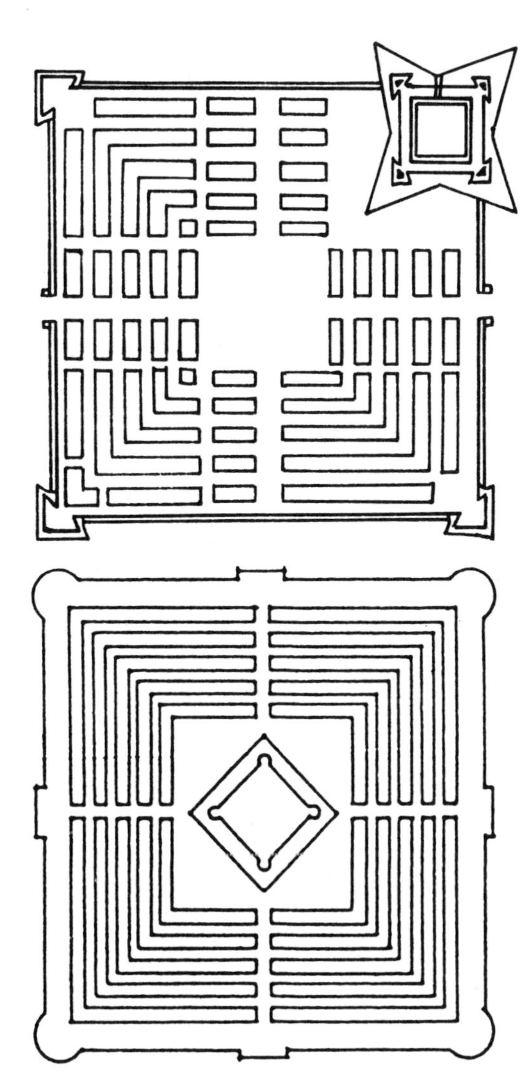

184，185　弗罗伊登施塔特（德国），1599年建立，海因里希·库克哈特所做的两种设计方案。

施。设计的基本形状是由两个相互叠加的四边形形成的八角星形，所有的角之间距离相等。这一特殊图形实际上是一个古代的魔幻图形，文艺复兴时期有时用它来表示亚里士多德学说中4个元素或4个特质——即干、湿、冷、热的相互穿插关系，菲拉雷特曾经表现出的对魔幻和星象学的兴趣，使得这种超出城市的关联成为可能。

在一幅较为完整的斯福尔津达的设计图中，城门位于星形的凹角，塔楼位于凸角。城市中有一个规整形的城市中心及开放空间，还有16个分散在城市中的供市场和教堂用的较小的广场。男孩和女孩有各自分开设立的学校，城市中还有一座10层高的"善恶大厦"(House of Vice and Virture)，它有一些像古罗马竞技场，地面层为妓院，楼上有几个讲演厅和一个学院。菲拉雷特对这一题材抱有相当高的热情。他本人告诉大家他已经深入研究了美德与邪恶的各种表征，并提到他的这个放射状城市的设计得益于中世纪圣奥古斯丁(St. Augustine)的"世俗城市"(Earthly City)的图形，在这个图形中，圆形被分成不同的区，每个区包含一个美德和一个与之相对应的邪恶，甚至中世纪关于命运不确定性的寓言也表达为一个有辐条的轮子。[31] 所以文艺复兴的第一个放射状城市可能并不如我们所想像的那样，完全没有中世纪意识的关联。

菲拉雷特原打算在城市中央安排一座塔楼，相互穿插广场的想法是以后才出现的。重要的建筑全部排列在中央广场的周围，中央广场实际上由3个广场组成，其中一个用于布置君主的宫殿和大教堂，另两个归商人及其市场使用。建筑物中包括了一间银行与造币厂、一座浴室，还有一个中世纪城邦中最高长官(podestà)的官府，这个官府充当了自治城市中公共机构的作用。菲拉雷特曾经较深入地设计过这一中央建筑群，但他却并不十分清楚如何将这部分建筑与放射状街道系统结合起来。街道每隔一条将由一条水道代替。居住部分打算包含手工艺人的小屋和一小片工人社区。

在斯福尔津达中首次出现的一些主题在以后的理想城市得到了进一步开拓和利用。

首先，尽管斯福尔津达与旧的时代有很多关联，但它依然是文艺复兴盛期人文主义城市的原型，当时的理念认为，完美的形式就是完美社会的表现。斯福尔津达与继承了斯福尔津达思想的其他文艺复兴盛期城市一样，都表现了人文主义的理想生活观与专制现实之间的冲突。因为这些规划的实施需要集中性的权力以及集中权力才可调动的资源，理想城市必须与好人君主的概念联系在一起。"人类的最佳状态是处在一位君主的统治下，"但丁(Dante)在文艺复兴的黎明时分这样写道，"君主政权是社会福利和安宁的必需。"所以，文艺复兴的理想城市形式可能最终会为专制提供辩护。

文艺复兴时期，作为政治图解的完美的放射状城市设计很少获得实现，即使实现，其形式也在很大程度上被弱化。德国西南部黑森林山区的弗罗伊登施塔特市(Freudenstadt)是罕见的实例之一，这是一座矿业城市，由韦腾伯格(Württemberg)的弗里德里希公爵(Duke Friedrich)为他的克利斯多夫托(Christophtal)银矿建造，矿上的工人是来自卡林西亚(Carinthia)和斯泰尔马克(Steiermark)的新教徒难民。城市形状呈方形，中央是开放空间，后继工程由一位在意大利受过训练的德国建筑师海因里希·席克哈特(Heinrich Schickhardt)设计，这一过程很能说明问题，因为它表现出设计者对中心式设计中所蕴含的政治意义的意识。在第一个设计里，席克哈特按照传统中世纪的思维方式，将公爵府放在城市边缘的东北角。公爵认为这个方案太"老套"，所以推翻了它，并建议将

184

公爵府城堡放置在中间，与主要道路轴线成一个角度。第二个设计最后获得实现，但城堡并没有建造。后一个方案还包含着戏谑的一面：它很像是根据一种叫 Mühle 的台板游戏发展而成的，也许公爵在玩游戏时产生出了这样的念头。[32]

185

在意大利，公爵府城市的向心性从未达到菲拉雷特在斯福尔津达中所表现出的那种图形上的纯粹度。现实中那些具有悠久中世纪历史的城镇只能在表面上争取获得一个能够

186　卡尔斯鲁厄(德国)，建于 1715 年的狩猎塔被君主的宫殿（建于 1752—1781 年）所取代，这一宫殿成为 32 条放射状道路的焦点。其中的几条一直延伸到宫殿后面的森林公园，9 条放射线将城市的南部组织起来。

象征城邦的恰当形式。费拉拉的公爵府在城市里的中心性是制造出来的——其手法无非是简单地将城市增大一倍，而巨大的新区就建造在原本位于城市边缘的中世纪城堡的另一侧。但在里米尼（Rimini）这样的地方，公爵府仍然保持在城市边缘。

当类似的政治争论再度出现的时候，一座后来建成的新城发明了一种奇特的解决方法——就是让公爵府主动撤离城市中心。这座新城就是位于西西里的格拉米凯莱（Grammichele），建造这座城市的目的是为了代替1693年被一场灾难性的大地震夷平的小村庄奥洽拉（Ochialà）。创始人是巴泰拉（Butera）与波切拉（Boccella）地方的公爵卡洛·玛丽亚·卡拉法·布兰奇福尔蒂（Carlo Maria Carafa Branciforte）。中央六边形的开放空间里只布置了一座教堂。放射状街道从这个多边形的城市中心出发，通往5个网格状的邻里（borghi），每个邻里中都有一个规整形的广场，第6片面积较大一些的用地则留给了公爵府。这种做法一度成为这位享有开明君主声望的公爵大度姿态的表现，一方面他让自己退居一边，另一方面他又继承了传统封建城市的规矩，让城市处在独立的公爵府的面前。

但是，菲拉雷特的图形还提供了放射性权力城市的第二种变化形式，这就是继法兰西国王路易十四在他新建的宫廷城市凡尔赛出色地运用过之后，于17世纪和18世纪广为流行的设计手法。这一时期的巴洛克首都将放射-向心性与轴线性相结合，所有道路都集中于皇宫，而皇宫同时又主导着一条位于正立面前方的雄伟的轴线大道，这条大道通常是3条为一组的放射状道路群（trivium）的中间一条。事实上，城市并没有从所有方向包围宫殿：宫殿的后面是一个皇家公园。这种设计的好处，是皇室主人既能像在封建时期那样，享有城市边缘的独立式城堡所提供的私密性，又同时掌握着权力城市的核心性。进一步而言，皇宫所在的区域还拥有可扩大的空间，在规划皇苑的时候，帝王们可以纵情发挥巴洛克规划提供的广阔空间，这种情况在全包围式的放射状平面中是不可能有的。的确，这类首都的重要特点之一，就是它们的边界不是固定的。放射状道路从各个方向通向乡村。同时，这里的主轴线又是通向皇宫的最主要道路，这条道路直接而且与众不同（在完全放射形的设计中，所有放射线应该是均等的），等级由此产生。

238
186

斯福尔津达在另两方面也具有先驱意义。菲拉雷特在解释他的设计时所使用的道德语调以及他在设计中加入"善恶大厦"的做法已经超出了文艺复兴的时代，进入近现代从勒杜（Ledoux）的理想城市"绍村"开始的几何社会图形的内容，对于这一点，我们后面就会谈到。同时，斯福尔津达也可以被认为是功能性城市的原型。菲拉雷特根据维特鲁威的风向玫瑰来塑造城市，为的是保护居民避免受到有害风向的侵害。菲拉雷特还暗示过他的设计在军事上的优势。而正是这最后一点，使得放射型城市在16世纪后半叶得到了极其广泛的应用。

196

功能图形

防御的逻辑

事实上，对放射图形最伟大的解释，来自文艺复兴时期的军事工程师。棱堡的问题更适合放到我的另一部姊妹著作里的有关城市边缘的章节中仔细叙述。在这里需要指出的是，16 世纪中期之后，菲拉雷特的这种带有社会政治目的的理想设计被广泛地当作一种防御措施而接受，这种情况下，技术上的考虑胜过了其他一切。不过这一方案的普遍应用还是在斯福尔津达的设计难题得到解决之后，尤其是当弗朗切斯科·迪·乔治（Francesco di Giorgio, 1439—1501 年）的解决措施出现之后。乔治是文艺复兴时期第一位研究并发展出了一套使放射状道路系统、棱堡式城墙与城市中央公共空间协同存在的具体办法的建筑师和军事工程师。他考虑到了不同的变化情形，包括中央公共空间分别为圆形和多边形的情况，以及分别适用于一系列不同地形的街道系统。乔治意识到为市民进出而设的城门和为防御而设的棱堡使得原本纯粹的几何方案复杂化，于是他倾注了大量的精力，试图在设计中协调居住者的要求和炮弹的要求两者之间的关系，因此他的工作对以后一个世纪更为复杂、成熟的试验起到非常关键的作用，到了那个时候，棱堡防御系统完全取代了旧式简单的薄壁城墙。他的影响可以在莱昂纳多、弗朗切斯科·马奇（Francesco Marchi）以及斯卡穆齐等许多后来人的作品中发现。

187

5

一个主要的难点在于，棱堡如果要保护位于它背后的整个城市，就必须首先保护好自己的交通线路。从军事角度看，圆和方这两种理想城市的标准形状都不能满足要求。圆形的缺点是因为军事设计师希望两座棱堡之间的薄壁城墙呈直线，只有直的薄壁墙才有利于从两侧防护。同时造价也较低。方形是防御工事中最小也是最廉价的一种，但它同样有缺点，因为棱堡处在了直角的位置，所以棱堡平面非常不灵活，在棱堡的操作平台无法掌握充分的火力控制范围，而突出的点又最易受到敌方的攻击。[例如，比利时的马里昂堡（Mariembourg），1542 年]。

187　应用于山地时的放射状城市规划方案，1490 年代弗朗切斯科·迪乔治设计。（根据Godex Magliabecchanius 中的原图复制。）

规整的多边形是最好的办法。当处在没有任何自然阻碍物的开放平地上时，这种理想平面能够最为有效地发挥作用。棱堡是整个防御系统中最易受攻击的部分，它们必须通过宽敞的交通线与内部相通，这样才能在需要时获得有效快捷的补给。这一要求反映到平面布局上，就是要设立从主要广场直接通向棱堡的放射状道路系统。在文艺复兴的理想城市平面当中，放射线联系着中心与城门，中心位置上设有重要的建筑，如教堂和宫殿。但在这种军事性的多边形城市中，中心却是空的，地面也没有铺设。在受到攻击的时候，指挥官就将指挥所设在位于中心的一座塔楼或高台上，这样，各个棱堡就在他的视线之中。如果想要了解这些军事城市的改进过程，我们只需要将 1555 年由荷兰建筑师塞巴斯蒂安·凡诺恩（Sebastian van Noyen）设计，由查尔斯五世皇帝 （Emperor Charles V）在比利时建造的菲利普维尔（Philippeville）和本章一开始时讲到的，建于 16 世纪末的帕马诺瓦进行对比就可以了。

188

159

帕马诺瓦建立之后的几十年，军事技术的发展已经超越了以棱堡作为防御系统最重要元素的历史阶段。在基础的防御层之外还布置一系列外垒——即一些半独立性质的工事：如钳堡（pincers）、眼镜堡（lunettes）和半月堡（ravelin）等等，甚至在城外另建堡垒——以进一步使受保护的城市与周围的乡村脱离开来。这时，城内就可以逐渐放弃放射状街道系统，而采用较简单的网格，因为这时已经不再需要为棱堡输送供给的直接道路。即使在这个时期到达之前，网格系统也常常被用在多边形防护城墙以内，彼得罗·卡塔内奥设计的许多方案便是如此。

5

189,190

帕玛诺瓦模式较晚的一个现存实例是芬兰的哈米纳(Hamina)，哈米纳建于 1723 年，它横跨了土尔库–维堡（Turku-Viipuri）之间的公路，处在科克贾维湖（Kirkkojörvi Lake）与

188　菲利浦维尔(比利时)，1554年塞巴斯蒂安·凡诺恩设计的原方案。一个世纪后，沃邦扩建了护城系统。今天，在这座现代化的小城里已经看不到任何曾经有过的复杂防御系统的痕迹，但放射状街道系统和中央广场保存了下来。

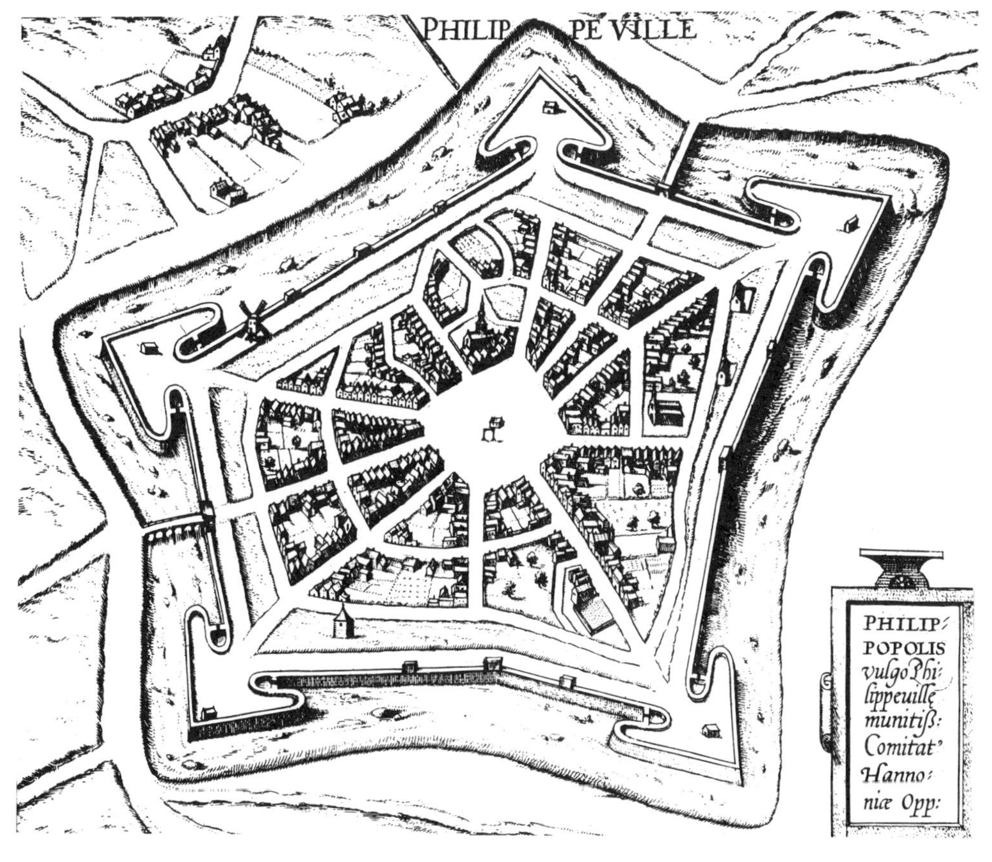

189，190　哈米纳(Hamina)(芬兰)，建于1723年。1750年前后的城市平面和城市中心部位的鸟瞰照片。市政厅位于正中央，在它的下面是路德教教堂，上面是圆形的希腊正教教堂——3座建筑建于1790年代和1830—1840年代。

大海之间的颈状地形上。实际上它是在一座被火灾毁灭的17世纪网格状城市的原址上建造的。新城必须成为芬兰东部抵御俄国进攻的一块基石，它的设计者是堡垒指挥官阿克塞·冯洛温（Axel von Löwen）。但同时它也是一个商贸中心，以补充芬兰重要的商业中心维堡；后来，它还代替了维堡成为该地区的首都。由于地形狭长，东北朝海的一面必须拉平，所以城市无法形成完整平面。尽管如此，城市中仍然有8条放射状道路和2条环路。放射道路的末端都建有军营，朝西北方向街道的两边全部建有军事建筑。城市中的其他部分居住着普通市民。

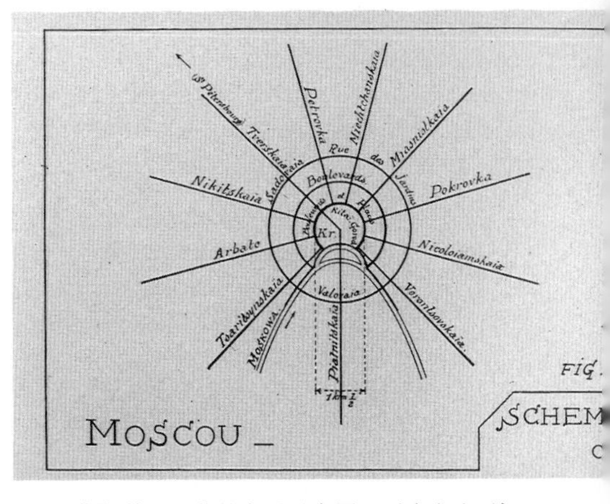

191　莫斯科和巴黎的交通示意图，引自尤金·埃纳尔（Eugène Hénard）的著作《巴黎城市变化研究》（*Etudes sur les transformations de Paris*，1903—1909年）。

交通和放射–向心状城市

在中世纪商人城市里，市场位于城市中间，这时放射–向心式的城市在聚合交通方面的优点就显得非常突出。不过，直到17世纪，当四轮马车被广泛使用，同时巴洛克城市设计中快捷的对角线道路出现的时候，作为功能图形的放射型城市才开始了它现代的、后军事时期的新阶段。随着城市中心逐渐成为现代都市的中央商业区和快速交通系统的领地，放射–向心式城市的这种适应性便成为交通工程师和城市规划师的信条。在以放射状交通主动脉和网格式街道相结合的基础形式中，铁路、电车和汽车式城市各自发展出自己的系统。在古代堡垒式城市里，城墙被拆除，变成一条连续的环路，过去联系乡村和城市的道路也被理性地整理成为放射状的通衢大道，将扩大了的郊区与城市中心相连。许多规划师认为，放射状的星形城市是大中型城市可以采用的最好形式。它成为交通工程师以及他们所做的交通规划中最受欢迎的手法，而且至今仍然如此。凯文·林奇曾经很精要地描绘过这种类型：

图版4

> *必须有一个独一无二的、占主导地位的中心，具有高密度和多功能，从这个中心出发，通过4条或8条主要交通线向外放射。这些交通线应该能够容纳公共交通系统及主要的高速公路系统。次一级中心每隔一定距离分布在这些交通线上，较高密度的使用功能要么集中在次一级的中心周围，要么沿交通线排开。密度不高的使用功能分布在放射状道路背后的内部地区，楔形开放绿地填补了各条手指状开发地之间的剩余空间。从中心向外每隔一定距离设一圈同心的高速环路，将各条手指状的建设区连接起来，除了与手指状建设区相交的部位外，高速环路的两边不作开发建设。*[33]

在理论层面上，上述逻辑非常有吸引力，但星形的平面很难坚持下去，尤其是在资本主义经济制度下。如果没有强有力的集中控制，绿楔无法永久维持无建筑物的开放空间状态。环路的两侧也可能会出现连续性的开发建设，同时，作为所有进入城市的道路的目的地，城市中央交通量严重超负荷的危险也是存在的。

人们已经开始从两个相关的方向探讨解决的方法。其中之一，是以数个小型的、相互联系的星形的方式来规划新城，星形的尺度必须大于一般的圆形交通广场但小于放射–向心状的大都市。沃尔特·伯利·格里芬（Walter Burley Griffin）1912年为澳大利亚首都堪培拉所做的著名规划就是这种方法的代表，尤其突出的是，这个规划已经获得实施。整个平面通过与地形相关的两条巨大的轴线联系起来：其中，“地轴”位于东北部安斯利山（Mount Ainslie）和西南部的宾贝里山（Mount Bimberi）之间，轴线上的这两处突出地形后

192
图版24

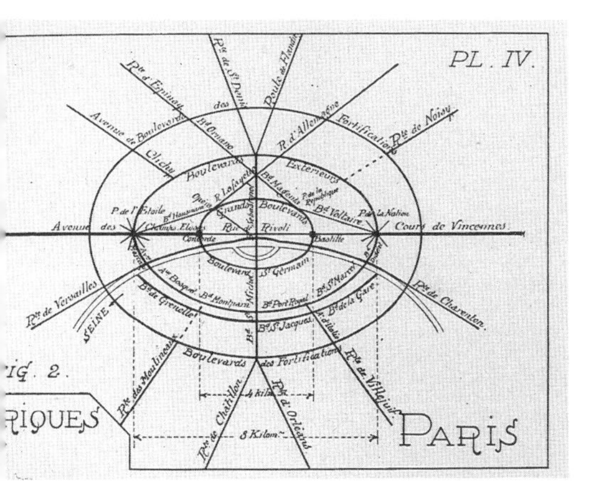

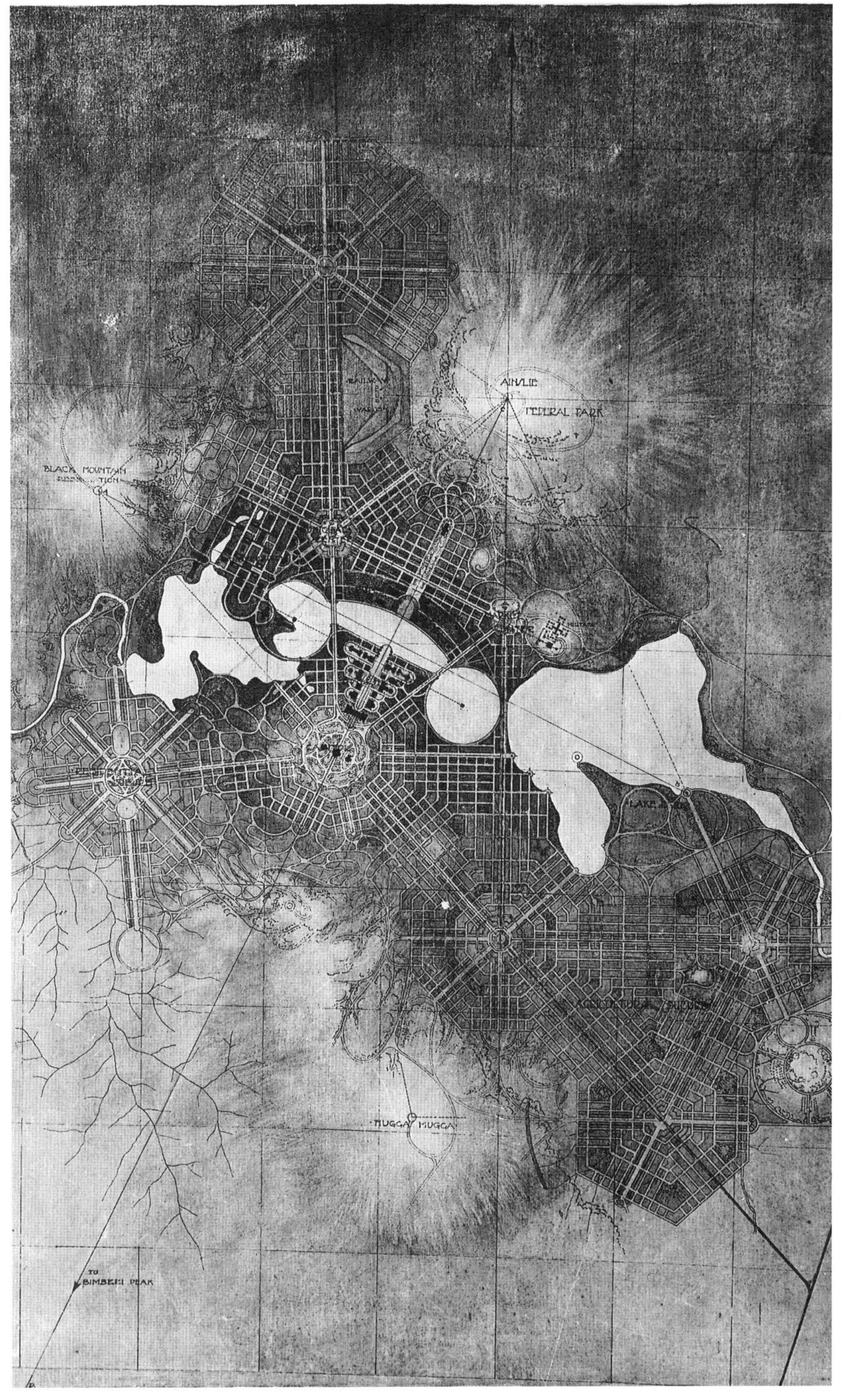

192 堪培拉（澳大利亚），沃尔特·伯利·格里芬所做的竞赛获胜规划，1912 年；丝上墨笔画，由马丽昂·马奥尼·格里芬（Marion Mahoney Griffin）作。

来分别成为议会山和国会山；另一条轴是“水轴”，从黑山（Black Mountain）开始，朝东南方向延伸，穿过一系列水面，来到一片大湖，这片大湖是在莫龙洛河（Molonglo）上游筑坝后形成的。但是这两条轴线的全部组织都不如平面中那些放射状的，或者更确切地说是主要道路交叉点的蜘蛛网式结构来得突出。从优雅程度上看，后来只出现过一个能够和格里芬的网纹城市相媲美的设计，这就是罗伯托兄弟（Roberto brothers）1957 年在巴西利亚规划全国竞赛中所做的，但未被采用的方案。这个方案是由 7 个单元组成的整体，每个单元是一个能够可容纳 7 万人口的、自给自足的、具有城镇尺度的小区。如果需要，还可以增设新的单元。在每个单元中，首都的各项功能——包括金融、艺术、福利、通讯等等——都需要设立。

对于已有都市来说，解决的办法就是所谓的卫星城模式。其基本概念就是在离开中心城市一定距离的环形范围里设立一系列尺度受到限制的卫星社区。这些卫星社区可以通过宽广的乡村地带与母体城市隔离，并在自己所处的绿带的包围中保持固定的尺度。

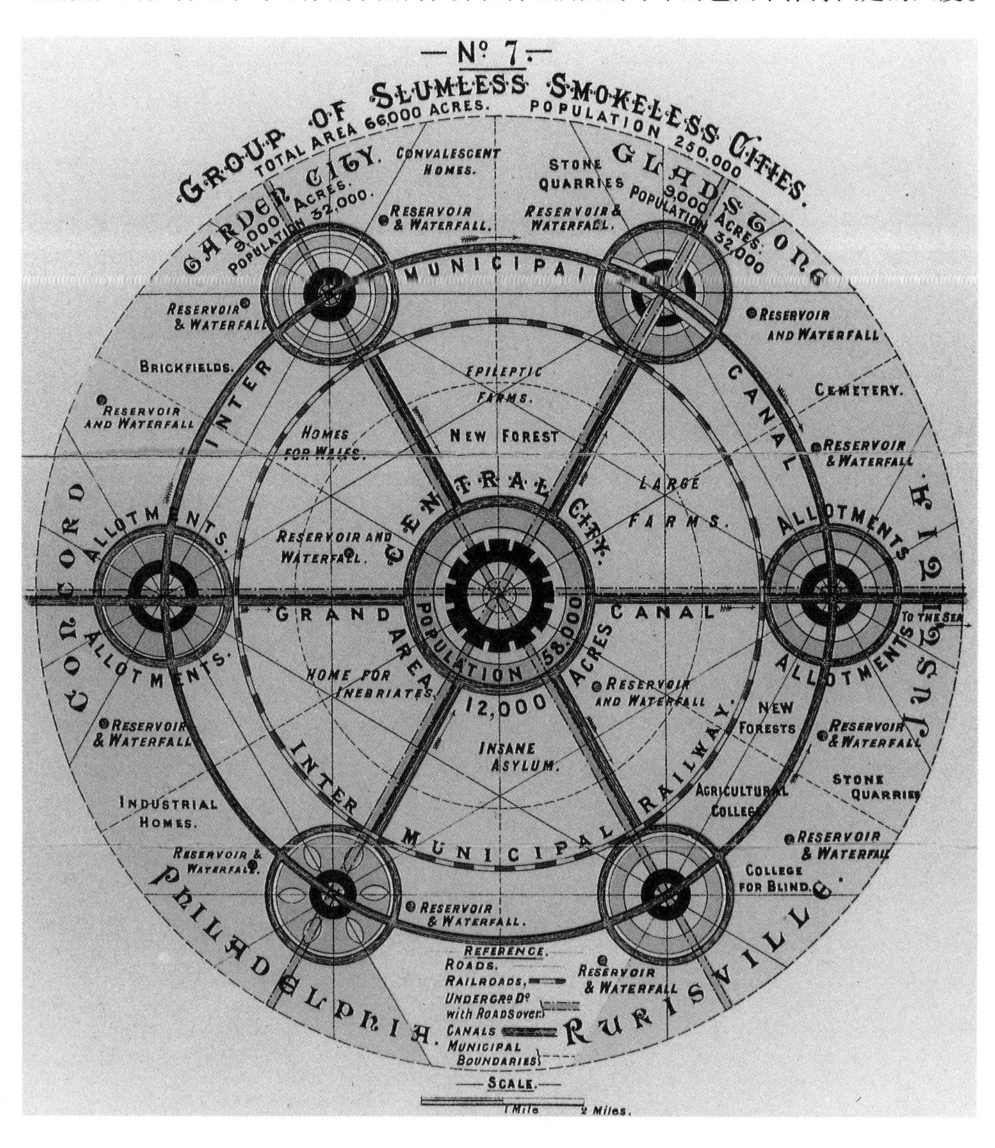

193　“社会城市（Social Cities）的图解，引自埃伯纳泽·霍华德的著作《明天，一条通向社会改造的平静之路》，这本书首版于 1898 年，再版时更名为《明日的花园城市》。

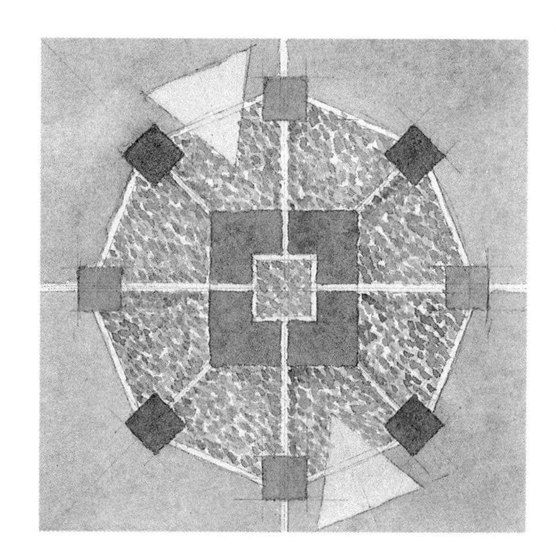

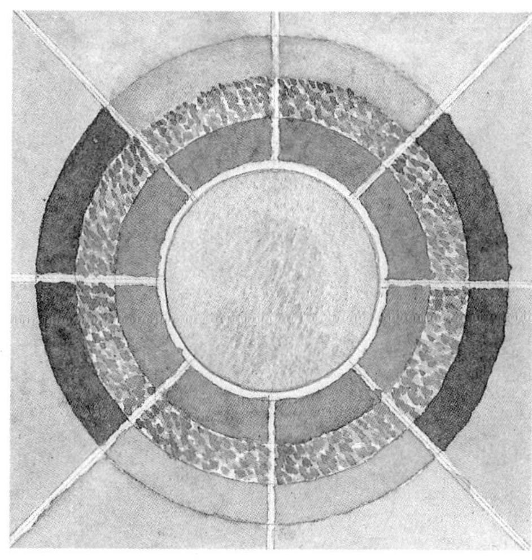

194，195 战后时期的分散城市图解，根据拉尔夫·拉普(Ralph Lapp)《我们是否应该躲藏》(1949年)一书中的原图复制："卫星式"城市(上图)和"面包圈式"城市(下图)。

林奇对卫星城作了这样的总结："主要的中心及总的放射状形式得到维护，发展则被引导到与城市中心相隔一段距离的新社区中，于是避免了沿放射状道路不断向外连续性建设的问题。"[34]

就算埃伯纳泽·霍华德可能不是提出卫星城概念的第一人，可是他在《明日的花园城市》一书中所展示的观点却是最有影响力的，这本书首版于1898年，当时的书名是《明天，一条通向社会改造的平静之路》。他的关于"城市发展的正确原则——即开放的乡村近在咫尺，卫星社区之间四通八达"的图解已经众所皆知。在他的图解中，几个小的圆形城市（人口3.2万）将一个中心城市（人口5.8万）包围起来，两者之间通过放射状铁路相连，而外围各小城市之间也有主要道路相连。虽然霍华德本人清楚地表明他并不建议大家"完全按照我图解中的几何形式去布置"城市集合群，但人们已经开始在区域规划中套用这一图解。雷蒙德·昂温还对这一图解作了进一步完善：他指出，所有不可或缺的机构应该保留在中心的位置，同时中心还应该设立一些供这些机构中的工作人员生活的居住区。每个卫星城应该由四个部分组成，其中一个部分为工业，另三个部分为居住。在德国，建筑师埃里希·格勒登（Erich Gloeden）在1920年代作了类似的研究，但区别是——格勒登没有坚持设立任何占主导地位的中心。原有社区与周围新建居住区之间地位均等，相互联系的圆形城市单位完全融入到开放的绿地当中。每个放射-向心形城市单位分别行使不同的城市功能。从某种意义上说，这种随时可以添加新单元的城市系统是罗伯托(Roberto)为巴西利亚所做的多核心式城市规划方案的前身。

193

许多老城市成为这些分散式规划的幻想对象。昂温将这种图形应用于大伦敦规划；马丁·米勒（Martin Maechler）将柏林及周边地区简化为一大群相互重叠的圆形；华盛顿特区的"首都规划委员会"(Capital Planning Commission)则发展了自己的一套"城市环"(Rind of Towns）系统，按照建筑评论家西比尔·莫霍伊-纳吉（Sibyl Moholy-Nagy）尖刻的说法，"虽然一切迹象完全相反"，但这些人却认为"一百年之后人们仍然还会相信这种可爱的乌托邦，并把他们的地产和投资房产交给政府或城市当局负责，以永远留住那片未受玷污的自然。"[35] 的确，英国在二次大战后便将卫星式花园城市作为国家城市发展政策的中心原则，并坚持推行，直到不久前还稳定执行着的新城计划，但他们的实际做法已经远远超出了简单的图解。英国30多个卫星城市没有一个看上去像是帕马诺瓦，或者像格勒登那样的呈放射光芒状的居住区。尽管其他国家也都组织了各自的城市分散模式，但大城市还是在继续增长，卫星城也很少能被控制在预先设定的范围内。

在紧接着二战之后的一段时间里，分散理论在美国找到了一个奇特的市场。由于相信原子战争不可避免，所以政府机关和半私人性质的智囊团纷纷提出建议，要为未来的这场战争作好准备，并赞成缩小现有城市。所有新开发点应该集中在离开现有城市一段距离的地方，以降低"目标吸引力"，提高生存机会，相应地也会带来一个更愉快、更健康的城市环境。一本名为《我们是否应该躲藏》(*Must We Hide*, 1949年）的书呼吁制定一个主动的长期规划，"考虑将工业和居住功能分散，形成相互密切联系但又避免高度集中的单元"。书中提供的模式有两种。其中一种是众所周知的卫星城模式，每个城市单元之间的

194 距离保持 3 英里（约 5 公里）。另一种为“面包圈城市”模式，原来的中心商业区被一个公
195 园或机场所取代，商业、轻工业和住宅区则呈环状围绕着中心布置，环与环之间有公园绿地和高尔夫球场分开，并且每隔一定距离被一条放射状高速公路切断——这就是传统的放射-向心式理想城市在原子时代的新版本。[36]

世俗性的/社会主义的图形

理想城市的最新发展阶段，是工业革命及其副产品——老城市的恶性拥挤和工人阶级悲惨困境的产物。这里的主旨是要改革，它跟交通、防御等实际因素，以及跟国家的象征性都没有关系。其手法与前面所讲到的图形城市的手法相同：注重几何的纯净性、特殊的人群(起码在理论上，这里所关注的是消除了阶级的社会，或者是工人阶级）和视觉效果的控制。实际上，这类城市图形在本质上所具有的独断性，与它们的倡导者所宣扬的，让居住者充分参与社区设计和社区生活的目标之间存在着尖锐的矛盾——这种矛盾早在文艺复兴时期的人文主义言论中就已经有所体现。

因而，将什么放在中央就成了一个敏感的问题。什么样的建筑能作为第四阶层（the Fourth Estate)——即工人和农民阶层的象征？而另一个问题则是如何去实现这些理想方案。所有这些方案的背后都需要一个强大的中央政权来调配实现这些构想所需要的巨大财力和劳动力。一方面是建筑师们所作的美丽的立体造型，它们常常与功能没有太大联系。勒杜在城市、墓地和住宅设计中全都使用了圆形；另一方面，是住宅区贫乏的面貌，虽有一些田园情调，但却缺乏组织，它们呼唤着形式美。一般社会都有它们现存的法律和经济状态，所以理想社区常常在新的、无人居住过的地区寻求建立——例如在新西兰、美国、阿尔及利亚(Algeria)、新喀里多尼亚(New Caledonia)。这些新社区的名字能够说明一切：如“协和”、“团结”、“乌托邦”，甚至还有一个欧文主义的社区取名为“互助”。在布局方面，从宇宙图像出发的定位和朝向是无关紧要的。重要的是考虑到人的健康和身心完整——要避免有害的风向，获得阳光，并接近自然。

工人、罪犯和学生们的世界

起点自然是启蒙运动。即使最显著的开始只能从勒杜 1775 年至 1780 年间设计的理想城市绍村算起，但实际上，在探讨工人居住环境的问题方面此前已经有过一些较次要的尝试；这些尝试证明，在 18 世纪，如何理性化和理想化地改造工人场所已经成为一项普遍的迫切要求。

圣雷戈里·达·萨索达(San Gregorio da Sassola）位于罗马附近，尺度不大，属于乡村，在 18 世纪的某个时期，人们拆除了那里原有的小村庄，在基地上重建了一个由一群农民家庭协同组成的椭圆形社区，这样的一个新社区无疑带有某种新秩序的精神。位于那不勒斯附近的工人社区圣吕西奥(San Leucio)是由费迪南四世（Ferdinand IV）于 1775 年为国家丝绸工厂建造的，但圣吕西奥不仅是一个制造中心，它还是一项服务于启蒙主义的“好的政府”目标的社会实践，是一个具有理性秩序的社会。对于圣吕西奥来说最简便适用的先例就是文艺复兴时期的放射-向心状理想城市，尽管这是一次皇家行为，但这个城市的图

196　克劳德·尼古拉斯·勒杜 1775 年前后为理想城市绍村所做的规划方案，透视图，勒杜的论著《与艺术、习俗和法律相关的建筑》(*L' Architecture considérée sous le rapport de l' art,des moeurs,et de la legislation*,1804 年）中的铜版画。另一个平面呈 D 形的修改设计方案在法国东北贝桑松（Besançon）附近的盐场获得实施。

形却不再是为某一个具有人文思想的公爵服务，而是为工人阶级服务。[37] 位于比利时波里那吉（Borinage）地区的一个名叫格兰霍奴（Grand Hornu）的工业社区的形状是一个动人的新古典式椭圆，它将追求社会和谐的高尚情感带入了 19 世纪。

绍村与圣吕西奥一样也是皇家工程，当大革命中断了这项皇家工程并使得勒杜成为人民的敌人的时候，工程已经进行了很多。所以绍村的建设很稳固，有些地方甚至还具有纪念性。勒杜接受的任务是为皇家盐场设计一个模范城市，一个位于整体性的区域中央的理想工业社区，这个区域里还包括了一条河流、几条向工厂运送盐水的运河、位于城外的一个蒸发厂以及一片为干燥工艺提供木材的森林。 *196*

原来的城市方案是由一圈林荫道围合成的完整的椭圆形，几条放射状的道路将林荫道与中心相连。勒杜希望获得一个“如太阳的轨迹般纯净”的形式。公共性和私人性的建筑扩展到环形林荫道的两边。例如，教堂就在椭圆形左侧的外面。在这里，相对于物质福利而言，居民的精神和社会福利占首要地位。例如，城里没有医院，但我们知道有一个专门负责处理争吵的机构名叫“仲裁厅”(Pacifère)、一个颂扬妇女美德的地方名叫“记忆之庙”(Temple of Memory)，还有一所取阴茎形状的性指导院（Oikema）——所有这一些让我们联想起菲拉雷特（Filarete）设计的斯福尔津达，及其中的“善恶大厦”。

勒杜写道：“建造庙堂来鼓励美德；支持那些建立在宇宙整体基础上的，有助于提高全体人类素质和人类福利的思想。”绍村已建成的一半表现出整个模范工业城范围内严格的等级体系。人群共分为三等——他们是总督领导下的官员，负责材料保管、木料供应和日常事务的职员，以及普通工人。总督在位于直径线上的那个中央建筑物里工作，这一中央建筑物中还包括了一个小教堂。总督办公楼的两边是两座加工厂房，巨大的火炉中日夜燃烧着无数吨的木材。半椭圆形的中轴线位置是一个主要入口，入口周围聚集了护卫队的营房、一座监狱和一个面包房。右面是金工区——包括制造运送干盐的盐桶的铁匠和铜匠。左面是木匠和车匠区。厂房和作坊区包含了一部分宿舍，但更多的住宅是在城里其他地方。每个家庭有各自独立的房间，但做饭是在公共厨房里。

这种将领导者放在中央位置，受管理者放在周边的布局方式令人联想起杰里米·边沁（Jeremy Bentham）构想的“中央监察原则”或称“圆形监视器”（Panopticon）。激进哲学家边沁称他的这种多功能装置为一种“社会发明”，它令人心寒地揭示出启蒙主义原则险恶的一面。将模范社会称为一种“发明”是当时的时尚——照这个意思，社会就是一台机器。罗伯特·欧文（Robert Owen）在描绘他自己设计的模范社区时这样写道：“如果各种机器的发明能够使生产力成倍扩大……那么这（指他的模范社区方案）也是一项发明，它将极大地提高整个社会的物质和精神创造力，同时它的介入和快速实施不会伤害到任何个体。”这种与发明相类比的习惯一直延续到19世纪末。霍华德称自己为“花园城市思想的发明者”，并将自己的成就与乔治·斯蒂芬森（George Stephenson）发明第一台蒸汽机车的事件相提并论。

对于“圆形监视器”原则，米歇尔·福柯（Michel Foucault）的描绘最为出色，他是“圆形监视器”设计最雄辩的解释者：

> *……周边是一圈环形的建筑，中央是一座塔楼，塔楼上开着巨大的窗户，面向建筑的内环。周圈的建筑分隔成小室，每个小室的进深就是建筑物的进深；小室有两个窗户，一个朝内，与塔楼的窗户相对应，另一个朝外，使光线穿透小室两端。最后，只需要在中央塔楼里安排一名监察员，然后在每个小室里关进一名疯子、病人、犯人、工人、或学童。通过背景光的作用，塔楼中的人就可以清楚观察到在强光的衬托下周边各小室中被俘人员的影像……能见性就是一个圈套。*[38]

就像福柯合理判断的那样，边沁的机制“使得权力自动化与非个人化”。在这个理想图形的中央，代替国王的是一个虽不可见但却无处不在的权威，它监察、评判——并且改变我们的行为。边沁本人就把这一想法运用到一座惩教院当中，那里只需要一名狱卒就可以在镜子的帮助下看管2000名犯人。他的兄弟塞缪尔·边沁（Samuel Bentham）在“工业住宅”中使用了“圆形监视器”的概念，“圆形监视器”还可以用于其他建筑类型，如学校和医院。事实上，按照它的发明人的说法，“圆形监视器”机制适用于“一切用于监管一定数量人群的设施，只需有相应的结构或建筑物将这样的空间覆盖起来。”由于空间尺度的原因，“圆形监视器”的结构并不适合城市，但不时有一些阴暗的城市现实向边沁的方式靠拢，法西斯在埃塞俄比亚建造的土著城镇就是其中一例。在社会和社会的组成结构中使用“圆形监视器”的理念是一件可怕的行为，但在监狱规划中它的运用则

197　斯泰茨维尔（Statesville）（伊利诺伊州），伊利诺伊州惩教院中的圆形监房，1919年由C·哈里克·哈蒙德（C. Harrick Hammond）设计。

197

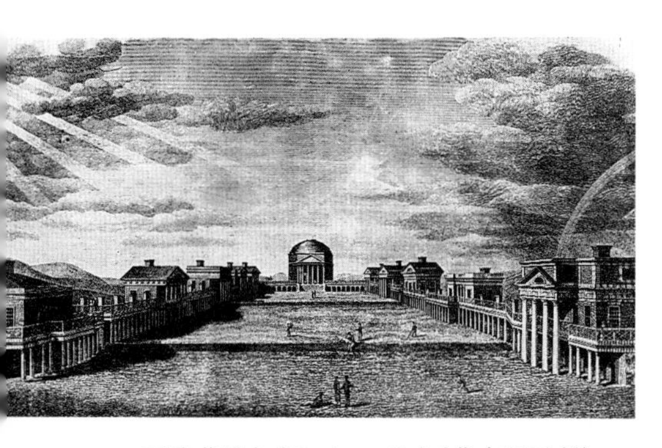

198 夏洛茨维尔(Charlotteville)(弗吉尼亚州)，弗吉尼亚大学校园，1817年托马斯·杰斐逊设计，1827年本杰明·坦纳(Ben jamin Tanner)所作的铜版画。

较为直接。

但是我们也要记住，培育出“圆形监视器”概念的启蒙主义气候同样也给我们带来了托马斯·杰斐逊的弗吉尼亚大学校园，这是一个按等级制组织起来的“学术村”，教授们有各自既是住宅又是教室的楼阁，学生们的宿舍与教授的楼阁直接相连。杰斐逊提到，“每位教授同时又是负责住在他附近的那些学生的警察”。20世纪初，人们对弗吉尼亚大学校园中宽阔的中央林荫道和林荫道尽端圆顶图书馆的布局方式有了新的发现，它一度成为美国校园规划中最受欢迎的模式。[39]在这里，理想性整体与监控性机制相结合的启蒙主义精神已经被更为实用的目的推到了一边。杰斐逊的规划的动人之处在于设计概念的清晰，而不是其中的社会逻辑。

198

事实上，在校园规划方面，美国对“图形式城市”这一题材作出了贡献。因为校园被认为是一种理想社区，它不受现实世界的困扰，甚至与现实世界保持了一定距离，所以无论是在美国还是在其他地方，校园规划为各种各样的理想式构思提供了机会。而最具图形特征的设计又是那种放射-向心性的方案。其中，英国在国外设计的一个例子是印度贝拿勒斯的一座新大学城，名叫麦维雅那加(Malviyanagar)，建于第一次世界大战之后的几年当中。和勒杜的理想城市绍村一样，管理机构即行政办公楼位于半圆形平面的中央；各学院楼形成第一道环，之后是运动绿地，最外环是职员和学生住宅。13条放射线与6条半圆形环线交叉，实现了一种纯粹的几何性，但并非故意突出某种象征含意。[40]

改造城市社会

19世纪，工业城市不可救药的拥挤和混乱以及它们给人们造成的身心疾患，引发了改革主义城市设计的新实验。更准确地说，是引发了关于修复城市社会的乌托邦式的思考，但在具体形式方面只作了一些草率而概略的尝试。

三个人的名字在这群改革家中尤其突出，他们是：查尔斯·傅立叶(Charles Fourier, 1772—1837年)、罗伯特·欧文(1771—1858年)，以及前面提到过的19世纪末花园城市的倡导者埃伯纳泽·霍华德。我们无需对他们思想信条中的特殊之处作详尽叙述；这些东西已经不再新鲜，而且与本章关于图解式城市的讨论并不十分相关。这些人以及和他们一样但影响力稍小一些的改革者们都抱有一种共同的热情：就是用一系列小型的、卫生的、平等的、崭新的部件来替换世界上那些正在腐朽的老城市，使社会各阶层能够和谐共处，城市与自然的联系也可以获得保证。他们谴责私人土地所有制的邪恶，提倡在未来的新型城市中土地要归大家所共有。他们还在不同程度上提倡集体生活，在社区里设公共食堂、公共厨房和集体宿舍。可是这些人本身并不是建筑师或专业规划师。他们提供出一幅幅简单的、一般性的、关于城市组成的画面，尽管他们中有人坚持说这样的画面并非东拼西凑和一成不变，但除此之外，这些东西并没有能构筑出一个关于城市日常环境和城市设施的精确形态。他们使用的还是过去的模式，尤其是巴洛克风格的城市设计。而时代感则表现在对铁路站台、展览厅等这一类金属加玻璃的建筑形式的偏好上，这种建筑形式似乎特别适合新城市中那些有顶盖的、有气候调节装备的街道，以及供无阶级差别的人群共同使用的大型空间。

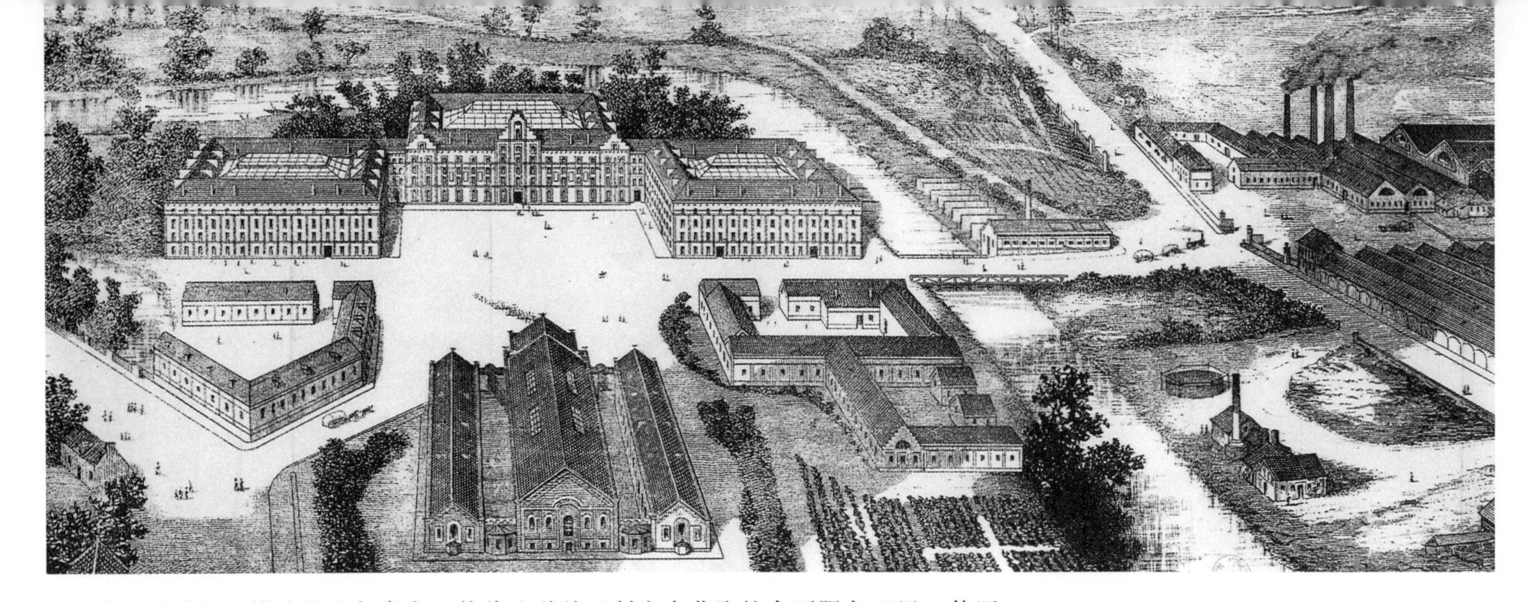

199 吉斯(Guise)(法国)，鸟瞰图表现了始建于1859年的“familistère”(法伦斯泰尔)——图的左边，在河湾怀抱下的3座相连的建筑。与傅立叶自己设计的“法伦斯泰尔”不同的是，这里的家庭分别住在各自的公寓里，而不是在集体宿舍。工厂位于右面，前景中是作坊和一座包括学校和剧院在内的建筑。

238 傅立叶采用的模式是凡尔赛宫，他将这种从旧制度中获取的东西服务于民。他还提出一项名为格兰提森城(city of Garantism)的规划方案，比霍华德的构思早了约六十年。这个方案由3个同心环组成：商业街位于中心，之后是工业城，最外围是农业区。3个环带之间有绿篱分隔。开放空间在中间环增加一倍，在最外围环增加两倍。但是傅立叶最有名的构思还是他的“法伦斯泰尔”(phalansteries)组织(自立性的合作社)，这是一个像凡尔赛宫及其侧翼那样的、相互连接的巨大建筑群，根据傅立叶的描述，这一建筑群“其实是一座小型的城镇，只不过里面没有开放的街道；地面层一条宽敞的街廊可以将人们送往建筑物的任何部分”。每一个“法伦斯泰尔”可供2000名不同种族、阶层、性别和年龄的人居住。199 在巴黎北部的吉斯建成了一个小规模的版本，工程开始于1859年。它由一位开设铁铸件工厂的年轻的工业家让-巴蒂斯特·戈迪亚(Jean-Baptiste Godin)策划并实现，在他去世之前，他将整个企业转变成为由他的工人拥有并管理的合作社。

到1840年代中期，傅立叶的思想传到了比利时——之后又传到更远的地区。在巴西海岸线外的一个小岛，以及在阿尔及利亚奥兰(Oran)城外的山区中都进行过“法伦斯泰尔”的实验。在美国，傅立叶被阿尔贝特·布里斯班(Albert Brisbane)重新解释，成为联想论(Associationism)的先驱。追随者们相信没有阶级抗争或政府干预的普遍的社会改革，他们也同样相信以某种尺度和某种结构建立起来的社区能够实现恰如其分的和谐。大约45个傅立叶式的社区开始建立，其中最著名的有位于马萨诸塞州波士顿市外的西洛克斯波里(West Roxbury)社区，即布鲁克农场的法伦斯泰尔(Brook Farm Phalanx, 1841年)，以及位于新泽西的北美法伦斯泰尔。最后建立的一个是德克萨斯州的拉·瑞尤尼尔(La Réunion)，它坐落在一个俯瞰冲积平原的高崖上，由傅立叶最活跃的学生维克托·孔西代朗(Victor Considérant)负责策划，在这里孔西代朗试图将凡尔赛的平面图形扩展成为巴洛克的城市规划，利用坡地布置出带有花坛和五叶瓣造型的规整式花园，而孔西代朗夫人则在她的“雪松沙龙”里招待大家。[41]

这些法伦斯泰尔中没有一个实现了它们的目标。它们选择的地点多半是偏远地区，地理条件使得它们成为对付边疆生活的生存考验而不再是对共产社会主义的高尚实验。公社生活又与美国根深蒂固的家庭至上的观念相冲突。同样，政府的不在场也意味着规划的终

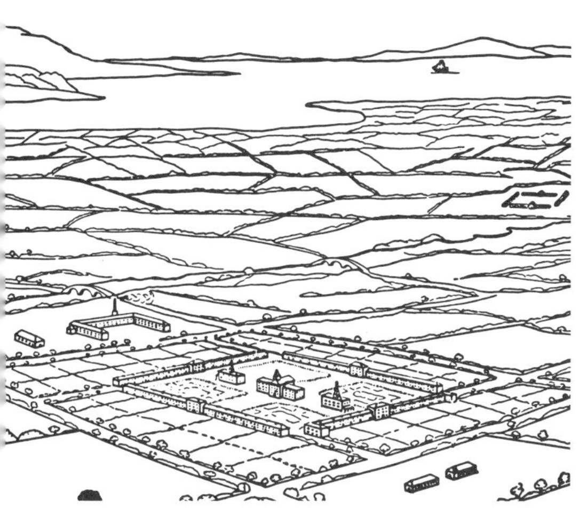

200 罗伯特·欧文，“合作村工程及远处的其他村庄”，1816 年（局部）。

201 詹姆斯·西尔克·白金汉，维多利亚模范城设计，1849 年。

究失败；就像过去类似的情况一样，假如缺少一个拥有权力的统治体系，就不可能实现有组织的发展。

欧文选择的是方形。他曾经是苏格兰新拉纳克（New Lanark）纺纱厂的一名工人，后来成了工厂主。当他开始设计社区时，他思考的对象是一群拥有土地的小社团，它们共同生活并共同组织开发。在欧文的图解中，方形的四条边上都布置了住宅——其中三条边给已婚夫妇及他们 3 岁以下的子女，另一条边是 3 岁以上儿童的宿舍。方形的中央是公共建筑：包括食堂、厨房、学校。方形之外是作坊和农场，偶尔也有工业机构。欧文将他的想法展示给了当时在厄尔巴岛（Elba）上的拿破仑看，后来又给沙皇亚历山大一世（Tsar Alexander I）看。欧文的建筑师斯特德曼·惠特威尔（Stedman Whitwell）将一个欧文式城市的模型展示给了约翰·昆西·亚当斯（John Quincy Adams）总统，又于 1825 年放到白宫展览。欧文本人也在美国作过讲演，他的听众中有总统以及最高法院和国会的成员。后来，欧文式的社区在欧文及其家人曾经生活过的印第安那州新哈莫尼（New Harmony）、俄亥俄州的黄溪（Yellow Springs）以及宾夕法尼亚州的弗吉谷（Valley Forge）建立。

欧文的影响传递给了英国的政治家和旅行家、《民族罪恶及其实用治疗法》（*National Evils and Practical Remedies*, 1849 年）一书的作者詹姆斯·西尔克·白金汉。白金汉建造的模范城市是位于旷野之中的以女皇的名字命名的维多利亚。其目标是要解决失业问题，设计可以容纳 1 万个居民。平面为四边形，建筑物向心排列，组成 7 行，中间为公共建筑，体量最高，越靠近外围建筑体量越小。但其特殊并富有刺激性的地方在于，这不是一个社会主义的乌托邦，而是一个资本主义的乌托邦。政府成员和有钱的公民可以住在中间，最穷

的阶层住在周边。理由是穷人最需要接近农村。住宅建筑之间是有顶的廊道，形成内部街道。卫生是最受关注的问题——其中包括新鲜空气、光线、便于清洗的衣料以及据说可以发出“养身气体”的用蜂蜡抛光过的地板。

最终，放射-向心状的组织方式依然最具吸引力。当霍华德后来以他那著名的花园城市图解使放射-向心状图形再度流行的时候，他赢得了众多的同道者。霍华德毫无疑问知204道边沁的学生罗伯特·彭伯顿（Robert Pemberton）在他那本为新西兰殖民建设而写的名为《欢乐殖民地》(*The Happy Colony*)的书里描绘的那个从绍村中得到启发的维多利亚女皇城（Queen Victoria Town）。受到彭伯顿“自然界一切伟大的形都是圆形”这一信念的鼓舞，书中构想了 10 座向心型的城镇，每个城镇都围绕着一个社区核心布置，这个核心的正中是一个模范农场，农场周围是 4 座弧形的、用钢铁与玻璃建造的大学建筑。出书的那一年是 1854 年，人们对于水晶宫还记忆犹新，那种由工厂预制构件组成的、轻盈的、构架式的建筑风格似乎代表了新城市所应该有的新形象。土地应该归大家所共有。从图纸上估算，维多利亚女皇城的尺度并不大——直径只有 1 英里（1.6 公里）。

对聚落理想形式的想像继续激励着规划师们。似乎这种没有城墙但有绿带围合的圆形城市中的某些形式特点预示着某种标准的、先驱性的社区，它有生存的潜力，能够抵抗无休止的城市蔓延和扩张。1920 年代，以色列在新获取的土地上建造的第一个犹太人聚居地（kibbutzim）就是向心式的。理查德·考夫曼设计的纳哈拉实际上是一种莫夏夫，即土156地私有的合作式农业社区，而不是完全公有性质的基布兹（kibbutz）。一条宽广的林荫环道将带有社区设施的城镇中心与居住圈和放射状的田地分开。1960 年代，又一座向心式的模范城市在巴西内陆一座水电站的附近，圣保罗西北 500 英里（800 公里）的地方建造起202来。像彭伯顿的“欢乐殖民地”那样，它的中心也有一个模范农场，周围是 1.2 万户工人

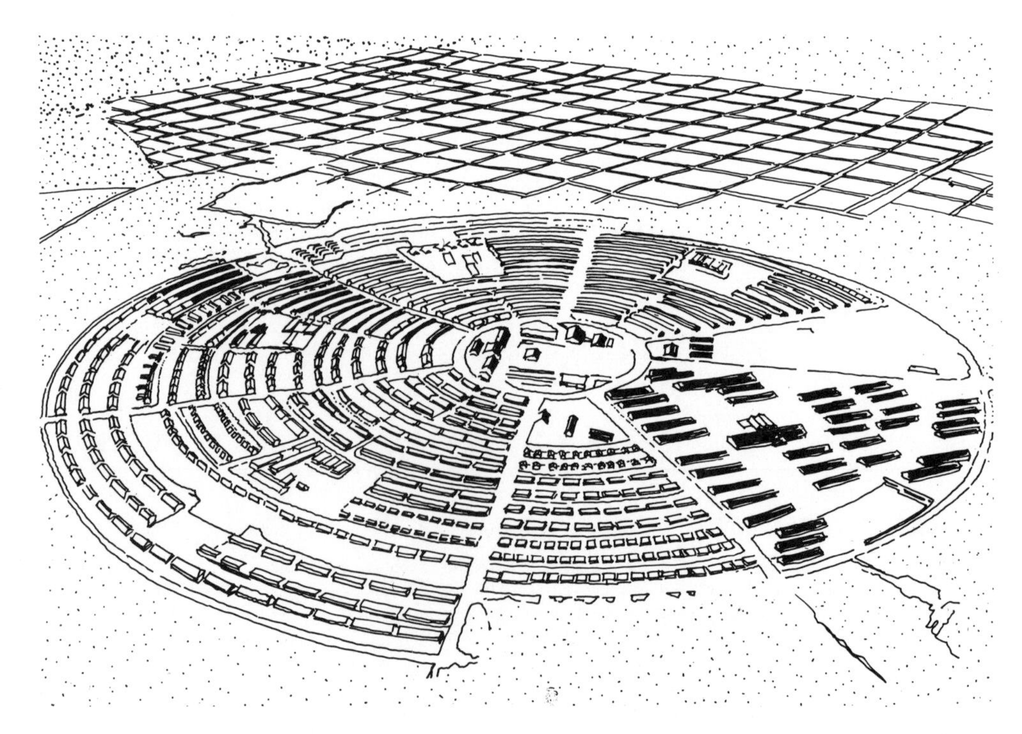

202　丘帕（Jupaià）（巴西）的飞行员城（Vila Piloto）。这是乌鲁布蓬加（Urubupungà）水电站建设工人的聚居区，原设计计划在水电站完工后将这里变成为一个模范农业社区。但是考虑到城市的维护费用，马托格罗索州政府的官员拒绝了建筑公司的这份礼物。后来，圆形居住区的一半由巴西军队接管，军队接管后立即将另一半拆除。

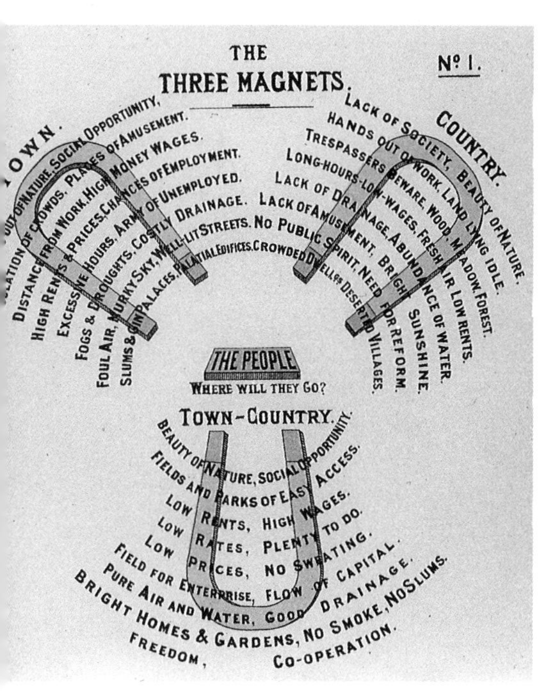

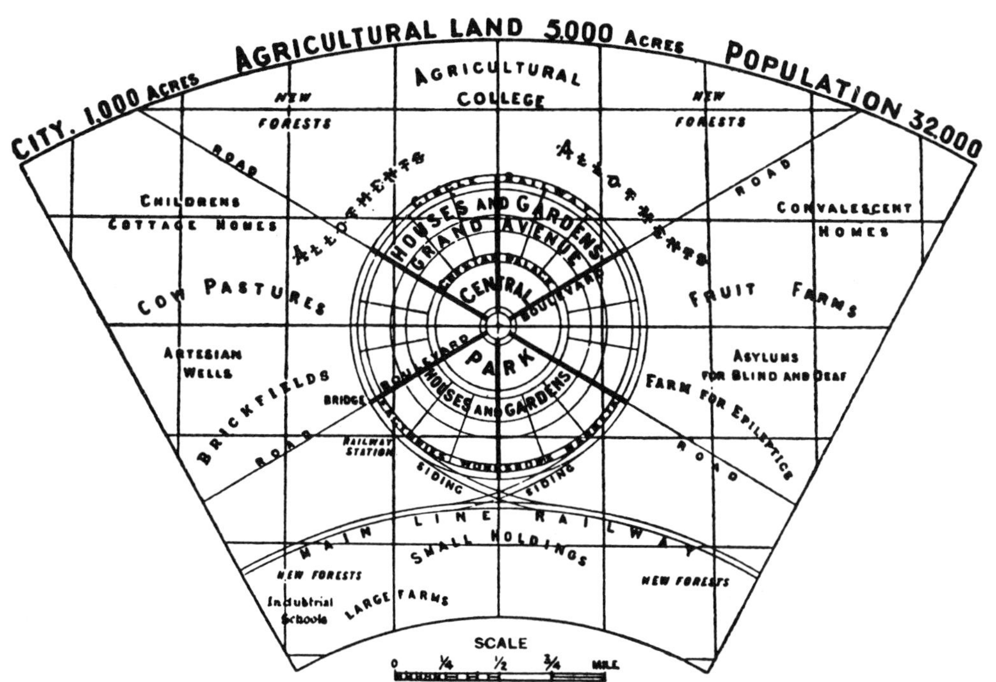

203，204　埃伯纳泽·霍华德，三大磁力的图解和花园城市图解，引自 1898 年出版的《明天，一条通向社会改造的平静之路》。

住宅，曲线形的住宅楼排列成切开的圆饼形状。[42]

霍华德在 20 世纪初时的地位依然是独特的。他的思想并非原创，他本人也大度地将荣誉奉献给在他之前的人们，称花园城市是已经呈现在大众面前的“各种建议的独特组合”。但是他真诚而热情地倡导前人所提出的、那种城镇与农村相交融的完美平衡的人居环境（参见 75~76 页），这一行为使他拥有了极大的号召力。这也许是地球上最接近天堂的一种方式：“自然的美丽，社会的机遇，田野和公园近在咫尺。低租金，高工资。低费用，高购买力。低价格，无需流汗……纯净的空气与水……明亮的房间和花园，没有烟尘，没有贫民区。自由，合作。”这就是城镇-乡村共同体所具有的磁力，相比之下，城市和乡村各自的磁力便充满了不便和危险性。霍华德还提供了一些特例以回应人们的疑虑，并预测了可能有的反对意见。他详细深入到花园城市文化的各个细节，从行政、开支到民风和修养。之后他给出了一些诱人的图解：“三块磁石”——被中心城市吸附的卫星城，以及花园城市布局本身，图面清晰，文字标注明确，其形式使人联起到从古阿到卡尔斯鲁厄一系列真实的或想像中的放射状城市，而文字则选择了壮丽风格中的常用词汇。“6 条雄伟的林荫大道”将把中心城市分成不同的区，然后汇集到一个为倡导“市民精神”而设立的面积达 5 英亩的花园位置，花园周围是公共性建筑——包括市政厅、图书馆、剧院、医院、博物馆、音乐厅。向外穿越了一个巨大的中央公园之后，便来到了“水晶宫”，这是一个有顶的购物中心，模仿的对象不言而喻，再往外是城市大道（Grand Avenue），这是一条 420 英尺（128 米）宽的公园大道，同时也是城市内部的绿带。圆形城市周围有一条“主要铁路线”环绕，这一点表现出霍华德对现代性的承认和接受，铁路线之内是分成小块的副产品自留地和牛奶场，自留地又内朝工厂、仓库，以及煤、木材和石料的堆场。住宅可以布置在靠近水晶宫的“第五大道”与紧靠工业区的“第一大道”之间。

203 193 204

我们应该承认，就像霍华德自己特别强调的那样，他的卫星城图解仅仅是一种想法的初稿，而并非真实的城市形式。在他著作的第2版（1902年）里，霍华德在“花园城市”图解旁边标明了“仅用作示意图”，以及“只有在选定地形之后才可以开始规划”这样的字样。但这并没有阻止人们在即便是最不恰当的地方复制这个图形。例如，南加利福尼亚州的迪里约大草原（Llano del Rio），1914年开始进行了一项共产社区的试验。它的设计者是一位自学成才的建筑师艾丽斯·康斯坦丝·奥斯汀（Alice Constance Austin）。这里原本就已经开始建造一座新城，名叫阿尔蒙代尔（Almondale），它本身具有放射状的平面：一个小规模的向心性网格，之外是两条环路，放射状街道穿过这两条环路可以到达社区的边界。但奥斯汀丝毫没有考虑阿尔蒙代尔的现状，她在莫哈维沙漠（Mohave Desert）边缘的荒野中完全复制了霍华德的图形。这时汽车时代已经初现黎明，于是她的规划允许每家每户都拥有汽车。霍华德的铁路线变成汽车道，汽车道的两边设立了几个观景台。所有商业事务性交通都被安排到地下。[43]

霍华德的设计是19世纪大量涌现的社会图解中的最后一个，但当然并不是最后一个社会主义的乌托邦。当放射-向心式的方案落入交通工程师之手时，这种集中控制型的理想城市便失去了它们基本的寓意，而以替身的角色存在，比如位于卡堡（Cabourg, 1860年前后）和斯特拉-普拉吉 （Stella-Plage, 1900年代早期）的法国娱乐场。它们以简化了的扇形方式出现在19世纪俄国为中亚地区传统城市［塔什干（Tashkent）、撒马尔罕等］所做的扩建方案中；但所有放射道路交汇的中心位置却都是空地。而惟一值得一提的将寻找理想城市的愿望传递给了现代世界的潮流，是第一次世界大战前后的国际主义情绪。

1914年之前，国际博览会是展示世界和谐运作的最主要场景，策划一系列博览会的目的就是要设计这种和谐。最早这样做的是1867年的巴黎博览会，建筑师弗雷德里克·勒普莱（Frédéric Le Play）在战神广场（Champ de Mars）设计了一个“真正的城市”（véritable cité）。一系列有屋顶的同心圆环廊与放射状的区域相交，形成了两套组织系统。每个向心环廊内展示着来自不同国家的同一类产品；而每一片放射状区域内则是同一国家的所有不同产品。1873年，维也纳在多瑙河沿岸建造了一条长廊，每隔一段距离设一个与长廊相垂直的长方形亭子，长廊的中央是一个巨大的圆顶大厅——启蒙主义“机器” 的维多利亚版。但随着时间的推移，这种理想化的整体结构渐渐被放弃，取而代之的是巨大的展示厅与争奇斗艳的各国展馆相结合的格局，每个国家的展馆都试图传达各自独立的信息。

战争年代，人们把全球和平的希望寄托在世界大都会的理想工程当中。其中最宏伟的一个项目是由美国富人亨里克·克里斯蒂安·安德森（Henrik Christian Andersen）与成就卓著的巴黎美院派建筑和规划师欧内斯特·赫布拉德（Ernest Hé brard）合作设计完成的。[44]他们设计的“世界交流中心”计划将世界上最有才华的人吸引到一起——其中包括宗教领袖、科学家、艺术家，来为人文主义和世界和平服务。工程的中央矗立着一座“进步之塔”，服务于医药、农业和工业的建筑物将它围合起来。次一级的核心供奥林匹克体育、艺术和交流之用。平面中，宏伟的中轴与从“进步之塔”发射出来的一系列放射状道路相结合，将包括“宗教之殿”与“法律之宫”在内的其他一些纪念性机构组织起来。城市中的建筑风格将荟萃历史中的各种风格。当然，工程的买方是不存在的。战后，试图将这些不可思议的、壮美的纸上幻想转化为国际联盟（League of Nations）总部机构的努力也没有达成任何结果。现实中的联合国机构最后在日内瓦和纽约落脚，但它们的布局要朴实和弱化得多。

205

205 《世界交流中心的创造》(*Creation of a World Center of Communication*, 1913年）的卷首插图，作者H·C·安德森(H. C. Andersen)与欧内斯特·埃布拉尔。

行星和太空

当理想城市热潮在1960年代和1970年代再一次兴起的时候，它发挥的领域就不再是各个国家的政治环境。新的希望指向我们共同的家园——地球这个行星，以及我们可能探索到的宇宙空间。现在回过头看，当时城市新发明中的巨构狂潮似乎只不过是对新技术的一种亢奋的展现欲，以及对新技术的普遍适用性所抱有的天真的信念。但其中也包含着一种想要扭转我们的浪费习惯，塑造出一种融合自然环境及自然生物的、紧凑新整体的真诚愿望。这些方案的出发点虽然各不相同，但都怀着重新设计地球的共同幻想。无论是日本的"新陈代谢主义者"(Metabolists)、法国的约拿·弗里德曼(Yona Friedman)和保罗·迈蒙(Paul Maymont)这一群人，或者是亚利桑那州的意大利沙漠预言家保罗·索莱里，他们的差别都不太大。代谢城市和生态建筑、巨型空间结构、悬浮舱以及线轴状的锥柱体——所有这些形式都分布在同一个想像领域之内。地点也许是特定的——比如塞纳河下面的某座城市、东京成田机场附近湖面上的悬浮居住区，或者是南极洲或拉普兰(Lapland)的"极地城市"，但它们常见的样式却是雷同的，甚至是低层次的。这些新的城市机器将会漂浮在海上、安置在峡谷和采石场里，或者通过支柱高架在农田之上。其形式常常是原始的——就像黑川纪章(Kisho Kurokawa)的螺旋城市(Helix City)和索莱里生态建筑中的正方体和六面体那样。

158

那一场激进的试图重塑人类聚居环境的运动只持续了很短的时期。索莱里一个人坚持了下来。他至今还在告诫我们要遏止城市扩散，并且传播在德日进(Teilhard de Chardin)的思想基础上发展而来的小型化的真理，也就是说，要在尽可能小的框架内容纳尽可能复杂的东西。他构想的生态印度(Arcoindian)和巴别迪加(Babeldiga)便是如此，现在亚克桑地本身已经在积极地酝酿着，它正在为我们调试一种高出曼哈顿密度30倍的城市生活。压缩激活了城市的存在："聚合升华出精神"。

自从人类走上月球之后，太空就成为最新的前沿。同样，无论是在月球、星星或是在火星温和的表面，完美的形式将推动出完美的社会，就像人们在设计绍村、傅立叶式的"法伦斯泰尔"村社、欢乐殖民地、新哈莫尼村以及英国的新城(New Towns)时所期待的那样。尤其是在外太空，那里远离地球文化，没有来自土地、时间和季节的不可抗拒的束缚，不会感到场所的制约或无法逃脱的历史的牵制。在那里：

> *温度、湿度、季节、每日的长度、气候、人为的引力和大气的压力都可以根据人们的意愿进行调节，于是新的文化种类、社会组织和社会哲学就成为可能……我们将有机会发明新的文化模式和社会哲学，然后选择相应的物质状态和社区设计来适应人们所选择的文化目标和哲学。*[45]

也许如此。但被人们呼唤出来的第一批空间殖民地却满是"地球上的景观，其中有农场、山地、树林、草地和动物"。我们能够想像到的形状依然是那些古老的几何体：圆柱、球体和圆环。出色的技术被传统所羁绊：我们在太空中行走了千万里，最终不过是回到了家乡。

图版8

于是至此为止，在地球上的各种陈旧风格和奇异建筑的残局之中，在太空殖民地的技术幻想里，理想城市的故事结束了。宇宙的图形在印度的斯里奥若宾度(Sri Aurobindo)闪现，这是一位最近去世的大师的阿什拉姆(ashram)，即静修之处。它的扩建形成了奥若维尔

206　修行-城市奥若维尔（南印度）的模型。

(Auroville)，这个城市的形状如星云般旋转，带有菩提树、陵墓和寺庙的城市中心介于某种放射状城市和某种幻象之间。亚克桑地困难地坚持着，成为充满生态思想的1960年代和一位幻想型建筑师偏执行为的废墟式的纪念碑。而未来的太空殖民地："伯纳尔球体"(Bernal sphere)与"斯坦福圆环"(Stanford torus)正在美国航空航天局的试验室里孕育着。 206

最终，所有的理想城市都会在某种程度上损害人性。生活不可能如它们所希望的那样被编制，除非在完全人为的机构，如修道院、军营和集中营，那里的人们或者自愿服从、或者没有选择地被控制。如果让人的本能发挥效力，那么本能将抵抗控制，尽管它也寻求秩序。自由的价值是什么呢？

当然，这是任何非集权的政体在建设城市的过程中每天都必须回答，每天都必须斗争的问题。这类政体的运作介于完全控制和完全放任之间。我们知道不可能存在不受任何控制的城市，即使我们只是利用这些控制将不受欢迎的事情从我们的居住邻里中驱逐出去，或者防止流行病。我们的日常城市的图形事实上是由功能分区、经济压力等等这类因素造成的。问题是，到底该由"我们"即城市的公民来决定这个图形的性质和定局，还是让"政府"来帮我们拿主意。

如果"我们"属于同一个阶层，那么我们自己便很容易做主。一旦我们遇到多元化的情形，问题便会出现。这时就有了两种选择。一种，是这个多元社会中的某一区段上的人群使自己成为了控制派。另一种，是社会中一部分相互团结也较有权力的人通过联合而使自己独立于其他阶层的人。自从郊区化运动在大约一百年前被制度化之后，这一直是美国的一股强劲潮流。

但是，城市中的人口越是单一，我们就越不可以将这些地方当作城市来讨论。功能与功能之间、人群和人群之间的隔阂越深就越难形成城市社区。最终，图解式的城市是梦想者编造的故事，他们想要复杂、丰富的城市结构，但却不想要与之共生的问题、压力和多变性。在梦里我们期待这种不需要付出或不计较后果的满足；在现实生活中我们知道的却是另一回事。

第四章　壮丽风格

序　言

大约在 1791 年 3 月的时候，总统华盛顿交给皮埃尔·朗方一项工作，请他为新联邦的首都做一个规划。此前不久，朗方和美国第一位测量总长安德鲁·埃利科特（Andrew Ellicott）已经测绘了波托马可河（Potomac）沿岸考虑用于建造首都的地区，这一地区覆盖了 3 个小型的网格城镇：卡罗斯堡（Carrollsburg）、汉堡和乔治敦（Georgetown）。托马斯·杰斐逊倾向于建造一个紧凑的首都，在提交给总统的建议中，他选择了波托马可河和安那科斯提亚河（Anacostia）的交汇处，即卡罗斯堡所在的位置，设计了一个规模不大的网格状城市；之后他又选择在靠近乔治敦的地方做了第二个网格规划。*209*

朗方对这两个方案的规模和形式都给予了嘲笑。就前一个问题，他给总统的信中写道：“规划的规模应该为无论多远的将来当国家财富积累到一定程度，城市有能力实现自身的壮观和美丽的时候留出足够的余地。”至于设计，网格也许适合平地，“在这种情况下，周围没有重要的物体，所以街道的走向无关紧要。”但是“即使在平地上，最精心设计的网格最终也会变得令人厌烦和乏味”。但是新首都地区的地形是复杂多变的——而且这个新兴国家的未来又充满了希望。这个国家需要的是一个“大器的”设计，用朗方在形容他设计的一条林荫道时的话来说，“城市的尺度应该与一个强大帝国应该展现的伟大形象相映衬。”[1] 通过现存的一部分文件和图纸提供的信息，我们可以寻找到朗方构思和深化华盛顿规划的全过程，从而清楚揭示出一位巴洛克规划师的工作方法。*208*

在测量地形时，朗方并不仅仅检验这片用地是否适合建造城市——例如水资源、最佳对外交通途径，也许还有风向等等，他同时还对地形所具有的设计潜力感兴趣。他被詹肯山（Jenkin' s hill）的统领地位深深地吸引，就像朗方不受欢迎的合作者和继任者埃利科特描述的那样，詹肯山“站立在那里，就像一座等待着巨型建筑的基座”。最终，它成为了美国国会大厦的基座。朗方将所有这些自然地形因素与不同等级的公共建筑物结合起

207　华盛顿特区，从林肯公园的上空向西望，可以看到国会、林荫公园大道、华盛顿纪念像和林肯纪念堂。

来——包括国会、总统府、高等法院以及他认为需要布置在周围的其他一些稍低级别的建筑物。然后他考虑如何将这些建筑物以壮观的方式联系起来，制高点之间的地区则只要排列方格网便可以了。

公共空间本身有着各自具体的功能，而并不仅仅是人流汇集的交通空间——它们分别是市场、行政中心或娱乐休憩中心。15 个广场代表当时的 15 个州，每个广场中央都相应的有一个能够表现其功能和特点的塑像或其他纪念物。城市中有壮美的公共步行大道，在国会大厦轴线和总统府轴线相交的地方设立了乔治·华盛顿（George Washington）的骑马塑像，还有各种学术和文化机构建筑。台伯溪（Tiber Creek）的水将被引到国会山下，形成一个巨大的城市瀑布。

朗方是这样描述规划开始时的工作步骤的：

> *当确定了主次元素的位置之后，我布置了一个规则的平面，每条道路都按东西、南北方向直角相交，之后再开通连接主要场所的其他方向的道路，这样做的目的不仅是希望与规则的图形形成对比，在主要街道的交汇处获得多样化的空间和宜人的景观，更重要的是将整个城市联系起来。可以这样说：通过缩短场所与场所之间的实*

208　皮埃尔·查尔斯·朗方所做的华盛顿规划，1791 年。图中字母“B”标注的是林肯公园的位置（参见图 207）。

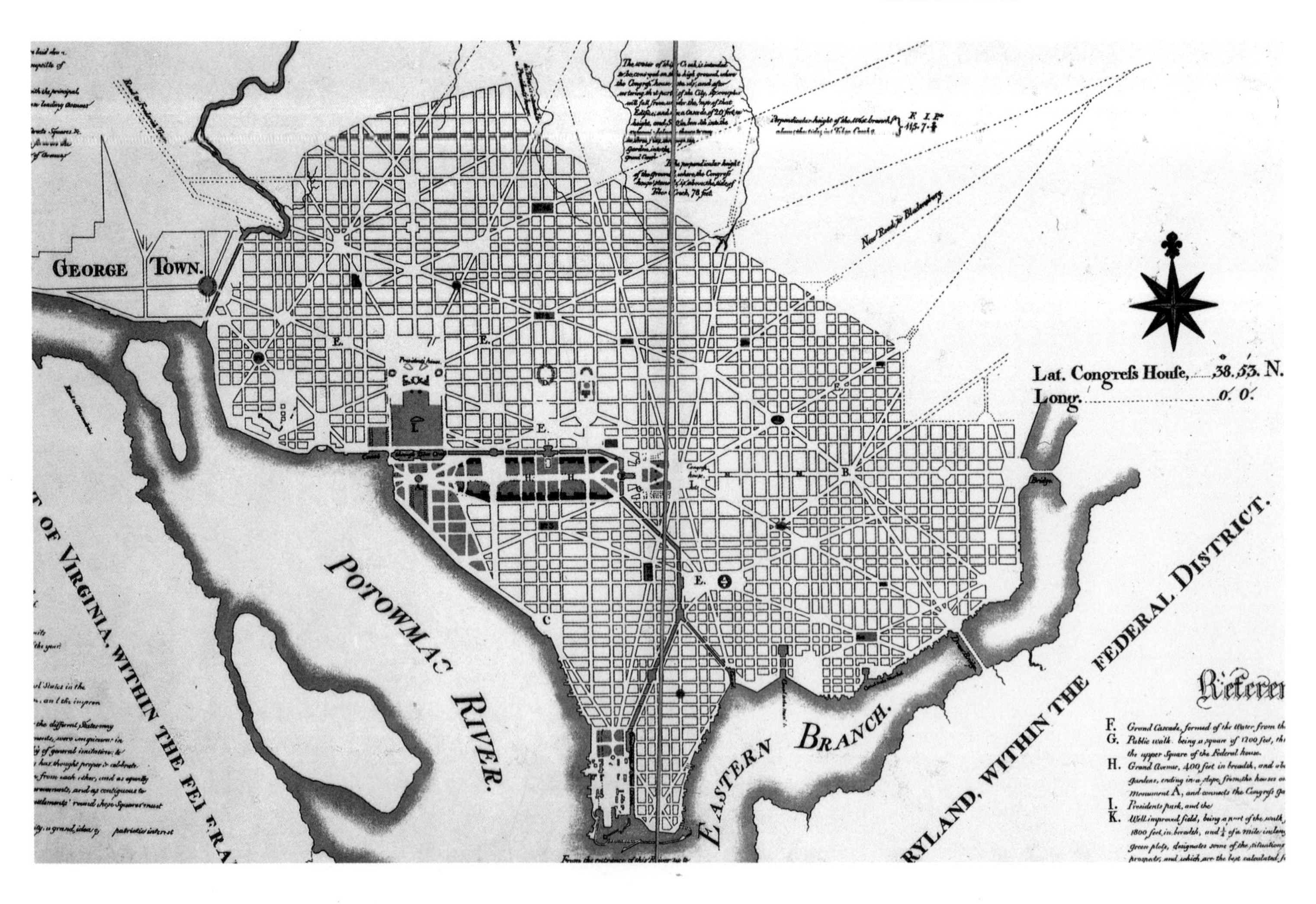

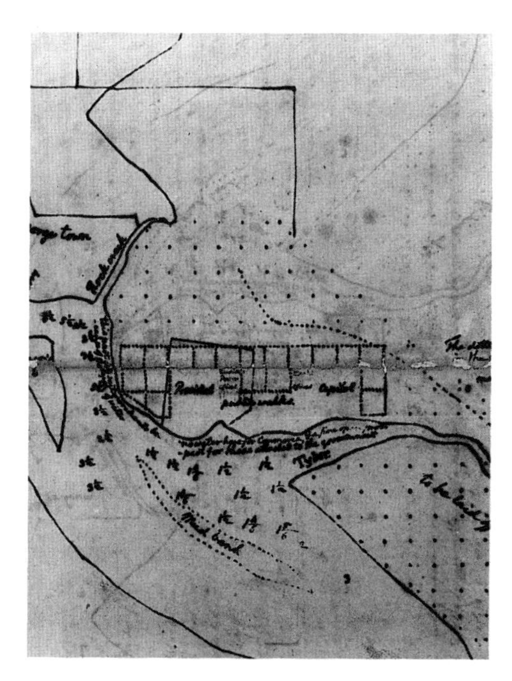

209 托马斯·杰斐逊所做的华盛顿规划，1791年。宽距离的点阵代表了在原来小规模城市基础上扩大的未来城市布局。在网格区域内，3个街区用于总统官邸和花园，3个街区用于国会，两者之间有“公共街道”连接。

际距离，让它们［这些主要的点？］在视觉上相互贯通，并且在某种程度上相互联系，这些做法有助于人们在整个地区范围内快速定居，使得即使是城市最偏远的区域也能参与成为主要场所的补充，如果不采取这些手段，那么即使有定居活动发生也只会显得苍白无力，消失在自然大环境中，这种情形不利于首都的建立。

让我将朗方的城市设计中表现出来的一些巴洛克美学特点列举如下：

1. 以遍布整个城市的一系列聚焦点为基点，形成整体的雄伟而宽广的城市组织。
2. 这些聚焦点的分布与地形的起伏相辉映，聚焦点相互之间有快捷畅顺的道路相连。
3. 关注主要大道的景观设计——朗方写道：“我设计中那些特别加宽的街道，可以在日后种上树木。”
4. 制造街道对景。
5. 公共空间作为纪念性物体的背景。
6. 戏剧性效果，如瀑布等等。
7. 上述这一切将叠加在容纳日常邻里生活的致密的城市肌理之上。

正如朗方所认为的，这一规划学派的优点是能够使新城市被快速、平均地定居和建设，同时交通畅顺，视觉效果丰富。

历史回顾

在朗方华盛顿规划的背后，是一种已经发展了二百多年的城市学，这种城市学 238 最重要的发明就在于首都，这种首都压倒周围的一切，将它的大道伸向遥远的乡间，使得整个地区似乎都朝着这座城市集中。那个时候，朗方已经知道有这样一个巴洛克的首都、一个和他的华盛顿一样的彻底的人为创造物——凡尔赛。在那里，他跟着他的父亲——一位受委托参与军事部装修工程的画家一道度过了童年。朗方同样也知道皮埃尔·帕特（Pierre Patte）1765年出版的大部头著作，在书中，作者将1748年所做的路易十五纪念建筑设计竞赛方案叠加在当时的巴黎地图上。地点由参 270 赛者自选，于是不少人借此机会为他们所选择的纪念物所在地周边做了城市设计方案。从某种角度看，帕特的平面实际是对整个巴黎进行多中心的巴洛克式规划的一次试验。朗方同样也熟悉1703年开始规划的涅瓦河（Neva）上的新的首都圣彼得堡，以及卡尔斯鲁厄——一个围绕着班登-杜拉赫（Baden-Durlach）总督官邸布置了 186 32条放射状街道的德国式的凡尔赛。后者是杰斐逊按这位法国人的要求准备的许多幅城市地图中的一幅。

然而，狄更斯在形容华盛顿时所说的“宏伟的距离”这一欧洲式的传统只不过是我所指的壮丽风格中的一个章节。本章的开篇将追溯到15世纪，那个时代漫长的夕照一直洒向了今天。但在更早的时期，这种充满无上戏剧感的、富有层次和纪典性的城市传统就已经出现。带有连续统一立面的笔直的街道、对景、城市平台和阶梯、坡地与台式建筑的结合——所有这些元素在希腊/罗马时代就已经有所表演。我们甚至可以追溯到再早的埃及，如卢克索（Luxor）和凯尔奈克（Karnak）这两个城市中排列着斯

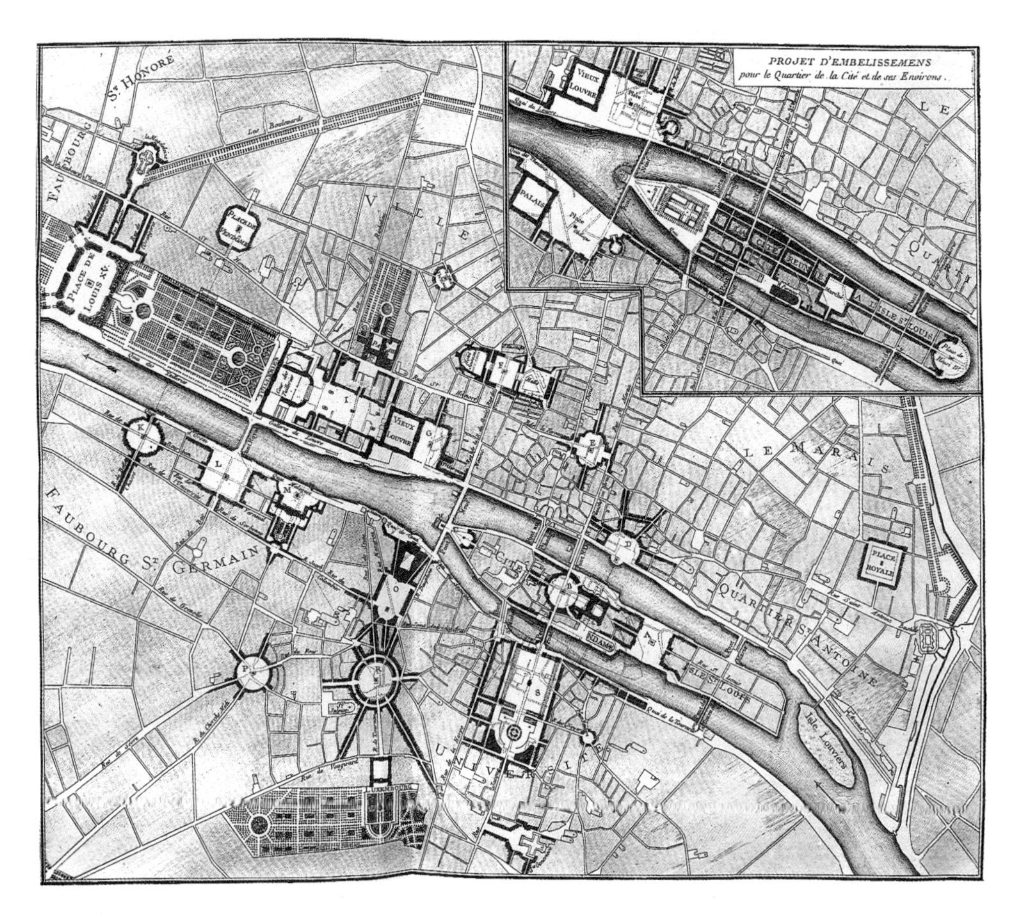

210　叠加在巴黎地图上的各个路易十五纪念建筑设计竞赛方案，引自皮埃尔·帕特所做的《为路易十五的荣耀而建于法国的纪念宫》(*Monuments érigés en France à la gloire de Louis* XV, 1765年)。

芬克斯像的宗教巡游大道，以及位于戴尔·埃拉–巴赫里（Deir el-Bahri）的辉煌的高台建筑。

古　代

在古典时期以前的古代，我们无法找到任何一个像华盛顿这样完整的、可称得上为巴洛克风格的城市系统。可以用来讨论的只是在城市形式中个别出现的属于这一系统的某些元素，而这些城市形式可能在本质和目的上都跟这一系统有很大不同；或者是另一种情况，这些“巴洛克”片断在某个区域集中出现，但从城市设计的角度看，并没有形成完整连贯的方案，也就是说，缺少一个确定的总体平面，这种情况就像希腊的卫城、古代亚述梯形金字塔建筑群或玛雅人的城镇。

211　希腊化时期有一个重要发展。公元前3世纪和公元前2世纪阿塔立王朝（Attalid）的帕加马（Pergamon）的规划似乎见证了一种特殊的城市设计流派，这种流派将一系列成熟的“巴洛克”设计手段运用到了一个协调统一的系统当中。帕加马位于小亚细亚西部一条狭窄的山梁上，它的城市形式给人们带来了一系列相互关联的视觉与行动体验。其中最基本的构图特点是一系列呈扇形分布的阶梯平台，平台上是公共建筑组团。阶梯平台强化了自然地形的内在特征，使其具有纪念性。剧院利用坡地展开，它的存在进一步确立了城市上部5个平台构成的巨大扇形布局。平台的边缘沿山壁的位置建造了多层的柱廊。一条铺装的步道从下面的城门开始，以锐角的之字形连接各平台，同时攀缘上山。

有人认为帕加马的城市设计手法有着更早的渊源，那就是另一个小亚细亚城市——由卡里亚（Caria）地方的君王摩索拉斯王（King Mausolos）建造的哈利卡那苏斯，这是主要建筑群依照山势作垂直三维布置的城市中更早的一例。当时的年代是公元前4世纪或稍早一些。城市形态就像一座怀抱着海湾的露天剧场（维特鲁威语），山顶是一尊巨大的阿瑞斯（Ares，希腊战神）塑像。著名的摩索拉斯陵墓（Mausoleion）是整个构图的中心元素，它矗立在山腰一条宽敞的弯曲道路上。集市位于山脚，靠近港口，在海湾左右两座高起的山岬上，分别矗立着一座阿芙罗狄（Aphrodite）与赫尔墨斯（Hermes）的神庙和一座摩索拉斯的宫殿（在现在十字军城堡所在的位置）。

但很有可能的是，帕加马布局的形成有着更广泛、更分散的背景。

首先，我们必须注意与东方的联系。爱奥尼亚（Ionian）地区很有可能受到小亚细亚和近东非希腊文化风气的影响。在这种文化环境中，阶梯平台状的纪念性组合和建筑物之间相互错动的模式早已确立，尽管我们在那里很难发现像帕加马这样在三维层次上作巧妙穿插的情况，但我们也不能完全忽略这些城市的影响，其中包括土耳其南部辛色里（Zincirli）的赫梯人（Hittite）根据地（公元前9—前8世纪），这个地方有上下两处“宫殿”，新建的宫殿建筑与已有的政府中心形成一种偶然的对位关系。

对公元前4世纪希腊本土的先例也应该作一些分析——我指的并不是像哈利卡那苏斯那样具有特殊地形的城市，而是后期希腊城市中常有的公共建筑组成部分。可以分辨出的倾向有几种。其中一种倾向，是在先进建造技术的推动下，对大胆的建筑体型的尝试成为可能，因此就出现了一批具有非同一般的建筑形式的、新的、更加复杂的建筑类型。另一种倾向，是马里奥·科帕（Mario Coppa）在他关于希腊城市的详尽叙述中强调的那种特点，即打破完整的建筑构思，更趋向于接受某种具有松散关系的部件组合。从这一情况以及在处理纪念性元素与住宅肌理相互关系时所表现出的新的思维当中，我们看到了古典希腊城市在城市空间上的转变。[2]

无论起因究竟是什么，作为一个完整清晰的城市设计体系，帕加马仍然是独一无二的——尤其重要的是，它的城市形式并非来自于一个从开始时就已经制定好的总体规划，

211 帕加马（土耳其），希腊化时期阿塔立王朝的首都，上部城市的模型。

而是由几代规划师和建筑师根据当时的城市状态因地制宜地工作的结果。它的经验传播广泛。公元前2世纪早期扩建的艾该（Aigai）显然有帕加马的影子，小亚细亚西部的许多城市也表现出它的影响。同时，我们还需要进一步研究帕加马规划学派是如何改造并与罗马时期的规划实践相结合的。

关于罗马城市，最近由威廉·麦克唐纳（William MacDonald）撰写的一本著作为我们提供了关于帝国时期城市设计的绝好的视觉分析。[3] 到了公元1世纪时，网格已经过时。罗马人用一种更为宽松、更为可变的正交系统代替了网格。城市形式在一系列笔直大道和开放空间的基础构架上发展起来，城市内的交通畅顺无阻。这种形式从来就不是一次性确定下来的，而是在没有理论条文约束的情况下根据实践中的经验逐渐形成的。这是一个不断精心调整和扩展的过程。显然，城市规划还是先行了一步。早先的居住区可能从一个军营或一座新城开始，那时候它们有整齐的正交网格平面。而具有罗马特点的城市构架则是后来发展而成的。

在罗马的主要特点形成之前，这种具有变通性的城市形式中的一些基本元素就已经存在。当然，同样存在的还有古典的建筑语言，罗马的建筑师和规划师以此为媒介将各种即兴的城市建设活动组织为整体。但古罗马城市设计中的流动性是一种新的特质。这种流动性磨练出了一套可靠的体系，被运用到不同的地形当中。从另一座城镇来的一条主要公路来到一个主要的城门口。进入城门后，这条交通公路便转化为一条城市街道，穿过密集的市区来到城市广场。城市街道装备了铺地、人行道和有顶的柱廊。

256

城市形式中其他一些基本元素还包括：通常位于主要大街一边或横跨主要大街的公共开放空间，通常与平台相结合的台阶，以及能够起到空间转换作用的建筑——如半圆形的门廊（exedrae）、花式喷泉（nymphaea）、其他为修饰目的而设的小品建筑、那些为修饰笨拙的节点或掩盖突然下降的地形而采用的种种手段等等。而最重要的是一系列公共建筑物——剧院、竞技场、神庙、巴西利卡（长方形会堂）、图书馆、公共厕所、音乐厅（odeia）和马戏场。这些内容分散到城市结构的各个部分，所以没有哪一个邻里中是完全没有公共纪念物的，当然也不存在任何不发生商业活动的邻里。公共建筑有着高大而醒目的结构，它们在城市结构中的位置使得它们能够逐一地显现出来。古罗马人是如何利用这些标准种类的公共建筑物来制造麦克唐纳所称的那种“建筑殖民化”效果的？这个问题一直被许多致力于研究这个广大帝国的学者们所关注。

古罗马人运用丰富多变的设计手法往往在平凡的地形上创造出了生动感人的城市景观，它们的做法影响到了巴洛克时期的欧洲城市——更准确地说，是巴洛克时期的罗马。事实上，正像人们常常认为哈德良行宫（Hadrian' s Villa）和佩特拉（Petra）墓碑的立面是普罗密尼（Borromini）的建筑设计的前身那样，教皇厄本八世（Urban VIII）和伊诺森十世（Innocent X）时期的罗马城则来源于古罗马帝国时期的地方城市。

欧洲巴洛克

欧洲巴洛克起源自16世纪，或更早的时期。从最根本上说，这一壮丽风格的高峰时期与广泛的知识、政治和技术发展紧密相关，这些发展包括了罗马天主教会的反改革运动

(Counter-Reformation)、独裁主义的兴盛、寡头统治、天文学的发展以及对地球上从未被西方人了解的地区的惊人发现。欧洲巴洛克时期的空间概念与中世纪后期的思想相一致，两者都否定神学所设定的静态宇宙观——那种认为世界是内部规则的静态的外部表现的说法。随着哥白尼学说引发的从地球中心说向太阳中心说的转移，人们现在认识到世界处在无限的空间之中，是围绕太阳运动的一个物体。这一重大的变化，加上在科学领域，尤其是在数学、光学和天文学方面的新发展，剧院中创造出的崭新的幻象世界和舞台景象，以及最新呈现在欧洲探险家面前的亚洲和美洲；所有这一切都是欧洲巴洛克城市实践得以发生的基本文化背景。这一国际性的文化通过统治者们通常所属的艺术学界传播开来，为巴洛克美学带来了各国的追随者。艺术家们在首都与首都之间旅行，关于建筑和城市的著作被人们广泛研读。

就像我前面所说的那样，欧洲巴洛克是首都城市的现象。它服务于专制主义的品味和表现需要，粗略地讲，这种专制主义起始于14世纪意大利贵族阶层(signorie)的崛起，以及之后两个世纪中法兰西、西班牙和英格兰皇家宫廷的复兴。在向独裁统治过渡的过程中，首都人口增长，继而是地域的扩大。举例来说，马德里就曾出现惊人的变化，16世纪时，它不过是一个小村庄，而到了后一个世纪，人口便达到了17万。巴黎、阿姆斯特丹、伦敦、哥本哈根都有同样的经历。在德意志，地方君主所在的都城表现出了辉煌的城市设计成就。当然，专制主义标签不过是一个脆弱的探讨支点。“专制主义年代”一词也属于过于粗略的描述，它掩盖了不同政治和社会的广泛差别。但尽管如此，正是统治者在典仪和政治上的虚荣才为欧州巴洛克提供了最华丽的理由。 13

和寡头统治的出现一样，巴洛克城市语言的发明离不开文艺复兴。在14世纪或更早的时期，对旧城市中具有艺术特质的笔直街道的重新发掘已经成为一项有意识的行动。就在那个时候，佛罗伦萨的城市文件中开始特别提到宽阔、笔直、美丽的街道的好处。根据这种态度，街道似乎很显然已经不再被当作是建筑物之间的剩余空间，而是一个完整的空间元素。在文艺复兴传统中，由建筑限定出的街道空间常常被认为是一个独立的实体。巴洛克给街道空间这一城市设计元素增添了连续性平面的感觉，这种做法出现于16世纪末，在之后的一个世纪里，又进一步加入了连续统一的街道立面的要求。巴洛克的其他特征同样在文艺复兴时期就已经孕育着。按古罗马方式设计的广场就是其中一项，而三支道系统(trivium)——即3条放射状道路汇集于一个广场的手法是另一项特征。最后我们还能够从文艺复兴中找到那些尚未完善的、试图将教堂等公共建筑物通过笔直街道连接起来从而创造纪念性城市空间系统的原始的巴洛克愿望。例如，文艺复兴时期的佛罗伦萨就逐步建立了一个带有铺地的人行街道系统，其目的是要将周围的教堂和广场与中央主教堂(Duomo)联系起来。

巴洛克传统中最永恒的主题第一次清楚地呈现在人们面前是在16世纪的罗马，它集中地表现在教皇西克斯图斯五世(Sixtus V，1585—1590年)和他的建筑师多米尼科·丰塔纳(Domenico Fontana)所做的著名的总体规划当中。在当时的罗马，三支道的手法于1530年代发明(见后文，235~236页)；也就是在那个十年里，街道对景(vista)的概念由米开朗基罗在皮亚街(Strada Pia)首次完美地展现；方尖碑作为令人惊叹的空间制造者再次获得生命力；当然，追求几何秩序的城市设计原则也获得了确立。 图版21 257

意大利以外的壮丽风格

在意大利的引领下，法国于1650年之后接受巴洛克美学，并将其发展成一套理性的城市设计系统。从那时候起到第二次世界大战，壮丽风格一直风靡法国，仅以香榭里舍大225 街（Champs-Elysées）轴线序列一例而言，从勒诺特（Le Nôtre）到奥斯曼，再到1931年为260 将原轴线从马约门（Porte Maillot）延长至拉德方斯（La Défense）而举办的设计竞赛，都清311 楚地表现了壮丽风格的进程。最近完成的拉德方斯大拱门（Grande Arche）与2.5英里（4公里）以外位于同一轴线上的凯旋门遥相呼应，这一工程将路易十四和两位拿破仑皇帝培养起来的巴黎传统延续到了今天——从戴高乐（De Gaulle）到蓬皮杜（Pompidou）和密特朗（Mitterand）的帝国式总统领导人的时代。

因为壮丽风格永远是国家级城市才具有的特征，起码在法国如此。17世纪，巴黎已经在朝着欧洲政治和社会中心的方向发展。法国的人口曾经达到2000万，成为欧洲第一大国。在从政府到建筑行业的各个领域，这个国家在中央行政方面的专长获得了展现。壮丽风格在法国得以制度化，不仅是由于皇家的惠顾，同时还因为官方的教育机构——研究院（Académie）及后来的巴黎美术学院（Ecole des Beaux-Arts）的执行和贯彻。最终，它成240 为这个国家最主要的文化出口产品之一。它传播到了整个欧洲，并且通过非凡的圣彼得堡216 的建设而在广袤的俄国驻留下来。它越过大西洋，创造了“荒原中的巴洛克”——底特208 律，以及法兰西规划学派在当时最完整的表现——朗方的雄伟的华盛顿规划。随着19世176 纪和20世纪殖民主义的传播，壮丽风格获得了世界性的舞台，按照壮丽风格新建或彻底192 重建的城市远及德里、堪培拉、芝加哥和拉巴特。

17世纪和18世纪时就已经确定下来的壮丽风格的元素并不多，但它们却同古典柱式238 一样丰富多变。林荫大道是其中最常见的一个元素——的确，用整齐排列的树木建立起空间的界限是法国人对环境设计史的一项重要贡献。同时影响深远的还有由连续统一的建筑243 立面限定的中央设有一个纪念雕塑的居住性广场。这种类型最早出现在亨利四世（Henri IV）时期的巴黎，当时的代表作是王妃广场（Place Dauphine）和君主广场（Place Royale）[即260 沃士什广场（des Vosges）]，一个半世纪之后，在非居住性的广场协和广场（Place de la Concorde）达到了最高峰。到了那个时候，这种类型已经遍及各地。

但法国巴洛克美学实践最具影响力的方面，是能够将林荫轴线、圆形广场（rond-points）（圆形交叉口或环道），以及处在不同长度和不同角度放射状道路焦点的具有明确几244 何形状的规整形广场全部联系起来——将它们组织成为覆盖整个新建区甚至整个城市的几何整体。由于受到漫长历史的牵制，巴黎的城市形态无法全面实现壮丽风格——至少从第一个皇家广场的出现，到拿破仑三世（Nepoleon III）与奥斯曼男爵令人惊叹的合作形成之238 间的二百五十多年里情况的确如此。但只要地形相对没有障碍，例如在凡尔赛、1666年大212,208 火之后的伦敦或者华盛顿，那么从一开始就有可能实施这种整体性的规划方案。

如果说壮丽风格总是和集中性的政权联系在一起，那么我们不难看出其中的原因。壮丽风格要求的那种宏伟的构架和抽象的模式必须有一个不受阻挠的决策过程和一个能够帮助其实现的财政储备作为前提。如果缺少这样一个独断的政权，壮丽风格只能是纸上谈兵。20世纪早期美国的城市美化运动就说明了这个问题，丹尼尔·伯纳姆恢宏的城市构想235 在菲律宾这样的外地取得了比在故乡更大的成就。缺少了奥斯曼和斯皮尔依靠的那种政治力量，伯纳姆就无法将芝加哥和旧金山改造为城市美化风格（City Beautiful）的城市。华盛顿是美国惟一一座毫无保留的实现了壮丽风格的城市，这一情况并非偶然，1902年，麦克米兰委员会(MacMillan Commission)重新恢复并深化了眼看就要遭到废弃的朗方规划。华盛顿是美国当时惟一一个实行中央行政管理的城市，虽然还要通过代理制，但它却是在国会的直接控制之下。换了其他地方，则只有借助说服工作、经历复杂的民主程序，才可能争取实现整体规划中的某些局部。而那些最受欢迎的局部就是公共园林及相应的林荫大道和公园大道、水滨休闲区的美化、市民中心，以及像城市入口处的大桥或大门(如明尼阿波利斯的城市大门)这一类的市政装饰。无论如何，城市美化能够发挥某种效力的地方严格限制在公共领域里。受委托完成的城市规划没有任何法律效应，而法院也无法支持对私人地产实行强制性征收(eminent domain)的措施。 207

专制权力的骄横解释了为什么壮丽风格被1930年代的极权主义政权——诸如墨索里尼、希特勒和斯大林之流的政权所青睐。同时，壮丽风格在殖民地区的流行也毫不奇怪，在这些地方，它是殖民主义的有效工具。其模式传达并表现了统治权——在美属马尼拉(Manila)和英属卢萨卡，在法属印度支那地区的河内(Hanoi)和意属埃塞俄比亚的德雷达瓦(Dire Daua)都是如此。在传统印度城市或者在北非丹吉尔(Tangiers)和非斯(Fez)等阿拉伯人聚居地的旁边，欧洲人建造起他们的壮丽风格的新城，以显示“文明”的殖民者与“落后的”当地人旧秩序之间的差别。 229,263

但是，单靠这种表现主义的力量并不能说明壮丽风格在19世纪和20世纪持续不断的成功。很显然，巴洛克美学是在现代性的带动下走上舞台的。当朗方在想办法“缩短从一个地方到另一个地方的实际距离”的时候，城市形式的开放和高速交通的循环就已经成为朗方同时代规划师思考的重点，而这些问题也正是现代时期最重要的问题。同时，宽阔的直路、通敞的街景以及绿地的大量分布更顺应了越来越壮大的卫生运动的呼声。

当然，现代的交通和健康的城市环境同样也是花园城市和以后的现代主义规划的中心内容。而壮丽风格超越两者的地方在于它与中世纪之后欧洲伟大首都城市之间的联系。花园城市和现代主义轻视或排斥纪念性的公共领域，但壮丽风格颂扬它们。花园城市和现代主义将居住独立出来当作城市问题的关键来对待，而壮丽风格则将居住纳入与城市整体形式相关的全面的纪念性格局当中。巴洛克美学兴盛时期很长，除了因为它具有的现代的特征，还因为它代表了那种将城市作为艺术品对待的态度。它的兴盛是因为它能够展现清晰、强烈的城市意象，这些意象一方面很现代，另一方面又与传统的成就相呼应。这正是美国的城市美化运动所向往的，丹尼尔·伯翰、查尔斯·马尔福德·鲁滨逊(Charles Mulford Robinson)、爱德华·贝内特(Edward Bennett)以及他们的志同道合者试图通过城市美化运动来教化由于商业主义恶魔的控制和对放任主义的姑息而呈无序发展的美国城市。而最终，这也是L·克里尔(Leon Krier)和里卡多·波菲尔(Ricardo Bofill)这一批后现代主义城市设计师所看重的东西。 图版30

壮丽风格的规划

伦敦大火发生之后的几天，1666年11月13日，在呈交给查尔斯二世(Charles II)的报告及一份关于“破坏程度的测绘及新城市计划”的资料当中，约翰·伊夫林提出了重建 212

伦敦的三项原则：“优美、便利、壮观”。如果说前两项与维特鲁威著名的美观、实用原则相对应的话，那么壮观则是巴洛克的卓越组成部分。它超越了适用，我们从伊夫林为这座港口城市所做的规划设想中可以看到这一点。他坚持创造一个高尚的水滨地带，没有繁乱的装卸平台、仓库和堆场，他将壮观放在城市的生产力之上。他建议将墓地搬出教堂区，转移到城市边缘，这一进步的先期启蒙主义想法也许令人震动，但同样意想不到的是他在规划中将屠宰场和监狱搬离城市中心放到城市的某入口位置。他希望在城市中禁止的活动还包括“酿造坊、面包房、染房、盐场、肥皂厂、糖厂以及鱼贩”等等，而对上述某些活动的禁止却必然会造成城市的极度“不便利”。

壮丽风格在超越功能的情况下追求城市的气派，无论是古代的巴比伦还是纳粹时代的柏林都是如此。其手段是英雄式的尺度、视觉上的流畅性以及建筑材料的奢华。263

地　形

地形是首要因素，必须经过仔细研究。在为伦敦制定现代的总体规划之前，约翰·伊夫林希望制作出一幅地形图，精确地标出“整个地区所有的下沉、突出之处，以及水系”。[4]但这些资料的准备并不意味着设计者关注于建立城市与自然地形条件之间的协调关系。相反，地形是一种挑战：它的特征会根据设计者的设计意图被夸大或压制。公共建筑的分布和相互之间在视觉意义上的关联，令人振奋的街道对景的制造，它们是上述图版 21设计意图中的两个方面。所以，丰塔纳可以夸耀地说，西克斯图斯五世要“让这条街从城市的一端延伸至另一端，不受山脉和峡谷的阻挠，调高铲平，调整填满，他要将地形改造成为舒缓的平原和最出色的基地……”所以伊夫林在规划伦敦时也认为“在城市中遇到深沟、洞穴或地面突然下陷之处时，有必要将其填满或至少应该填出一部分平地，这样将更有利于进行商品活动，方便马车、货车和人在街道上行走，并且可以建造更漂亮的房屋”。[5]

古典时期的三个实例也许可以解释壮丽风格是如何取得与“有机”模式或普通网213格不同的效果的。德尔斐带给人的行进体验来自不规则攀升的朝圣道路，以及对各种宝物——即取自各争战城邦的战利品所作的顺应山势的大胆布置。阿波罗神庙建造在一个山嘴上，它独立的雕塑状形体与道路构成一个角度，因而在前往朝圣者的视线中214显得异常巨大。普南城严整的网格排布在米盖尔山（Mount Micale）低处的陡坡上，雅典娜神庙就被固定在长方形的街块体系当中，来访必须按直道前往，南北向为台阶，215东西向为平地。在希腊化时期的林佐斯（Lindos）卫城，地面的升降完全通过平台、大阶梯和作环抱状的柱廊等建筑手法处理而成，并且按严格的轴线展开。人们在攀登和穿过这一系列具有纪念性的先导空间的时候，他们体验到的是有系统地、逐渐地展开的建筑景观，脚下原有的自然地形皱褶已经被建筑手段所掩盖或改变，山形仅仅成为远处的背景。

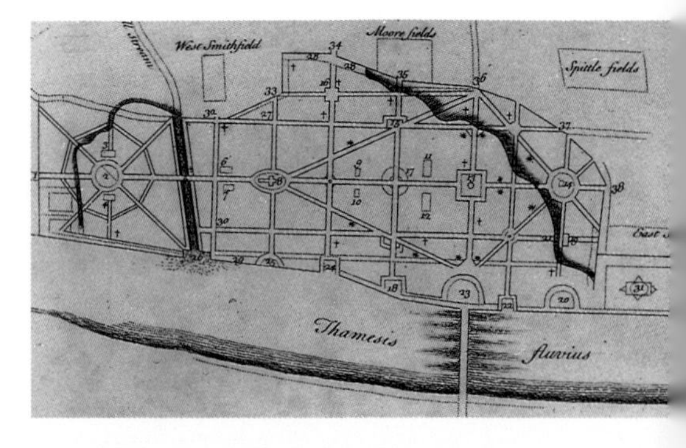

212　约翰·伊夫林的伦敦重建规划方案，1666 年第一稿。圣保罗大教堂被安排在中心偏左的一个椭圆形的中间，处于一组三支道的尽端。

我们必须强调这种城市设计的主观性质。几何规律本身在发生作用，即使它没有得到地形特点的支持。当然总会有一些官方的因素强加在城市形式之上，本章的后面我将就笔直街道的问题谈到更多的一些观点。但这种主观性并没有因辩论而消失：相反它更受珍视。

伊夫林谴责旧的伦敦，说它是“由一堆木质的、北方的、毫无心计地拥挤在一起的房

213–215 德尔斐（Delphi）（希腊）、普南城（土耳其）和林佐斯的示意图，它们分别代表了“有机”环境、网格以及壮丽风格规划产生出的不同的城市体验。

屋组成的城市”[6]——我认为“毫无心计”一词用在这里非常贴切。巴洛克城市是一种人为的设计物，它同时包含“设计谋划”和“费尽心机”两层意思。1807年，法官奥古斯托·伍德沃德为底特律做了一个规划，两年前的一场大火席卷了这座边疆前哨，在规划中，伍德沃德宣称“这座城市的基础元素……应该是等边三角形，每边长4000英尺（1219米），每个角都被一条垂直于对边的直线所平分”。这样每个等边三角形就被分成6个直角三角形，每个直角三角形称为一个“区”。为什么要这样做，这位法官没有解释。埃德温·勒琴斯著名的新德里规划同样如此，尽管有许多其他理由，但最终平面的图形还是由他对等边三角形和六边形的喜爱所决定——除此之外还有一些盎格鲁-美利坚式的壮丽风格典型案例的影响。正如他的同事赫伯特·贝克（Herbert Baker）在1930年所说的，新德里规划是“在朗方的华盛顿规划和雷恩落选的伦敦规划基础上的崇高发展”。

216

176

208

要在现有城市秩序之上建立这种严格的布局，其代价之巨大应该是显而易见的。在建成区之外，这种新的布局会打乱已有的地界模式。而在城市内，它们则对建筑物造成影响。对于西克斯图斯五世的总体规划引发的城市改造狂潮，当时一位痛心的见证者这样写道：“遍布城市的坐标点连接出了直线，它们穿过葡萄园和花园，给与此相关的人的心灵带来恐惧，他们并非不清楚，为了建造这些笔直的道路，许多脖子将被拧弯。”[7]在中世纪和文艺复兴时期的意大利城邦，拆除房产一般只是针对叛徒才施行的惩罚。而现在这一惩罚却用在了没有罪恶的地方。1480年颁布的教皇训令就已经建立了一条新原则，允许在公共利益的前提下开展征用和拆建活动。

正是因为破坏的不可避免，所以许多巴洛克规划发生在传统旧城区之外。其结果是两者间的鲜明对比——宽阔的在视觉上协调统一的新区与厚重的防御系统包裹着的、稠密的、随着时间的推移慢慢建立起来的画境式中世纪城区紧靠在一起。到了现代情况则发生了变化。从拿破仑大帝（Napoleon the Great）与他的帝都规划师们开始，在旧城市核心之上覆盖壮丽风格新秩序的做法占了上风，最终，在1850年代和1860年代，奥斯曼对巴黎施行的巨大工程以及该项工程对其他城市所起的榜样作用，使得这种破坏力量达到了前所未有的强度。

253

90

这种做法的依据有两点。从最基本的角度看，传统城市已经无法面对新增加的巨大的交通量和现代生活的压力，它们必须开放，与处在疯狂扩张中的郊区相对应。但是无论

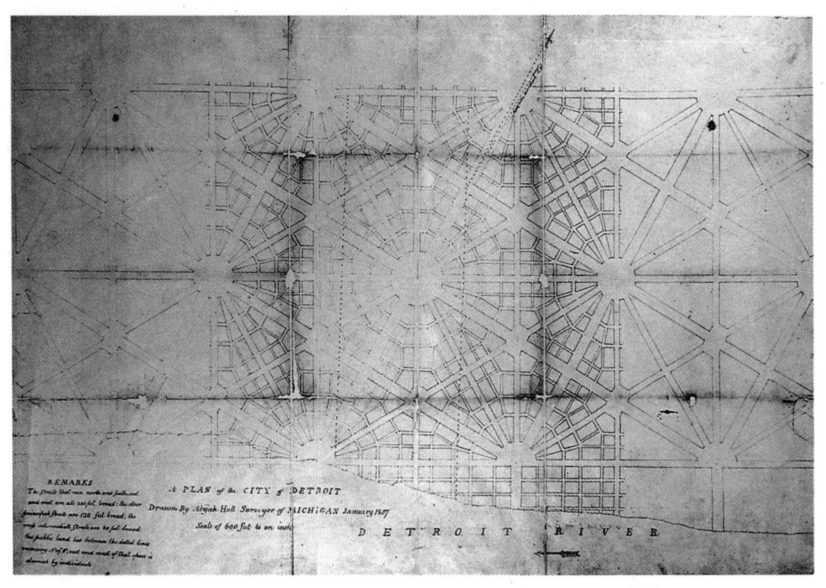

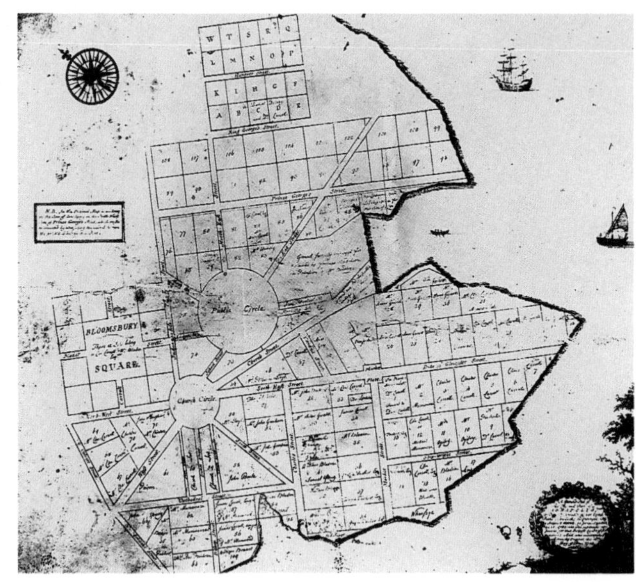

216　上左图，密执安州的底特律，奥古斯托·B·伍德沃德（Augustus Brevoort Woodward）在1807年所做的规划。1820年代，城市从图中所示的以三角形为基础的规划形式转向常见的网格，大部分对角线街道被放弃。

217　上图，马里兰州的安纳波利斯，1694年地方长官弗朗西斯·尼科尔森（Francis Nicholson）所做的规划。该图是1748年在詹姆斯·斯托达德（James Stoddert）于1718年绘制的版本基础上誊写而成的。

对于拿破仑·波拿巴（Napoleon Bonaparte）或拿破仑三世（Napoleon III）、佛朗哥（Franco）或墨索里尼政府来说，更重要的是建立起新的价值体系。历史本身需要更新。依附在 7 过去的雄伟纪念物上的那些摇摇欲坠的东西必须被清除，宣扬当前统治者的个性与政治语言的新的纪念物必须在清理之后的同一个历史框架中建立起来，在古代的记忆和现代的成就之间创造出象征性的联系。为了这样的目的，就需要在城市中腾出空间来。

的确，壮丽风格必不可少的一个前提就是广大的空间。要使这样的魔幻工程得以充分展现，就必须有充足的空间去完成它的几何性布局和开放性效果，让无止境的街景穿越 212 城市边界，伸向辽远的乡村。当我们面对伊夫林的伦敦规划和同样著名的克利斯多弗·雷恩爵士的伦敦规划时，我们对巴洛克手法在致密的旧城市的包裹之下所流露出的窘迫状态感到吃惊，在实现这类规划时，各种各样的限制又会使壮丽风格降格至机械的手法主义。1730年代柏林腓特烈施塔特区的荣代尔三支道交汇口（Rondell trivium）给人的感觉就是这 217 样，更糟糕的例子还有弗朗西斯·尼科尔森设计的马里兰州的首府——佐治亚式的安纳波利斯，尼科尔森在局促的地形上笨拙地施用了一些巴洛克式的大手笔——州政府大厦处在一个巨大圆形的中央，占据了地形的最高点；较小的圆形的中间是一座教堂；另一处则是布鲁姆斯伯里广场（Bloomsbury Square）。也许是出于美学上的有意识的考虑，从大的圆形出发的风车状对角线道路并没有穿过圆的中心，但是这种做法看上去似乎更像是因地形的限制而造成的扭曲。[8]

另一方面，壮丽风格的手法系统不仅在卡尔斯鲁厄或华盛顿这类地域广大的城市中表现出色，在尺度有限的宫殿花园的设计中也显得相当突出，就像慕尼黑地区的宁芬堡 218 （Nymphenburg）、德累斯顿的兹威格（Zwinger），或那不勒斯附近的卡波迪蒙蒂（Capodimonte）和卡塞塔（Caserta）那样。所以，关键不在于多大的地形才适合布置壮丽风格的城市这一简单的问题。城市设计如同任何设计课题一样，各局部之间的协作关系而非绝对的尺度本身，才是影响质量的决定因素。

在这里，我们可以简单地分析一下壮丽风格和前面一章讲到的“图形式城市”两者之间的关系。本章中讨论的这一类几何式规划手法并非完全不带有象征性——即那种将城市形式表现为某种宇宙或政治秩序图形的趋势。但是壮丽风格更加坦率地关注视觉的愉悦。西克斯图斯五世时期的规划有其沉重的象征寓意。卡塔沃·福列耶塔（Catervo Foglietta）在 1587 年的一封信中提到，教皇皮乌斯四世（Pius IV）时期建造的皮亚街与西克斯图斯时代的菲利斯街（Strada Felice）的交汇口是最美的路口，就像耶稣受难的十字；而根据乔瓦尼·弗朗切斯科·博尔迪诺（Giovanni Francesco Bordino）的解释，西克斯图斯时期的罗马的总体平面“呈星状”，圣玛丽亚·马吉奥教堂（S. Maria Maggiore）位于星形中央——事实上五角星的形状就是圣母玛丽亚的象征。但是与此同时，规划者本人，多梅尼科·丰塔纳却利用了这一形式的美学特点，他在描述这些新的街道系统时写道：“沿途的许多地方可以看到朝着城市低处开敞的多种变幻的景致。因此，在宗教目的之外，这种布局之美还给人们带来了感官上的享受。”

图版 21

剧场设计中的壮丽风格

将城市当作剧场的做法并非壮丽风格所独有。在每一个历史时期，城市空间——包括街道和广场——都曾充当过剧院的舞台，公民则是其中的演员和观众。城市生活本身就是戏剧。

但壮丽风格与剧院设计及一般意义上的剧院在两个方面有特殊的关系。首先，壮丽风格仿效舞台设计，为特殊事件制造出临时性的环境。舞台布景是一种快速、经济，并且无须复杂法律程序的渠道，使壮丽风格式的城市效果得以实现。其次，壮丽风格追求的目标就是要将城市空间构成本身，即在街道和广场中穿行时获得的空间体验，转化成为引人入胜的场景。1682 年，为了庆祝将都灵改造为专制主义首都的计划，由萨沃伊的卡洛·埃马努埃莱二世公爵（Duke Carlo Emanuele II）委托完成的一项城市平面规划和景观设计就被称作“萨沃伊的剧场”。类似的情况是，1665 年为纪念教皇亚历山大七世（Pope Alexander

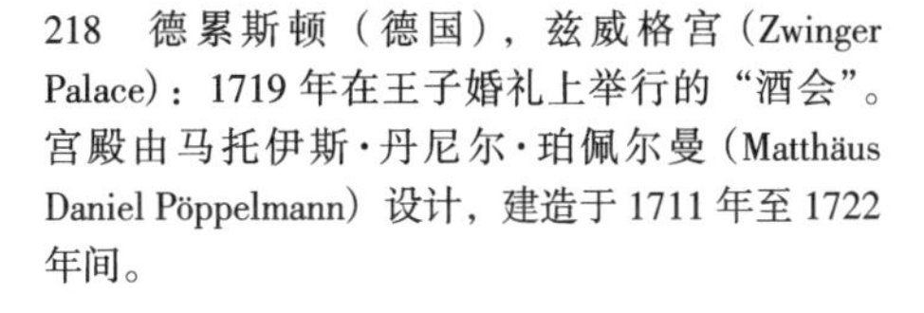

218　德累斯顿（德国），兹威格宫（Zwinger Palace）：1719 年在王子婚礼上举行的“酒会”。宫殿由马托伊斯·丹尼尔·珀佩尔曼（Matthäus Daniel Pöppelmann）设计，建造于 1711 年至 1722 年间。

VII）统治时期的罗马而出版的纪念图册，被冠名为“现代罗马的新剧场”。亚历山大本人也将他对圣玛丽亚·德拉·帕切广场（piazza of S. Maria della Pace）的改造称为“德拉·帕切剧场”（Teatro della Pace）；他还将圣彼得广场（St. Peter' s Square）称作“圣皮埃特罗剧院广场”（piazza del teatro di S. Pietro）。[9]

古代相关的情况不是十分明确，但是维特鲁威所界定的希腊化实践中的三个“场景”日后便成为了塞巴斯蒂亚诺·塞利奥（Sebastiano Serlio）建筑论文中的三种街景的依据：首先是表现帝王和贵族高贵生活的“悲剧”式街景，街道由古典风格的建筑组成，街道的终点是通向城外的凯旋门；其次是表现店主和商人普通生活的“喜剧”街景或居住性街景——建筑的底层是街廊和商店，建筑的上层为公寓，教堂的塔楼为视觉终点，其中所有建筑的风格都采用了当时被认为比较怪异的哥特式风格；最后是“淫逸放纵”的街景，这是一条散布着乡村和田园活动的乡间小路。塞利奥跟从了在他之前的佩鲁齐（Peruzzi）的设计，而佩鲁齐则又可能受到在他之前的布拉曼特（Bramante）的影响。在那个世纪的后期，即1584年，温琴佐·斯卡穆齐（Scamozzi）补充完成了帕拉弟奥（Palladio）在维琴察（Vicenza）设计的奥林匹克剧院（Teatro Olimpico），他的手法是以三维的方式在舞台上建造出三种街景，在设计中透视术起到了重要的作用，它通过整齐的檐口线高度等具体方法将街道两边统一起来。我们可以说，多梅尼科·丰塔纳为西克斯图斯时期的罗马所做的规划仅仅是将这种“悲剧”式街道的空间美学原则运用到了城市设计当中。事实上，如果约翰·奥奈恩斯（John Onians）的论点正确的话，那么我们现在就可以找到一个更早也更明确的、表现剧场设计与真实城市设计工程之间关系的例子。根据奥奈恩斯最近出版的一本新书，雅各布·圣索维诺（Jacopo Sansovino）在1530年代重新设计的威尼斯圣马可小广场（Piazzetta of S. Marco）的构思依据，可能就来自于佩鲁齐/塞利奥（Peruzzi/Serlio）的“悲剧”场景，这一场景可能驱使圣索维诺选择以古典主义的形式设计他的图书馆、造币厂和券廊，而没有采用当时流行的哥特式建筑风格，以及哥特风格所包含的对城市下层生活的隐喻。[10]

从剧院场景装饰中，文艺复兴和巴洛克的城市设计师们吸收了带有古典主义主题的手法，如凯旋门、神庙正立面、开敞式门廊以及高举在基座之上的公共雕塑等等。同样从剧院场景装饰中，他们借鉴了在城市街景中运用透视效果的手法，即通过建筑物来构建远处对景的前景，通过连续的街道平面创造出必不可少的、具有深度的方向感，最后在消失点的位置上布置一座纪念物。除了聚焦与对称外，舞台设计师还通过统一沿街建筑立面的办法来形成一种整体的秩序。约翰·伊夫林也曾提及这种联系。在谈到巴黎时，他说，许多街道上的房屋建造得“如此无与伦比地美丽与统一，你甚至以为自己处在某个意大利的歌剧当中，由于场景之丰富让参观者吃惊，他这才相信自己其实处在真实的城市之中”。[11]

在这些手法被永久性地结合到城市设计中之前，以及在它们被运用到城市设计中很长时间之后，临时性的舞台场景一直都在改造着已有城市结构的现实，同时也帮助城市应付各种各样的政府性功能和仪式性事件。在巡游时需要经过的道路两旁，建筑立面被转化为恰如其分的古典布景；幻景画中描绘的虚拟的透视掩盖了两侧支路上凌乱的房屋；用浆布或石膏搭建起来的凯旋门每隔一段距离布置在街道上，为行进中的队伍提供必要的停歇之处。仿制的凯旋门同样也挡住了远处中世纪

220
221
219

219–221　威尼斯的圣马可小广场及塞利奥 1537 年前后为剧院所作的两种“街景”画面——“悲剧”式街景（左图）和“喜剧”式街景（右图）。雅各布·圣索维诺设计的图书馆和造币厂位于照片的左侧，他设计的券廊位于钟楼的底部，局部受左侧的立柱遮挡。

城门那尖尖的轮廓。

从政治的角度讲，将城市形式戏剧化是独裁政府的一项功能。文艺复兴时期新的统治者是复兴的古典戏剧的赞助者，是官方城市空间结构改造的主要推动者。从 16 世纪至 18 世纪，绝大部分新建的永久性剧院都设在王侯们的宫殿区域内。城市本身也装扮出一种理想式剧场布景的面貌以回应王侯们的统治风格。从主要城门到王侯宫邸之间的这段街道是改变中世纪城市结构的工作中最关键的一部分。其目的就是要创造出一条纪念性的通222衢大道，让来访者从进入城门的时候开始，他的城市体验就集中在这条街道上，并完全受其控制，而剧场布景中的常用手段，尤其是透视法，可以用来强调“这一空间的政治主人施加在这一空间之上的秩序，这位统治者统领一切的远见，以及随着与权力所在地距离的逐渐加大，其他物件重要性的渐次降低”。[12]

随着专制主义时代的结束，统治者的身份发生了改变。但是抽象的理想城市空间保留了下来，或者被新的统治阶级重新解释和发展利用。到了 19 世纪这些地方便成为中产223阶级的天下。奥斯曼的林荫道将衣着时髦的咖啡馆一族的消遣生活展示到了公共舞台上，248整个城市变成了中产阶级的博览会。于是，散漫——一种被称为“巴黎人所特有的、处于慵懒和行动之间的中庸”状态便自然而然地形成了。[13]

同样可以预料的是，虽然社会主义的领导者们声称城市应该是大众的城市，但是经过一些实验之后，他们也选中了壮丽风格的场景，在其中相应地放上了他们自己的一些224象征物。在斯大林时代，东欧的城市设计者们公认了这一论题。人们认为问题出在那个交替的世纪，即 19 世纪的放任主义，那个时候，私人性的住宅建设宽容并助长了一种变化多端的画境式美学——这一资产阶级逃避主义的标志。当政府再次走向极权的时候，17、18 世纪的规划原则就成为合适的模式。（当然这可以被理解为：巴洛克的国家是压迫和剥削的工具，而在社会主义国家，人民自己就是最高尚的建筑师。）一位东德建筑师在 1955 年写道：“没有人怀疑，只要像（列宁格勒的）罗西大街（Rossi Street）和（巴黎的）协和广场那样将建筑群沿轴线布置，那么就一定能获得表现社会主义社会的、最壮丽的象征。”[14]

社会现实主义随着斯大林一道被放弃了，但在它消失了许多年之后，我们却图版 30看到同样的叙述在里卡多·波菲尔的住宅设计中获得了新生命。抱着建筑为人民服务的社会主义信条，同时却又几乎完全借用 18 世纪贵族式的风格，波菲尔这样夸耀着自己的设计：“每一个建筑都是一座纪念物，而每一处公共空间都是一个剧场。”[15]

壮丽风格与景观设计

在崇尚壮美的年代（Age of Grandeur），风景设计和城市设计这两个领域非常接近。花园里的林荫小径（allée）与城市中的林荫道同出一辙，而圆形广场则是同时被花园和城市使用的装饰品。因此，在叙述 17、18 世纪的壮丽风格的时候，我们无法不涉及与花园形式相关的实际知识。

在这方面，我们当前讨论的问题在古代并不一定成立。当然，视觉上的证据大部分已经消失，但即使从遗留下来的可供研究的那一些资料上看，很显然，古代壮丽风格的城市效果并不依赖于景观处理，同时也没有受到园艺艺术的启发。树木和植物充其量只是公共

222　王侯式的林荫道：柏林林登大街西望，卡尔·弗里德里克·费赫海姆（Carl Friedrich Fechhelm）作于1756年的绘画。左侧为歌剧院，右侧为海因里希王宫，后来成为洪堡大学（Humboldt University）。

223　资产阶级的林荫大街：维也纳环街，1873年。画面的视角朝向歌剧院街（Opernring），歌剧院位于图中右侧。

224　社会主义的主要大街：东柏林斯大林大街（今为卡尔–马克思大街）；总建筑师为H·汉瑟尔曼（H.Henselmann），建造于1952—1957年。

建筑的附属品；花园代表的是纪念性的轴线和石砌殿堂之外的另一个天堂般的世界。著名的巴比伦空中花园使尼布甲尼撒宫的一个角落绿了起来，树木同样也使乌尔的美索不达米亚金字塔形山岳台的上面几层充满了生机，但是城市街道和宗教苑囿内却没有正规的绿化布置。位于戴尔·埃拉-巴赫里的哈特谢普塞特女王（Queen Hatshepsut）陵园中的景观经过了较为精心的安排，其目的是要创造出一个神的家乡：前院里的柽柳树和埃及榕树、上面平台上的没药树都是凡世间对“亚蒙神所在的天堂”的模仿。

为了见证园林艺术和城市“装饰”之间的惊人联系，我们必须假想让自己回到 16 世纪后期，并将意大利作为第一站。就在那个时候的那个地方，景观设计开始具有一种建筑236性的结构，并且在较小尺度上试验现代城市形式中的各种可能性。由于自然地形的要求相对比较宽松，园艺师们可以在以后的半个世纪中实际试验各种各样的整体空间模式，而建筑师和工程师们因为受到旧城市已有建造环境现实的限制，却只能提出抽象性的设想。

在 17 世纪时的法国，上述两者之间的重合进一步扩大，这时郊区花园的规整性结构243突破了它们自身的边界，开始影响并界定城市的外沿。与此同时，原来拘谨的棱堡式城墙也开始转变成为景观步道，这一改变在巴黎的林荫大道工程中尤其突出，它进一步缩小了花园设计和现代城市扩建区设计之间的差别。更确切地说，一种用于构筑空间的理性规则同时在开放场地和建造环境中获得了实践。而在这一新型的空间艺术领域，众所公认的大师就是安德烈·勒·诺特。

在之后的一个世纪，已经确立的实践被整理成为理论，于是，按照 W·赫雷曼（W. Herrmann）的归纳，我们从勒·诺特这样的园林大师那里学来的关于城市设计的经验，就是如何“拉直弯曲的道路，纠正地形方面的不规则，以及安排视觉焦点”。[16] 劳吉尔神父225（Abbé Laugier）关注到了当时的这些讨论，他宣称伟大的古典法兰西花园和园林应该成为巴黎这样的城市追求的模式。他在 1755 年写道：“让我们的园林设计成为我们城市的规划平面。”传统城市的确像是一个巨大的未开化的森林，对于这样的地方，城市规划者可以像风景设计师那样，引入一种理性的秩序。劳吉尔这样写道：

> *巴黎，它是一个巨大的森林，平地和山峦变化丰富，一条大河穿过正中，分裂出许多支干，同时也形成了大小不同的岛屿。假设我们可以按自己的愿望对其进行裁减，那么在众多有利的设计手段当中我们有什么不可以借鉴的呢？*[17]

而劳吉尔对理想式首都入口方式的设想则是——一条两旁种植了多排树木的大道笔直向前，在一座位于放射中心上的凯旋门的地方终止——这种构想似乎与勒诺特创立的香榭里舍序列很相似，而这种序列在 18 世纪中期就已经开始形成一种经典的样式。进入城市大门之后将出现一个巨大的广场，3 条放射道路从这里出发，伸向市区内部。

到那个世纪末，这种法兰西式的将景观设计与城市设计等同起来的观念已经成为欧洲设计者共同的理念。18 世纪后半叶画境风格的英国园林的出现，它在欧洲大陆，以及当唐宁和奥姆斯特德将它传到美国之后所受到的越来越广泛的欢迎，都无法抵消这种巴洛克式的，认为城市形式与景观艺术是密不可分的信念。阿方斯·阿尔方（Alphonse Alphand）在奥斯曼时期为巴黎设计了一些以英国风格为主的、极其出色的公园，同时，他也凭着他

225　空间秩序的对比：奥斯曼改造之前巴黎城繁杂的街道网络（右）和布洛涅森林（Bois de Boulogne）中由圆形广场和发射状森林道路组成的星形平面（左），1744年卡西尼·迪·图里（Cassine de Thury）绘制的地图的局部。图中香榭里舍宏伟的轴线已经被表示为林荫道，图勒里大街朝西北方向的城外前进，与布洛涅森林北部相切。

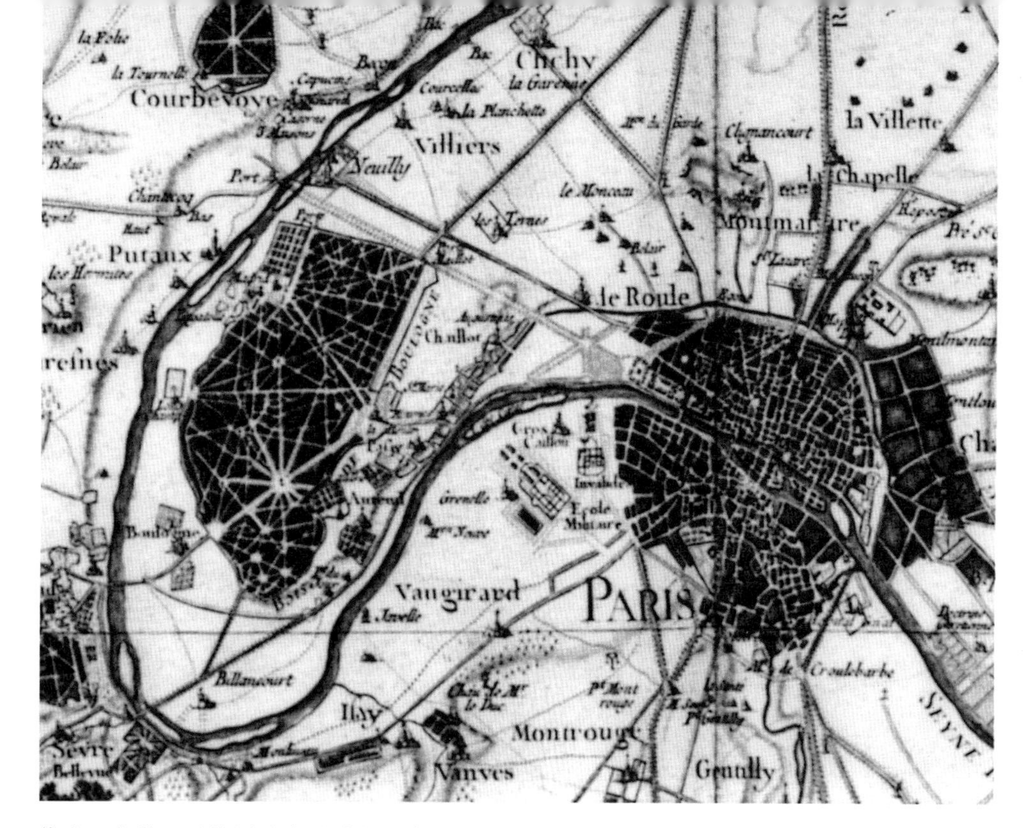

作为一名壮丽风格派城市设计师的卓越的自信，为奥斯曼时代的许多林荫道和广场做了景观规划。 248

在美国，画境风格的公园和巴洛克式城市宏大的规则性布局，能够在涵盖面更广的壮丽风格的概念之下紧密共存。在法国，城市设计和景观设计分享着相同的形式原则，而与此不同的是，美国的巴洛克美学将两种不同的城市体验结合在了一起——一种是由街道与广场组成的纪念性的网格，另一种是温和、浪漫、绵延的城市绿化景观，它来自英国园林的传统以及更为本土的奥姆斯特德式的城市公园体验。在像曼哈顿这样形成于城市美化运动之前的城市网格中插入“中央公园”，其目的就是要将标准的美国城市结构的现实与在根本上反城市的公园理念并置在一起。而与此不同的是，新出现的城市美化风格的规划，却是要将两者优雅地融合起来，因为林荫道和花 250 园大道不仅要使主要城市形式本身绿起来，同时还要将城市结构与公园、水滨这一类风景休憩地带结合在一起。

一次大战之后，英国给这种融合又加上了自己的注解，在埃伯纳泽·霍华德散布的思想原则的作用下，壮丽风格和花园城市这两种设计概念走到了一起。新德里不仅壮观，同时又像花园，但是第一座花园城市莱奇沃斯镇也以其特有的方式表现了这一点。在英国， 226 公共领域以带有纪念性特征的多层建筑为主，而居住领域则表现为以独立住宅为基础的低密度结构，这两个领域之间的鲜明差别使得英国与欧洲大陆本身及欧洲大陆的殖民地地区那种以集合式住宅为主的居住模式相比，显得更加多样化。这也就是新德里和法属突尼斯和阿尔及尔不一样的地方。

制高点的设计

为了让公共建筑享有高出日常生活环境的地位，为了制造出一种到达的体验，一种崇

226　英国莱奇沃斯镇，第一座花园城市，雷蒙德·昂温和巴里·帕克设计，始建于 1904 年。虽然住宅区域的街道表现出一种“有机”感，但公共部分则反映出巴黎美术学院式的规则性特点。

高的、逐渐接近的过程，高地形式的设计和地形处理，就成为壮丽风格塑造的城市体验的核心部分。其手法有几种。

平台　在古代，美索不达米亚庙宇所在的山岳台，以及中美洲的金字塔形神庙是两277个最为极端的例子。希腊神庙建筑的台基也服务于同样的目的，不过手法较为克制一些。现代的例子是纽约上城奥尔巴尼广场（Albany Mall）[帝国广场（the Empire State Plaza）] 周围两层高的裙房基座，基座上矗立着 4 幢一模一样的办公塔楼。

215**阶梯**　位于戴尔·埃拉–巴赫里的哈特谢普塞特女王陵墓建筑群、位于林佐斯的希腊卫城，或任何伟大的古代玛雅（Maya）建筑群都是这样的例子。这里的关键问题在于，这些阶梯的尺度超过了满足普通功能要求的常规标准。实际上，它们应该算是一种“倾斜227的广场”。现代的例子中有罗马的西班牙大台阶，以及纽约大都会博物馆主入口前面的大台阶。

坡道　坡道使轮动的运输工具可以到达高地，有时也是为步行者提供一条轻便的攀登之路。它们常常与台阶结合起来使用，以确保照顾到典仪要求的各种情况。通往米开朗228基罗设计的卡比多广场（Campidoglio）之前的宽大的斜坡台阶（cordonata）就是介于台阶和坡道之间的一种形式。

设计一种有节律的攀登，巧妙地利用休息平台组织视点，让处于视觉焦点上的纪念物在人行进的过程中时隐时现，这些都是古罗马设计师的专长。即使在严格的轴线式构图中，他们也能塑造出视觉上的悬念。他们所用的手段是在某些特定的部位打断直接向上的路线，使其转变方向，例如在遇到休息平台、纪念物、祭坛或塑像的地方，原来按轴线前进的道路就分为两支，绕道而过。位于普里尼斯台（Praeneste）[帕莱斯特里纳（Palestrina）]

227　罗马，西班牙大台阶，1723—1725 年弗朗切斯科·德桑蒂斯（Francesco de Sanctis）设计，从西班牙广场（Piazza di Spagna）望向高处建于 16 世纪的圣三一教堂（Trinità dei Monti）。

228　罗马卡比多山（Capitol Hill），通往阿拉柯利（Aracoeli）教堂（左面）的台阶是一段普通的台阶，但是 16 世纪中期米开朗基罗在对山上的公共建筑群进行改造时设计的斜坡台阶却是一个充满了戏剧性效果的设计。这一效果因位于山顶轴线上的议会厅（Palazzo del Senatore）前的双跑台阶而进一步加强。1757 年 G·B·皮拉内西(G. B. Piranesi）所作的铜版画。

的幸运神庙（the temple of Fortuna Primigenia）就体现了对这种手法的娴熟运用——但它的水平还远在布拉曼特设计的望景楼庭院（Cortile del Belvedere）和米开朗基罗设计的卡比多广场之下。如果我们对卡比多广场的整体构思作一次分析，将它背后的罗马广场标高处的阶梯入口和古典城市区一侧的斜坡台阶联系在一起看，那么这一序列无疑是以建筑手段编排人的行动过程的非凡杰作。

两个较近并且具有相当艺术水平的例子都出自于俄国。其中之一是位于敖德萨的大台阶，建于 1837 年，由于它在艾森斯坦（Eisenstein）的电影《战舰波特金号》（*The Battleship Potemkin*）的著名场景中出现，因此被称作“波特金台阶”（Potemkin Steps）。建造这一台阶的目的是为了取代城市中原有的杂乱的登山步道和木质阶梯，将这座山城与它的港口之间的壮丽景观展现出来。台阶和休息平台序列的设计是为了“使那些站在台阶上向下望的人只看见平台，而从下往上攀登的人只看得见台阶”。[18] 到达山顶之后，台阶与雄壮的普林莫斯基（Primorskii）大道衔接起来，这条大道处在城市边缘，与大台阶建造年代相近。在乌克兰的刻赤（Kerch）也有一处大台阶，它的终点是山顶一个刻着征服者米斯里戴特斯（Mithridates）名字的陵墓。序列的起始处是一个巨大的八角形开放空间，3 个休息平台将整个台阶分成几个段落。

到了现代，这种巴洛克式的“阶梯通道”(Treppenstrassen）已经不再使用贵重的建材，也不再试图从历史中寻找关联，它们更趋向于发挥台阶本身的技术特长，或借助景观设计和街道家具的布置，来营造舒适亲近的感觉。在二战后重建的卡塞尔，从舍得曼广场（Scheidemannplatz）到国王大街（Königstrasse）的一段山坡地被改造成适合行人尺度的购物街，街道由一系列平台组成，平台之间由台阶和坡道相连，宽敞的中间地带布置着坐椅、植物、喷泉和一个露天茶座。

“巴洛克式”的元素

直的街道

关于直的街道的理论至少形成于文艺复兴时期。

(1) 直行街道能够消除不规则邻里中的隐秘与缝隙之处，阻遏了任何堵截街道或者借助障碍物发动暴乱的企图，因此可以建立起公共领域的秩序。那不勒斯的国王费迪南常说“狭窄的街道对于国家政权是一种威胁”。[19] 一份当代的资料如此描写了 1499 年罗马波尔哥区（Borgo）亚历山德里那大街（Via Alessandrina）的开拓工程：

> *建筑师们决定在[圣安吉洛堡（Castel S. Angelo）]大桥与（梵蒂冈）宫殿入口之间修建一条直行的大街，这样做一方面是使宫殿有一个不受阻碍的、开阔的前景，另一方面，在遇到暴动的时候——这种情况在动荡的罗马时有发生——宫里的人可以快速得到援助，以抵御从城里来的暴民。*[20]

90 同样，对于奥斯曼大型土木工程中那些无情地将繁杂的巴黎老城市结构切开的直行大街来说，它们的目的之一，也是为了对付不安分的民众带来的现实威胁。无论如何，拿破仑三世是紧接着 1848 年血腥革命之后当政的。这些新的街道有时被称作反暴街，在所有重要的道路交叉口都设有永久性的军队和警察哨所，尤其是在工人阶级居住的东区。奥斯曼本259 人在描述塞瓦斯托波尔街（Boulevard de Sébastopol）时提到，“为了清理充斥着暴乱和街垒225 的旧巴黎，手段之一就是开辟一条宽阔的中央大街，切开这个顽固的症结，同时使它与侧面的街道一起形成交通网络。”

(2) 直行街道具有实际功能上的优势，因为它直接连接两点，加快了交通联系。对于亚历山德里那大街的开拓，官方的解释是为了方便朝圣者前往。在法西斯的语言中，直线的隐喻就是坚定的决策——“直线在纷乱的思想中不会失去自我”——而法西斯的规划师则用实践来表现了这一原则，他们完全不顾已有的城市模式，硬是在领袖官邸所在的威229,230 尼斯广场（Piazza Venezia）和罗马竞技场（Colosseum）之间开拓出一条帝国大道（Via dell’Impero）。[21]

宽直大街的普及与 16 世纪有轮马车的出现紧密相关。有实例可以证明，专制主义年代开展的拓宽与拉直街道的工程的主要目的，是为了方便马车在旧的城市核心区通行与停留。这方面考虑也影响了城市新区的布局。

通常认为，四轮大马车（coach）产生于匈牙利，这是一种设有悬挑系统的马车，马车座位腾空，缓冲了道路不平引起的剧烈震动。传说讲述了 1457 年匈牙利国王拉迪斯劳斯（Ladislaus）送给法兰西国王查尔斯七世（Charles VII）的四轮大马车。到了 1530 年代，新式的匈牙利四轮大马车已经在绝大部分欧洲国家出现——成为象征上层阶级，尤其是贵族妇女地位的物品。人们曾经认为相对于骑马旅行而言，乘坐四轮马车是一种女性的行为，一旦这种观念被解除之后，四轮大马车的数量急剧增加——随即也产生了与马车的行驶和停泊相关的一系列问题。1560 年，当伦敦只有两辆，巴黎不超过 3 辆四轮大马车的时候，

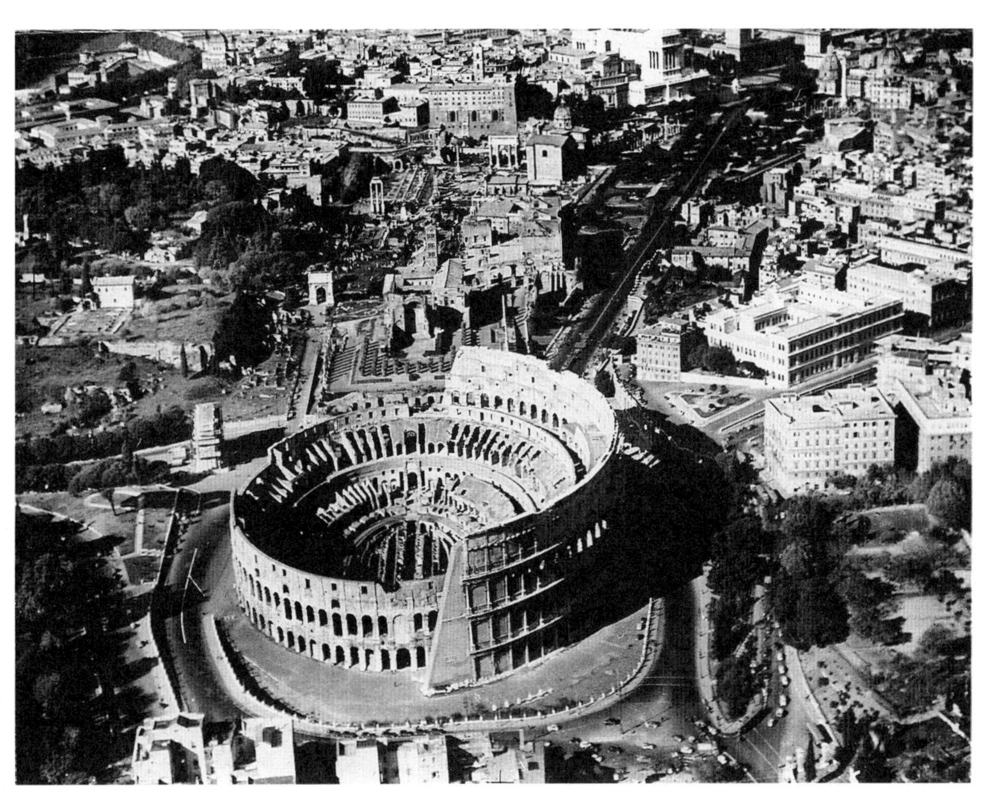

229，230　罗马，帝国大道［现名帝国广场大道（Via del Fori Imperiali）］，1932 年 10 月法西斯革命 10 周年纪念时开始建造。大道宽 30 米（98 英尺），连接威尼斯广场（右上图中的右上角）和罗马竞技场，途中穿越散布在古代广场遗址周围的密集的 18 世纪居住区。其中有些广场现在已经清理了出来。罗马广场位于左侧，在竞技场的后面。这条大道也可用于游行——上面的图片是残废军人游行时的场面。

据说安特卫普的街道上已经行驶着至少 500 辆四轮大马车。到了 1594 年，罗马已经有 883 辆。[22]1636 年，亨利·皮查姆（Henry Peacham）就提到伦敦的保罗斯盖（Paulsgate）、路德盖（Ludgate）、路德盖山（Ludgate Hill）以及“大桥前的霍尔布通道”（Holborne-Conduit）上“令人厌烦地挤满了”四轮大马车，每当贵族举行盛宴或某个表演开场之时，这些马车如此密集，“你会惊叹地发现，它们（像烤箱中的羊肉馅饼一样）拥挤在一起，连一根杆的空间都不会留下。”[23]

当然，与前面第一个理由相关的是，直行的街道同样也有利于部队的移动以及像火炮这一类的战争机器的运输。（这里有趣的是，我们可以将它跟“有机”城市所具有的战略优势作一个对比——“有机”城市迷惑来犯者，使他们容易被擒获——而巴洛克城市的开放性则使敌人无处躲避，使防御的一方不受阻碍地前往事发地点。）这里，我们又将提到奥斯曼的例子。奥斯曼在宣传中常用的关键词是交通循环，他主要指的是一般性的日常交通。但是从各火车站到城市中心的那些极其宽阔的笔直街道至少在部分程度上是为了在有必要时向城市输送军队。

(3) 最后，直的街道能够从它所具有的社会与功能上的优势延伸出意识形态上的宣言，通过适当的建筑和装饰控制，它传递出强有力的象征讯息。关于这一点后面还会有更多的叙述。

“巴洛克式”的对角线

当一条笔直的街道与原有城市肌理或新的网格状城市系统之间出现强烈反差时，它通常就是我们所说的巴洛克对角线。巴洛克对角线看上去是一条特意为连接两点而做的斜线，无论它们在已有城市、在老城市中的新区，或者在全新的城市规划中出现，其目的都是如此。从这个意义上看，巴洛克对角线与偶然性的对角线之间或多或少存在着区别，偶然性对角线道路的出现通常是因为规整的设计当中融入一段原来已经存在的道路，或者是因为两片不同格局的城市区域交汇后形成的拼接线。

属于前一种情况的例子有位于英格兰的古罗马城市韦卢拉缪（Verulamium）［也叫圣奥本斯（St. Albans）］，当时罗马测绘师就在新城市中吸收了一段原有的斜向街道：沃特 231 林街（Watling Street）；在加德满都（Kathmandu），从西藏至印度的一条公路在经过这座城市时就与发展中的城市结构结合，融入了城市中的网格状街块；当然还有纽约的百老汇大街，它是19世纪早期城市网格形成时保留下来的荷兰/不列颠殖民地时期的城市遗迹。军事原因造成的结果可能也属这一类型。我所指的是旧城核心与现代新城之间因原来的箭头状棱堡工事而遗留下来的对角线。在美国这样的例子有盐湖城的华尔街，以及查尔斯顿的沃特（Water）和坎伯兰（Cumberland）街。

古代罗马城市对对角线街道的运用比我们通常所认为的还要普遍，其原因并不一定十分明确。它往往是城市历史早期或末期阶段的一个特点。如果是在早期阶段，那么我们看到的是一种在规则性的罗马秩序——即南北轴（cardo）和东西轴（decamanus）垂直相交的主要轴线体系确立之前的道路模式。例如，里昂的几条对角线道路就起源于凯尔特时期。而在罗马城市发展的后期，规划城市的发展已经超出了原来的边界，南北轴和东西轴被延长，为了直接通向一条河流或一座新建的圆形竞技场，它们常常需要作偏转，弗雷瑞斯（Fréjus）的情况便是如此，或者是为了连接城外的两处场所，例如同样是在法国南部的阿尔勒（Arles），雷杜特街（Rue de la Redoute）将实际的东西轴向南挤压，以连接剧场和圆形竞技场，并通向新城墙上的一座重要城门。

但尼姆（Nîmes）的情况就不十分明确。在那里，正交轴系统与对角道路并存，对角线道路正好从正交轴的交叉口出发，其中一条斜线向东北行进，至乌兹门（Porte d'Uzès），另一条从城市广场的一角［现在卡雷大厦（Maison Carrée）所在的位置］出发，向正西方至那吉斯门（Porte de Nages）。

第二种情况在美国比较常见，在这类情况中，“对角线”实际上只不过是两个彼此 232 独立建设起来的城市区域的交汇线。旧金山的市场街（Market Street）、西雅图的丹尼道（Denny Way）、拉斯韦加斯的查尔斯顿街（Charleston Street），以及明尼阿波利斯的汉尼蓬 102 大道（Hennepin Avenue）都属于这一类情形。其中，早先的建成区常常与水岸线相垂直；后建的网格则根据当时对该地区有利的方位布置，之后又慢慢出现更新的建成区。不同时期的建成区之间的分界线常常与地形因素有关，例如一条山谷。由于铁路沿这条分界线行进，所以在这样的“对角线”上，常常会有铁路车站（如俄勒冈州的波特兰市、密苏里州的堪萨斯城）。也有些时候，就像格雷迪·克莱（Grady Clay）指出的那样，这些分界线后来又成为新的高速公路项目及其他一些城市更新项目寻找的目标。[24] 即使在平地上，铁路常常会无视统一的“国家土地测绘”网格（National Survey grid）而走出一条径直的斜线，于是，铁路旁边小镇的街道也就可能会倾斜过来与铁路平行，但是这些地方在以后扩建时又回到了国土测绘网格［如堪萨斯州的海斯（Hays）］。如果城镇建造在先，而铁路开通在后，那么铁路线可能就会穿越正交的网格，形成一条与商业主街斜交的工业性轴线，或者完全取代原来的商业主街。

233 新奥尔良是一个特殊的例子。它的巴洛克特征的形成是偶然的，法兰西区（French

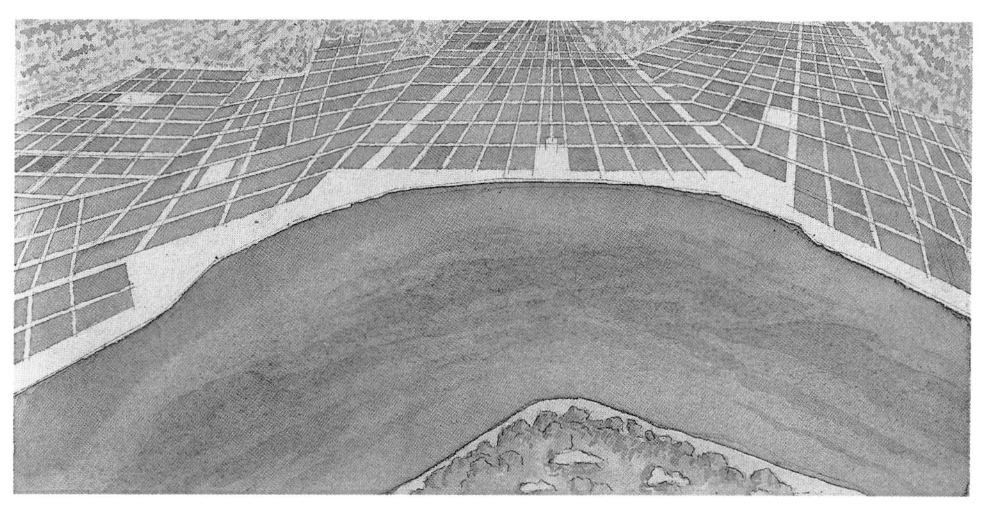

231–233　偶然性的对角线：加德满都（上左图），通往西藏的一条公路；旧金山（上图），两片独立网格区相遇后出现的对角线；新奥尔良（上右图），受早期法国人定居区内的斜向运河系统影响而形成的道路。

quarter）中那几条呈扇形分布的宽阔大道可以追溯到法兰西定居时代的"长条形用地分割"，它们与后来沿着蜿蜒的密西西比河建设起来的新城区不相同。这些长条形的用地分别垂直于河流，但相互之间并不平行，因为河流是弯曲的。这些倾斜的地界线因为沿线排水运河的挖掘而获得了进一步确立。随着美国人的到来，地界线之间的土地被开发，每片新建城区内的商业主街都沿运河布置，后来运河又被填埋，变成了宽阔的林荫大道。在美国人的建设区，这些新奥尔良式的大道也像巴洛克放射线一样朝某一个中心汇聚，但其真实的原因，只不过是"因为这些放射线是同属一个半圆形的半径，而这个半圆形就是密西西比河的曲线"。[25]

我们不能将美国早期出现的这一类放射线布局与 20 世纪初美国在城市美化（City Beautiful）运动中全盘推行壮丽风格的情形相混淆。在那个时期，规划师们开始系统地以巴洛克式的着重点处理手法，特别是利用对角线道路来和长方形网格形成对比，以改良全美国范围内平庸的城市方格网。在欧洲，人们称这种被对角线穿越的城市美化风格网格为"美国式的网格"。这种网格出现在勒·柯布西耶于 1920 年代所作的一幅标有"美国式"字样的愤怒的草图中，整张草图的标题是"我们必须消灭这种'过道式的街道'！"上面还画有其他几种他所反对的学院式或有机主义的规划。 235 234

现在，正如我们在朗方的华盛顿规划中所看到的那样，网格与巴洛克美学的结合发展出了一套完整、和谐、独一无二的设计体系；正是由于 1902 年在首都百年纪念活动中重新兴起的，对朗方伟大的（但却已经变得相当黯淡的）规划蓝图的新的兴趣，才引发了全面范围内的城市美化运动。 208

在此之前，朗方留下的遗产一直备受冷落。安德鲁·埃利科特曾经参与华盛顿规划的修改，并且在这位法国人被匆匆解职之后负责监督规划的实现，他在 1795 年完成了宾夕法尼亚州伊利市（Erie）的规划，这是一个简单的网格规划，没有放射线或对角线道路，朗方的影响似乎从未存在过。伍德沃德在规划底特律时的确曾经试图模仿朗方，但他的规划也早已被改造成更为简单方便的规则格局。威斯康星州似乎一度接受了壮丽风格。在 1836 年的麦迪逊市（Madison）规划当中，州政府大厦所在的广场上有 4 条放射状的大道，不过，1917 年美国建筑师协会的一份对城市美化工程的评估报告还是认为麦迪逊"没有提供开放的空间，以及三角形和圆形的空间"，同时湖滨地带的空间组织也被完全忽略。 216

同一时期规划的密尔沃基（Milwaukee）网格有着“通往开放乡村的放射状道路系统。但后来这些大道也因棋盘状街道轻率的扩张而被从地图上抹除”。[26]

234　勒·柯布西耶，批判“过道式的街道”的草图，引自他所著的《对当今建筑和城市状态的反思》（*Précisions sur un état présent de l'architecture*，1930 年）。

美国建筑师协会的那份报告集中总结了十年多来一系列类似的批评意见，称这些常见的网格是一种“令人生厌的系统”并且“老套过时”。它们的问题之一是“在不规划的地形上开展大规模的推高和填埋工程”，宾夕法尼亚州的哈里斯堡（Harrisburg）的情形就147是如此，但城市美化风格的街道则“遵循阻碍最少的路线”。费城的平面被称为是一种“毫无变通的、丑陋的长方形系统”，同时，报告也批评尼古拉斯·斯卡尔（Nicholas Scull）在位于山地上的宾夕法尼亚州雷丁市(Reading）同样重复这种规划手法。[27] 于是在费城彭威廉留下来的传统平面上，新增加了一条强有力的对角线——即费尔蒙特公园大道(Fairmount Parkway)，将市政厅和位于已有的公园中的富丽堂皇的新艺术博物馆连接起来。

城市美化运动的传道者丹尼尔·伯纳姆认为，对角线道路节省时间，也“能够通过分解车流来防止交通阻塞”。对角线道路的作用是能够使人们以最快速度到达市中心，吸收中心区不必要的交通流，同时也方便那些想要穿过城市中心但不作停留的人。伯纳姆2351909 年的芝加哥规划极其强调商业区，一系列对角线街道穿过这里的网格通往新的市民中心。但是他的总结辞却仍然侧重于美学的一面。他写道：“真正的荣耀存在于纯粹的长度，存在于那一眼望不到尽头的远景，还有那直奔目标而去的箭一般的道路。”[28]

对角线道路被城市美化运动派人士所称道的最后一个“优点”其实也是壮丽风格的一个缺点，而它在当时变成了一件好事。对角线如果穿越网格，或者穿越以传统用地分块为基础的不完全规则的已建城区，那么就会形成难以再划分和难以使用的三角形街块。奥图版 23斯曼时代的巴黎对这样的街块实行的是内部调整，即在三角形的两条长街边上，用地实行双向等距离背对背划分，越窄处进深越浅，到了尖角位置就变成一个或几个单进深的用地。城市美化风格时期则不太注重住宅建造的细节，一般都设想将这种不规则的三角形街块用于建造经特别设计的公共建筑。对于私人小业主来说，尖角位置的小用地不仅没有特别价值，反而带来不少麻烦。但是，如果用地覆盖面积较大，或者占了整个街块的话，那么其形状就可能适合布置个性鲜明的公共建筑。[29]

三支道系统和多支道系统

以壮丽风格设计城市，最重要的一项技能就是布置对角线大街。而最简单的对角线

235　丹尼尔·伯纳姆和爱德华·贝内特所做的芝加哥规划（1909 年）的局部。图中部分是城市中心，规划的市政厅位于主要对角线道路的交汇处，前景中的是位于河西岸的火车站区。

街道系统就是以3条街道为一组形成的放射状道路群——三支道系统。

当然，3条街道在广场处汇聚或发散形成的三支道系统与文艺复兴时期对放射型城市形式的尝试有关，但是三支道系统专制性较弱，变通性较强。它具有巨大的能量，可以将不同尺度的城市区域集中到某个焦点，所有交通都会汇聚到那里，或者从那里发散出去。

这种手法在古代和中世纪都没有明确的先例，除了在"有机"式的城市布局中经常会出现一种并不一定十分规则的Y形路口，以及在城门、桥梁等关键部位街道出现不均匀的汇聚之外。如果在Y形路口偶然出现第3条不规则的道路支线也不构成巴洛克意义上的三支道系统。[其中一个例子是中世纪罗马一个叫"特里维奥"(Trevio)的地方，今天这个名字被保留了下来，叫作"特里维喷泉"(Trevi Fountain)。] 在人为设计的三支道系统中，中央的那条支道是轴线，旁边两条支道与它的关系是均等或近乎均等，同时总有一个广场作为这3条路的空间起源。

这种巴洛克手法第一次获得实践是在罗马。如果我们不将1500年在圣安吉洛堡大桥梵蒂冈一侧形成的一个还未十分完善的例子计算在内的话，那么可以说，三支道系统是于1530年代在两个地方几乎同时出现的。在这两个例子，或至少是在其中一个例子当中，三支道系统的形成来自对过去街道系统的改造，而不是在整体构思下一次性实践完成的。班契三支道(Banchi trivium)疏通了右岸通往梵蒂冈的惟一一处路口附近拥挤的邻里；波波洛三支道(Popolo trivium)则给波波洛广场(Piazza del Popolo)的前面纷乱的未建成区带来了秩序，将来访者从北面引导到这座历史城市的各个部分。[30]

237

图版21

班契三支道位于河流的城市一侧，它中间的一条街道在中世纪时是一条短街，与圣安吉洛桥(Ponte S. Angelo)在同一轴线上，15世纪时这里成为城市的商业中心，这条街道也改名为班契街(Via de' Banchi)。西面的一条支道开通于教皇保罗三世时期(Pope Paul III, 1534—1549年)，与班契街成一锐角，它的出现有实际的理由，就是在大桥与佛罗伦萨新教堂之间开辟出一条捷径，佛罗伦萨新教堂是从美第奇家族的教皇利奥十世(Medici Pope Leo X，1513—1521年)时期开始建造的。而当教皇保罗完全出于美学上的考虑，决定在东侧也对称地开通另一条与班契街几乎成相同角度的支路之后，班契三支道便形成了。

与此类似，但发生得稍早，规模也更大的情况在波波洛广场。这里的中轴线科索(Corso)大街也就是古老的弗拉米尼安大道(Flaminian Way)中的城市段——拉塔大街(Via Lata)。利奥设计了一条从波波洛广场出发，通往美第奇宫(Palazzo Medici)[后称圣母宫(Palazzo Madama)] 的笔直街道，它与拉塔大街形成一个锐角，这就是现在的里皮塔大街(Via di Ripetta)。当时利奥可能已经开始规划在东侧同样建造一条对称的支道。但是这第3条支道，即现在的巴比埃诺大街(Via del Babuino)，当时字面意思为"三条街"的包利纳·特里法利亚街(Via Paolina Trifaria)，实际上是到保罗时期才正式建造起来的。这3条街其实并不完全交于同一点上。虽然科索大街和两侧街道的交角相同(都是23.5°)，但巴比埃诺大街与科索轴线的相交点比里皮塔大街更往南了一些，所以，两个夹角地块的尺寸就不相同。17世纪时人们开始处理这个问题——方法是在两个尖角地形上建造两座圆顶教堂，两座教堂看上去一样，这样便通过人为手段对平面进行了调整。

237,
图版21

图版22

三支道系统这一惊人的城市构想在当时并没有立即受到喜爱。直到16世纪末，我们才看到罗马对一个邻近的小城市巴哥那（Bagnaia）的边缘性影响。欧洲人在 17 世纪中期对三支道手段的发现主要来自园林设计而非城市实践。这在很大程度上要归功于勒诺特，以及他在沃勒维孔特堡花园（Vaux-le-Vicomte）中所做的壮丽的设计。勒诺特的一部分手法在 J·勒米西尔（J. Lemercier）设计的，建造于 1627 年至 1637 年间的位于都兰（Touraine）的黎塞留别墅（château of Richelieu）花园中已初见端倪。但是意大利花园是否发生过直接影响目前几乎无法确定。位于埃斯奎利诺山上的蒙塔尔托别墅（Villa Montalto）花园中的三支道系统与罗马城市中最早出现的那两处三支道系统起因相近：其中北侧的一条支道与已有的一条郊区道路——萨布拉街（Strada di Suburra）重合；而南侧的一条支道则仅仅对称地翻转了北侧支道的角度。[31] 埃斯奎利诺山成为后来的教皇西克斯图斯五世的领地，而人们普遍认为，西克斯图斯五世时期的罗马总体规划开创了巴洛克城市的新时代。蒙塔尔托别墅花园中的三支道是从花园围墙上的一个大门出发，向别墅建筑的方向放射。但是勒诺特则将方向调转过来，让主要建筑成为放射线的出发点。

无论如何，凡尔赛宫与巴黎公路网相衔接的无与伦比的“鹅爪”状道路（patte d' oie）无疑是景观设计在城市中的运用，而对应的位于凡尔赛宫花园一侧的同样华丽的道路系统证明了这一点。大量证据显示勒诺特同时参与了这两部分的设计工作。在这里，焦点是王宫，（经过短暂的疑虑之后）顶端的地块上设计了雄伟的皇家马厩，3 条大道的两旁都种植了树木。如果我们不把荷兰的运河街（在下文中将会谈到这一点）这一特例考虑在内的话，那么这也许是欧洲第一例位于城市中的林荫道。[32]

凡尔赛表现出的尊贵和雄伟使三支道的设计获得了广泛流行，但即使在那个时候，三支道在城市中有说服力的运用实例还比较少。18 世纪，在西班牙与那不勒斯的波旁皇帝统治下，两座居住性城市，阿兰约兹（Aranjuez）和卡塞塔都模仿了凡尔赛。从卡塞塔的宫殿出发的三支道本应该组织起整个城市，但规划中城市的那一部分内容从未建造起来。圣彼得堡有着 18 世纪最为雄伟的三支道体系。3 条道路从建有高塔的海军总部放射出来。这一方案最早于 1737 年至 1738 年间发展成形。它利用了已有的街道，即 1712 年至 1718 年间建造的连接海军总部与位于城市边缘的老诺夫哥罗德路（Novgorod Road）的尼夫斯基大街（Nevsky Prospekt），以及后来成为三支道中轴的哥罗科伐亚街（Gorokhovaia Street）。加里宁（Kalinin）[旧称特维尔（Tver）] 同样也发展了巨大的三支道系统，它从一个半圆形广场（即现在的苏维埃广场）出发，端头两座新古典风格的大厦模仿了波波洛广场上那对醒目的教堂。在柏林，腓特烈施塔特新区的三支道交汇于一个名为荣代尔的圆形开放空间，其中的一条支路上种植了行道树。[这个三支道系统没有能躲避二战的轰炸，而圆形广场经过大规模改造成为梅林广场（Mehring-Platz），被勉强保留了下来]。19 世纪早期，在希腊王国首都新雅典的规划中，凡尔赛那种将皇宫与三支道系统相结合手法又一次被人们大规模地运用到一个现代城市中。

在经过一两代人之后，到了 19 世纪后期，对于这种象征专制权力的手法的即便最怯懦的模仿都开始显得完全不合时宜。现代城市交通的需求抵制了形式上的风雅，三支道的做法也让位于更加实际的星形的城市模式。三支道主要在两种情形下得到保留。第一种情形是拆除了城墙之后进行的城市规划，原来棱堡的形状和在城门处空间汇聚的形式为三支道提供了基础。这方面一个较好的代表是 1888 年约瑟夫·斯图本在科隆的城墙拆除之后，

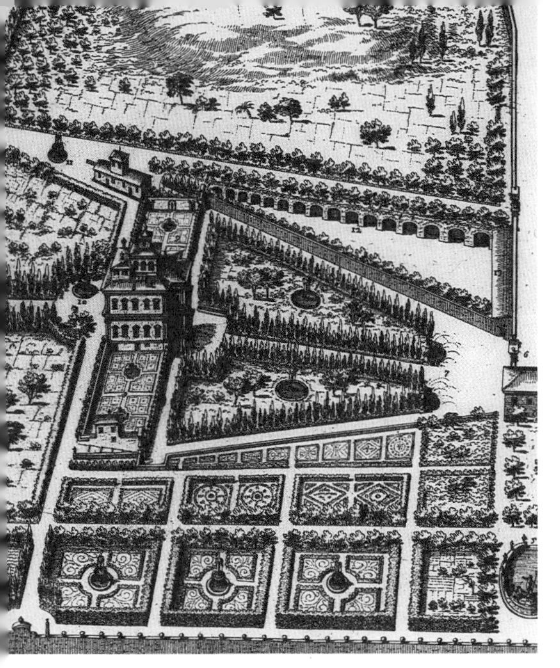

236　罗马，蒙塔尔托别墅，花园中的三支道，铜版画，引自G·B·法奥达（G. B. Falda）著的《罗马的花园》（*Li giardini di Roma*，1642年）

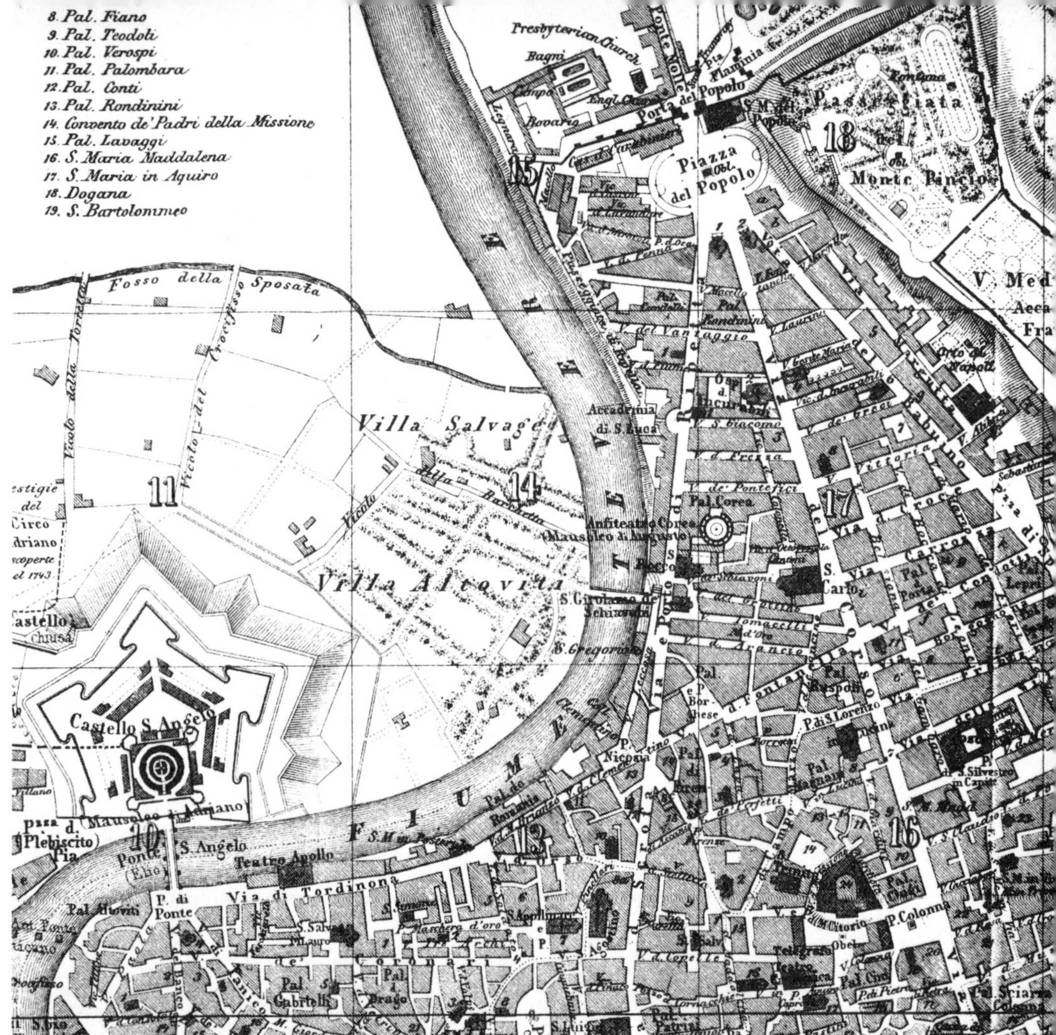

237　罗马，1883年旅行指南中的地图，图中可以看到北城门处（上部，台伯河的右面）波波洛广场上的三支道，以及圣安吉洛堡对岸的班契三支道（左下部）。

238　凡尔赛（法国），宫殿与城市。

为扩建的半圆形郊区所做的规划，斯图本在原来城门所在的位置上设计了一系列小型的三支道系统。那个世纪更早一些时候，同样的设计思想在路易-菲利普时代（Louis-Philippe）的巴黎新雅典区（Nouvelle Athènes）出现，在农民大众会（Farmers-General）建立的城墙被拆除后形成的林荫道的周围也出现了这样的设计手法。

第二种情形是铁路终点站，即城市的新城门。古典或类似古典形式的三支道系统出现在法国的斯特拉斯堡、格勒诺布尔（Grenoble）、塞莱斯塔（Sélestat）和勒米尔蒙（Remiremont）等一些地方的火车站站前区，而在贝尔拉格 1915 年为阿姆斯特丹南区（Amsterdam South）所做的 图版 19 规划中，火车站前也有一个三支道系统。由于火车站前自然存在一条与车站立面平行的横向道路，所以 3 条路的交汇点可能不在车站建筑的位置，这时两侧的支路可能移到了烘托车站正立面的站前广场的两个角落上[这样的情况如勒芒（Le Mans）]。

从正方形、多边形或圆形核心出发的放射道路的数量有时可能超过 3 条。4 条对角线式的道路可以从方形或长方形公共空间中以比较规则的形式发散出来。完全规则的情况不多，前面提到的威斯康星州的麦迪逊是其中一例。在奥斯曼为第二帝国的巴黎所做的规划中，这种做法得到了传播和推广，形成多种多样的变体，对角线至目标之间的距离也可以互不相同。这样的例子有迪奥堡广场（Place du Chateau-d' Eau）[即现在的共和广场（Place de la Republique）] 和歌剧院广场（Place de l' Opéra）。

圆形布局的理想形式是完整的圆形广场（rond-point），如巴黎的星形广场（Place l' 图版 23 Etoile），它是由数条道路组成的放射形。与之相对比，此前在 17 世纪建造的同样位于巴黎的维克托瓦尔广场（Place des Victoires）似乎有些残缺。圆形广场的做法起源于风景设 225 计，在风景设计中，它指的是林地中一块较大的圆形空地。这种手法起初是在城市之外传播。钱博德庄园（Château of Chambord）中的花园可能是第一个使用这种圆形广场手法的花园实例，在圆形空地上，女士们在一起进行社交活动，追逐野猪，或者沿放射状的林间道路去森林中捕鹿。在英国，城市内的圆形广场就是所谓的“蜘蛛网”，它的主要网络由放 212 射状道路和与放射道路相垂直的环路组成。雷恩和伊夫林所做的大火后的伦敦规划就体现 176 了这一特点，之后，在埃德温·勒琴斯（Edwin Lutyens）所做的新德里规划中又再一次出现。其设计启发可能来自 D· 斯佩克（D. Speckle）1608 年所著的《城堡建筑》（*Architectura von* 159 *Festungen*）等一些书籍，甚至也可能来自帕马诺瓦城本身。

239 巴黎，法兰西广场（Place de France），亨利四世时期（1589—1610 年）的一项规划。规划涉及的区域紧靠在老城门内，在安托万门（Porte St.-Antoine）和神庙门（Porte du Temple）之间。规划惟一实现的部分是现在的夏洛特街（Rue Charlot）和蒂雷纳街（Rue de Turenne），两者在坦佩尔大街（Boulevard du Temple）交汇。

240　圣彼得堡（俄国），1834 年的地图［根据W·B·克拉克（W. B. Clarke）的原图复制］，图中的局部表现了海军总部大厦及大厦前面的 3 条放射道路。尼夫斯基大道是其中最北的一条支道。

241　下图，柏林，荣代尔广场的三支道系统，1735 年一幅由不知名艺术家所作的绘画的局部。画中视线朝北，俯瞰腓特烈施塔特——即 1688 年在中世纪城区基础上扩建的网格状新区，1721 年这里又经过一次扩建。中间的一条支路是腓特烈街（Friedrichstrasse），它在最北端与林登大街相交（参见图 252、253）。左边转折的一条支路后来被拉直，其代价是在荣代尔广场处形成了一个弯钩。荣代尔圆形广场实际要比图中表现的尺度大得多。

242　下右，科隆（德国），为城墙拆除后形成的环状郊区地带所做的总体规划，1888 年约瑟夫·斯图本设计。图中几个三岔路口是原来几个城门的位置。

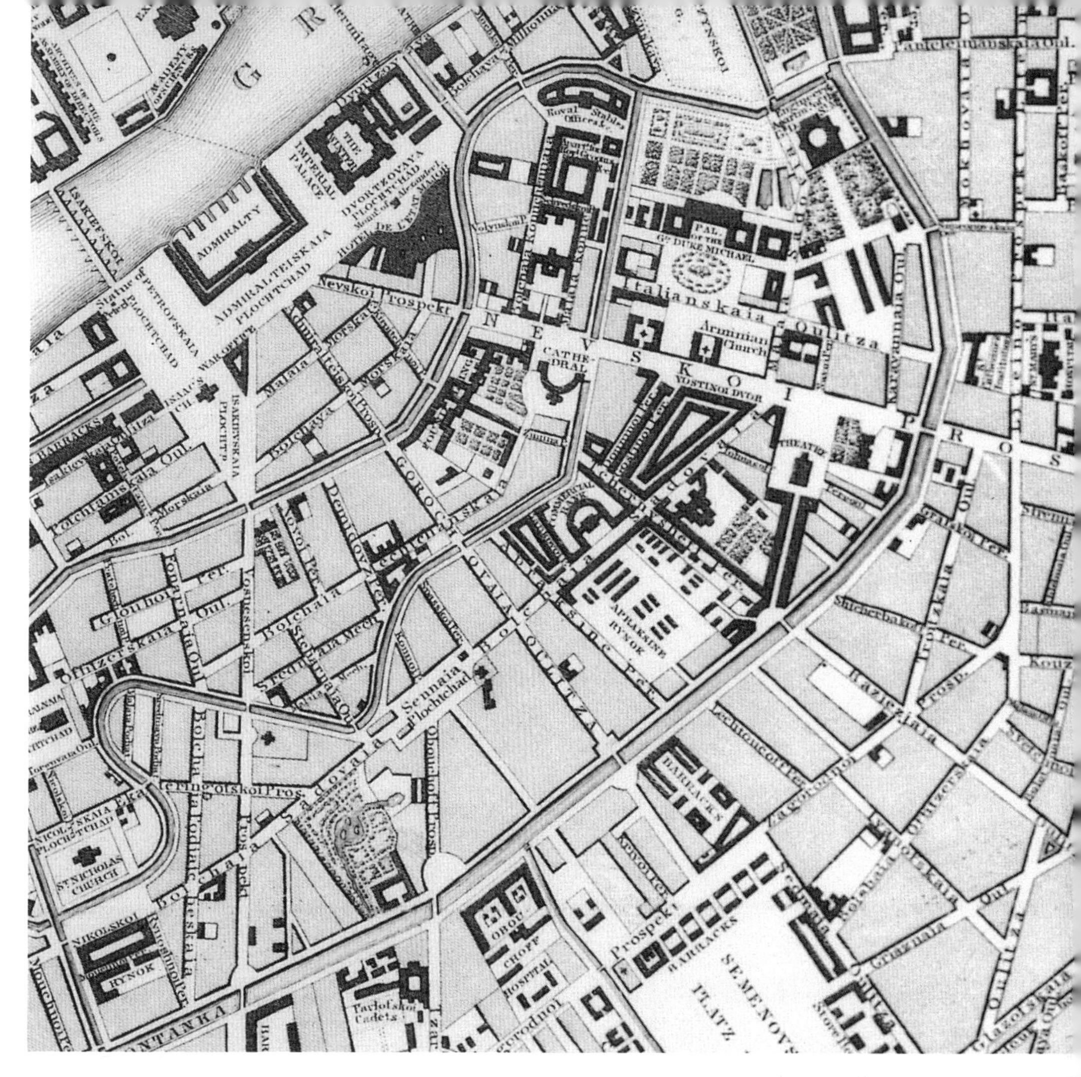

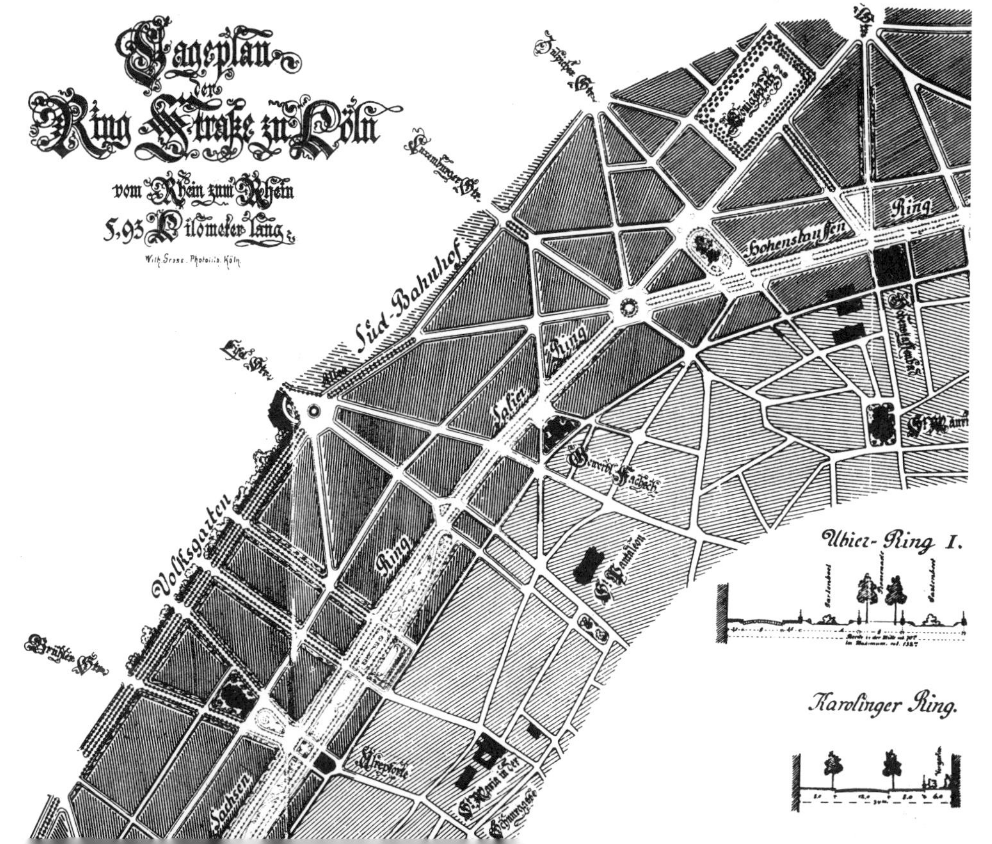

半圆形广场同样也来自花园。花园中对圆形广场的另一个定义是指别墅入口大门前的239半圆形广场。其城市形式最早出现在亨利四世（Henri IV）时期巴黎著名的法兰西广场的规划设想当中。其目的是要在神庙（Temple）周围形成一个新的城市大门广场：几条大道从围绕这个开放空间的7幢建筑之间放射而出。从象征意义上看，它将是通往整个法国的大门：7条大道将以法国的7个主要省份命名，环路则以其他几个省份命名，环路之外的放射大道的延长线再以另外的省份命名。另一项雄伟的设计是维克托·路易斯（Victor Louis）1785年为波尔多做的规划：水岸边一个巨大的半圆形广场通过13条放射道路向城市开放，这些放射状道路代表了美国新独立的13个州，而这些州与波尔多的商人进行过大量的交易。而1779年至1782年间建造的巴黎剧场广场（Place de l' Odéon）最终使这一手法在较小规模基础上得以完全实现。

壮丽风格

壮丽风格在小城镇行不通。它既不切实际也太不谦虚。人们需要在深远、宏大的街景体系中体验壮丽风格的存在，因此，壮丽风格与地形及已有城市结构之间的关系是武断的，它的效果通常是雄伟而夸张的。一般说来，在壮丽风格设计的背后都有一个强大的、集权式的政府，它广泛的资源和不容置疑的权力使得笔直的大道、巨大的规整广场，以及与之相辅相成的纪念性公共建筑组成的铺张的城市意象得以实现。事实上，这是一种公共性的城市。它与仪典、游行和组织性的公共生活相关。街道维护着这种壮丽的排场：它带着这惟一的目的穿越城市，沿途炫耀着凯旋门、方尖碑和独立喷泉这些城市纪念物。所有这些建筑的表演将一般城市中的不整洁之处掩盖了起来。在这一宏伟外壳的包裹之下，我们中的大多数人继续着各自平凡的存在，而一旦这座壮丽城市的高尚事业需要民众陪衬的时候，我们随即能够聚合成人群参与到其中。

图版20　帕尔迈拉（叙利亚），从大道交叉处的四塔牌楼（tetrapylon）沿雄伟的柱廊向纪念拱门望去，纪念拱门是这座古罗马地方城市建于2世纪末3世纪初的装饰物。四塔牌楼和纪念拱门都属于柱廊大街在街道转折处的一种铰接装置。

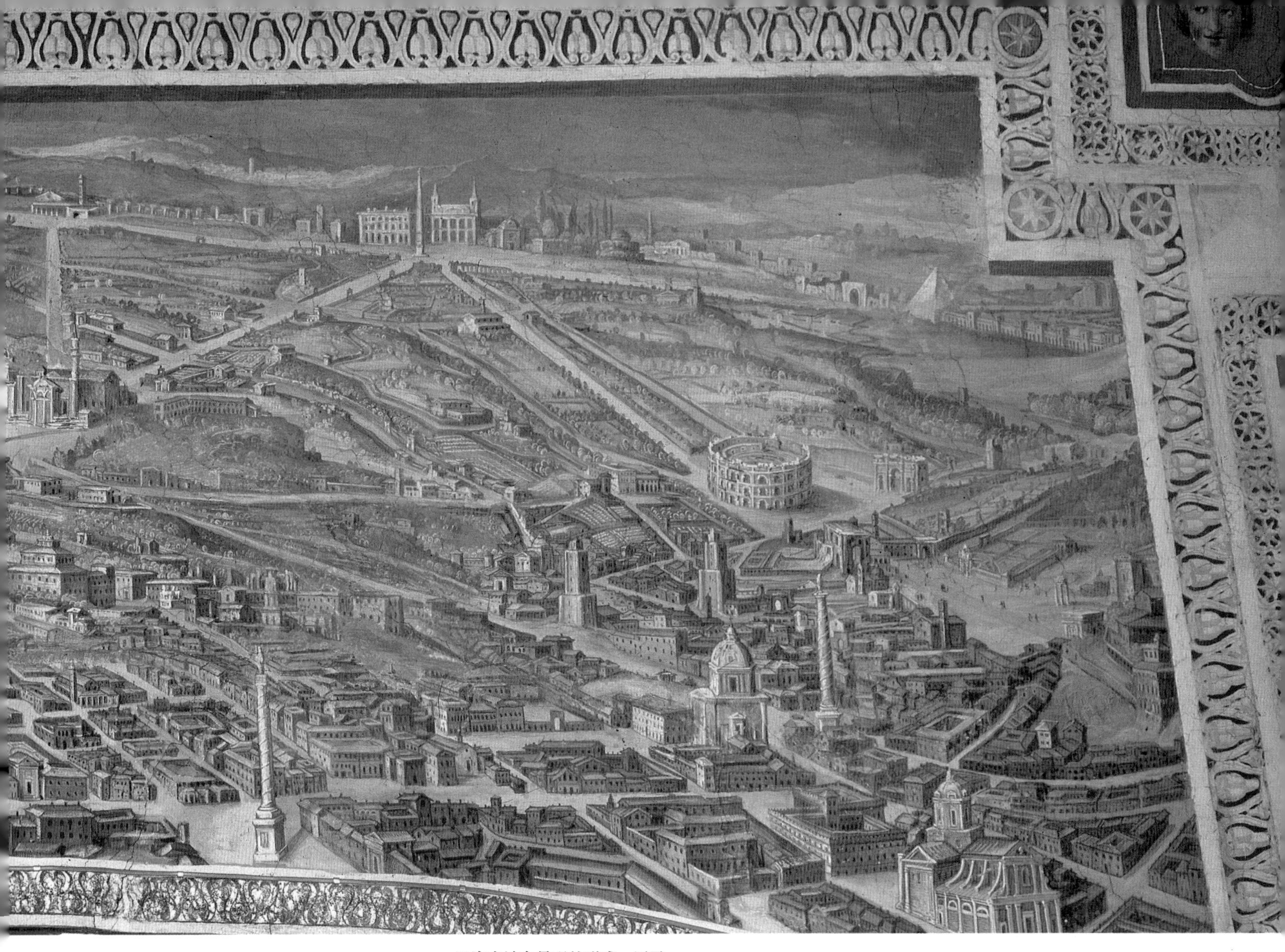

巴洛克城市景观的形成：罗马

图版 21　上图，1530 年代罗马的重建规划，主要是在 1585—1590 年教皇西克斯图斯五世和他的建筑师多梅尼科·丰塔纳为罗马所做的总体规划中出现了巴洛克式壮丽风格最永恒的几个主题：三支道系统、刻意的笔直对角线街道以及一系列城市标志物和纪念建筑。梵蒂冈图书馆中的一幅当代壁画展现了西克斯图斯和丰塔纳所做的这一壮观规划。

画面朝东，波波洛广场位于最左端，卡比托山在最右端，两者之间是笔直的科索大街。波波洛广场位于 1530 年代建造的三支道的顶端。西克斯图斯用一个方尖碑将这个端点标志起来，并且还在东面规划了第 4 条支道，这条支道将途经圣三一教堂和圣玛丽亚·马吉奥教堂，直通拉特兰（Lateran），在道路经过两处教堂的地方也计划设方尖碑（这一设计只有局部获得实现）。在圣三一教堂和圣玛丽亚·马吉奥教堂之间，菲利斯街和皮亚街相交，交汇的地方就是所谓“最美丽的路口”，皮亚街从这里向外，通往东北城墙上的皮亚门（Porta Pia）。前景中部是马可·奥勒留皇帝纪功柱，右面是图拉真纪功柱。

图版 22　左图，巴洛克风格的双教堂：圣玛丽亚·蒙特桑托教堂（S. Maria di Montesanto）和圣玛丽亚·米拉科利教堂（S. Maria dei Miřacoli），建造于 1660 年代至 1670 年代，它们为波波洛广场上的三支道系统（上面壁画中的最左端）赋予了一种建筑的形式，同时也掩盖了平面上微小的不规则问题。

雄伟的轴线

图版 23　左图，巴黎，朝东南方向望去。香榭里舍大街轴线在这里与一束发射状道路相交，凯旋门是它们共同的焦点。

图版 24　上图，堪培拉(澳大利亚)：从安斯利山沿轴线望去，这条轴线连接战争纪念馆和新的国会大厦。

空间标志物和纪念性建筑

图版 25　壮丽风格把玩的是宏大的空间。里昂的贝里阔广场（Place Bellecour）是法国甚至是欧洲的最大广场，与这个传统城市本身的尺度相比，贝里阔广场就显得更为巨大。16 世纪时这里是一个军事训练场，17 世纪成为公共广场，周围种植了树木并建造了一个铁圈球运动场。由于路易十四时期这里晋升为皇家广场，于是广场中央便立起了一座国王骑马塑像——这是一种最为多用的城市标记物，同时位于广场窄端的两座建筑也被改造成宫殿式的立面。这两种做法都传递着一种绝对主义的政治信息，所以在革命中它们都被拆除了。出于同样的政治心理，拿破仑一世（Napoleon Ⅰ）掌权后重新恢复了建筑立面，而查尔斯十世（Charles X）则在这里放上了自己塑像。

在后面的山丘上，富尔韦圣母院（Notre-Dame de Fourvière）和受埃菲尔铁塔影响建造的“铁塔”（Tour Métallique）（建于 1893 年）俯瞰着这座广场。

图版 26　作为城市焦点的喷泉：博洛尼亚（Bologna）（意大利）的内杜诺广场（Piazza Nettuno）是为展示 1563 年詹博罗纳（Giambologna）设计的海神涅普顿喷泉（Neptune Fountain）而开辟的。

图版 27　上右图，作为轴线焦点标志的摩天楼：旧金山贯美大厦(Transamerica Building)[佩雷拉事务所 (Pereira Associstes) ,1973 年设计]成为斜穿城市的哥伦布大街的视觉焦点。

图版 28　右图，凯旋门：新德里城市主轴线国王大道［现名拉杰帕(Rajpath)]上的印度战争纪念门，1931 年由埃德温·勒琴斯爵士设计，为纪念战争中牺牲的印度军人而建造；对于前任总督切姆斯福德勋爵 (Lord Chelmsford)来说，它是一座关于“英国统治印度的理想和现实”的纪念碑。纪念门后有一个空置的华盖，华盖下原来是乔治五世(George V)的塑像。

PIAZZA
CLUB DE LA PRES

林荫大道和林荫街

在现代术语中，这两种街道类型的名称被认为是可以互换的，但事实上两者在巴洛克时代的起源及它们的早期经历却十分不同。两者的共同之处，是它们都曾经是城市之外的边缘性元素，之后它们逐渐与扩展中的城市结构相结合，成为代表未来的城市模式。

林荫大道（Boulevards）最初是城市与乡村之间的一道边界。它的结构依附于城墙，巴洛克时期，城墙通常是有厚度的土夯壁垒而不是石砌的薄墙。在土壁上植树的行为可以追溯到 16 世纪末期。斯佩克认为这样做的原因是土壁绿化后可以使前来侵犯的敌人看不清城市的确切边界，在植物较少的平地上，这种方法就更加有效。但军事工程师则认为，大树的根系可以加固城墙，从而有效抵抗集中性炮火的攻击。如果视线因此受到阻碍，那么也可以将树砍倒。然而对于市民来说，城墙提供了在树荫下漫步的好机会，同时还能从高处欣赏乡间的景色。正是由于这个原因，当壁垒作为防御手段的重要性退却了之后，它们还是保留了下来。 243

1670 年，随着巴黎中世纪城墙的拆除与护城河的填埋，这些地方转化成了宽阔的、高于地面的步行道，种上了双排树木，马车和行人都可以到达。它们与为数不多的几条道路在老城门处相交，这些老城门后来也相应地被雄伟的凯旋门所取代。这些种上了树的土壁最终形成了一个相互连接的公共步行系统，“一个位于城市边缘的休闲区”。[33] 它们并没有被当作交通干道。一开始时，人们称其为“路”(cours) 或者“城墙”(remparts)，但不久便按照圣安托万门之北的著名棱堡大布列瓦（Grand Boulevart）的名字，将“布列瓦”即林荫大道（Boulevards）这个称呼固定了下来。到 18 世纪末，巴黎西端几条林荫大道的两旁就已经布满了高档商店、咖啡馆和剧院。

直到拿破仑时代之后，欧洲才流行起将城墙改造为林荫步行道的风气。拿破仑以前，只有法国解除了城墙的功能。在拆除了城墙的地方，18 世纪末雄心勃勃的地方官和 19 世纪前十年拿破仑的规划师们纷纷提出了大规模的林荫大道系统，将各处的公共空间连接起来，在城市边缘形成雄伟的框架。波尔多在地方官奥伯·德托尼（Aubert de Tourny）的领导下，将城墙改造成“路”，并在河岸处扩展出一系列广场。图卢兹行动得更早一些。在取代旧城墙的众多林荫路中，漫步大道（Promenade de l' Esplanade）和椭圆形的“大环道”(Grand-Rond) 及其 6 条放射状的道路完成于 1752—1754 年——这还只是庞大计划中的一小部分——街道公共空间的两边还没有开始建造形体统一的住宅。在荷兰，有一群专门负责城墙绿化的景观设计师，他们在整个 19 世纪都非常活跃，佐克（Zocher）家族的三代人——约翰·大卫·佐克（Johann David Zocher, 1763—1817 年）、小扬·大卫·佐克（Jan David Zocher, Jr. 1791—1870 年），以及后者的儿子路易斯·保罗·佐克（Louis Paul Zocher）是其中最出色的代表。 244

林荫街（Avenues）的起源一般是在乡村。当代一位研究 19 世纪巴黎的学者弗朗索瓦·卢瓦耶（François Loyer）写道，林荫街是乡村中的道路，这种道路的“两边排列着高大的树木，突出于周围茂密的树林、低矮的灌木以及农田”。[34] 相对于起伏的自然环境而言，它们不但笔直而且抽象，同时它们还是通往乡村中重要地点的轴线——这些地点包括贵族的别墅、农场或某个村镇。16 世纪，人们开始在主要乡村邮路的两旁种植树木，于是这一形式的乡村林荫街在法国便随处可见。到 17 世纪后期，林荫街通到了城门以及位于城市边

图版 29 莫斯科加里宁大街，用现代主义的语言重新刻画社会现实主义的纪念性城市；总设计师 M·V·波索欣（M. V. Posokhin），1962—1967 年。

图版 30 后现代的壮丽风格：蒙彼利埃（Montpellier）（法国），新建的安提歌尼（Antigone）住宅区中的黄金比广场（Place du Nombre d' Or），里卡多·波菲尔和塔勒建筑师事务所（Taller de Arquitectura）1978—1980 年设计。波菲尔宣称，在这个地方“每座建筑物都是纪念碑，每个公共空间都是一个剧院”。

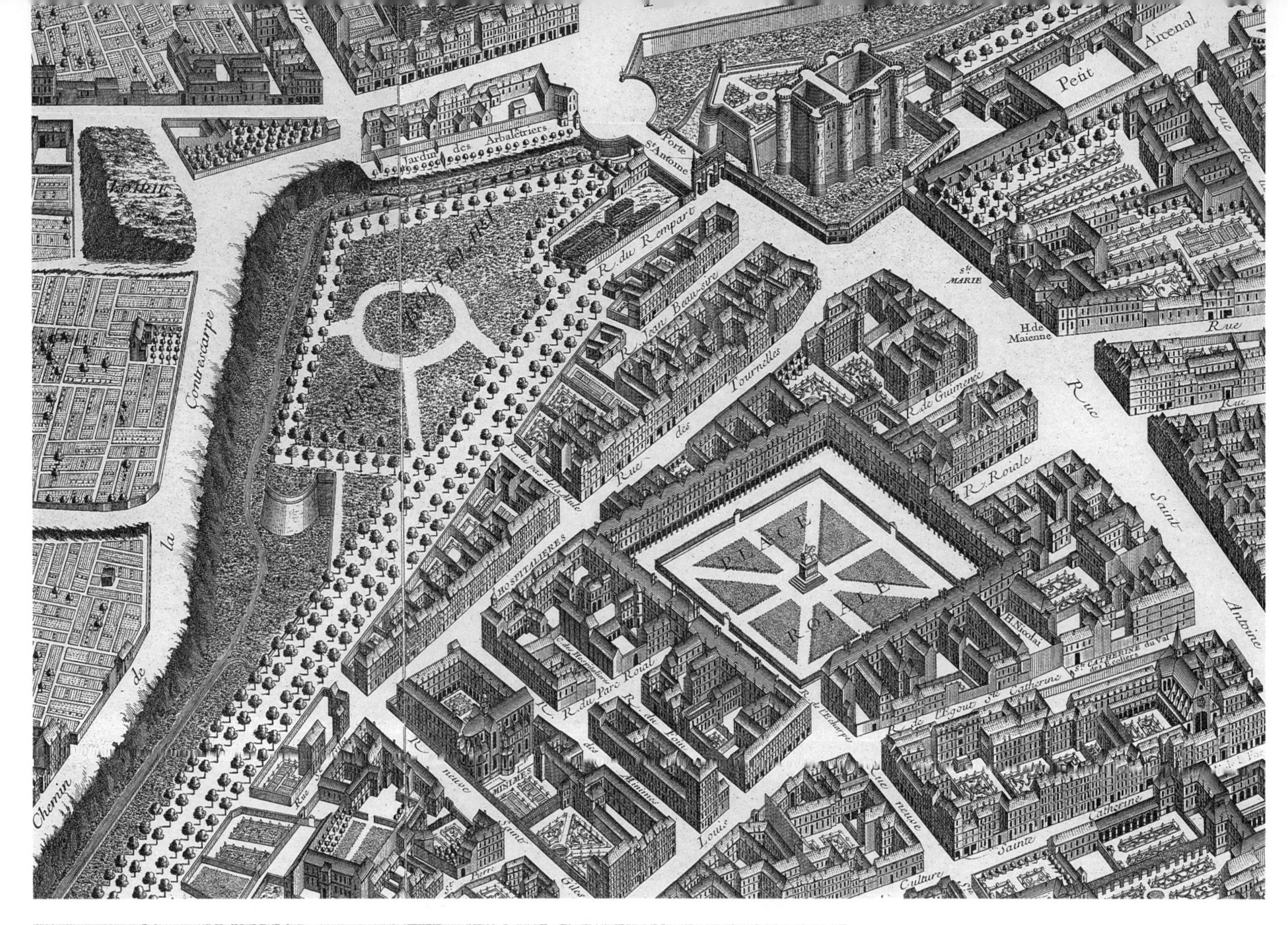

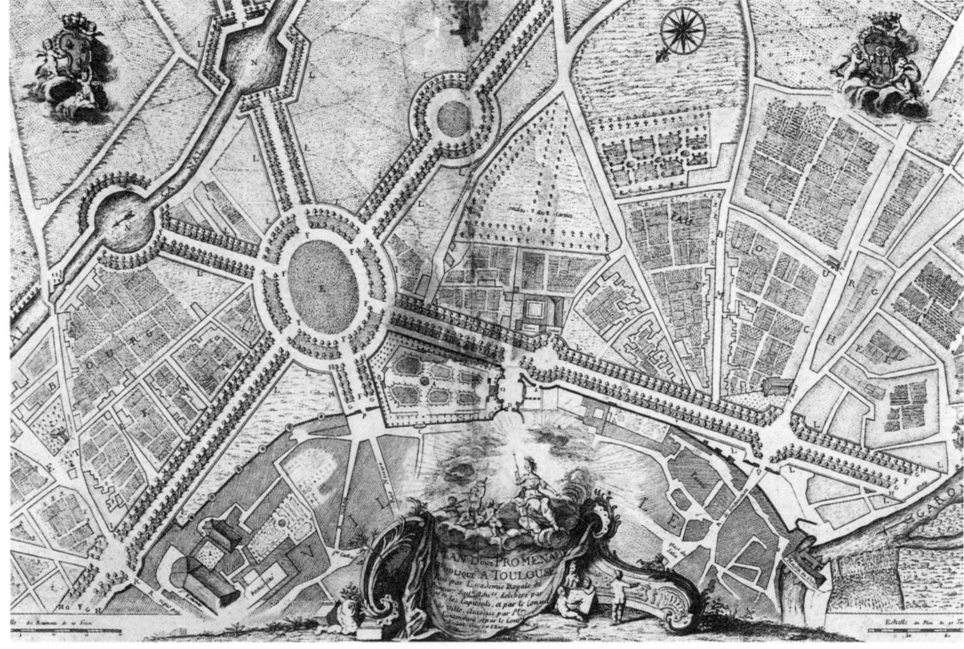

243　巴黎，杜尔哥地图（Turgot Plan，1734—1739年）的局部，图中表现的是巴士底（Bastille）附近圣安托万门边的城墙绿化。这里的棱堡就是著名的大布列瓦棱堡。第一个经规划形成的皇家广场——君主广场（1605—1612年）（即现在的沃士什广场）位于图中中央偏下的位置，紧挨着两旁排列着树木的通长城墙大道（Rue du Rempart）的内侧。

244　图卢兹（法国），漫步大道和大环道工程规划，1752年。

缘的医院等大型机构的位置。在巴黎城市西南郊新建的荣军院（Hôtel des Invalides）的主要入口南门口就汇聚了 3 条林荫街——一个凡尔赛式的标准的三支道系统——在背面一侧还有一条通往河流的林荫漫步道。[35] 席凡宁根（Scheveningen）和海牙之间的林荫道建于1667 年，它穿越沙丘向前，是一条贵族的漫步道。

在园林设计中，有一个与郊区林荫街相对应的元素，称为林荫路（allée），是指种了树的步道。林荫路起源于文艺复兴时期的意大利，在新兴的规则性风格的风景花园中，林荫路的作用是搭建出一个空间框架。在法国，林荫路成为花园规划中一种独立的元素，用于散步和游戏，有时它也会穿出花园围墙之外。巴黎一个著名的实例是 1670 年代建造的图勒里林荫街（Avenue des Tuileries），在勒诺特的设计当中，它是图勒里花园中的中央林荫路的延长线。这条街道是现代城市中的香榭里舍林荫街的直接前身。225

这一体系中还有两项新发明——一种是林荫车道（cours），另一种是宽林荫道（mall）。两者都起源于 16 世纪末期的意大利，是为新出现的休闲生活提供的新环境。两者都出现于城市的边缘，在靠近城墙或城墙被拆除后留出的位置上。

245　巴黎，莱内林荫道，建于 1616 年；艾夫林（Aveline）所作的铜版画。莱内林荫道紧靠在城墙外，沿塞纳河，在图勒里花园的西面。今天它是经过大小王宫（Grand and Petit Palais）的河滨道路中的一段。

林荫车道曾经是专为观光游览的马车提供的道路。就本章讨论的内容而言，它的重要性在于它将花园中的林荫路转化成为了可供车行的道路。这一想法可能最早出现在佛罗伦萨城外亚诺河（Arno）边上的科索。1616 年亨利四世（Henri IV）的王后玛丽·德美第奇（Marie de Médicis）将马车表演介绍到了巴黎，为了表演的目的，人们在图勒里下面的塞纳河边建造了一条用墙围合起来的四道林荫路，名为莱内林荫道（Cours la Reine）。这条路的 245 中间有一个圆形，入口位置是一座显要的拱门。伊夫林在他的《日记》中写道："就是在这里，时髦的男子和高贵的女子尽情娱乐，像在八人舞（Hide-Parke）中一样旋转，中间的圆圈可以容纳 100 辆马车在其中宽松回旋，林荫道宽的地方可以并行5~6 辆马车。"随后，这样的做法蔚然成风：巴黎出现了樊尚林荫道（Cours de Vincennes），马德里出现了上流社会的散步场（Prado），罗马 1656 年也将原来满是废墟的古罗马城市广场中央清理出来并种上了树木。

宽林荫道早先是为一种名叫铁圈球（pall-mall）的运动建造的。它由一条约 400 码（约 365 米）长的，用作球道的平整草坪和草坪两边供来往走动用的通道组成的。由于坚硬的球可能制造危险，所以宽林荫道的两旁都有高高的护栏封闭。这种球起源于法国，早在 13 世纪就已经在法国南部出现，到 17 世纪便成为上流社会喜爱的一项运动。有记载的第一条宽林荫道建造在意大利，其后，分别又在 1597 年和 1599 年在巴黎靠近城墙的地方出现。查尔斯一世（Charles I）将这项运动介绍到英国并为此建立了蓓尔美尔（Pall Mall）。后来查尔斯二世将球场移至圣詹姆斯公园（St. James' s Park）内的宽林荫道上，这是一条种植了 4 排树木的宽敞的大道，而原来球场所在的蓓尔美尔就成为一条公共道路，不久街道的 246 两边就建造起了高档的住宅。

为铁圈球运动建造的宽林荫道后来成为人们漫步的场所，因为它们常常位于城墙上，或者在靠近城墙的位置，所以也被用作军队阅兵的场地。有些地方也专门为散步者建造林荫道，在英国，最早的例子是建于 1638 年的坦布里奇韦温泉疗养地（Tunbridge Well）。在早期的波士顿，公园中几条两旁种有树木的道路有时也被称作宽林荫道，在马萨诸塞州的纽伯里波特（Newburyport）和缅因州的不伦瑞克也有宽林荫道的建造记录。[36]

18 世纪在欧洲盛行起来的一些规则形广场也提供了另一类可供公众漫步的场所。一个出人意料的早期实例是布里斯托尔的奎恩广场（Queen Square），它位于河码头的后面，始建于1699年。这是一个英国风格的居住性广场，但却被几排笔直的树列切割成相同的4块：其中3条树列将广场封合起来，另2条树列彼此相交将广场分成4块。

然而，即使在上述城市环境中，风景设计中的林荫路也未能转化成真正的城市林荫街。因为城市林荫街需要将建筑、交通、树木和谐地组织起来，同时林荫街的设计必须是城市内部街道系统整体的一部分。而这种转化最终发生的关键地点是阿姆斯特丹和凡尔赛。

247 种植树木的运河街是17世纪早期荷兰人的发明，其正统的形式是在1607年阿姆斯特丹扩展规划中首次形成的。3条新挖的环形运河的两边排列着城市住宅，而在住宅和运河之间则种上了榆树。这种做法一方面创造出了宜人的水边步道，同时它也是一条交通道路和码头工作平台。不过，这种特殊的处理方式还只是比较个别的地方形式。

238 244 更具普遍影响力的模式是凡尔赛中央三支道系统中的林荫道。到了18世纪中期，林荫道成为包括图卢兹和里昂在内的法国城市扩建工程中的标准道路设计手法。当拿破仑军队横扫欧洲时，林荫道与这支军队一样，成为众所皆知的法兰西帝国的印章。拿破仑的地方政府设计并建造了水滨漫步道，“在1809年至1814年间，布鲁赛尔、杜塞尔多夫（Düsseldorf）、科布伦茨（Koblenz）、卢卡、罗马和布尔戈斯（Burgos）都建造了林荫道，都灵也开始建造宽阔的道路，随后又植上了行道树。”[37]

240 圣彼得堡的布局结合了法兰西和荷兰两种方式，这与彼得大帝（Peter the Great）的崇洋思想有关。海军部大厦前的三支道系统显然是从凡尔赛移植过来的，但同时主要的运河街又切断了这几条林荫街。威尼斯学者弗朗切斯科·阿尔加罗蒂（Francesco Algarotti）在1739年夏天访问圣彼得堡时指出，这种对荷兰城市的崇拜不过是一种矫饰，因为它缺乏原型所具有的现实逻辑。“这样做仅仅是为了使人联想到荷兰，”他写道，“彼得大帝在道路两旁种了树，又用运河将它们切开，但其作用与阿姆斯特丹和乌得勒支（Utrecht）的街道当然不同。”[38]

到了19世纪后半叶的欧洲，“林荫街”（avenne）和“林荫大道”（boulevard）之间的差别基本上消失。由旧城墙经植树改造后形成的最早期的林荫大道现在已经处在了扩大后的城市范围之内，而在非城墙的位置也出现了一些貌似林荫大道的街道。早在1830年代，城市内林荫街和城市边缘林荫大道在设计上都出现了一些新的做法，这些做法在英国非常普及，使得两种道路变得统一。这些新措施包括在地面下设排洪和排水系统，在看得见的部位设碎石路面、马牌编号、邮箱等等，而其中最重要的一项新做法，则是设立人行道。为了增加这些新设施，巴黎重新铺设了林荫大街的地面，铲除了厚达6英尺（2米）的土层，清理了旧城墙和外护壁的残余。二十年后当奥斯曼开展他那划时代的现代化首都计划时，这一切做法便成为他参照的先例。他从塞瓦斯托波尔林荫大道开始，建造他的新的林荫大道系统，将曾经完全属于郊区的尺度和形式引入到巴黎老城的中心，并用它们来划分巴黎。 259,225

248 进入城市后的林荫大道（boulevard）形成了3个不同的区域。其中人行道（sidewalk）为购物者及购物活动而设，车行道（roadway）为快速交通而设，而树列则是将两者阻隔开来。“更为重要的是，”卢瓦耶写道，“林荫大道创造出一个大尺度的网络体系，它赋予作为整体的城市一种清晰的结构。林荫大道不但是交通线，同时也是城市不同区域之间的界限。”[39]在城市整体形象当中，住宅的作用并不重要，它们是林荫大道空间的外围边界，是连续过程的一部分。

246 伦敦，蓓尔美尔宽林荫街和圣詹姆斯公园中的宽林荫道；18世纪早期约翰尼斯·季普（Johannes Kip）所作的铜版画的局部。这条宽林荫道由铁圈球运动场发展而来，是现在伦敦最主要的一条纪念和游行大街。它是1660年伟大的法国景观设计师勒诺特为查尔斯二世所做的圣詹姆斯公园规划的一部分。虽然一个世纪后，铁圈球已经过时，但这条宽林荫街一直是朝臣、商人和时尚女子们（priestesses of Venus）最喜爱的漫步场所。查尔斯一世时期建造的那个较早的铁圈球运动场平行位于其左侧，后来成为一条高尚的居住街道。

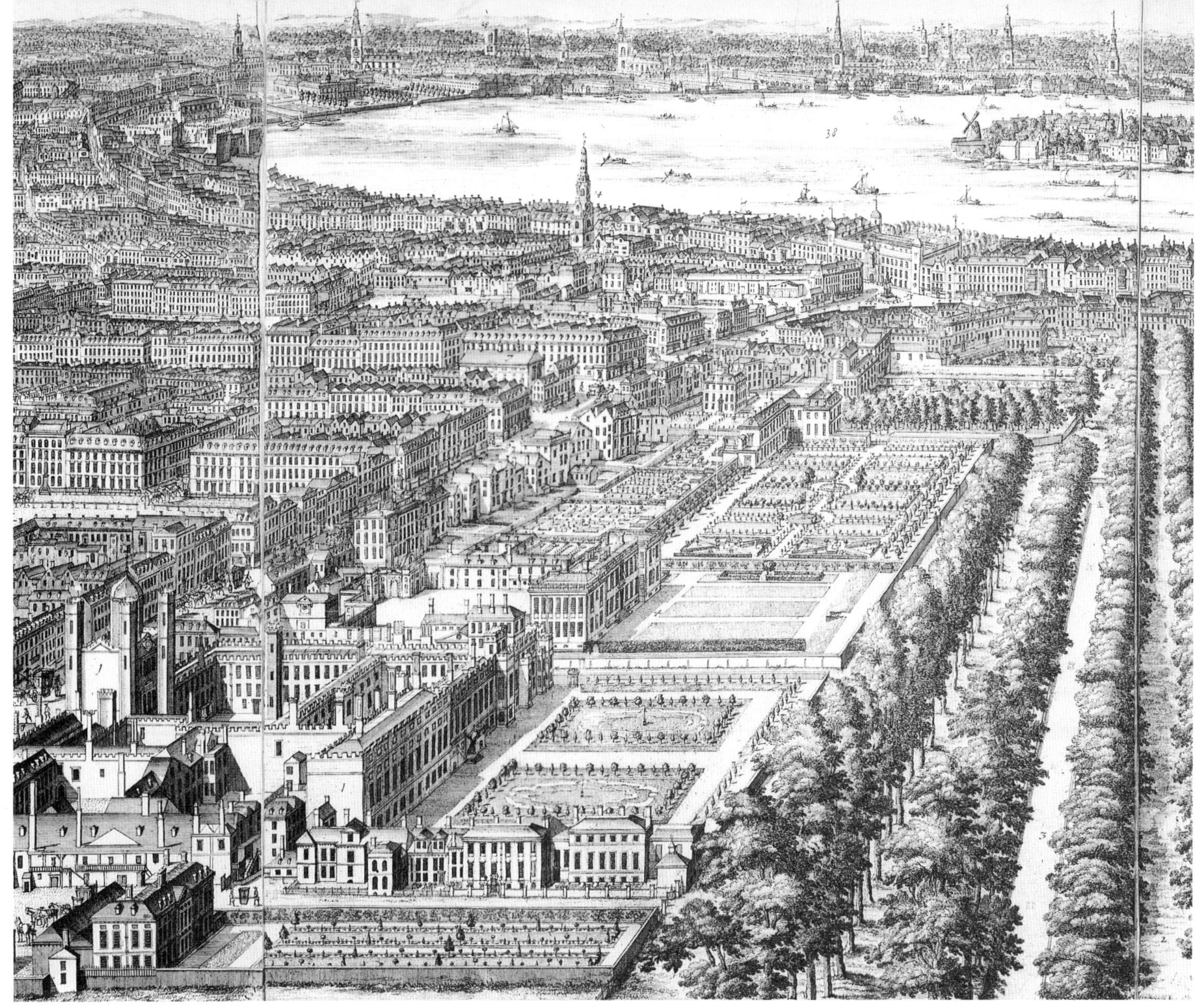

247　右图，莱顿（荷兰），从胡格街（Hoogstraat）附近波斯台尔桥望去的风景，1764年N·凡·德米尔（N. van de Meer）所作的铜版画。种有行道树的荷兰运河街与欧洲其他地方那些显示气派的林荫道不同，它们由公共城市行政机构建造，是为商业港口系统服务的城市设施。

248 左图，巴黎伏尔泰林荫大道（Boulevard Voltaire）和理查德·雷诺阿林荫大道（Boulevard Richard-Lenoir）的交汇处，19世纪的明信片。奥斯曼执政时代的后期，纪念性的林荫大道已经发展出了成熟的形式。而正由于1859年关于设计元素标准化的建筑规划的推出(以及城市监督官员的大力执法)，才使巴黎林荫大道极具统一性的“城市特色”得以形成。

249 上图，尤金·埃纳尔对传统“林荫大道”提出的改造方案：“有进退的林荫大道”，即沿街建筑呈锯齿状，使建筑体量和树丛可以相互穿插。

尽管林荫大道可以容纳商业行为和社会生活，但它的路面太宽，无法像传统街道那样产生出围合空间的感觉。购物区有树木作屏障，从车道上看不见，因此它独立地存在，似乎人行道本身就是一条街。当时许多人觉得它们宽阔开敞的尺度和连续类同的形式过于冷漠。这些林荫大道打破了旧的有着致密肌理的工人阶级居住区的整体性和那里的社会结构，事实上它们的目的也正是如此。但是过了一代人之后，林荫大道的声望得到了确立。

惟一一次真正试图调整这种已经大获成功的奥斯曼式林荫大道模式的努力是在20世纪早期。这便是巴黎城市规划长官尤金·埃纳尔提出的“有进退的林荫大道”(boulevard à redans)，也就是用带尖角的楔形建筑物在沿街面上制造有规律的凹凸，这种方式使人联想起沃邦的棱堡系统，不同的是增加了树木。埃纳尔认为，由此而带来的新的自由形式可以减弱平直连续的街道面和毫无变化的直排树木带给人的刻板感觉，同时也能减少建筑内庭院的数量，通过加长建筑的直接临街面来提高房地产的商业价值。这种方法还有一种被称为“切断的连续线”(alignement brisé)的变体，它是将沿街面设计为浅的锯齿形。这两种方法都没有能够获得推广，不过它们在后来现代主义的形体方式上留下了一些印迹。1920年代法兰克福的布赫费尔德街（Burchfeldstrasse)也许受到过埃纳尔“切断的连续线”的影响。

对于英国人和美国人来说，行道树是住宅区特有的东西，而城市中心的街道上是没有树木的。20世纪初，伦敦除了泰晤士河滨大道（Thames Embankment）之外几乎没有其他种树的街道。在美国，“林荫街”和“林荫大道”这两个词有着特殊的含义。“林荫街”(avenue）是以交通为主的街道，因此通常并不鼓励优雅的细部设计。“林荫大道”(Boulevard)是位于城市边缘联系各个公园的绿色通道，由于弗雷德里克·劳·奥姆斯特德在他的公园系统中的大量运用，“林荫大道”在城市美化运动之前就已经大受欢迎。美国的林荫大道宽而直，道路中间有一条绿化带，两旁种植着浓密的行道树，行道树的后面是建造在宽大而葱茏的宅基地上的高尚住宅，因此，林荫大道是一种为行人和慢速马车设计的具有乡村情调的道路。如果是在郊区，那么林荫大道便成为“公园大道”(parkway)，随自然地形蜿蜒向前，一路上展现着开阔的景观视野。这种林荫大道/公园大道是上层阶级居住社区中出现的一种新类型，奥姆斯特德认为：“它的产生受亲和思想和自然品味的影响，而这种品味无疑应该受到支持和鼓励。”商业性的交通，即使被

250　芝加哥（伊利诺伊州），林荫大道（Grand Boulevard），1892 年的景象：这是美国式“林荫大道”的理想形式，不但街道两旁种有行道树，中央还增设一条绿化带。

允许，也必须被控制在远处的车行线上。只是在后来，汽车为取得快速、不受阻挡的交通权而占据了林荫大道和公园大道，因此改变了林荫大道的性质，使之成为一般性的交通干道。

统一性和连续的界面

为了赞美直线——这一秩序和速度的象征，壮丽风格的规划崇尚视觉上的连续，从而减弱了街道界面上各建筑物的个性。在新的发展区中，街道常常经过统一的设计，而设计的深度可能并不超过沿街表面本身。如果在非新建区，那么改造的办法就是在已经既成事实的街道立面上施加统一的元素，以遮挡原来街道上那些不规则的东西。

在古希腊和古罗马时期的城市实践中我们可以清楚地辨认上述两种情况的实例。在古希腊城市中，希腊规划师通过对建筑立面的审慎处理来获得一种统一的秩序。希腊化时期对雅典集市广场的改造保留了多处相互协调的处理效果，例如在西侧部分就是通过一条连续的柱廊将新建的档案馆和临近散乱的行政建筑群结合在一起的。

这种城市手法最刻意的表现，是公元前 1 世纪兴起的贯穿整个城市的柱廊工程。建筑立面虽然并不一定十分连贯，但与美索不达米亚城市中那些由内向而互不关联的房屋构成的居住街道，或者与通常混乱万分的商业街道相比，已经显得十分有序。这类大街的一个共同点是道路面低于两边的界面，而两侧连续的台阶更有利于社交活动，同时也使街道具有一种强烈的视觉上的方向感。 256

许多中世纪的街道上常常有一些很随意的拱廊，它们使街道面进退有致，不过这样做的目的并不是从美学角度出发制造统一的沿街面，而更多地是为了缓解气候带来的不适，给沿街的商店提供方便。直到后来，在《印度群岛规则》这部旨在控制新西班牙地区城市规划的法典当中，也提出要在广场以及从广场出发的 4 条主要大道上使用拱廊，因为“拱廊会给那些常常集中于此的商人们提供极大的方便”（规则第 115 条）。

在 16 世纪时，用连续街墙的办法来加强街道空间的透视感成为一种迫切的需要。教皇格雷戈里十三世（Pope Gregory XIII, 1571—1585 年）时代颁布的一项名为《公用事业的有关事项》（*Quae publice utilia*）的训令中包含了针对罗马等城市的建筑控制规则，该规则规定，新建街道两旁空置地块上的产权所有者必须负责在沿街位置建造高墙。罗马市的建筑控制规则还试图去除房屋与房屋之间的狭窄通道，因为从所有权概念出发的旧法律曾经要求建筑物必须独立地建造在宅基地上，不得与其他建筑物相连，因而制造了上述那些狭窄通道。这些通道的宽度通常小于 2 英尺(0.6 米)，现在它们可以被两边的土地所有者使用。

标准化和统一化是在巴洛克时期城镇新建和扩建中备受推崇的概念。18 世纪欧洲的城市规划与当时的哲学思考有着密切联系。规则形状的开放空间、统一的立面等等都是那个世纪崇尚行为规范和行为理性的物质反映。例如圣彼得堡市对街道和住宅类型所作的统一规定，就与彼得大帝时期颁布的要求人们剃除胡须，穿标准“德国式”即西方式服饰的命令相一致。传统俄国城市中的街道被认为对住宅，尤其是对城市生活的真正中心——庭院（dvor）的自然扩展造成了抑制。圣彼得堡的城市规则使得日常生活更加公共、更加有秩序，连凯瑟琳大帝这样的人物也认为这样做能够使“居民们……更驯服、更礼貌，也减少了迷信”。[40]

由同一个业主开发建造一片联排住宅区的行为导致了经统一设计的城市建筑群的首次出现。文艺复兴时期罗马就曾流行一种以投机为目的的联排住宅。但是还有更早的中世纪时期的例子，例如佛罗伦萨 1278 年规划的奥尼桑提区(Borgo Ognissanti)，或 14 世纪约克建造的古德兰格联排住宅(Goodramgate Terrace)［通常也称为圣母住宅（Our Lady's Row)］。在巴黎，佩替桥（Petit Pont）的重建将西堤岛区（Ile de la Cité）和左岸区结合在一起，这项工程进行于 1502 年至 1510 年间，原本由吉奥康多教士负责，是巴黎最早的经规划之后建造的城市集合体，比第一个皇家广场早了整整一个世纪。桥的两端有 34 座建有拱廊的式样相同的住宅，它们“统一以砖料建造，以石料收边……并且装饰有圣徒的塑像和城市的纹章”。而原来的桥边就已经有 60 座建于 1421 年的式样相同的住宅。[41]

251　费拉拉（意大利），莫塔拉街（Via Mortara）：“大力神扩建”工程（Herculean Addition）中一段形式统一的街道立面，所谓“大力神扩建”工程是 1490 年前后埃尔科莱·德埃斯特（1471—1505 年）统治时期，根据比亚焦·罗塞蒂的设计建造的网格状新城区。

约翰·依夫林在他自己所做的伦敦规划中也强调广场和街道应该具有这样的统一性。对于住宅中间的庭院、院落和花园他表示了警惕，“因为它们容易制造碎片，”也就是说，可能会打破联排住宅沿街面的连续性；因此这些院落和花园“基本上不应该面向任何主要街道”，[42] 只有这样统一性才会得到突出。依夫林特别推崇巴黎几个皇家广场的立面处理手法，这些广场通过建筑顶部连续的檐口和一层连续的拱廊将界面统一起来，同时又通过住宅高耸的石板屋面来增添个性（如沃士什广场）；或者，当广场四周的建筑有着共同的通长屋脊的时候［如旺道姆广场（Place des Vend.me)］，则在切开的转角处和长边的中央加设山墙，以打断立面上连续的老虎窗，取得变化。

243

巴洛克的一种尤为有效的手法是以同一种设计形式来完成一个极长的建筑立面，如奎里纳勒府邸（Palazzo del Quirinale）沿皮亚街［即现在的九月二十大道（Via XX Settembre)］的一条名叫“长袖”（Manica Lunga）的服务翼。有充分理由使用这种长且相同立面的设计手法的机构性建筑还包括穷人住宅、医院和职工宿舍。我们可以随意地举出几个例子，其中包括罗马特拉斯特维莱（Trastevere）区的圣米歇尔医院（Ospedale S. Michele），以及两个18 世纪那不勒斯的例子——坡弗里旅馆(Albergo dei Poveri) 和格拉尼里公寓(Quartiere dei Granili)。

252,253

在欧洲城市当中，德累斯顿和柏林的建设受到最严格的控制。德累斯顿是萨克森选帝侯（electorate Saxony）所在的首府，在这里，对中产阶级住房建造的审批过程是一种彻底的审查每一个建筑设计方案的过程。申请者不但要拿出他自己住宅的设计平面，还要提供“邻近住宅的轮廓线以及街道的布局”。[43] 在 17 世纪后期柏林的扩建当中（最后的扩建

252 柏林，腓特烈街，施工中的联排住宅；1732年迪斯马·达更（Dismar Dägen）所作的绘画。

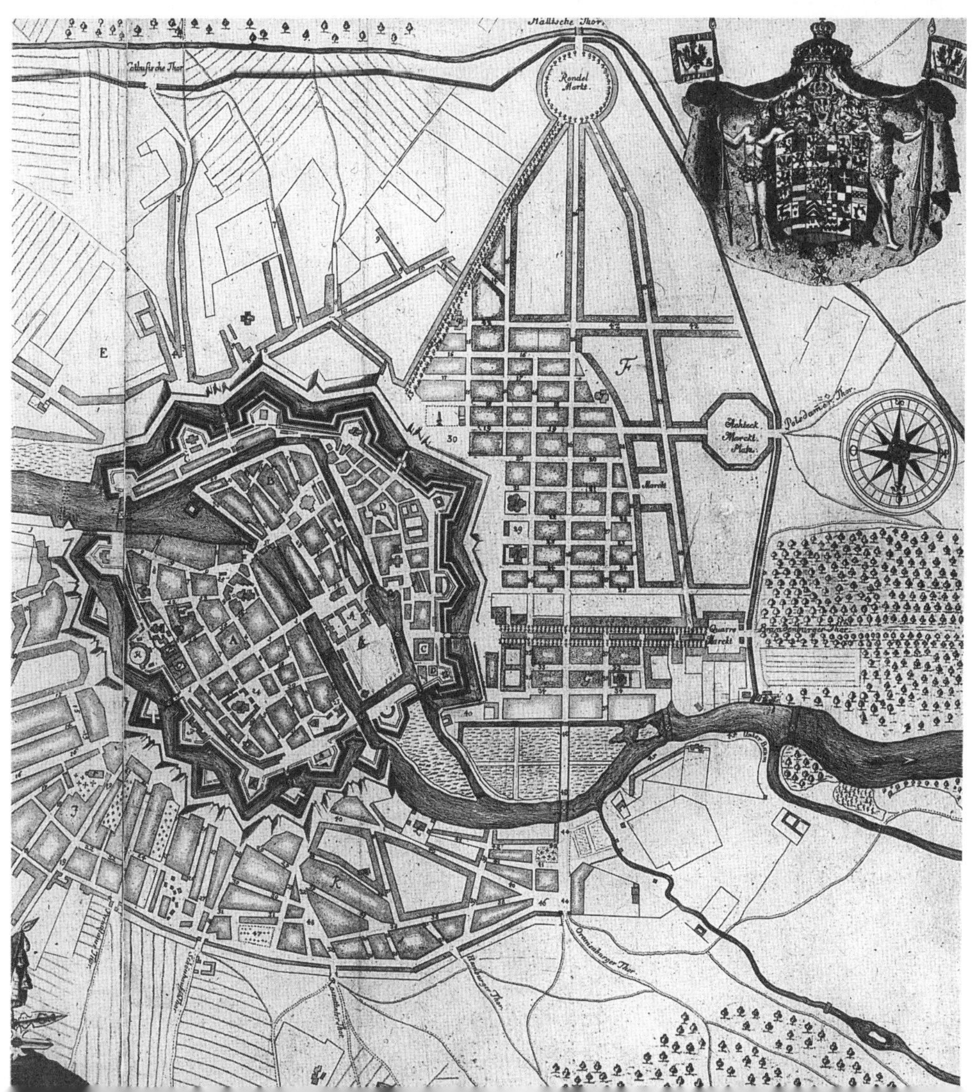

253 柏林，1737年的一幅地图的局部。北位于图的底部（参见图151）。在被防御城墙包围的中世纪城市之外，是两个经规划建造的郊区——一个是始建于1674年，紧靠施普雷河（Spree）南岸的多罗西施塔特区，另一个是更向南同时面积大得多的以荣代尔圆形广场为终点的三角形腓特烈施塔特区（参见图241）。图中通长的中央大街是腓特烈街（参见上图）。林登大街位于两个郊区之间，将中世纪城市中的宫殿和蒂尔加藤皇家公园（图中右侧中部）联系起来。1760年，靠近新建郊区的那部分城墙被拆除。

252 完成于 1721 年)，这种对审美和谐的追求体现出更为强烈的普鲁士趣味。多罗西施塔特区和腓特烈施塔特区的街道被刷成统一的浅灰色；每一件事情都经过预先部署，每一座建筑物都经过精心规划和排序。[44]

欧洲以外，罗伯塔·马克思·德尔森（Roberta Marx Delson）对葡萄牙人在巴西建造的新城市进行了一些实际研究。[45] 这些新城与 16 世纪为建设新西班牙地区而制订的《印度群岛规则》不同，后者只是规定了城市的布局，操作和实施交给居住者完成，而葡萄牙人则在 1716 年之后的整个 18 世纪都为新建筑规定了统一的立面。1747 年在原有渔村基础上建造的阿拉卡蒂(Aracaty)镇的规划条例中，便指明了如果旧住宅需要重建，那么“它们重建以后的形式必须与新建住宅的外貌和轮廓相一致”。在建造里奥尼格罗（Rio Negro）时，1755 年制订的通行规则（carta regia）便规定住宅的“外部必须以相同的方式建造，在内部（居民）则可以随心所欲”，路易斯·安东尼奥·德苏扎总督(Governor Luis Antonio de Souza) 在 1766 年写给一位法官的信件中提到，在桑托斯（Santos）的港口社区里，一切新建筑都必须服从指定的标准，因为

> *当前那些最有文化修养的国家关注的问题之一，是新建城镇中建筑物的对称与和谐。这一点不仅仅有实用上的益处，它同样还带给人愉悦，因为这种优良的秩序表现的是居民们遵纪守法的态度和他们的文化修养。*

直到现在，在巴西这些控制规则所起到的效果仍然随处可见，德尔森指出，今天在马里亚纳（Mariana）人们还能够见到那些“相互连接的两层高的殖民式住宅（sobrados)，它们形成了单座大建筑物一般的整体，而不是彼此独立的房屋”。

在标准化方面还有一段有趣的插曲，它和殖民政府对待当地印第安人的态度有关。根据总督乔斯·泽维尔·马卡多·蒙泰罗（Governor José Xavier Machado Monteiro）的理论，在为印第安人建造的新城里，如果所有居民能够获得相同的居住设施，包括带有同样数量门窗的标准化住宅以及标准大小的宅基地，“那么所有导致嫉妒和引发不和的因素将会被消除”。[46] 标准化在这里还有一项未被提及的附加作用，就是它同样也可以摧毁旧居住模式中的社会结构。

这种以理性的规划来消除传统生活方式，以及与传统生活方式共生的可能与政府政策相冲突的忠孝观的手法在现代社会也有相应实例。例如法西斯在埃塞俄比亚为当地人建造的城镇中，原住民古老的团状茅舍就被改成了严格的行列制。社会主义国家的政府住宅政策也有类似的思想基础。最极端的是罗马尼亚独裁者齐奥塞斯库（Ceaucescu）设计的一个幸而没有实现的总体规划，他企图拆除所有的村庄，代之以完全相同的混凝土大板楼。

19 世纪末，依赖电梯出现的高层建筑给壮丽风格的设计者带来了忧虑。如果高层建筑可以被允许成为一种雕塑性的独立于空间中的物体，那么它就不大可能成为连续性街道界面上的一部分。如果强迫它们连续，作为限定街道空间的统一界面上的一部分，那么 10 层或 10 层以上的建筑将会成为峭壁，笼罩着终日不见阳光的、峡谷般的街道公共空间。但是摩天楼城市并没有立即迎来它们的黎明，至少在欧洲没有，同时，一些试探性的设计似乎提示高层建筑与壮丽风格的结合也并非完全没有可能。

奥托·瓦格纳 1911 年为未来大都市（对他来说即维也纳）所做的“大都市”254 (Grossstadt) 计划实际上就是以现代的方式对壮丽风格作出的再次肯定。如果说奥斯曼是

254 奥托·瓦格纳，维也纳第 22 区的规划方案，选自他的《大城市》(*Die Grossstadt*，1911 年)。

将多层混合功能的整体性建筑搬上了那些切入到中世纪巴黎城区中的林荫大道上的话，那么瓦格纳则能够将同样的整体性引入到整个新城市当中。瓦格纳规划中的集合住宅的体量要比奥斯曼的更高、更大，街道也更宽，同时公共领域与居住领域的差别仅仅在于其中开放空间的尺度、喷水池和纪念物的布置以及建筑装饰的奢侈程度的不同。

伯纳姆与瓦格纳一样，认为高层建筑的体块与壮丽风格的规整性规划之间并不存在不相融之处。但是他所工作的国家和英国一样，长久以来有着根深蒂固的独立式居住的理念，所以高层建筑只能被安排到城市中心，而且主要用于商业。现在，美国人造得比其他任何地方都高。在芝加哥和纽约这样的城市里，人们将他们的伟大发明物，摩天楼，用于制造传统的城市效果——如有方向性的街道通廊和围合性的公共空间。

235

像勒·柯布西耶这样的现代主义者在 1920 年代发出抨击，也是从反对那些在他们看来做作而目光短浅的对高层建筑形式的制约开始的。摩天楼是绝妙的，但它们可不是传统街道景观的侍从。摩天楼“是一种了不起的集中装置：应该被安排在巨大的开放空间之中”，勒·柯布西耶这样写道。在类似的这些言论当中，现代主义者们为传统城市以及和传统城市相关的壮丽风格这一套国际语言的灭亡作好了准备。

但现代主义真正的胜利实际上是在二次大战结束之后。此前的几十年里，壮丽风格谱写了宏伟的新篇章。大部分西方国家并不情愿改变原有的那一套能够有效地表现力量、权力、社会秩序和国家荣誉的城市设计方法。我们首先想到的是法西斯的意大利和纳粹的德国。就如墨索里尼时代对罗马施行的奥斯曼式的改造，以及元首本人在他的年轻建筑师阿尔贝特·斯皮尔的协助下构想的柏林。同样的城市幻想影响了世界上许多其他城市，从兰斯和马德里，到安卡拉（Ankara）、马什哈德（Meshhed）和巴库（Baku），尽管这些城市并没有包含像罗马和柏林那样宏大的叙述。

230
263

当局如何才能保证规划后统一的街道与广场最终能够获得实施？最可靠的办法是由政府自己来建造。在集权制国家，住宅工业集中运作，因此也不存在其他选择。还有一种花费较少的办法，这种办法曾经在巴洛克的几百年中被利用过，这就是由政府负责建造外层，即连续的外立面，住宅的内部建设则留给每一个土地所有者去做。路易十四在巴黎建造的旺道姆广场就是一个突出的例子。从各个时期的图片中可以看出，广场的框架最早完成于1701年，直到那个时候广场周围的建筑基地才开始出售。这样造成的结果就是广场周围建筑立面上的分段与立面背后房间与庭院的分配无法吻合。另外，1760年为圣彼得堡成立的房屋委员会也曾提出建议："由政府来建造广场周围的建筑立面，而立面后的住宅则交由业主们自己规划建造。"[47]

都灵在16世纪末到18世纪初的扩张时期，曾经成为巴洛克美学的实验室，萨沃伊的统治家族对其实行了严格的控制。[48]诺瓦区（Città Nuova）是位于都灵罗马时期的网格状旧城区南部的扩建区，1621年，当由宫廷工程师卡洛·迪卡斯特拉蒙特（Carlo di Castellamonte）拟定的诺瓦区设计指导原则颁布之后，查尔斯·伊曼纽尔（Charles Emanuel）便成立了一个由杰出政府官员组成的直接听命于他本人的委员会，以确保各项建造工程的协调运转。除了要求业主们遵照规划进行建设之外，还规定他们只能使用诺瓦区当地生产的建材。二十年后，当政者玛丽亚·克里斯蒂娜（Regent Maria Cristina）亲自允诺将圣卡洛广场（Piazza S. Carlo）周围的地块批给政府高官、银行家和贵族，因为这些人更易服从宫廷的压力，按照卡斯特拉蒙特的统一设计来建造自己的住宅。在老城区，从城堡朝南到罗马时期城墙之间的诺瓦大道（Via Nuova）上则要求通过现代的、经统一设计的立面将内部的中世纪街块包裹起来。最后，在改造大教堂广场的工程中，愿意服从官方统一设计的业主们都接受了政府提供的白色大理石柱，这使他们的建筑物的公共界面成为连续性柱廊的一部分。

255

在17世纪这一系列建设活动中形成的习惯长期以来一直塑造着都灵统一的城市形象和都灵的新建区。甚至连那些手法最为华丽的巴洛克建筑师，如瓜里诺·瓜里尼（Guarino Guarini）都没有将他们那一套复杂多变的建筑室内空间设计手法扩展到街道立面上。这里的建筑一般都很克制、隐让，愿意被混合在连续的街道空间当中。只有在罗马以及罗马的影响力可以辐射到的地方——以西西里（Sicily）尤为突出——那些巴洛克风格的建筑才会不满足于仅仅成为公共空间的限定者。街道空间成为具有某种形状和动感的积极的空间。毗邻的建筑物参与了街道限定的运动模式。只有在那些地方，在贝尼尼（Bernini）和普罗密尼这样的建筑师的设计作品里，我们才会看到建筑的前部被处理成为具有表现力的体量，它们踏入甚至介入到街道空间当中。在这种情况下，街道，正如保罗·波尔托盖西（Paolo Portoghesi）所说："由于多重章节交替出现而显得生动活跃，它不再完全是被两个平行平面夹住的一条内向通道。"[49]

但是都灵的巴洛克街道也并非内向的通道。统一性街道立面的内在力量在于，它创

255　都灵（意大利），皇家广场（Piazza Reale），现名圣卡洛广场，引自1682年阿姆斯特丹出版的一份都灵画册。该广场于1621年之后由卡洛·迪卡斯特拉蒙特设计，作为都灵新的网格状扩建区的中心。诺瓦大道［现名罗马大道（Via Roma）］将该广场和北面1584年建造的城堡广场（Piazza Castello）连接起来，并且穿过本图中远处的圣卡洛（S. Carlo）和圣克里斯蒂娜（S. Cristina）两座教堂继续向南。

造了深远而彻底的透视通廊，将人的视线直接引向位于端点的地标。街道端点的对景手法是巴洛克美学影响下的城市设计所具有的最为重要的设计手法。速度的必然结果——空间贯通感的塑造也是如此。

统一中的变化

到了18世纪中期劳吉尔的时代，人们开始提出一些新的问题，针对统一性所具有的隐患，以及人们在穿过不断重复着的、由同一种设计构成的城市空间时可能会产生的厌倦。劳吉尔神父提出“过度的均一性，是所有错误中最严重的一种”。在回到城市和花园的对比问题上时，他嘱咐规划者们要参考勒诺特的作品，因为在他的作品中，严肃与轻松、规则与不规则、对称与变异互为近邻。所以，从事规划工作的建筑师们也应该注意一定程度的细部设计，这样，当人们走过城市时，就会感受到每个片区都是新鲜的、不一样的，最终形成“与优秀城市相吻合的那一丝不规则感和混乱感”。[50]

变化的要求是多层次的。一片简单的网格式街道区不具有想像力。如果城市中的每一个区都表现出同样的特征，那么人就容易迷路。在街道空间内部，住宅的立面不应该完全由私人的好恶来决定：公共机构应该规定出与各街道的宽度相对应的建筑物的限制高度，并且不同的街块应该采用不同的立面类型。劳吉尔认为这项工作内容之丰富，可以等同于古典装饰系统的全部容量。

最后，还有一项关于广场的问题。在这个议题上，劳吉尔的赞同者很多。与他同时代的西班牙神父庞斯（Abbé Ponz）就要求规划师们竭尽心思设计出一系列不同的邻里广场，

它们多样化的形式将赋予整个城市全新的美态：其中有些广场为长方形，有些为圆形或椭圆形，另一些为三边形、六边形或八边形，它们将让居民着迷和惊喜，而那些路人更会感到羡慕。[51]

18世纪的城市便是在这样的言论影响下形成的。例如，1730年代，普鲁士(Prussia)的弗253 里德里希·威廉一世(Friedrich Wilhelm I)批准在柏林的规划扩建区腓特烈施塔特区周围的各海关城门内建造一系列广场，这些广场有长方形、圆形和八边形，而这些形状并非建立在任何迫切的或显而易见的实用基础之上。安达卢西亚(Andalusia)的新城镇的设计者们也听取了他们的同乡庞斯的劝告，不去模仿荷兰，因为那种地方"你一旦到过一座城市，就可以说你已经到过那里的每一座城市"。还有那些忙于将从土耳其人手里夺来的黑海(Black Sea)地区城市化的凯瑟琳大帝时期的规划师们，他们设计的广场的形状就像几何学课本中的插图。

1800年至1820年间威廉·哈斯蒂(William Hastie)在俄国的工作鲜为人所知，但这些工作却与我们这里讨论的内容相关。[52]哈斯蒂设计中最具巴洛克特征的地方是公共空间，它们具有规则的形状和丰富的几何多样性；在其余地方，他则提倡使用网格。在1813年的莫斯科规划中，他将围绕克里姆林宫(the Kremlin)和济塔城区(Kitai Gorod)的环路设想为一条由一系列广场组成的半圆形链条，在道路上的各个节点设计了放射状道路，这些放射道路向着市中心汇聚。在谢辽诺市(Zemlianoi Gorod)，他规划了7个广场，它们和已有的4个广场一起，沿旧城墙的道路分布，放射状的快速干道与这条道路相交。这些半圆形、圆形和多边形的空间侵占了私人拥有的土地，无视城市原有的肌理。在叶卡捷里诺斯拉夫(Ekaterinoslav)市，他规划了15个广场；平面的最高潮处是一个半圆形广场，5条道路从这里发出，以突显波特金宫(Potemkin' s palace)。

壮丽风格发展到了现代时期，多样性和统一性的对抗依然是城市设计者面临的主要问题。奥斯曼时代的巴黎依靠统一的街道装饰构件和铺地材料来削弱在建筑控制条例允许范围内出现的立面上的多样性。花岗石的路缘、灰色沥青的人行道、圆石块砌筑的路面[至少在第二帝国(the Second Empire)灭亡前一直如此]，以及由完全一样的法国梧桐树或栗子树排列成的行道树，它们建立起一种整体上的单一性，间或点缀了一些标准形式的街灯、金属的树笼、柱形的告示牌、小亭和铸铁排水管等等。街道的建筑界面基本上是单色的。

当反对意见出现的时候，它们针对的不仅是这种覆盖一切的灰色，还有重复性的立面设计。1869年，查尔斯·加尼耶(Charles Garnier)最早起来呼喊反对那些"又宽又直的街道，它们虽然美丽，但却像老年贵妇一样冷漠而僵硬"。他梦想着有一天，"人们可以按照自己的喜好来建造自己的住宅，无须考虑它能否与邻居家的房子相统一。檐口将绽放着永恒的色彩；金色的楣板在立面上闪烁着光芒。"[53]就在那个世纪末，一个新的建筑控制条例出台，它允许甚至鼓励了立面上的创新设计以及雕塑性和画境式效果的塑造。

图版19 第一次世界大战前后，贝尔拉格在阿姆斯特丹所倡导的统一街道立面的做法来自一个更为近代的思想基础。他认为，直的街道和在建筑上严格统一的居住街块是实现理想社会主义城市形式这一未来蓝图的前提要素。独立式住宅，甚至连组成现代城市街块的公寓式建筑，都已经是不可救药的过时的东西。它们精致的细部切碎了街道的边缘，忽视了新社会的趋同性本质。解决的方法应该是将居住单位组织到一个占据整个街块的单一的建筑

256　提姆加德（阿尔及利亚），两旁建有柱廊的东西向主要大街和图拉真拱门（Arch of Trajan），公元2世纪。

物当中，并在整个城市范围内推行这一做法。街道两边的街块应该协调起来设计；过了道路交叉口之后，设计就可以有所改变，但街块自身要保持整体。这一规则的优点不仅在于美学方面。在消除了建筑外貌上的差别之后，阶级和阶级之间的差别也会随之消除。[54]

街道深远处的对景

设计街道对景系统的主要目的，是给远处的一个景物设立一个取景框，这样，人们就可以透过一个经过设计的前景看到远处的景观，而这个景观又以某个特定的标记物为焦点。但通常人们能够看到的只有上述两种效果中的一种。由于前景中的取景框和远景中的聚焦物在建立街道对景关系的过程中起着主要的作用，所以两者之间的街道通廊并不需要保持严格统一的立面，只要它是直的，并且具有足够的视觉导向性来创造一种强烈的透视感就可以了。

规则性的街道对景在古代并不陌生。古罗马人是这方面的专家，不过在他们之前还有希腊人。一个很好的例子是公元前2世纪普南城集市广场的重建，在那里，拱形的东门框出了一个带柱廊的街景。跨越道路的拱券是古代罗马人在制造街道对景时最常使用的手法。同样的手法也常常在街道两端发挥取景框的作用。[罗马的皮亚大街聚焦于米开朗基罗设计的、位于旧的皮亚门之前的新的大门立面上，这种做法便是沿袭了古代的传统——即将主要城市街道的聚焦点放到一个拱形的城门上。] 古罗马人同样还利用喷泉雕塑(nympbaea)及其他枢纽性建筑物在街道的尽端建立起高潮，他们偶而也会用这类建筑来

214

256

257

257　罗马，皮亚大街，米开朗基罗为教皇皮乌斯四世(1559—1565年）设计；拉特兰宫中的绘画。在街道的远端是米开朗基罗设计的新城门，新城门建造在古城门之前，在原来的诺门塔那门(Porta Nomentana)稍北。画中的前景是位于奎里纳尔山(Quirinal Hill)顶一片空地上的狄奥斯库里孪生兄弟（Dioscuri)［即卡斯托耳与帕洛克斯(Castor and Pollux)］驯马雕像。

掩盖街道的某一处尴尬的转折。两个例子可以解释这类情形：一个在帕尔迈拉(Palmyra)，人们通过一个小剧院将一条新建街道与主要的轴线联系起来；另一个例子是在莱波蒂斯(Leptis)，当城市沿着主轴线扩建时，地形迫使轴线作出偏转，于是人们便在新建城区与原有网格之间形成的楔形地块上建造了两座建筑。同样典型的做法是在主要路口布置面朝四个方向的标志物，它们有时有顶，有时无顶，是行进过程中的一种停顿。后者的具体实例是帕尔迈拉的四门拱，它位于一个圆形广场的正中，将交叉点标志了出来，圆形广场的周围是一些商店和办公。

图版 20

图版 21

16世纪末期西克斯图斯五世所做的罗马新规划从许多方面进一步提炼了城市中街道对景的美学。其中最有效的做法也许就是利用方尖碑来作为空间的标记物。这些纤细的直立物体能够标示出长直街道的终点，同时又不阻挡后面的景观。与此同时，我们还可以发现当时其他的一些手法：如已经建成的或正在设计中的利用历史遗物——如图拉真(Trajan)和马可·奥勒留(Marcus Aurelius)纪功柱的例子；以相互匹配的一对塑像框出街景，而不是将塑像堵在街道空间一端的做法［例如，位于奎里纳尔(Quirinal)山上的两个

驯马者塑像（Horse-Tamers）实际上是米开朗基罗为他自己设计的皮亚大街而设立的]；257
以及利用古代纪念建筑——如圆形竞技场的例子。

我们还应该着重讨论西克斯图斯时代的罗马在正式进入巴洛克美学时期之后的另一个重要特征。这就是通过对双焦点的分段处理，在一条通长的轴线上创造出韵律。穿过东部山丘的主轴线一路上有节律地布置着一系列纪念物，就像著名的梵蒂冈图书馆的壁画中所表现的那样，从东南端开始是拉特兰方尖碑，接着是位于埃斯奎里诺山的圣玛丽亚·马吉奥方尖碑，位于山顶处的圣三一教堂，直到波波洛广场上的方尖碑。同样，香榭里舍大道和它的延长线形成了巴黎“胜利大道”（voie triomphale）的主轴线，在这条街道后来也穿插进一些纪念物，如位于图勒里一端的马累（Marly）的驯马者塑像、凯旋门，以及1883年建于诺伊桥（Pont de Neuilly）对岸鸡鸣山（Montagne de Chante-Coq）上的名为巴黎拉德方斯的塑像，这座塑像为这条无与伦比的纪念轴线的西端创造了一个焦点。图版21

无论具体做法如何，街道端点的设计在壮丽风格后期的几个发展节段中一直沿续着下面三类方式之一：第一，是让它像幕帘一样闭合起来［如米开朗基罗设计的皮亚门，以及同样位于罗马的科索大街上的维克特·伊曼纽尔（Victor Emanuel）雕像］；第二，是以侧翼式或跨越式的结构作为框架，使视线穿越其中（如奎里纳尔驯马者塑像，以及凯旋门）；最后，是利用某些不阻挡视线的高而纤细的标记物（如罗马的几座方尖碑）。对于上述这些端点标记方式的体验取决于一系列具体的因素，诸如它们的尺度、街道本身的比例以及人在行进过程中的不同位置等等。

街道对景的视觉通道并不完全依赖两侧建筑物的墙体来限定，只要在视线方向有某种方式的围合就可以了。圣彼得堡的尼夫斯基大道，原名波尔沙亚景观大道（Bolshaya Perspektiva）（其字面的意义即为“伟景大道”），是从东部进入城市的一条笔直大道；在芬坦卡河（Fontanka River）上跨越了城市边缘线之后，它以海军部大厦（Admiralty Building）的尖塔作为导航塔，穿过了一片未经建造的地带。街道的路面铺着石头，两旁种着树木，当时它是一条两旁没有建筑物的城市林荫街，街道边的建筑在1730年之后才开始出现。240 258

258 圣彼得堡，跨越芬坦卡河的尼夫斯基大街；18世纪中期M·I·马哈夫（M. I. Makhaev）所作的绘图。安尼科夫宫（Anichkov Palace）在画中左侧，海军部大厦处在远景中(参见图240)。

相对而言，以独立于环境中的建筑物作为街道的视觉终点是一种较为近代的手法。

这种手法受到新古典主义喜欢将公共建筑独立安置在一个完整空间中的设计偏好的支持，在19世纪末关于“摆脱牵连”(disencumbering)的设计讨论中，这种做法更成为城市设计的中心议题，所谓“摆脱牵连”，就是要清除附着在古代纪念物周围的各种建造物，使得它们能够呈现在开放空间的中央，就像食物被盛在餐盘中一样。当然，建筑综合体中的个别部件，如教堂的尖塔，完全可以成为街道的视觉焦点，但是如果让这个建筑的全部独立出来作为一种视觉焦点，情况就大不一样。伊夫林早前就发展了这方面的思考。在他的伦敦规划中，他希望将各教区的教堂建造在“像广场这样的开阔空间的中心，这样从许多条街道上都能看到它们，这些街道到这里交汇，就像罗马方尖碑的处理手法一样；而另一些教堂则可以放在开放空间的一边或者尽端”。[55]

212

到了20世纪，摩天楼，如果是按照壮丽风格的传统模式，而不仅仅是为创造天际线的目的而出现的话，那么它们也可以有效发挥视觉焦点的作用。摩天楼本身具有相当的高度，它的顶部可以被刻意地塑造成引人注目的花冠状。作为城市街道对景系统中的空间终结点，摩天楼的潜力在埃列尔·萨里宁(Eliel Saarinen)1920年左右所做的一个设计中得到了淋漓尽致的发挥，在这个设计中，萨里宁在穿越芝加哥格兰特公园(Grant Park)的一条高速道路的端头布置了一座高层酒店建筑，这个建筑就像是一个与现代街道尺度相匹配的超大型的方尖碑。[56]在已建成项目当中，纽约洛克菲勒中心(Rockefeller Center)的RCA大厦制造了同样的效果，只是其冲击力要比前者小得多，RCA大厦位于第五大道支线上的一条步行街的尽端。较近期的一个实例是在旧金山，它是建造在哥伦布大道(Columbus Avenue)一端的贯美大厦。至于高层建筑在街道对景系统中发挥的取景框的作用，我们可以在1930年代早期里昂边上的城市维勒班(Villeurbanne)，以及1950年代东柏林的斯大林大道(Stalinallee)[即现在的卡尔·马克思大道(Karl-Marx-Allee)]上看到。

图版27
224

标志物和纪念性物体

在壮丽风格设计中运用独立式纪念性物体的目的有两个——第一是突出街道对景，第二是成为规则形广场空间的焦点。如果广场与通往广场的道路构成一个体系，那么，只要一个纪念性物体就能同时满足上述两种目的。

这种纪念性物体的品种并不太多，其中大部分来自古代。凯旋门、纪念柱、骑马塑像，这些都是古罗马时期常见的物品。15世纪后它们再次出现并广泛流行。后面我们将仔细研究这些东西。

就公共性喷泉而言，古代罗马和巴洛克时期有各自不同的理论。古代的喷泉，无论是简单的盆形，还是带有高举起来的建筑物背景的较为复杂的形式，往往都设在街道的一侧。独立于空间中央，并带有丰富雕塑性装饰的喷泉才是欧洲巴洛克时期的典型特征。伊夫林在他的伦敦规划中高度推崇了这一做法，因为这些位于广场中央的公共喷泉“不再像过去那样被禁锢在平板而抑郁的墙体里”。

喷泉逐渐转化为装饰性公共纪念物的过程开始于中世纪后期，尤其是在意大利。突出的例子有尼古拉和乔瓦尼·皮萨诺(Nicola and Giovanni Pisano)设计的位于佩鲁贾的马吉奥喷泉(Fontana Maggiore)，以及雅各布·德拉·奎尔恰(Jacopo della Quercia)为锡耶纳的坎波广场设计的盖亚喷泉(Fonte Gaia)。在16和17世纪，喷泉的尺度随着公共空间的扩大而加大，而理水措施的进步也为水的表演带来了更多活力和戏剧性。有时候人们会为了展示一个极其华丽的喷泉而特别创造出一个广场。例如在博洛尼亚，詹博罗纳设计的海神涅普顿喷泉建造于 1563 年，它先期出现，而喷泉所处的内杜诺广场则是后来为容纳这一喷泉才开辟的，当时人们拆除了喷泉周围的旧建筑，“使喷泉能够显现出来”。[57] 图版 26

喷泉周围有可以供人稍坐片刻的台阶和平台，有令人愉悦的水，以及高雅的雕塑，这一切使得它的四周成为生动宜人的聚会空间。雕塑作品的主题以古典神话传奇为主，不过，从这些单纯的大众性纪念物的身上，也常常会提升出某种与政治和当政王朝相关的象征意象来。罗马纳沃那广场的四河喷泉（fountain of the Four Rivers）体现的就是庞菲利教皇伊诺森十世（1644—1655 年）和胜利的教会（Church Triumphant）时期的统治规则。有时一个主题可以通过两个或更多个喷泉表现出来。1589 年和 1606 年间，在奥格斯堡（Augsburg）的马克西米连街（Maximilianstrasse）上就曾按照统一的规划建造了 3 座喷泉：其中一座纪念城市创立者奥古斯都；第二座供奉商业之神墨丘利（Mercury）；最北面的一座则献给武神赫尔克里斯（Hercules）。[58]

方尖碑是一种特殊的类型。它们在原生地埃及并不担负任何特殊的城市意义，那些将方尖碑运到罗马去的皇帝们也没有打算将它们安排在城市里。是西克斯图斯五世产生了要将剩余的几座方尖碑安排到公共空间去的想法，他也许是听从了他的建筑师多梅尼科·丰塔纳的建议，而实际行动是从圣彼得广场（Piazza of St. Peter's）开始的。这些令人敬畏的方尖碑之所以逐渐流行在很大程度上是由于它们奇异的历史，以及将它们竖立起来所需要花费的巨大努力。最后一座被竖立起来的方尖碑是巴黎协和广场上的方尖碑，它是埃及总督穆罕默德·阿里（Mohammed Ali）1831 年送给法国国王路易·菲利普的礼物。墨索里尼一直倾心于在古代罗马与他自己的政权之间建立联系，他从埃塞俄比亚运来一些刻有图案的纪念石柱，他称这些石柱为方尖碑，并将其中的一个立在了罗马的所谓胜利大道（Via dei Trionfi）[即现在的圣格里高利奥大道（Via di S. Gregorio）] 的中轴线上，在君士坦丁门（Arch of Constantine）的另一端。 图版 21

凯旋门

罗马的提图斯（Titus）、塞浦提缪斯·塞维鲁斯（Septimius Severus）和君士坦丁（Constantine）凯旋门这些极大地影响了现代时期壮丽风格的古代伟大遗物在整个帝国有着长远和庞大的谱系。它们的起源可以追溯到公元前 2 世纪初的共和时期；根据普利尼的记述，建造凯旋门的目的是“为了颂扬那些优秀过一般平民的伟人，他们的塑像高高耸立在凯旋门的上面”。早先的凯旋门相当简单，它们仅开有一个门洞。位于罗马集市广场入口，跨越撒卡拉大街（Via Sacra）的费边·马克西马斯（Fabius Maximus）凯旋门是其中之一。到了奥古斯都时代便开始出现带有多重柱与横梁，并富含雕饰的纪念性凯旋门形式。它们不但被建造在城市里，同时也被建造在帝国境内的主要大道上，当人们纪念皇帝战胜归来途经的某条道路，或者当地方省份庆祝皇帝的某次到访时，也会建造凯旋门。其中一些凯旋门的形式较为奇特，开有 3 个门洞，凯旋门的顶部大多矗立着一辆胜利的战车。罗马的提图斯凯旋门的顶层内可能还放有这位皇帝的骨灰，不过这种情况不多见。

在公元前 1 世纪末至公元 1 世纪早期的奥古斯都时代，凯旋门开始取代早期较简单的拱形城门。同时它们也成为集市广场这种较闭合的城市空间的入口。在罗马图拉真广场（Forum of Trajan）的入口处就有一座雄伟的凯旋门，广场开放空间的中央是皇帝的骑马塑像；在巴西利卡的背后，两座图书馆之间的庭院里，矗立着一个高 100 英尺（30 米）的柱子，柱子上有一条装饰性的中楣，上面刻画着图拉真发动的达西亚战争（Dacian wars）中

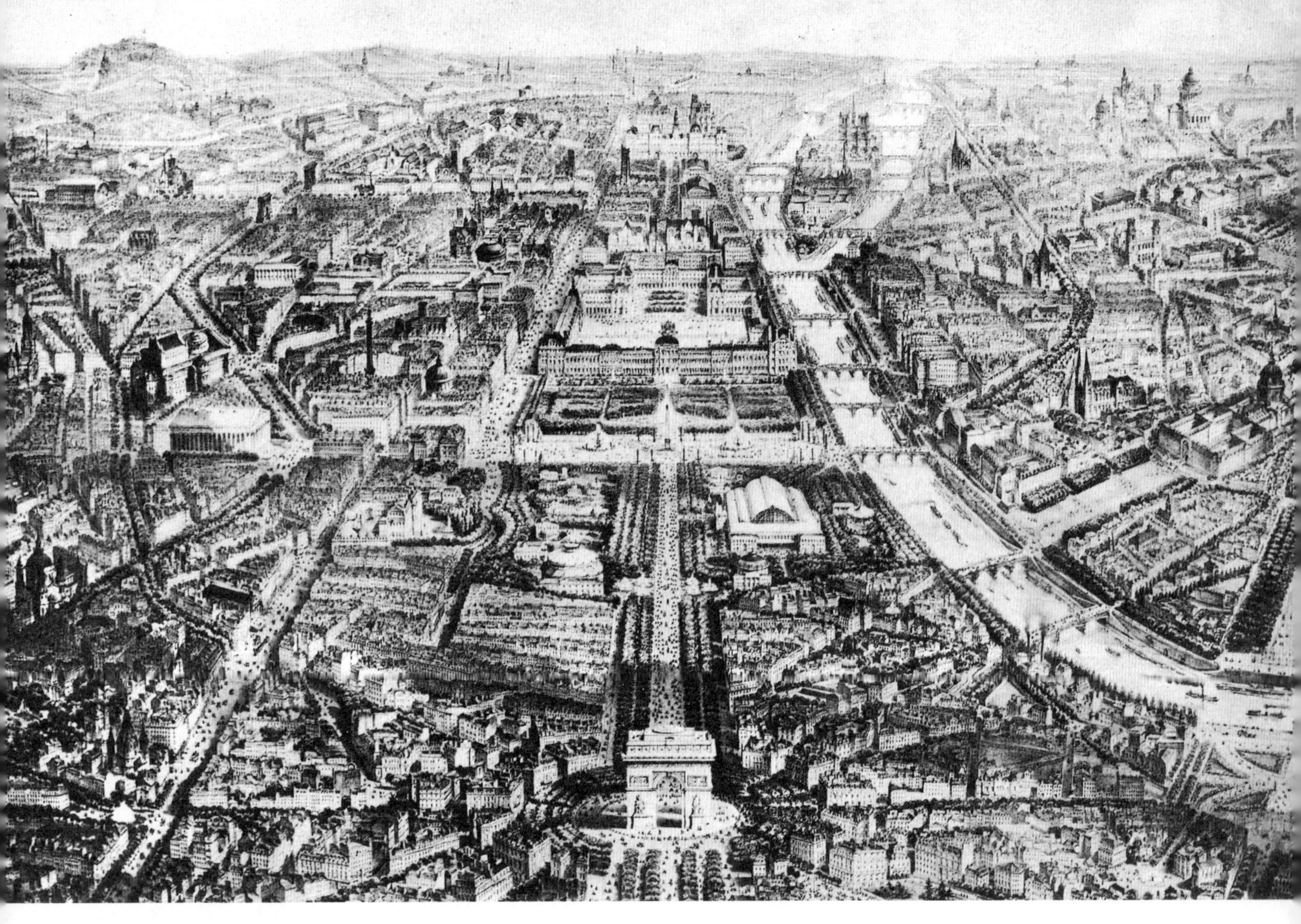

259　巴黎，一幅19世纪中期的鸟瞰图，朝东南方向望去，可以看见凯旋门、图勒里宫、罗浮宫和旧城中心（参见图版23）。城市的左边依然保留着城墙弯曲的痕迹（已经变成了林荫道），不过已经被奥斯曼新开辟的街道所切断。特别注意与圣母院在同一条线上笔直向北（左侧）延伸的塞瓦斯托波尔林荫道，奥斯曼写道，它的开通“意味着给旧巴黎施行了一次切腹手术……以一条宽阔的中心街道刺破了这团顽固的迷津”（参见图225）。在这条林荫道的左端我们可以看到两座17世纪后期科尔贝规划的凯旋门。

的事迹，柱顶是皇帝的塑像。在这一帝国式建筑群中，我们可以找到古罗马设计师所能够运用的一切制造纪念性效果的手段。

我们之所以能够将凯旋门与其他类型的城市拱门——如那些穿插在罗马城市结构和高速大道上的混合式或独立式的城市拱门区分开来，是因为凯旋门在巴洛克时期发挥出了最强大的影响力。[59] 17世纪人们对这一类纪念物的建筑形式和政治内涵进行了重新发掘。穿过凯旋门来到一座城市，便是对这个超凡政权所拥有的神秘历史的一种赞美。第一次在城市入口处系统性运用凯旋门的计划是由科尔贝于1670年代在巴黎规划中作出的，但最终他规划里的凯旋门只有很少几个获得实现。一个世纪后，劳吉尔没有忘记这一先例，他谴责那些设在城市关口的平庸的收费站，要求每一座秩序井然的城市，都要以雄伟的凯旋门将入口标志出来。柏林朝向林登大街的勃兰登堡门（Brandenburg Gate）就建于那个世纪末，它将四马战车等这一类古罗马的主题与另一个较谦和的希腊元素——希腊卫城的山门形式结合了起来。

有些城市为纪念某一场得胜的战役，便有理由在城门上采用凯旋门的建筑形式。这

259
262

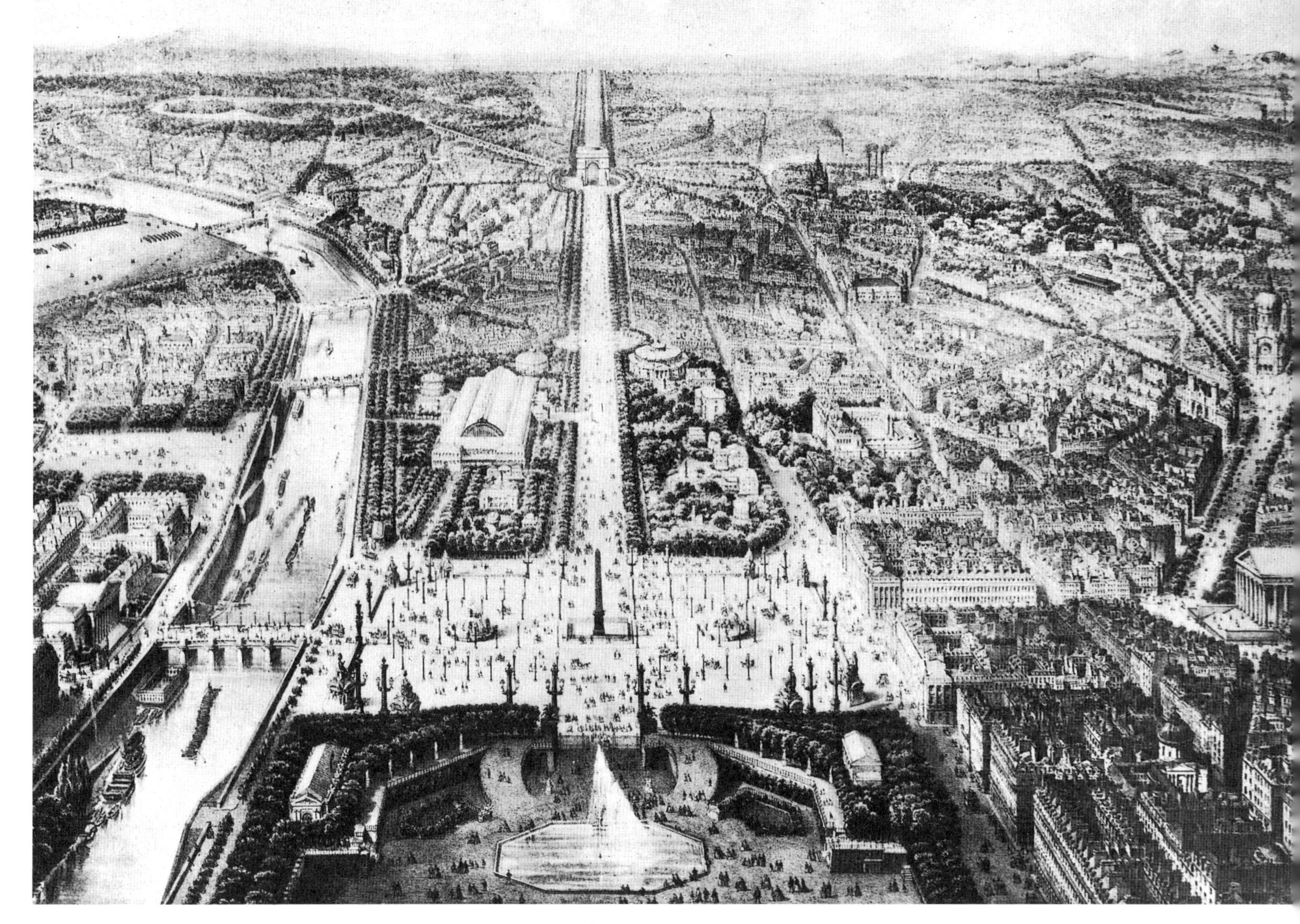

260　同一组图中的另一幅，面向相反方向，从图勒里花园上空向西北方向看，视线跨越协和广场，聚焦于凯旋门：香榭里舍大街一直奔向地平线上的拉德方斯，今天那里是“大拱门”(La Grande Arche)的所在地(参见图311)。

种城门类型中最具纪念性意义的当然是独立式的凯旋门，它们建造在通往城市主要大道的突出位置上。巴黎的凯旋门是拿破仑·波拿巴复兴古罗马帝国的宏图中的一个关键意象。*图版23* 在香榭里舍大道的另一端是又一个凯旋门，它是为了纪念1805年拿破仑战胜奥地利人而在通往图勒里宫的主入口处建造的。

在较近代的几个凯旋门题材运用实例中，帝国主义或至少是胜利者的欢呼声同样表现得异常清晰，就像孟买的三拱印度之门(Gateway of India)，或者是新德里的全印度战争纪念门（All India War Memorial Arch）那样，后者完成于1931年，是国王大道的终点，目的是为了庆祝“英国人统治印度的理想及事实”。[60] 墨索里尼曾打出复兴古罗马的旗号，他的政府在北非的黎波里（Tripoli）和索马里（Somalia）等国家城市里建造的拱门也完全是为这个象征要求服务的。

纪念柱

罗马本身保留下来的古代的纪念柱有两个，一个是图拉真广场上的图拉真纪功柱，

图版 21 另一个是拉塔大街（Via Lata）上的马可·奥勒留纪功柱，在文艺复兴时期的复兴主义浪潮冲击之前，它们在城市公众面前维持着帝国胜利的象征。教皇西克斯图斯五世将柱顶上的帝王雕像换成了圣彼得和圣保罗（SS. Peter and Paul）的雕像，以消除原来纪念柱所隐含的异教气息。这一基督教的取代行为启发了一些类似的形式。当柱顶放上了圣母玛丽亚像之后，纪念柱随即成为天主教的德意志尤其是奥地利的城市广场中最受欢迎的标志物。其中最好的一个例子是慕尼黑的玛丽亚柱（Mariensäule）。建造纪念柱的动因可能是为了颂扬某一项教义［如罗马 1854 年建造的圣灵感孕柱（Column of Immaculate Conception）］，或者为了感激神在平息灾难中所提供的干预而建造的还愿柱［如 1679 年维也纳建造的解难柱（Pestsäule）］。纪念柱有时也为纪念某一位统治者而立，如 1644 年，拉迪斯劳斯四世（Ladislaus IV）为纪念他的父亲西吉斯蒙德三世（Sigismund III）而在华沙建造的纪念柱。

军事胜利是最持久的主题。这时候柱顶的塑像就是那位打了胜仗的将军，巴黎旺道姆广场纪念柱（1806—1810 年）的柱顶，就是身着罗马皇帝衣饰的拿破仑一世像，伦敦和都柏林的尼尔森纪念柱（Nelson Columns）也是如此；另一些时候，柱顶的塑像是胜利神像，柏林的胜利纪念柱（Siegessäule, 1873 年）便是如此。 261

除上述情况外，胜利柱有时也用来庆祝统治权和民族自治权的获得。墨西哥城革新大街（Paseo de la Reforma）的端头便耸立着一个国家独立纪念碑（1910 年），碑顶是一座带翼的胜利神像。新德里总督府的前院中有一座斋浦尔柱（Jaipur Column），柱顶是一颗从铜制荷花中绽放出来的玻璃制的印度之星；它是斋浦尔大君为纪念新首都的产生而赠送的礼物，柱子的基座上刻有新德里的城市规划平面。从埃德温·勒琴斯所作的草图中，我们可以看出他所受到的图拉真纪功柱的影响。

雕　像

在壮丽风格的传统手法里，公共雕像主要用在纪念性大道和广场上。在古典时期之前常见的一种做法是在纪念性大道两旁的地面上成行地布置雕像［如底比斯的斯芬克斯大道（the Avenue of Sphinxes）］。罗马人则是在柱廊街的旁边设台座，在台座上排列那些出资建造该条街道的贵族们的雕像。

布鲁塞尔的小撒布隆广场（Place du Petit Sablon）上矗立着霍恩和埃格蒙伯爵（Counts Horn and Egmont）的雕像，他们是 16 世纪低地国家反抗西班牙统治斗争中的先驱；围绕着广场的铸铁栏杆之间穿插着 48 个代表城市各行会的青铜小塑像。柏林的胜利大街（Siegesallee）和弗吉尼亚州里士满（Richmond）的纪念大街（Monument Avenue, 1890 年及之后）是两个沿轴线布置英雄塑像的例子。胜利大街的两旁分别放着真人尺度的边疆伯爵、普鲁士统治家族中国王和选帝侯的雕像；这条道路从国王广场（Königsplatz）开始向南前进，广场上矗立着前面提到过的胜利柱，胜利柱位于俾斯麦（Bismarck）和冯·毛奇（Von Moltke）雕像之间的轴线上。（1938 年，这一群纪念物被移到蒂尔加藤公园中与林登大街在同一轴线上，为的是创造出纳粹的“宏伟轴线”，下文将详细谈到。）在里士满，南部联邦英雄们的塑像矗立在大街通长的中央绿化带上，其中，南军将领罗伯特·李（Robert E. Lee）的骑马雕像矗立在主要交叉口的正中央。 261 263

骑马像在罗马帝国历史中出现得较晚。后来被移到卡比多广场上的著名的马可·奥勒留铜像原本是在皇帝的家族领地拉特兰宫里。也有一些出现在公共空间里的著名骑马像，

261　柏林，胜利大街朝胜利纪念柱的方向望去。胜利纪念柱建于1873年，用于纪念当时刚刚结束的对抗丹麦、奥地利和法兰西的战争；照片摄于1903年前后。

如罗马图拉真广场中的图拉真像，以及君士坦丁堡奥古斯都广场中的查士丁尼（Justinian）像等等。巴洛克时期的法国皇家广场设计复兴了上述做法：即在经过设计的规则性广场上摆放国王的塑像——如维克托瓦尔广场（Place des Victoires）上的路易十四像，以及后来计划在协和广场上树立的路易十五像。[中世纪在城市市场中零星出现的骑马像，如1240年左右马格德堡（Magdeburg）的奥托一世（Otto I）像，不在我们所讨论的壮丽风格手法之列；同样不在此列的还有柯里欧尼（Colleoni）和嘎塔美拉塔（Gattamelata）骑马像。]这些塑像几乎总是表现国王骑着马，耸立在高高的基座上，他的身躯超出广场周围统一的界面。其中最早的皇家广场之一，亨利四世在西堤岛（Ile de la Cité）建造的三角形王妃广场（Place Dauphine）（始建于1607年）就是将国王塑像布置在广场外轴线上，在三角形尖端的一座桥上。另一个在桥上设置塑像的例子是都柏林艾塞克斯（Essex）桥上的乔治一世（George I）像。

对于上述这些标准的实践类型很难有更大的突破。社会主义的象征元素，除了列宁、马克思、斯大林、铁锤与镰刀、共产主义的五角星等理所当然的图像之外，还包括一些战后流行的题材，颂扬苏维埃军队的纪念物成为规则形广场中特有的摆设，尤其是在1960年代。它们主要分成三类：第一类是站立在基座上的苏维埃军人像；第二类是传统的纪念柱和方尖碑；最后一类是摆放在石基上的从战场上缴获的坦克或炮械。[61]

仪式性的轴线

“一个强大帝国的首都必须显示出与其实力相匹配的雄伟。”

我们在本章开头引用的皮埃尔·朗方关于未来首都华盛顿的一席话，其实是整个壮丽风格讨论中的潜台词。我们有足够的证据证明，壮丽风格是一种主宰性的城市设计。它与皇帝以及帝王的首都密切相关。它上演着权力。

就权力的表演这个问题而言，当然所有的城市在不同程度和不同模式上都是一种权力的集合体。而以壮丽风格的手法设计而成的城市则启用了以物质形式表现权力的各种手段。这些城市通过空间结构和全套城市装备来实现这一目的。这是一种理想化的城市形式，一种覆盖了现实的虚饰的秩序。壮丽风格的城市产品中一定会存在许多真实的，也就是说，许多令人不快的东西。这些东西必须被隐藏起来。所谓上演权力其实也就意味着操纵形象。这些操纵者的心目中已经装有一群预先设定好的观众，一种他们希望传递给这群观众的效果，以及一套能够通过适当的应用而表达出权力、壮丽和愉悦的视觉语言。

而这套幻象网络的中枢正是仪式性的轴线。它们是胜利大道（voie triomphale）、皇家大道（royal way）以及中央大道（magistrale）。[62] 它们是权力核心——即当权者的宫殿或宫殿的现代代用品的所在。古典时期之前的皇家道路为这些轴线奠定了基调，就像尼布甲尼撒二世（Nebuchednezzar II）时期的巴比伦那条位于主要公共建筑后面，沿着河流一直来到华丽的伊师塔门（Ishtar Gate）前的重要的游行用街道那样。古罗马地方性城市中的柱廊街也为那一类希望有一个很隆重的入口，同时一路上交织着仪式性处所的城市街道提供了视觉模式。

256
图版 20

如果仅仅是这样一种视觉模式，那么显然任何街道都具有实现它的可能性：我们只要在其中安排一些临时性的装饰、旗帜和一排排的卫兵，那么就可以将普通的环境转化为庆典性的场所。基督教罗马的一条行游街道已经有了一千年的历史，它从拉特兰宫到梵蒂冈的教皇大街（Via Papalis），全长 3 英里（5 公里），但是在平时看去，它只不过是由一系列宽度不等且直行路段长度也不同的街道片段连接形成的，街道两边排列着参差不齐的建筑物、残留的古代遗迹以及开阔的空地和葡萄园。而我们本章所关心的对象，是那些用来展示权力和组织仪式性场景的永久性布局。

177,229

道路必须既宽又直，包含刻意的仪式性：目的是为了渲染政权的合法性，并且为此而借用过去的历史。设计可以集中也可以分散；形式常常随着它所承载的意义结构的变化而调整，有时甚至是全盘整改。中世纪之后，“皇家大道”的直线就从领主们的乡间庄园一直延伸到城市里他们所掌控的政府官邸的门前。相应的城门也就被设计成纪念性建筑。游行队伍和军队阅兵式沿着这条道路一直行进下去，这条道路上的城市段既是宫廷贵族们光顾的时尚街，也属于上层社会和有钱资产阶级的居住区。随着绝对君权主义的衰弱，自由国家的公共机构成为资产阶级文化的象征物，20 世纪的国家政体必须将“皇家大道”转化为它们新的信条所能够允许的东西，换句话说，要为“皇家大道”提供它依然能够存在的合理理由。

222

林登大街——柏林的“皇家大道”就揭示了这一过程。原来这是一条从皇宫（即城堡）出发向开阔的乡村延伸的道路，1647 年，大选帝侯弗里德里希·威廉（Friedrich Wilhelm）将它规划成为庆典和游行的通道，之后它便成为普鲁士国家崛起的象征。在这样的角色位置上，林登大街在原来中世纪日耳曼选帝侯建造的胜利大道——即后来所称的国王大街的基础上作了巴洛克风格的延长，它从国王门（Königstor）出发，途经柏林市政厅，到达长桥（Lange Brücke），之后跨越施普雷河（Spree），来到皇宫前的广场。1650 年之后建造在这条轴线两旁的房屋都具有军事上的重要性：其中包括一个军火库、一个只有皇帝才能通过中门的凯旋门（即勃兰登堡门），以及一个专为卫戍部队服务的天主教堂[即圣海德薇格教堂（St. Hedwig）]。

262

为了回应政治气候的变化，这条大街在整个 19 世纪的发展过程中出现了一系列文化建筑——包括博物馆、美术学院、国家图书馆以及洪堡大学（该建筑的历史可以追溯到18

262　柏林，勃兰登堡门，建造于1789年至1794年间，由K·G·朗汉斯（K. G. Langhans）设计，站在林登大街向蒂尔加藤公园望去，摄于1930年代。从1938年开始，胜利纪念柱成为这条大街在远处的焦点。

世纪，当时是弗里德里克大帝的兄弟海因里希的宫殿），使得原有的军事气氛有所弱化。甚至在皇家的游乐广场，即林登大街向旧柏林方向转折的位置，辛克尔（Schinkel）设计的老博物馆（Altes Museum）也得以跻身于皇宫和大教堂之列。

希特勒觉得林登大街不够雄伟，有辱于它自身的历史。于是他在西面与现有道路垂直的方向规划出了一条他自己的皇家大道。随着战后城市的分割，勃兰登堡门被阻，东柏林在门外建造了一座宏大的苏维埃军队纪念建筑，其目的是为了将整个大街的西侧镇住，在门内，东部政府的各大使馆、政府建筑以及严肃而实用的现代主义风格大板楼纷纷挤入修复后的传统纪念物躯壳当中。过了没有多久，当象征普鲁士光荣的胜利纪念柱失去了原来的仪式性之后，林登大街的西段成为某种程度上的死路，过了胜利纪念柱，这条轴线便与现代柏林的高速公路网连接起来。现在，随着柏林墙的拆除，两个德国的统一，林登大街正等待着新一轮的改造。 263

如果我们回顾希特勒-斯皮尔联盟在他们称之为“千年帝国”的伟大南北轴线上的所作所为，就会见证一种以壮丽风格体现出来的怀旧梦想。在这里，修辞与设计都是对荣誉的呼唤。根据斯皮尔的说法，元首的心中想到的是华盛顿、卡尔斯鲁厄和堪培拉。他称巴黎为“世界上最美丽的城市”。他认为奥斯曼是人类历史上最伟大的规划师。他从记忆中搜索维也纳建造环城大街的历史，但是他惟一能够想到的在他自己的首都模仿这些壮丽风格杰作的具体办法，就是做得比它们更大。柏林的这条新的主轴线要比香榭里舍更宽，长度是它的2.5倍；而轴线北端圆顶建筑的穹隆——柏林的城市之冠（Stadtkrone）要比美国 263

的国会还要高；另一端的凯旋门将有450英尺(137米)高，上面将镌刻在第一次世界大战中阵亡的全部180万名德国军人的名字。然而，这一梦想未及实现就破灭了。不过，与它们所预示的伟大轴线本身相比，这一巨大工程的模型和设计图较为容易令人喜爱和仰慕。

斯大林构思的中央大道最终获得了实现。我们在这里将要分析的，是这种欧洲绝对君权主义魂灵复活并进入无产阶级城市的游行和检阅场地的现象。这种想法第一次出现，是在1935年的莫斯科规划当中，与当时苏联艺术界盛行的复古主义哲学相吻合，认为真正的社会主义文化应该吸收和恢复历史上每一个时代中的最伟大的艺术成就。(我们也许应该可以这样说：是各个时代中的壮丽风格手法，因为斯大林时代的历史主义无疑是有选择性的，它最为拥戴的是古典主义中的崇高性和原则性。)从这一角度看，中央大道的专制主义血统对于那些想要将它作为一种组织元素应用到苏联社会主义城市中去的设计者而言，并不构成障碍。相反，所有这一切：界面密实的街道空间、两旁对称而有序的建筑群、富有寓意的装饰、统一的檐口和窗线节奏都在表明，18世纪那种将城市塑造成为最高秩序象征的中央权力已经被移交到由社会主义国家所代表的全体人民的手里。 295

这种新巴洛克城市美学的基础，是将建筑群的设计原则扩大地运用到整个城市设计范围之中。街道被处理成连续统一的整体，“即使先进资本主义国家中最宽的街道和林荫路也可以被我们超越”。[63] 作为典范，莫斯科的中央大道产生自对沃斯卡亚街(Ulitsa Tverskaya)的彻底改造，这是沙皇时期从圣彼得堡的冬宫到莫斯科克里姆林宫之间的皇家大道的最后一段，同时也是莫斯科最主要的购物街，改造后的中央大街叫高尔基街(Ulitsa Gorkovo)，这是一条全球社会主义“首都的胜利大道”。原先狭窄参差的道面被拓宽至200英尺(60米)，最终来到500码(457米)宽的红场。新建筑形成了街道空间的界面——它们是底层为商店的公寓楼，建筑上装饰有庆祝农业集体化的雕塑。有了这样的背景，这里便可以上演歌唱共产主义生活的群众性庆典活动。但是新的中央大道也是特权机构的所在地，它们是话语体系中的惟一成员，由掌控着中央计划经济这一强大机器的庞大的官员团队组成。这些人在人民委员会工作，在饭店里用餐，在新中央大街地标性建筑物中的酒店里居住。列宁格勒的中央大道［即斯大林街，现名莫斯科夫斯基大街(Moskovsky Prospekt)］设计于1930年代后期，它将通往莫斯科的陆路线上最后一段穿过城市的道路打扮了起来。同时还遮盖了另一些东西：工厂以及边缘地带的城市垃圾场，当时这里正在被重建为圣彼得堡老城之外的一个新的市中心。 264

在战后苏联扩张的高潮时期，这种社会主义式的中央大道也被带到了东欧。它们正好可以被用作“城市沙发套”来遮挡那些刚刚经历了战火的满布垃圾和散乱残余物的城市环境。1950年代建造的柏林斯大林大街(后来被叫作卡尔·马克思大街)就说明了这一点。两旁高大的新古典风格建筑立面创造出一条具有帝国壮丽气派的游行道路：而在大厦的背面，却隐藏着战争后城市破败的废墟。其他已建成的社会主义中央大道主要是一些片断，它们包括罗斯托克(Rostock)的朗吉斯大街(Langestrasse)、德累斯顿的厄恩斯特-塔尔曼大街(Ernst-Thälmann-Strasse)，以及华沙的马斯扎科夫斯卡大街(Ulica Marszalkowska)。[64] 224

在西方，这场令“千年帝国”最终完结，同时又导致民主联盟与所谓的独立共产主义阵营尖锐对立的丑恶战争，使得壮丽风格无法继续成为城市设计的语言。这时侯，现代主义风格的天下终于到来了。否定历史，去除价值观，蔑视记忆和纪念性，这种坦然的不带任何文艺修饰的风格似乎非常适合这个本不应该携带任何感情色彩去设计的勇敢新世

263 柏林，南北向轴线的设计方案模型，从南向北望去的照片；1938年，总设计师阿尔贝特·斯皮尔。火车南站位于前景当中，向北是一座凯旋门，上面将镌刻在第一次世界大战中阵亡的德国军人的名字。左边的两座高层建筑分别是旅馆和高级军事司令部办公楼。

264　莫斯科，高尔基街（Gorky Street）（原名沃斯卡亚街），朝克里姆林宫方向；建造于 1937 年至 1939 年间，总设计师 A·莫尔德维诺夫（A. Mordvinov）。

界。永远都不需要再回头，这一预言在这个三十年的大部分时间里得到了证明。法国郊区的“大建设”（grands ensembles），美国城市中心的“城市更新”，昌迪加尔和巴西利亚这样的新城市，在所有这些项目中，勒·柯布西耶的教义不容许任何特例。

斯大林死后，东方阵营经历了一番意识形态的挣扎，开始接受现代主义的挑战。它突然废除了历史主义，转向一种新的西方式的形象：不过，它并没有完全放弃壮丽风格的设计装备。中央大道在建筑上转向现代主义，但却坚持了原来的宏大的规模和深远的街道对景，并且开始寻找宣扬社会主义国家的新方法。最早的一条现代主义风格的中央大道是莫斯科的加里宁大街，最后的一条是布加勒斯特（Bucharest）的维多里大街（Calea Victoriei）。加里宁大街是 1967 年作为十月革命 50 周年庆典工程的一部分建造的，它是对1935 年莫斯科规划确定的一条穿越城市中历史最悠久的居住区阿拜区（Arbar）的林荫大道的更新建设。现在，推土机已经开辟出一条坚定不移的直线，两旁是现代主义的摩天楼和板楼。不过，这种以变异的方式将现代主义风格的构件用于围合街道空间的做法，以及街道端部那充斥着宣传画面的 3 层高电子广告板所扮演的说教角色，都使得社会现实主义的传统清晰地显现了出来。

后现代的巴洛克

但是在西方，潮流再一次回转。1960年代，人们重新发现了蕴涵多重传统的石头的城市，开始拒绝那些被认为是破坏性的和空洞的现代主义理念。对战争没有太多记忆的年轻一代人开始转向圆形广场、巴洛克对角线，甚至备受批判的仪式性轴线，在排除了这些东西的象征性之后，他们看到了其中清白和永恒的品质，发现了R·克里尔在他1975年的著作《城市空间》(*Stadtraum*)中所写的那种“具有诗意内涵与美学品质的空间”。历史不允许被割裂。在任何一个城市中，我们所做的事情必须与“已有的空间状况发生形式上的呼应”。[65] 而在许多欧洲第一线城市中，这种已有的空间状况是由巴洛克美学决定的。

里卡多·波菲尔也是一位自信的规整形式主义者，他甚至对巴洛克美学中的皇家元素进行了转换，宣称它们也可以用来作为工人阶级生活环境的媒介。

> *在我们这个时代，城市设计就算可以暂不考虑传统城市的尺度也必须顾及其结构。城市设计要转化原有的象征价值。日常生活将来到舞台的中央，公共性的大厦和设施将退居为背景。*[66]

他指导的“建筑工厂”工程实际上由一系列法国的公共住宅项目组成，在这些项目中，波菲尔用预制混凝土构件来创造石质的壮丽风格的纪念性特征，尤其是新古典主义风格的建筑和具有18世纪法国特征的城市空间。其中一个住宅项目逗趣的名称甚至毫无掩饰地表达了这一关联——它就是位于巴黎14区的“巴洛克尺度”(Les Echelles du Baroque) 住宅区。

图版30

但是这些来自专制主义时代的令人敬畏的外壳即使拥有高密度的视觉元素和人为的尺度，却暴露出其现代的，甚至是现代主义的内容和倾向。首先，建筑材料和建造方法是后工业时代的：如果这也算巴洛克，那它是由执掌建筑工业的那群技术强人经手变出来的戏法。住宅类型同样也是当代的。在巨型柱式和古典纪念性残片的背后隐藏着传统现代主义的“排列式住宅单元”(Siedlungen)和勒·柯布西耶的“居住单位”(unités d' habitation)。巴洛克层次分明的外衣包裹着一系列住宅单位，形成具有整体性和雕塑性的体量。而最后一点矛盾，那个曾经将城市推向乡村的巴洛克扩张式的空间秩序在这里却变得内敛起来——在“湖滨拱廊”项目(Les Arcades du Lac)(位于伊夫林的圣康坦)、“安提哥尼”项目(位于蒙彼利埃)和“阿布拉克萨斯宫”项目(Palace of Abraxas)(位于马恩-拉瓦雷) 当中，所有不同内容都被集中在一座单一的巴洛克式建筑中。波菲尔写道：“城市的中心可以被想像为一座巴洛克教堂，你要做的无非是将教堂厚实的墙体转化为住宅，将它的内部空间转化为街道和广场。”[67] 无论如何，波菲尔的目的是要将日常生活放置到非同寻常的环境中去，从而提升日常生活。但是由于在这种僵硬的空间里并没有什么公共生活可言，因此，这种做法除了为家庭生活涂脂抹粉之外并无任何成就。

265

杜安尼和普莱特-塞伯格 (Duany & Pater-Zyberk)的设计作品同样针对日常生活，特别是针对美国的郊区环境。[68] 不过，在这里，他们没有像波菲尔那样制造幻象般的巨构，将欧洲巴洛克的公共建筑形式堆砌在一些与整体城市设计无关的城市碎片当中，杜安尼和佩特-塞伯格设计的平面是对壮丽风格的优雅综合，但地面以上的部分则回归到美国郊区的疏透状态。在佛罗里达北面的度假小镇锡赛德(Seaside)，轴线、以标志性建筑物为焦点的

265 锡赛德镇，1983年杜安尼和佩特-塞伯格设计。

街道对景以及排列着行道树的林荫街都带有明显的二维性，好像是伯纳姆规划中的一个片断。这种规则的结构形式实际上是公共领域所需要遵从的。虽然建筑的边界面受到严格的控制，但建筑本身的形式大多还是郊区式的住宅——即盎格鲁-美利坚梦想当中的建造于独立宅基地之上的独立住宅，位于前院缓坡脚下的连续的低矮栅栏建立起了街道的界限。这是一种被花园城市运动民俗化了的巴洛克美学，因此，当杜安尼和佩特-塞伯格承认，他们将雷蒙德·昂温1909年所著的《城镇规划实践》(*Town Planning in Practice*)当作他们的设计天书的时候，我们丝毫不感到吃惊。

所以，看起来壮丽风格并不是一个完结了的故事。最后的嘲笑针对的是现代主义者。欧洲的克里尔和波菲尔，以及比他们更加年轻的美国的复兴主义者已经决意回归历史。继摩天楼公园和住宅板楼之后，这些当代的城市广场和胜利大街正在回到丰塔纳（Fontana）、奥斯曼（Haussmann）、伯纳姆、斯皮尔以及斯皮尔的意大利同行马尔塞洛·皮亚琴蒂(Marcello Piacentini)的队伍中去。

第五章　城市天际线

概　述

1979年，墨尔本市组织了一项国际竞赛，目的是为了给该城市确立一个突出的地标。负责这项工作的委员会声明，在研究了世界上那些“拥有着具有百年历史的标志性建筑物的伟大城市之后……我们真切地认识到，墨尔本需要一个大的构想——一种独特而不同凡响的东西，它将为我们带来强烈的自豪感，使我们的城市在世界上享有重要的地位……”[1]

在这不同寻常的动议中有两个突出的方面：首先，是建造一座能够赋予城市个性的标志性建筑物的迫切性，并且要“将墨尔本放置到瞬息万变的世界地图上”；第二，是意识到这种能引发联想的视觉元素并不能够偶然获得，而需要在漫长时间中不断发展。城市的轮廓，即德国人所说的“城市肖像”(Stadtbild)的形成，是一个不断积累的过程，对于它的解读同样也是有意识的。在城市肖像中最突出的东西是公共生活的象征物；这些象征物宣扬公共生活中重要的东西，并且使得各公共机构的级别层次也显现出来。

公共性的天际线和私人性的天际线

在传统意义上，我们所说的“天际线”指的是“天空与地面交接的那一条线”。用“天际线”来指称位于地平线上的建筑物还是较近的事——不早于1876年，但是在1890年代普及。绝非偶然的是，另一个词“摩天楼”也是在那十年里出现的。正是这种新的建筑类型，或者更确切地说，是这类建筑单体的聚集，戏剧性地重新界定了城市形式与自然环境之间的联系，以及城市形式的公共讯息。

在此之前当然也有高的建筑物，从美索不达米亚的梯形金字塔，到埃菲尔铁塔。它们都是独一无二的信标，它们的高度除了具有象征性意义之外并无特别的实际功用。没有人在中世纪的钟塔或美国国会大厦的穹顶中生活或者工作。而摩天楼却是为了功能的目的有条不紊地堆砌而成的，象征性只是一种副产品。

前面的那些东西是公共的信标——它们是宗教性的、政府性的，或索性像埃菲尔铁塔那样，是一种抽象的技术进步的象征。但摩天楼却是私人物业的产品，总的来说它们

266　私有化天际线的经典画面：纽约市RCA维克托大厦（RCA Victor）［克罗斯与克罗斯公司(Cross & Cross）设计，1930—1931年］、克莱斯勒大厦(Chrysler)［威廉·凡·埃伦(William Van Alen)设计，1928—1930年］和沃尔多夫·阿斯托里亚大厦（Waldorf Astoria)［舒尔茨与韦弗公司(Schultze & Weaver)设计，1930—1931年］，这些建筑展示着它们装饰艺术风格的顶冠，为它们的拥有者争夺主导权。

267　博洛尼亚的天际线，18世纪的铜版画。在众多教堂钟塔里夹杂着几座中世纪遗留下来的住宅塔楼。天际线的制高点是12世纪早期阿西耐里家族的斜塔，至今它仍然是该城市天际线的主要成员。

至今一直如此，然而它们已经基本上主宰了城市的视觉形象，并一跃成为城市公共领域的化身。

从功用性和私人性角度而言，惟一能够与摩天楼相对照的结构是中世纪王侯们的塔式住宅。这种高耸的城市建造物是意大利中北部、法国南部和德国中南部城市中特有的东西。它们的数量很多，它们同时具有防御和宣传的目的，并且它们也主宰着城市的形象，尽管它们并不代表某一项公众计划，而只关心自身——即每一个宗族个体的利益。阿尔贝蒂在谈到中世纪后期的那个时代时说道，“大约二百年之前，人们似乎纷纷痴迷于建造高塔楼，即使在最贫穷的乡间，就算连管家也请不起的人家也不能不造一座塔楼：这就意味着人们的眼前生长着一片尖顶的丛林……”[《建筑十书》(*Ten Books on Architecture*), viii. 5]。塔的基底为方形，材料为砖：它们的高度令人惊异。博洛尼亚至今保存着建造于当时的阿西耐里塔(Asinelli)，塔身折成了一个疯狂的角度，据称在雷雨中能够安然无恙，该塔的高度已经超过了300英尺(几乎100米)。

267
图版31

在德国，这类塔楼的体量一般大且敦厚，而在意大利北部则细而高。在意大利，这些塔楼或者与单个家庭的住宅结合，或者位于几个家庭住宅的中间，由各家共同分享塔楼提供的设施和保护。佛罗伦萨的“塔楼联盟”(tower associations)就汇聚了大量人群。[2] 建造这类塔楼的原始依据可以追溯到古代皇族建造防御设施的特权——这一特权后来又被转移给租用这些城堡的人。当贵族们迁移到城里之后，防护家族房产的权力就落到了他们的头上。[3]

中世纪的市镇自治政府(the communes)从自身的权力地位考虑，对这种私有化天际线的态度是复杂的。对于城市整体利益来说这是一种现实的危害。13世纪中期博洛尼亚的法令就“规定任何人如果向官邸或公共会堂发射飞弹或其他器物都将被施以罚款，其塔楼也必须被拆除”。[4] 许多史料充分显示，自治体当局不断地并严格地限制着塔楼式住宅的高度，而且还以维护自治体利益的名义出发拆除了许多塔楼。在罗马，态度强硬的元老会议员布朗卡列奥尼·安达罗 (Brancaleone degli Andalò)在1250年代下令摧毁或截短了其中的40座，而同样在那几年里，佛罗伦萨拆除了被剥夺了名誉的归尔甫派(Guelph)成员的59座塔楼。

对高度的打击很有教益。它有两个相关的动机。首先它涉及城市结构的开放，能够清除有损于自治体集中统治职能的小型管辖盲区。同时，中世纪的城市形式需要在视觉上昭示当时占主流的社会与政治秩序，所以必须确保任何一座塔楼都不能高过市政厅，这样相对于私人利益而言，公共秩序的主导地位就可以在天际线上表现出来。

但是通常自治体的官员还是从各个家族中选拔出来的，他们不希望淡化家族的建筑及其自豪的地标。尽管家族和帮会之间激烈的社会争斗常常以塔楼为攻击目标，但是城市始终以其尖刺状的天际线为自豪。因为天际线是这个拥有如此多豪门望族的城市实力的见证。能够说明这种中世纪心态的一个例子是1342年在佩鲁贾，自治政府禁止塔楼的买卖和破坏，赞扬它们蕴藏着“巨大的美”。[5]

与此类似，我们自己在经历了一个世纪高层建筑的发展之后，也从城市中心摩天楼林立的奇观中找到了魅力和虚荣。摩天楼是现代美国企业不断壮大的重要地位的纪念碑。在纽约、芝加哥和其他20世纪的美国大城市，政治斗争发生在由华尔街、银行、托拉斯集团和公司集团组成的一派，与由农民和工人组成的另一派之间。天际线将这一冲突转化为视觉上的和美学上的体验，并因此而令冲突中性化。你可能痛恨这些公司集团，但又喜欢容纳着这些公司集团的艺术作品。公司的塔楼成为最普遍的美国城市的象征，它本身也很容易成为城市集体荣誉和繁荣发达的证明。1926年美国城市联盟主席说了这样一席话：“我们可以发现，任何一个渴望获得重要大都市地位的美国城镇都希望拥有至少一座摩天楼——它的形象可以印在明信片上寄到很多且很远的地方——用来作为那个地方现代化和勇往直前精神的证明。”[6]

照片使得这种城市形象更具魅力。高层建筑的天际线是一个了不起的主题，艾尔弗雷德·斯蒂格利茨（Alfred Stieglitz）和他的画派将其抽象地表现为漂亮的剪影和平面。这些画片在公众中的传播使得这种激动人心的描绘城市的新方法得以流行。在纽约，人们坐上斯塔滕岛（Staten Island）的渡轮来到乔治·华盛顿大桥，目的就是要看一看摄影师照片中的那个城市画面。辨认其中的高层建筑成为该项活动的内容之一，就如过去从巴洛克罗马的建筑群中寻找拱顶曾经是旅游者的一个参与项目一样。这一情况被记录在一个带有文字标记的表现城市天际线的折叠式旅游指南中，268 画面上展示的是从加尼库仑山（Janiculum）蒙托里奥的圣皮埃特罗修道院（S. Pietro in Montorio）看到的城市全景图，圣彼得教堂位于一端，圣保罗教堂（S. Paolo fuori le Mura）位于另一端。

268　罗马的天际线，一幅铜版画折页的中间部分，引自1883年出版的一本旅行指南。画的取景点是加尼库仑山上蒙托里奥的圣皮埃特罗修道院。

至少就西方而言，除了中世纪的城市封建主义和现代摩天楼城市中的公司封建主义

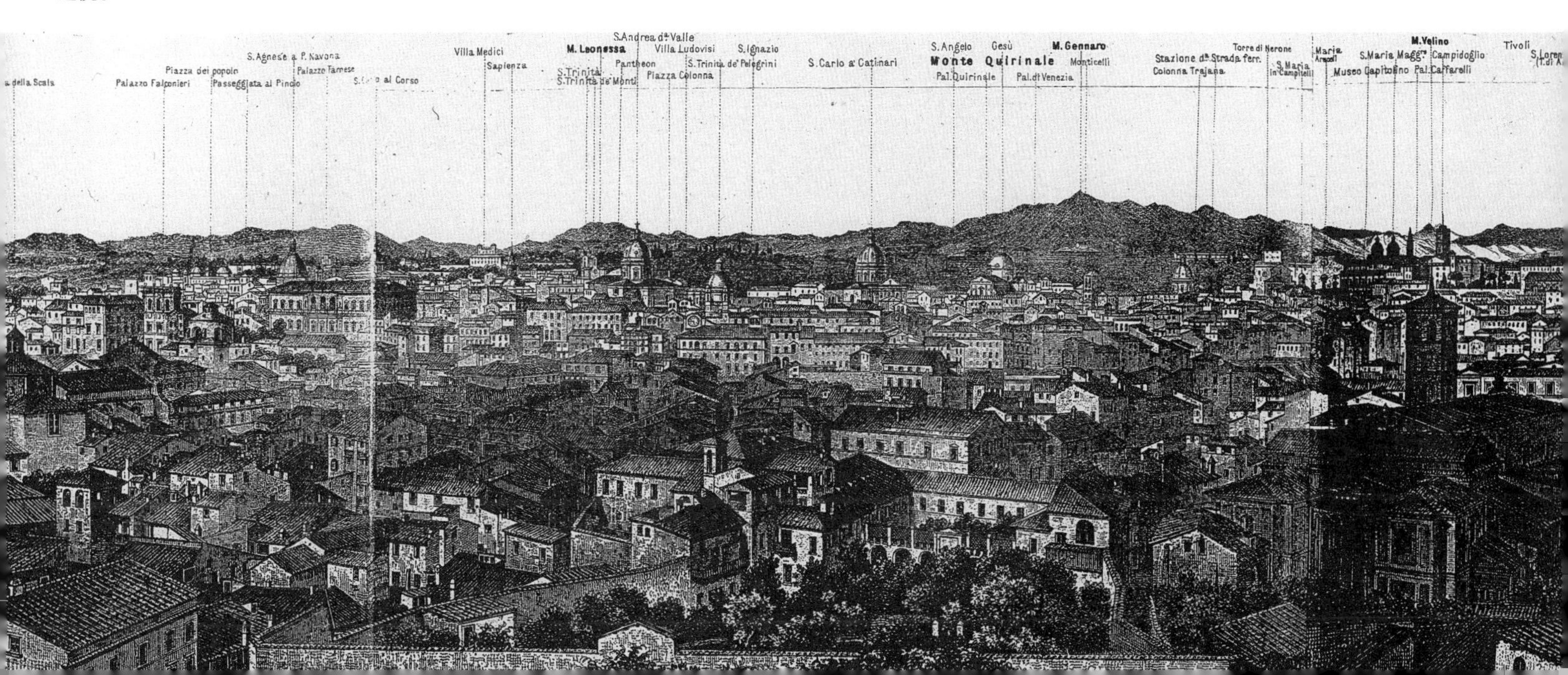

图版 37 制造的塔林之外，惟一另一类私有化的天际线，是由烟囱、高炉和水塔组成的工业景观。人们对这一类景观的态度同样也是对立的，你可能对这一蓬勃的烟雾腾腾的工业景象，对它们所代表的关于劳动与繁荣的粗砺的象征性感到自豪。你也可能因城市公共性的传统象征，表现信仰与统治权的天际线，被布莱克（Blake）所说的“黑色的魔鬼工厂”这一贪婪的象征残暴地吞噬而感到悲痛。

亨利·詹姆斯（Henry James）在离开美国二十五年之后于 1904 年再度返乡，他哀叹由 303 办公塔楼组成的纽约新的天际线夺去了远处三一教堂尖顶一直保持到 1875 年的城市最高建筑的地位，使其“被如此残忍地打压了下去，几乎无法辨认……流落于一种可怜而无助的悲凉境地”。[7]

使詹姆斯不安的是纽约在制造等级明确的城市景观问题上所表现出的冷漠态度，它意味着城市不再忠实于传统的社会结构秩序。所以，在他之前约半个世纪，A·W·N·皮金 270（A.W. N. Pugin）就曾经将英国工业城市的新天际线——充斥着工厂、出租屋和工人住宅的 269 阴暗而荒凉的剪影，与中世纪城市教堂尖顶林立的虔敬画面重叠在一起，用以论证他所提出的关于传统价值在现代世界受到侵蚀的观点。

的确，必须说明的一点是，在工业革命来临之前，城市天际线赞颂的是城市机构形成的地标，它们是与宗教和政治权力相关的具有重要公共地位的建筑。有时财富和经济权力的基础本身就蕴藏在像教士院这样一些具有代表性的大厦当中，这些大厦醒目的塔楼傲然挺立在由多层建筑构成的城市中心。随着工业时期的到来，天际线的侧重点开始混乱。如果一个城镇是以某座工厂或某个作坊为中心建造的，那么由此而出现的新型的天际线至少还存在一种内在的逻辑。令人震惊的是那些受到工业革命侵犯的传统城市。在美国，匹兹堡可能是一个较好的例子——在通红的夜空中耸立着的烟囱，被钢骨大桥横跨的弯曲的河流，火光冲天的熔炉：这一切对于 1880 年代一个处在美国发展核心的城市来说是一种恰当的景象，但与这座城市过去的面貌相比，差异是惊人的。

自从工业革命之后，不断有声音提出不允许私人建筑物压倒城市公共性的象征物。1963 年托马斯·夏普（Thomas Sharp）在维护剑桥传统天际线时指出，“代表少数人的私有利益不应该在社会上，抑或在建筑上占据城市的主导地位。”[8] 而与此相对立的观点则认为，传统城市的确已经被现代实践活动所抛弃，我们的城市不再是大教堂的城市，而是商业或工业的中心，它们有权拥有自身的天际线。

269，270　A·W·N·皮金所著的《对比》(*Contrasts*，1836 年)一书中的图片，皮金对哥特城市表示赞誉，对现代工业城市的粗陋提出了批评。

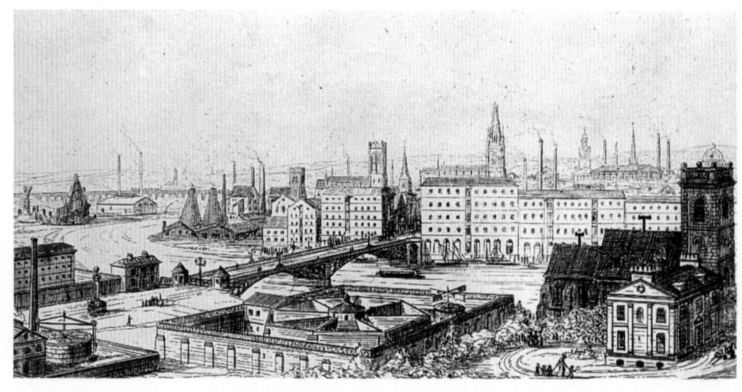

271 《广外圣物埋藏地边上的三位玛丽亚》(*The Three Marys at the Open Sepulcher*)，创作于1420年之前，被认为是休伯特（Hubert）或扬·凡·艾克（Jan van Eyck）的作品；画中的这一局部表现了耶路撒冷的天际线。八角形大磐寺（Dome of the Rock）的穹顶虽然在尺度上有所夸大，但基本上还是获得了精确的表现。画中城市的其余部分则是一种转嫁在北欧起伏地形之上的东西方建筑的幻想混合体。

绘画中的天际线

这场争论中的核心问题，是城市天际线的形状关系到那里居民。天际线是人们熟悉和喜爱的一种城市图像，是一个被人珍视的使人产生归属感的画面；在世界面前，它同时也是对这个城市的一种宣传，是展现在到访者面前的城市的脸孔，是传播到更广的人群中去的一幅城市速写。刻有城市画面的皇家印章至少从12世纪开始就已经流行。城市出现在文艺复兴时期的钱币和纪念章上，出现在印刷品和绘画上，而在当代，则出现在诸如明信片、T恤和冰箱磁吸等较廉价的物品上。 *图版31*

要使一件东西概念化首先一定要将它描摹出来，城市天际线——无论我们怎样称呼这个东西，总要依赖于艺术家对它的表现。在文艺复兴之前，城市的图画大多是理想式的——一般的模式是都以圣城耶路撒冷为原型，极少建立在真实基础之上。虽然关键的建筑物可能被特别标志出来，但它们的样式常常是依照作画时代的建造风格而不是实际的风格去描绘的。不过，这种理想式的表现也并非完全虚构，而是以某种程度的视觉真实为基础的，它所传达的是城市自我意识的形式宣言，或者更恰当地说，是委托艺术家为城市作画的这位主顾心目中的城市概念。

在最常见的情况下，这位主顾就是掌管这座城市的当权者。例如，是西班牙的巴尔塔沙·卡洛斯王子和菲利普四世授意J·B·德马卓于1646年创作了《萨拉戈萨的风景》(*View of Saragossa*)这幅画；同样，委托克劳德–约瑟夫·韦尔（Claude-Joseph Vernet）创作法国港口系列绘画的人是1753年当政的法国君主。所以说，城市绘画中突出表现的东西正是统治者认为非常重要的那一部分城市特征。 *图版6*

到了火炮战争年代，防御体系变得复杂，因此委托制作城市画的目的逐渐以军事为主。君主们需要地图和城市画来研究当时防御系统的设置，改进自身的部署及规划进攻策略。正因为这样的原因，17 和 18 世纪的许多城市画极其强调周边的棱堡。其中有一个特殊画种就是围城图——它是对城市周围的乡间兵力部署情况的全面详尽的记录。统治者对他自己领域的关心同样至关重要，尤其是在他对自己的掌控能力缺乏信心的情况下。西班牙的菲利普二世（1556—1598 年）是最早尝试使用这种系统性记录方法的君主之一，他委托地形画家安东·范·德维格尔德（Anton van der Wyngaerde）为西班牙各主要城市作画，同时又委托雅各布·范德文特（Jacob van Deventer）绘制低地国家城市的精确地图，因为那里是西班牙王国新近获得因而缺乏控制的一部分领土。

由于上述这些目的，精准地表现城市就变得至关重要，同时，王室的委托也大大支持了绘图技巧上的实验。使用的媒介往往是某种类型的印制品——木刻或雕版——而其传播受到谨慎的控制。君主们将城市的平面或风景画当作特别的礼品赠送。相对于透视图或鸟瞰图而言，严格意义上的平面图较为少见，鸟瞰图常常从虚拟的高视点出发，目的是为了清楚表现整个城市连续的图像。前景中的景物一般是在形式上能够充分表现统治权的那部分城市区域。在罗马的风景画中，占据前景的便是梵蒂冈宫和圣彼得大教堂所在的城区。

更早的一种描绘城市的传统是选择城市最具形式感和表现力的一侧，作全景式的轮廓图［德语称之为“展露画面”(Schauseite)］。14、15 世纪的叙事性绘画往往将某一个特定城市描绘在图面中作为在此地发生的特定故事的场景，这种做法正是在对上述传统的复兴，所以，科隆的画面就出现在维罗尼卡大师（the Veronica Master)的作品《圣厄休拉的到来》(*The Arrival St.Ursula*, 1411—1414 年）的背景当中，而那不勒斯的画面则构成了 1464 年阿拉贡舰队战胜归港时的场景。17 世纪时，城市的轮廓画在荷兰极为流行。通常画面表现的是越过某片水体而看见的城市，就像伦勃朗（Rembrandt）1643 年前后所作的阿姆斯特丹蚀刻画和弗米尔（Vermeer）在 1660 年前后所作的著名的《代尔夫特风景画》那样。[9]

有时，创作城市画的动因可能来自一个与王室有关的主题。1531 年，沃尔姆斯（Worms）地方的安东·沃姆森（Anton Woensam）所作的科隆全景大型木刻，就是由当地的出版商彼得·康泰尔（Peter Quentel）委托，为纪念奥地利的费迪南在科隆当选为罗马帝国君主这一事件而制作的，印成的木刻画被献给皇帝、科隆大主教以及帝国与本城中的其他显贵人物。有时这类委托更为个人化一些。在贝里德公爵（Duc de Berry）编撰的名为《丰富的时辰》（*Très riches heures*）的年历画本中，有兰堡兄弟（Limbourg Brothers）制作的一

272《瓦朗谢讷城攻城图》（*The Siege of Valenciennes*），引自 F·斯特拉达（F. Strada）的 *Primera decada de la guerra de Flanders*（1681 年）

273 科隆，沃尔姆斯地方的安东·沃姆森所作的木刻风景画，1531 年。

幅著名巴黎西堤岛（Ile de la Cité）的画片，画中细致描绘了从公爵家里望去所看到的皇宫及大教堂，还有尼瑟尔宫（Hôtel de Nesle）（位于左岸，现在法兰西学院所在的位置）。[10] 与此类似，卡纳莱托（Canaletto）也作过一幅精彩的伦敦和泰晤士河的风景画，委托人是查尔斯二世的孙子，里士满的第二位公爵，他采用的角度是从里士满府邸出发，府邸的花园就成为画面的前景。图版 35

作为集体自豪感的表现，其他各城市同样也委托画家为本城作画，这些画家一般是当地的艺术家。这类画通常以印制品的形式加插在各城市主持编写的旨在弘扬本城荣誉的书籍当中。其中一个例子是西恩瑞登（Saenredam）为安普琴（Ampzing）的著作《哈勒姆城的描绘和赞誉》（*Description and Praise of the Town of Haarlem*, 1628 年）所作的哈勒姆风景画。

另一类重要主顾是旅游者。带有微型城市风景插图的旅游书籍有着古老的传统。在流传下来的一些为朝圣者设计的罗马和耶路撒冷的行路指南里，重要纪念物以立面的形式特别标注在城市平面图上。最早的一本著名的印刷版的旅行指南是 1486 年的《圣地游记》（*Peregrinationes in Terram Sanctam*），它记录了美因兹（Mainz）地方主教伯恩哈德·冯·布瑞登巴赫（Bernhard von Breydenbach）在前往巴勒斯坦圣地朝圣时的经历。其中的城市绘画由乌得勒支的恩哈德·瑞欧维齐（Erhard Reuwich）所作，后来被大量复制，例如安东·科伯格（Anton Koberger）1493 年所作的《世界编年史》（*Weltchronik*）中便用到了它们。这本旅行指南中包括的城市有威尼斯、帕伦佐（Parenzo）、科孚岛（Corfu）、克里特岛（Candia）、罗得岛和耶路撒冷。

第二次大规模的行动是在一百年之后，目的是描绘世界各地城市的景象。这一不朽的宏大工程叫作《环球城市》，它由一位德国牧师乔治·布劳恩，和负责雕版的安特卫普人弗朗兹·霍根伯格共同完成。为雕版提供画稿的也是安特卫普人，他叫乔治·霍夫赫格（Georg Hoefnagel）。1572 年至 1598 年之间共出版了 5 卷，1617 年出版了第 6 卷。霍夫赫格是最早将著名建筑的放大图以插图的形式布置在地图周边的画家之一。[11] 159 293

埃尔·格雷科在一幅著名的描绘托莱多（Toledo）的画中对这样的手法作了注释。画家将特维拉宫（Hospital de Tavera）画在了一张分开的插图上，同时又将这样做的原因写在了右边前景中的城市地图上。“有必要将唐·胡安·特维拉宫（Don Juan Tavera）（放到画面外），因为它不但碰巧挡住了维萨格拉门（Visagra gate），而且它的拱顶如此之高耸，以至于盖过了大片城市……”[12] 274

到了埃尔·格雷科创作托莱多的时代，为城市本身的目的而精确、真实地描绘城市的做法已经至少经历了半个世纪。到16世纪中期，每一幅城市画的背后几乎都包含着一个官方的表现性的意图。画上的标注文字说明了这一讯息，而具有寓言性的人物则增添了象征性的修饰。例如，在沃姆森所作的科隆风景画上就有一首颂扬这座城市卓越品质的长诗——夸赞它优美的建筑、繁荣的市场，它的传统风物以及它英明的政府。相对而言，1549年的一幅大型的开罗木刻画的标题则甚为简单，叫作“伟大城市开罗的精确再现”；十年之后，安东·范德维格尔德在他所作的热那亚风景画上刻下了这样的抒情语句：“在令人愉悦而充满灵性的绘画（艺术）提供给人的一切快感当中，我最为珍视的，是那些对不同地方的描绘。”[13]

273

我们也许应该对上述这类大型的风景画，和类似于纪念品的写意画（capriccio）作一个区分，写意的速写是由一系列城市地标组合起来的，它们并不尊重这些地标在城市景观中的真实位置和相互关系。早期这样的例子之一是一幅16世纪的绘画，画面上修饰了“布鲁日（Bruges）七大胜景”这一句大胆的文字，画上的纪念物是独立的，与周边环境没有任何联系。由于作画的艺术家打算快速从作品中获利，所以这样的风景画就变得程式化起来，到18世纪它们成为旅行者经常购买的旅游纪念，当然相对贵一些的是画作，便宜一些的是印制品。

275

一旦某位艺术家发展出一套绘制城市风景画的成功构图模式，这一模式就会得到广泛模仿。1540年代，范德维格尔德所作的伦敦鸟瞰图是从南沃克区（Southwark）伦敦桥下的一个位置取景的。几年之后，一位无名氏制作了一幅同样从南沃克区取景的木刻，其角度稍稍高于伦敦桥。木刻上表现了在1561年的大火中毁灭的旧的圣保罗大教堂（St.Paul’s）尖塔。

274 埃尔·格雷科（El Greco），《托莱多风景》（*View of Toledo*），1610—1614年前后。一名男孩（可能是画家的儿子）的手里拿着这个城市的平面图。

275 《布鲁日七大胜景》，16世纪后半叶，被认为由大P·克拉埃森（P. Claessens the Elder）所作。这些“胜景”包括了圣母院的尖塔和长廊（左侧）、塞浦图斯大厦（Hotel des Sept Tours）（中后侧）、汉撒同业公会（Hanseatic League）总部（后右侧），以及带有城市钟塔的交易大厅（右侧）。

今天，我们发现一直到1666年伦敦大火为止，该角度的风景画一共有110个不同版本。

文艺复兴标志着早期现代时期欧洲伟大天际线绘画的开始，最早的一幅天际线绘画是大约1480年的佛罗伦萨“连环”式（catena）风景（“连环”之名来自于画框相互连接的样式）。紧随其后的是雅各布·德巴尔巴里的威尼斯风景图（1500年）。16世纪另一些著名的画家的名字还包括：因奥格斯堡风景画（1521年）和吕贝克风景画（1552年）而出名的豪尔赫·塞尔达（Jörg Seld），因前面提到的创作于1531年的科隆风景画而出名的沃姆森，以及康拉德·梅里安（Conrad Merian），他描绘了斯特拉斯堡、法兰克福、乌尔姆（Ulm）、巴黎以及许多奥地利的城市。梅里安的绘画有一种独特的风格，他的画常常表现棱堡的顶部，而不是像通常做法那样表现其前景。[14]

73

273

一般来说，天际线绘画的技法都是以轮廓的方式突出主要建筑物，并衬以空白的天空。实际上这是一个十分持久的绘画观念，也许它是在提炼“天际线”时不可缺少的一种图形手段。普通的住宅建筑也花费了相当多的笔墨，尤其是在轮廓画里，这一做法似乎强调，如果没有这些一般性的住宅建筑的存在，就无法烘托纪念建筑的尺度和尊严。在所有这些16世纪的实例当中，透视并不是统一的；新生文艺复兴式的自然主义思想依然与中世纪理想城市的概念糅合在一起。更有甚者，在沃姆森的科隆风景画中，神界空间和人界空间似乎并不遵从同样的透视规则。在大多数情况下，教堂画得要比真实情况大，以强调其重要性。街道和广场不会得到强调。相比之下，到了17世纪时，公共空间被夸大，普通城市区的破旧与君王府邸的宏伟构成了对比。而18世纪中期，维耐特（Vernet）凭借他的《港口》（*Ports*）开创出了一种能够与历史题材绘画相抗衡的英雄式的城市景观画派。从圣彼得堡到那不勒斯，他树立的榜样被整个欧洲所模仿。

276 亚眠(Amiens)(法国),城市和其大教堂;20世纪早期的照片。

天际线的元素

制造天际线的方式有两种，它们相互并不排斥。你可以利用一些特殊的地景来获得 277 [如雅典的卫城和狼山(Lycabettos)、里约的糖塔山(Sugar Loaf)、开普敦的台山(Table 276 Mountain)]。或者，你也可以通过突出的建筑物来获得(如埃菲尔铁塔、维兹莱或索尔兹 278 伯里等中世纪城市里的大教堂，以及爱丁堡等处的城堡，因为那些地方的自然巨石大大加强了原有的效果)。

地势非常重要。山镇地形与大多数荷兰城镇所处的那种平坦地形之间有着根本的差别。两种地形都很容易创造标记物。风车和塔楼可以悬浮在低矮的天际线上，因为自然界里没有其他东西可以与之抗争。另一方面，位于山顶的教堂或城堡也可以轻松获得优势。

但是城市景观却很少如此直接，城市的意图也很少是清晰和固定不变的。

首先来讨论地景方面的因素：拥有复杂地势的城市可能会试图赋予其地形以某种象征性，比如所谓的"罗马七山"就被作为一种构想与其他一些特征一起转嫁到了它的东方姊妹城市君士坦丁堡那里。如果认真地对待这一构想的话，那么它就很有可能转化为有阶次的，或有起伏的天际线。当土耳其人在君士坦丁堡的多个山头上盖起了形状相同 图版34 的拱顶清真寺之后，他们的确在某种程度上成功地将这个过去拜占庭首都的外轮廓修改得更有棱角。更进一步的是，每座清真寺的尖塔数量不同，从单塔一直到艾哈迈德一世苏丹(Sultan Ahmed I, 1609—1617年)清真寺盛大的六塔，这便成为一种有效地提示等级层次的措施。无论是古代或现代的罗马，还是拜占庭时代的君士坦丁堡，都没有实现如此清晰的视觉叙述。

关于第二点因素，即城市天际线的刻意表现，在具有悠久历史的城市里，代表相互攀争力量的象征物，或者这些象征物多样化的结构形式，可能会生动鲜明地并置于城市轮廓当中。经典性的天际线争夺战表现在大教堂与市政厅之间(如锡耶纳和佛罗伦萨)，在领主的城堡和城市中心区之间，在相互竞争的修会所主持的修道院之间，甚至在不同教区的教堂之间，就像佩格尼茨河(Pegnitz)两边突出并列着的圣洛伦佐教堂(St. Lorenz)和圣塞巴都斯教堂(St. Sebaldus)那样，它们分别代表组成纽伦堡市的两个独立的城区。[15]

277　雅典，卫城山及山顶的帕提农神庙，1870年前后的照片。

278　爱丁堡（苏格兰），从南边看去的城市。

279，280 东方和西方的天际线元素。左页全景图表现了从 9 世纪至今出现的大量不同式样的伊斯兰寺院尖塔；右页全景图表现了从 1000 年至 19 世纪出现的一些教堂塔楼。

不过，通常天际线的性质并不取决于一个或几个特殊的建筑形状，更常见的情况是对某一种建筑特征的重复使用：如伊斯兰的尖塔、拱顶、螺旋顶以及工业烟囱等等。

在整个历史过程中，天际线标志物的类型相当有限，但是，各地方对不同类型标志物的不同使用方式却造就了丰富的空中景象。以穆斯林世界中占主导地位的寺院尖塔为例，在北非，它呈节状，平面为方形；在凯鲁万城（Kairawan）它相对粗壮；马拉喀什城的库图比亚（Kutubiya）清真寺的尖塔较为镂空并饰有面砖；在伊朗它们呈顶部大幅度收尖的砖柱体，上部的钟乳石装饰带里有出挑的阳台；而奥斯曼土耳其的尖塔则呈灰色，像铅笔般细直，头部为锐利的尖顶。

279

这些标志物的顶部不少都装饰有与其本身意义相关的符号，或者有一些仅仅为引人注目而作的顶部处理。教堂或公共建筑的尖顶上都可以放置圣米迦勒（St. Michael）的雕塑；在布鲁日的旧市政厅顶上，圣米迦勒正在驱逐撒旦。在圣彼得堡海军部的尖顶上有一个帆船状的风标，而布尔芬奇(Bulfinch)为波士顿设计的马萨诸塞州州政府大厦的穹顶上是一个镀金的松果。这些小尺度的装饰物虽然在远处看不见，但却依然保持着它们的象征性作用。有些设计是为了让人在远处也能看见：费城市政厅穹顶上彭威廉的雕像的显著性一直被细心地维护着，直到最近它才被发展中的天际线所淹没（见 334 页）。

305

宗教性的制高点

在世俗国家到来之前，也就是说，在离现代并不遥远的过去，天际线中的主旋律是宗教建筑。这些建筑常常被安排在自然或人为的突出地形上，它们的建筑体量被高高地堆起，它们的视觉重要性因一些伸向天空的尖挺物体而进一步加强。

东亚和东南亚的地方宗教很早就发展出了许多这样的天际线符号。印度教神庙本身就是经过装饰的巨型土墩，不过，它们常常被高耸的多层门楼建筑郭朴拉（华饰的庙门）盖过。在印度，一些建造于 7—16 世纪的这样的门楼被保存了下来，其中最引人注目的门楼是在马杜赖、维查雅那戈拉（Vijayanagara）和喀拉拉邦（Kerala）。在它们有丰富装饰的尖耸形体的上部是极具特色的桶形穹隆状顶冠。

佛教中的佛塔和圆形墓丘的顶部都有一个伞状的装饰性结构。在曼谷等一些的地方，它们多呈钟状，或者是一种象征性的逐渐退台的山形，并冠以高高的尖顶。

中国的宝塔在普遍低矮的城市体量中常常控制着天际线。福州的白塔以及经多次重修的苏州北寺塔就是如此，在中国之外，仰光（Rangoon）的瑞光大金塔（Shwe Dagon Pagoda)在经过 14 世纪的一次整修后，已经达到了 295 英尺（90 米）的高度。

280

教堂建筑的传统突出物是钟塔和圆顶。但除了圆顶和尖顶之外，其他一些特殊的建筑部位也可以使教堂突出于天际线。科隆大教堂的“唱诗区立面”（choir-façades）和卡比托圣玛丽亚教堂（S. Maria im Capitol）就属于这一类情况——这是加洛林时期（Carolingian）遗留下来的，在教堂设计中突出高大的“西端体量”（westwork）传统的表现。如果教堂后的地势有较大的下降，那么教堂的后殿本身有时也会参与天际线。这里我们可以举出几个

意大利的例子，如马萨·马里蒂马（Massa Marittima）的大教堂、斯卡尔佩里亚（Scarperia）的圣巴拿巴（S. Barnaba）大教堂、罗西里诺（Rossellino）在皮恩察（Pienza）设计的大教堂，以及最值得一提的切法卢（Cefalù）大教堂，它高大雄伟的东后殿与垂直于中殿的耳堂完全盖过了草率的中殿本身及其粗短的西塔。

将钟塔作为独立的结构放在教堂的一边是意大利的特色，可以追溯到9世纪。在阿尔卑斯山的北部，自查理曼时代（Charlemagne）之后，多塔式的组合成为中世纪教堂建造者们追求的一种形式。这种高耸体量中的主要元素——楼梯塔、钟塔和尖塔早在公元800年左右就已经出现在圣里奎尔教堂（位于森图拉）当中，尽管它们的结构经常失败，但人们依然坚持不懈地在大修道院和大教堂建筑中不断尝试和发展这种做法。大部分哥特教堂在主立面上使用的经典的双塔构图起源于征服者威廉大帝（William the Conqueror）和他的 276 皇后在卡昂（Caen）、瑞米耶日（Jumièges）等中心建造的雄伟的诺曼人（Norman）的教堂。较少见的还有一种在入口门廊前设独立西塔的情况，如卢瓦尔河上的圣伯努瓦教堂（St.-Benoît-sur-Loire）及其罗马风时期的前身，沙特尔大教堂（Chartres Cathedral），以及之后的乌尔姆和弗赖堡大教堂。

在一个理想状态的外形设计当中，塔楼可以用来框定西立面，标志出一个或两个耳堂的端跨，守立于唱诗区的侧面，或者升起在中殿与耳殿相交的部分，以建筑的手法建立起十字交叉的象征。沙特尔大教堂原来的哥特式设计就运用了隆重的九塔。兰斯大教堂（Reims Cathedral）有一个耸立着7座塔楼的巨型体量，它模仿的是带锯齿形城墙的圣城（City of Heaven），塔楼升起在纤细的扶壁系统之上，扶壁顶端守立着天使。像比利时图尔奈（Tournai）大教堂这样的成就非常少见，这个教堂的大部分建于12世纪，它带给我们一 281 种前面说到的壮丽而蓬勃的垂直感。但是按照一般的规律，这些理想型的巨构总是无法持

281 图尔奈（比利时），大教堂及其周围环境。

久，它们有些根本没有实施，有些建造了但没有完工。那些已经被光荣而夸耀地树立起来的结构一遍又一遍地因受到雷电的袭击或者因自身的重量而坍塌。大约在1200年，一位编年纪作者在写到贝弗利修道院教堂（Beverley Minster）耳殿塔楼倒塌的事件时，责怪建筑师为了外形而牺牲了坚固性。[16]在博韦（Beauvais），13世纪中期的一座体量夸大的教堂就曾引发灾难性的后果，同样在那里的一座高塔，建于1558年至1569年之间，高度497英尺（151.5米），三层为石结构，一层为木结构，仅仅在建成后的第4年就壮观地倒塌了。

图版33 一般历史书认为，布鲁内莱斯基（Brunelleschi）设计的佛罗伦萨大教堂圆顶开创了文艺复兴风格的新历程——同时也是一系列著名的，永远锁定了城市天际线的威严雄伟的圆顶的开始。这类圆顶的原型有米开朗基罗的罗马圣彼得大教堂（St. Peter' s）的圆顶、帕拉*图版35* 弟奥在威尼斯建造的几座教堂的圆顶，以及雷恩设计的伦敦圣保罗大教堂的圆顶，E·M·福斯特（E. M. Forster）在《霍华德庄园》（*Howard' s End*）中写到圣保罗大教堂时说它"傲然屹立在芸芸众生之上，似乎传布着关于形式的圣言"。这些圆顶都利用了一种双层壳的做法——其中内壳的尺度根据教堂内部空间来决定，外壳则致力于塑造城市天际线。

但是，在西方宗教建筑中，圆顶在佛罗伦萨大教堂之前就已经存在，例如比萨和锡耶纳的大教堂以及阿基坦地区（Aquitaine）的一些教堂都有圆顶。在正教（Orthodox）主导的东方，在拜占庭帝国及其势力范围之内，圆顶有着丰富多彩的悠久历史。早期的浅拱形式，可*图版34* 以以至今依然保存着的伊斯坦布尔雄伟的圣索非亚大教堂（Hagia Sophia）为代表，这座教堂建于6世纪查士丁尼时代，它的浅球拱体大部分为原物，依然完好。在拜占庭建筑发展的后期阶段，贝壳状、碟状或洋葱状的圆顶几个为一组建造在开孔的鼓座上，圆顶之下是正统的拜占庭中期教堂平面（即有9间跨度和5个圆顶的希腊十字型平面），这样的处理成为希腊和西西里、俄罗斯和塞尔维亚（Serbia）教堂的特色。直到现在，这些圆顶仍然是基辅、弗拉基米尔、格拉查尼察（Gracanica）、塞萨洛尼基（Thessaloniki）、米斯特拉（Mistra）、巴勒莫等传统城市中最突出的东西，它们的色彩在俄罗斯则表现得更为艳丽。到了较晚时期，洋葱形圆顶在西欧也有一段独立的发展经历，它们起始于16世纪。洋葱形尖顶一开始时出现在荷兰和布拉格，后来便成为德意志南部、捷克斯洛伐克、奥地利和意大利东北部白云石山脉地区城市天际线的一个特征，它们在宗教和世俗建筑中都有应用。有一种解释认为，洋葱形尖顶的出现是为了改造哥特式的线状形式，以便与从南部输入的圆顶做法取得一致。[17]

的确，由于中世纪之后的城市美学偏重于低的体量和水平方向的连续感，因而在很大

282 罗斯托夫（Rostov）（俄国），由许多教堂洋葱顶构成的城市天际线，城堡位于左侧。

283 罗马，圣依沃·德拉·撒皮恩察教堂的尖顶，弗朗切斯科·普罗密尼设计，建于1650年前后。

程度上压抑了教堂形式中外轮廓的丰富变化，于是教堂的捐资者和建筑师寻求在允许的范围内，对古典形式作一些调整，来重新改造哥特式的天际线。意大利探索了一些试图减弱圆顶物质感的方式。普罗密尼设计的罗马圣依沃·德拉·撒皮恩察教堂（S. Ivo della Sapienza）始建于1642年，他没有在鼓座上建造常见的圆顶，而是设计一个旋转了7圈的螺旋形的结构，端头是一个金属丝做成的雕塑。乔瓦里诺·乔瓦里尼（Guarino Guarini）在都灵设计的轻柔、精致的圆顶也使用了类似的手法。 *283*

雷恩在1666年伦敦大火之后建造了一批尖塔，这是最值得纪念的一次试图从整个城市的尺度复兴哥特式轮廓的行动。[18] 大火毁坏了87座教堂，但由于一些教区合并，所以后来只建造了51座，雷恩在罗伯特·胡克（Robert Hooke）的协助下设计了这些教堂。教堂大部分在1685年之前就已经建成；但尖塔部分的完工又纷纷拖后了十五至二十年。雷恩本人就曾谈到这些“高出街坊住宅许多的俊俏的尖顶和屋脊塔”的重要性；根据《雷恩传记》（*Parentalia*）的描述，他的意图是要在重建时“将所有教区教堂布置在住宅街景的端点，相互之间保持一定的距离，使得从远处看过去既不太密，也不太疏。”[19]

尖塔被拉伸出许多节，将哥特的比例和古典的细部结合在一起。其中相当部分实际上是哥特式的。较著名的几座尖塔用白色波特兰石料（Portland stone）建造，一般性的用铅料。圣玛格利特·帕坦斯教堂（St. Margaret Pattens）则有一个哥特风格的木尖顶。所有的尖顶都比较高。圣玛丽－勒波（St. Mary-le-Bow）教堂的尖塔达到 225 英尺（68.5 米）。塔的位置总是根据最大程度的可见性这一要求来研究确定的。圣埃德蒙教堂（St. Edmund）位于一条狭窄的街道上，为了避免受到遮挡，它的塔楼就放在了一条小街口的对面。不少情况下，塔楼被移到了建筑用地的边沿，突出于教堂体量之外，这样做的目的是为了给远处制造最佳的视觉效果。

图版 35 雷恩的尖塔在当时产生了重大的效应。卡纳莱托 1746 年游历伦敦，并作了一些河边的风景画，他的所有画面都表现了丛林般的尖塔，与圣保罗大教堂巨大的体量相比，它们显得如针一般纤细，而在尖塔之下，又是一片带有新时兴的烟囱帽的直立风管。

大火之后伦敦的住宅一般是大致 3 层的红砖建筑。到了 1860 年代，城市区建筑的限高增加，于是雷恩的许多尖塔便被维多利亚式和爱德华式的办公建筑所遮挡。到 20 世纪早期，尖塔周边建筑的高度已经达到了当年的两倍。1850 年代之后，这种城市尺度的变化成为了一种全球性的现象。它迫使传统天际线元素再次寻求新的高度。

随着鼓座的不断拉长，圆顶越升越高，这种潮流 18 世纪时在维也纳的圣查尔斯教堂（St. Charles）和苏夫洛（Soufflot）设计的巴黎圣吉尼维夫（Ste. - Geneviève）教堂［即众英殿（the Panthéon）］中就已经显现，之后，到了亚历山德罗·安东内利（Alessandro Antonelli）设计诺瓦拉（Novara）的圣高登治奥教堂（S. Gaudenzio, 1841—1888 年）的年代，多层鼓座的高度已经被拔至一个奇异的极端。由于建筑师从金属加固技术中获得了信心，圆顶便可以在没有结构顾虑的情况下建造得更高。采用了这类加固技术的巨型圆顶包括全部以铁件为框架的列宁格勒圣以撒教堂（St. Isaac , 1817—1857 年），以及在世俗建筑中，由托马斯·U·沃尔特（Thomas U. Walter）设计的美国国会大厦（United States Capitol, 1851—1865 年）。

（图版 4）

教堂塔楼也开始了新阶段。1830 年代至 1860 年代，俄国回归中世纪形式的时尚潮流，与在彼得大帝时期的圣彼得堡，以及在凯瑟琳大帝时期推行的建造政策影响下形成的新古典主义的水平性和规则性原则形成了对抗。在大量建造拜占庭风格的多圆顶教堂的年代，俄国北部孕育出一种垂直木结构形体的地方传统。莫斯科维公国（Muscovy）中所谓的“塔式教堂”是以相互穿插的圆木建造的独立的塔楼，塔的顶部是一个八角形的锥体。17 世纪时，尼康总主教（Patriarch Nikon）以正教信义为名禁止了这种做法，但是到彼得和他的后继者的统治时期，人们对这种高耸而神圣的建筑类型的喜爱再次获得宽释，并且，这时的塔楼改成了石结构，还披上了新输入的巴洛克花饰［如 1701—1707 年莫斯科的天使长加百列教堂（Archangel Gabriel），即人们所知的“麦什尼科夫塔”（Meshnikov Tower）］。19 世纪的变化看上去更像是对真正古老俄罗斯传统的回归。新的钟塔出现在通往市中心的街道的两边；在莫斯科，这些钟塔直接贴近道路边线建造，以突出老的修道院和教堂。

类似的传统主义情节也在西方推动了新一轮的哥特复兴。这种对“基督教”风格的再肯定至少与两种思想倾向有关。其中之一是民族主义的复活。为庆祝拿破仑帝国的灭亡而于 1841 年开始建造的德国科隆大教堂的完工就属这一情况。

另一种思想倾向是为了抵抗工业革命的威胁——跟工厂的巨大规模和工业劳工的不敬神态度作斗争。在英国，学术性文字对皮金为复兴 13 世纪哥特风格而进行的征战，以及《教堂建筑学》（*The Ecclesiology*）在确立正统教堂设计规则方面所作的努力都有详细的研究叙述。一个新基督教“摩天楼城市”的惊人画面出现在皮金的《辩解》（*Apology*）一书

284 A·W·N·皮金，“当代基督教建筑的复兴”，他的著作《为基督教建筑复兴的辩解》(*Apology for the Revival of Christian Architecture*)的扉页。

的扉页上，画面的标题是“当代基督教建筑的复兴”。用肯尼思·克拉克(Kenneth Clark)的话来说，“这幅画表现了从他自己的作品中选出的22座大小教堂，其阵容好似太阳升起之前的哥特式的新耶路撒冷。”[20] 284

对于利兹教区的牧师(Vicar of Leeds) W·F·胡克(W. F. Hook)知道的人少一些。1830年代后期，他在贫民区策划了一些传教活动，组织了宏大的游行式的布道场面，目的是为了吸引穷人们的注意力。他为穷人新建的教堂带有耳殿，还有高过中殿的大唱诗区，完全不顾有关教区教堂不得形同大教堂的规定。胡克说在这些贫民区教堂里，“唱诗系统必须和大教堂的系统相联系，布置到巨型工厂和拥挤的街巷中去。”A·J·B·贝雷斯福德-霍普(A. J. B. Beresford-Hope)在他的著作《19世纪的英国大教堂》(*The English Cathedral of the Nineteenth Century*, 1861年)一书中，联系火车站和“巨大的中央旅馆”等新型城市建筑的尺度和影响力，解释了这些超大型教堂的必要性。他写道，“那么同样性质的影响——即这种对大尺度的不断加深的偏爱——这种对拥挤之中生活与行动的不断的增强的适应性——难道就不能够在人们的宗教事务流露出来吗？”[21] 这些教堂的塔楼被设计为独立的单位，具有形式清晰的基座和顶部。 *图版38*

圣玛丽·马格德琳(St. Mary Magdalene)是一座早期的城市修道院教堂，位于伦敦芒斯特广场(Munster Square)，始建于1849年。它将不对称布置于西南角上的塔楼与一个小型的入口庭院结合起来，这是一个早期塔式门廊的例子，后来这样的塔式门廊有时还跨越人行道[如伦敦威斯敏斯特区(Westminster)的圣小詹姆斯教堂(St. James the Less)那样]。同样位于伦敦，在玛格丽特街(Margaret Street)上的万圣教堂(All Saints)，也始建于1849年，由威廉·巴特菲尔德(William Butterfield)设计。贝雷斯福德-霍普在其中发挥了一定的作用，使得这座教堂能够“以其立面压制傲慢和清教化的商店专制”。[22] 它的塔楼上有当时伦敦最高的尖顶，报导的不同高度分别是222英尺或227英尺(67.7米/69.2米)。自那时之后的一二十年内，维多利亚式哥特风格盛期的教堂塔楼由于对砖和石材的混合使用，在结构上表现出多色调，同时还常用菱形纹饰，成为城市街景中醒目的焦点。G·E·斯特里特(G. E. Street)是设计复杂教堂塔楼的专家，有些塔楼建造在英国之外，在罗马和瑞士米伦(Murren)的街道上。在1850年发表于《教堂建筑学》上的一篇题为“论城镇教堂的恰当性格”的著名论文中，斯特里特写道：“高度具有极其巨大的重要性，必须不惜一切代价去获得。”

在法国，新哥特式教堂通常有一座单塔在轴线方向附建于教堂的西立面，如拉姆伯伊利(Rambouillet)的圣路宾教堂(St.-Lubin, 1865—1869年)、巴黎的圣母十字教堂(Notre-Dame-de-la-Croix, 1863—1880年)以及更倾向于古典体系的巴黎圣皮埃尔·德·蒙特鲁奇教堂(St.-Pierre de Montrouge)。由莱昂·沃杜瓦耶(Léon Vaudoyer)设计的，具有条纹状的拜占庭风格的马赛大教堂(cathedral of Marseilles, 1852—1893年)，以及由他的学生亨利-雅克·埃斯佩朗迪厄(Henri-Jacques Espérandieu)仿照这一形式在港口一侧的山上设计的圣母守卫教堂(Notre-Dame-de-la-Garde, 1853—1864年)都没有对城市形成持久的影响力。但是一些位于山顶的教堂，像19世纪末里昂的弗维里圣母教堂(Notre-Dame-de-Fourvière)和巴黎的圣心教堂(Sacré-Coeur)还在努力为已经彻底世俗化了的具有了巨大尺度的现代城市景观提供一种权衡。 *图版25*

世俗城市中的地标

上面分析的这些元素当中，有些同时具有宗教和世俗的性质。在同一个文化圈里，塔既可以是佛教寺庙中的制高点，也可以用于城门。圆顶同样无处不在，而且还是跨文化的。它不但是教堂的标志，同时也可用于政府建筑、浴场、墓地；巴洛克的罗马、萨法威王朝的伊斯法罕（Safavid Isfahan），以及中世纪的诺夫哥罗德对圆顶的使用都收到了相似的效果。显然大多数圆顶的目的是为了创造天际线，因为圆顶的外轮廓与其所包含的内部空间并不对应。有些时候，如布尔芬奇在波士顿设计的州政府大厦，建筑内部没有显露出任何圆顶存在的迹象。

钟塔也是一个很好的例子。我们主要将钟塔与教堂，以及宗教活动中鸣钟的举动联系275 在一起。但同时也存在世俗的钟塔，它们主要与政府联系在一起。佛兰芒（Flemish）地区城镇的天际线中常常有一座突出的钟塔，它是市场中一个独立的建筑。它不但是召集市民集会的场所，同时也是平坦的乡村环境中一个城市性的地标。在布鲁日，钟塔的高度是330英尺（100米），在根特（Ghent）为300英尺（91米），在敦克尔克（Dunkirk）为295英尺（90米），在伊珀尔（Ypres）为230英尺（70米）。这样的钟塔偶尔也在法国北部出现，在苏瓦松（Soissons）和圣康坦这些地方，它们以附建于城堡的塔楼形式出现。在中世纪自治城镇当中，钟塔是重要公共建筑最常见的组成部分——是城市主权和集体自豪感的象征。这种性质的塔楼在意大利中部和欧洲北部出现得特别多。除了作为市镇厅的一部分之外，它们有时也是市场（如在布鲁日的情况）以及如布业行会等强势行会（如在伊珀尔的情况）的标志物。

在这样的城市景观中，教堂与政府常常通过突出的城市公共塔楼和教堂钟塔来建立起视觉上的对比。高度当然是最显然的一个竞争因素，但其他一些设计差别也能发挥一定作用。在托斯卡纳地区，不同的建筑材料表现为色彩上的对比，使天际线具有毫不含混的清晰性。在锡耶纳，市政厅的砖塔从坎波广场的地面升起它细长的身躯，以回应西塔（Città）山顶的大教堂和教堂钟塔白色的体量。在布鲁内莱斯基的圆顶将佛罗伦萨的天际线壮观地统一起来之前，一群深色的政府塔楼——如维齐奥宫和巴吉罗宫［即镇长官邸图版33 （Palazzo del Podestà）］的塔楼映衬着圣玛丽亚百花教堂中以大理石为面层的明亮耀眼的“乔托钟塔”。除此之外，城市公共性塔楼的体量通常肥硕而密实，在它们的平顶上通常有一种阳台（ballatoio）状的构造，这是从军事建筑那里引用来的一种堞形檐口。14世纪晚期，乔托的后辈们在教堂钟塔的设计中采用了这种世俗的形式，而放弃了原来乔托以北欧模式为基础设计的尖顶方案，其目的也许是为了表明大教堂处在城市的保护之下——实际上它已经是一种城市性的纪念物。[23]

城市天际线

天际线是城市的象征。它们是城市个性的浓缩，是城市繁荣的机缘。任何文化和任何时代的城市都有各自高耸而突出的地标，以颂扬其信仰、权力和特殊成就。这些地标归纳了城市形式，突出了城市意象。这种表现本身是刻意的，它主要是为外面的观众而设计的。艺术家在作天际线构图的时候，他们的心中装着朝圣者、官方的访问者和一般游客。这一图像缓慢而谨慎地变化着。卡纳莱托笔下的伦敦与今天这个城市的现实之间的差别是长期改造的结果。剧烈的转型——如工厂烟囱和公司摩天楼的崛起，象征着文化的剧变。当火车站塔楼及其附属的旅馆大厦模仿城市大教堂的模样将自己的轮廓举向天空的时候，我们知道旧的价值已经被削弱，或者被覆盖了。当城市中心最终聚集着高层办公楼的时候，我们意识到城市形象已经屈服于私人企业自我宣传的渴求。最终，天际线是在协商与交涉中达成的象征。那些影像之所以出现在城市天际线是因为它们获得了出场资格。

从神之塔到人之塔

图版 35　1746 年的伦敦，卡纳莱托所作的风景画，从他的委托人——里士满第二位公爵的府邸（靠近现在新苏格兰场的位置）望去，圣保罗大教堂主宰着天际线，领导着一群石质和铅质的尖顶——这些尖顶基本上也都是雷恩设计的。天际线中只出现了两座世俗建筑（都在画面的右侧）：一个是为纪念 1666 年大火而树立的高大的柱状纪念碑，另一个是南岸工业区中一座深色圆锥形的制瓶炉。

图版 36　1990 年的伦敦，从格林尼治（Greenwich）向市中心望去。现在，圣保罗大教堂圆顶是惟一可辨认的宗教纪念物，它位于照片最左侧，掩映在两个长方形大板楼之间。近处最高的建筑是国家威斯敏斯特银行大厦。女王别墅和医院在格林尼治这一边，在它们的对岸是正在建造且颇受争议的新商务区，西萨·佩里（Cesar Pelli）设计的加纳利码头大厦（Canary Wharf tower）统领着那个片区，它是英国至今为止最高的建筑物。

19 世纪的天际线

图版 37　1850 年代的设菲尔德：全球金属刀具和工具制造中心，自从火车进入城市之后，又进一步成为船用装甲板等大型铸造具中心。威廉·爱比特（William Ibbitt）的绘画记录了机器工业对城市景观造成的前所未有的改变，工厂烟囱成为新时代的钟楼和尖塔。

图版 38　右图，19 世纪对付天际线退化问题的办法，是在火车站、大型旅馆等新出现的世俗建筑类型上建造尖塔——图中的伦敦米德兰火车总站（Midland Grand）便将车站和旅馆结合了起来，今天这里叫圣潘克拉斯（St. Pancras）车站，它建造于1868 年至 1870 年间，设计者是乔治·吉尔伯特·斯科特（George Gilbert Scott）。画面的右边是体量较矮的国王十字车站（King's Cross Station）塔楼，左边是圣潘克拉斯教堂的尖顶（大约建于 1820 年）及稍晚于前者的城市学院圆顶。绘画的作者是约翰·奥康纳（John O' Connor）（局部），作于 1881 年。

NEWS
80 HIGH ST

教堂建筑中的钟塔和尖塔是殖民时期的美洲所掌握的惟一一种庄重性建筑语言，所以1750年建造的费城独立大厦（Independence Hall）的顶部就是一个数英里外都能看见的尖塔。而反向借鉴的例子则有1730年代开始建造的圣彼得堡圣彼得和圣保罗大教堂的金色尖顶，它有意模仿了一个世纪前的哥本哈根交易所。

维多利亚时代，各类公共建筑——如市政厅、法院、火车站等等，一律都建有塔楼。图版38利奥波德·艾德利茨（Leopold Eidlitz）1881年写道："它们的数量如此之众，谁会仅仅因为它们在物质和美学上的无用而放弃建造塔楼呢……需要更聪明的看法才能解释这个问题。"[24]在英国，关于哥特复兴（Gothic Revival）风格可以在严格意义上的宗教建筑之外多广的范围内使用的争论是当时的一个热门话题。学校和慈善建筑不需要特别的辩解，但对于政府大厦、商业建筑和新兴旅行业带动出现的旅馆、火车站建筑的争议就比较大。在德国，中世纪后期就已经出现有塔的哥特式市政厅，这一历史为弗朗兹·约瑟夫皇帝（Franz Joseph）时代在维也纳建造的新哥特式市政厅提供了根据，而因1844年至1845年间设计了汉堡圣图版4尼古拉斯（St. Nicholas）清教教堂的精美塔楼而出名的G·G·斯科特（G. G. Scott）在十年后为他自己设计的汉堡市政厅辩护时，便能够提出同样的依据，他说："市政厅或市民中心的根本理念是哥特的。无论从起源还是从特性方面看，市政厅所象征的城市议会在本质上是属于条顿民族的，它应该被认为是最值得尊敬的日耳曼机构之一，理当获得纪念。"[25]而工业时代英国建造的那一批雄心勃勃的维多利亚风格的市政厅——如1850年代卡斯伯特·布罗德里克（Cuthbert Brodrick）设计的利兹市政厅，就缺乏这一类特殊的历史依据，它们的塔楼表现出一种凝重的城市古典主义，不过哥特主义在曼彻斯特这样的地方也曾得到流行。但是议会大厦和它那两座雄伟的哥特塔楼建立起了全国性的天际线象征符号，对整个世纪都产生了影响。大本钟所在的钟楼将佛兰芒钟塔——如伊珀尔布料交易厅钟塔上的一些装饰元素，与意大利教堂钟楼干净利落的形式结合在一起，而另一座337英尺（103米）高的维多利亚式正方形塔楼却令人联想到英国式哥特风格晚期的十字点塔楼，以及城堡和乡村别墅的传统。

火车站是前所未有的完全现代的机构，但是由于它是城市新的大门，所以它一经出现便采用了雄伟的钟楼形式。意大利式的钟楼流行了较短的时间，也有一些外来的奇异的形式，如亨利·奥斯汀（Henry Austin）设计的纽黑文联合车站（1848—1849年）的双塔及半段佛塔式样的入口，其目的是为了激发人们对于遥远地方的遐想。中世纪化的塔楼从19世纪中期之后便十分流行，但由于这类塔楼牵涉着宗教寓意，所以由此引发的不快也从未平息。一份当时的资料认为，波士顿的公园广场车站"更像是一座教堂建筑……而更加深人们对这座建筑性质误解的地方，是它有一座比例良好的125英尺（38米）高的塔楼。"[26]

图版39　夜晚的香港，几个世纪前人们无法想像的城市景观。（就目前而言）这场国际表演的明星演员是位于照片左边的汇丰银行大厦［福斯特事务所（Foster Associates）设计，1986年竣工］和更新、更高的中国银行大厦（贝聿铭设计）。

工业革命之前，最早的完全世俗性的天际线元素应该是城墙。对于一个从公路上接286近城市的旅行者来说，城墙是他从卡尔卡松尼（Carcassonne）或马拉喀什这样的城市中得到的最初也是最强烈的视觉印象。城墙本身被刻画在天空的前面，而其中塔楼、门楼和宝塔等则担当着垂直性视觉重点的作用。

这是中世纪城市景观的传统；一个最好的例子表现在西莫内·马丁尼（Simone Martini）绘制在锡耶纳市政厅（Palazzo Pubblico）里的名叫《乔多里丘·达福利亚诺》285

285　西莫内·马丁尼，《乔多里丘·达福利亚诺》，1382 年，锡耶纳（意大利）市政厅中的壁画。位于骑在马上的福利亚诺身旁的两座城市被认为是沙索伏和蒙特马西，这两座城市在 1328 年被征服，在常见城市风景画面上加入骑手的决定可能出自后来的想法。

（*Guidoriccio da Fogliano*）的壁画当中，画里的这位雇佣兵长官（condottiere）驰骋在沙索伏（Sassoforte）和蒙特马西（Montemassi）两座要塞之间。由于画的主题是征服，所以城市的形象也带有了军事性。可是当锡耶纳出现在安布罗焦·洛伦采蒂（Ambrogio Lorenzetti）的壁画《好政府的寓意画》(*Allegory of Good Government*) 当中时，则更乐于展现其中的城市建筑，尤其是住宅。还有一类处于上述两种倾向之间的完全描摹性的城市风景画，如锡耶纳美术馆收藏的一幅名为《海滨城市》(*A City by the Sea*) 的风景画，这幅画可能同样是洛伦采蒂所作，画中的天际线包含了组成意大利城市的各主要元素——城堡、教堂、公共建筑和城墙。

如果画面充分写实的话，那么传统薄壁城墙包围下的城市制高点（如教堂尖塔等等）就会伸出墙体，犹如帆船的桅杆。到了 16 世纪及更晚的棱堡城墙时代，由于这时的墙身较矮，所以从城外可以看到城市中更多的重要纪念建筑，但是新的情况是，由于现代棱堡蔓延的范围加大，所以外来旅行者与城市天际线中的标志物的距离也因此加大了。

在工业革命之前的城市里，天际线中许多不同种类的垂直标志物都具有功能上的理由。为了看清远处，灯塔、火灾观察塔等必须造得比较高。但是工业革命创造了这种生产性天际线里的技术性地标，并使其无处不在。彼此相同的高大的砖砌烟囱成为新时代的钟楼和教堂尖塔。新的功能任务又促发了更多新的特殊形状，被当作城市强有力的象征建造了起来。布里斯托尔在原有城市轮廓的基础上加进了陶器与玻璃制造业使用的瓶状干燥炉。谷物提升塔出现在爱荷华州和堪萨斯州等中西部小城镇的主要大街的尽端，或浮现在河流或火车轨道的旁边。在俄克拉荷马州和得克萨斯州，油井的钻探平台宣布着这些社区的富裕和自豪感。

图版 37

113

水塔是 19 世纪出现的一种现象。在平地国家，只有将水贮藏到足够的高度，才能使建筑中的高楼层获得必需的水压。在 1840 年代后出现的美国火车型城镇里，为蒸汽机车充水的水塔与谷物提升塔一起成为天际线中最主要的元素。这些塔的建筑材料为石或砖；到了 20 世纪初，顶部球形的容器开始改由金属板建造。

在建筑处理上值得一提的水塔有伊斯坦布尔的比亚才水塔(Beyazit Tower)、芝加哥的老水塔以及德国曼海姆（Mannheim）玫瑰花园中的水塔和沃尔姆斯的水塔，沃尔姆斯的水塔像教堂一样，是用红色沙岩建造的，形式模仿了该城市里著名的罗马风式纪念建筑。在门兴格拉德巴赫（Mönchengladbach），水塔成为一种刻意的建筑标志物，位于街道汇聚的城市重要制高点上。 309

在最近几十年里，水塔是由钢和混凝土建造的。架高的混凝土水塔最早在瑞典和芬兰出现，呈扁锥形壳体；在沙特阿拉伯这样的一些缺水国家，水塔戏剧性地被捆绑在一起——犹如卢克索和凯尔奈克等地雄伟的多柱厅的现代版本。[27]

20世纪，发展从制造时代转入服务与通讯时代，于是轻质钢骨架结构的信号传送塔便成为无可争议的突出物。1954年至1955年间从斯图加特开始建造了一系列钢筋混凝土信号传送塔，塔身呈圆形或多边形。这样的形式在柏林、法兰克福、伦敦、约翰内斯堡、武汉（中国）和莫斯科都曾经出现过。京都的通讯塔建造在一座10层高旅馆的顶部，利雅得（Riyadh）（沙特阿拉伯）通讯塔的塔身为大理石，塔端为玻璃，形如切开的钻石，到了晚上，玻璃顶内星光闪烁。多伦多的CN塔是目前世界上最高的通讯塔（1748英尺,约533米），但这些记录都不会保持很久。[28] 287

为了获得人们的理解和喜爱，通讯塔的顶部设有观光平台和餐厅。但也有一些塔楼

286　阿维拉（Avila）（西班牙），城市全景，可以看见至今保留着的中世纪城墙。

287　柏林，玛丽亚教堂（Marienkirche）和电视塔（Fernsehturm）。建于15世纪的玛丽亚教堂和它那建于18世纪后期的新哥特风格尖塔被前东德政府在它们的旁边安排的一个20世纪的邻居盖过。这座电视塔高达1197英尺（365米），1969年建成时，其高度仅次于莫斯科电视塔居第二位。它有一个引以为自豪的特色，即高架于空中50层楼高的球形“电视咖啡屋”。

是特别为空中餐厅建造的，如西雅图 1962 年为世界博览会建造的“空中针尖”(Space Needle)、得克萨斯州达拉斯市联合旅馆中的独立餐厅塔楼（1976 年），以及田纳西州诺克斯维尔市(Knoxville) 1982 年为世博会建造的太阳塔 (Sunsphere Tower)。这些都是自埃菲尔铁塔之后逐渐为人们接受的新式地标。它们既没有工业上的要求，也不受过去历史的制约，这些别具一格的东西能够很好地统一城市形式，尤其是当原有的天际线并不具备明确特征的情况下：但同时，它们的成功也证明了城市传统文化象征物的匮乏。

天际线的设计

如果本章最重要的主题，是要探讨城市轮廓线在多大程度上是由于人们预先策划和刻意改造的行为造成的话，那么我们已经用了足够的笔墨建立起了这样一个事实：即，即使是在现代资本主义的行为模式之下，那种顺其自然的任意式的天际线也并非常态。对于这一点我们还需作进一步具体和深入的分析。

作为开始，我们必须思考的是，富于表情的天际线并不一定是一种显然的需要。在某些文化或某个阶段的城市历史当中，城市维持了一种无突出点的、平静的轮廓。

中国就是这样的一个例子。在中国城市当中，住宅、商业建筑、寺庙、政府建筑都基本上是一层高的结构，或者是由一二层高的结构组成的集合体。所有结构之间都围合了外部空间，材料和风格也大体一致。由于这些城市没有自治权，所以在天际线问题上，显然没有任何试图通过公共纪念物和市政厅来烘托政府权力的努力。有些庙宇中的佛塔的确脱颖而出，除此之外还有一些宝塔状的城门以及在中轴线交汇处的鼓塔和钟塔等等。因此，天际线基本上由一圈城墙决定，对于都城而言，皇宫则略高于一般建筑，因为它们建造在高台上。

古代罗马是另一个有趣的例子。古罗马城市在其发展阶段后期，由于城市边缘建造了浴场和圆形剧场等大体量建筑的缘故，所以形成了某种特殊意义上的天际线。除此之外，由于建筑的圆顶都较浅，方尖碑立于竞技场的中间，也就是说是在低地上，所以天际线中没有特别高的突出物。其中的特例要属港口的灯塔，以及偶尔出现的“摩天楼”式的出租公寓，就像德尔图良(Tertullian)（Adv. Val.7）曾经提到过的位于万神庙附近的一座那样。

所需思考的第二个问题是多文化城市中的情况，如多种主导性文化共存的耶路撒冷，或者，一种文化被另一种文化战胜和取代但却没有完全消失的情况，如伊斯坦布尔。在伊斯坦布尔，通过给圆顶教堂加建伊斯兰尖塔，从而改造拜占庭时期天际线的做法已经广为人知。在耶路撒冷，由已经退居次要地位的文化所制造的重要地标，大磐寺，至今仍然控制着老城区的天际线，不过周围犹太人的公共建筑和住宅当然也大大改变了城市与自然之

图版 34

288 江户（东京），费里斯·比阿托 (Felice Beato) 摄于 1865 年的照片（参见图 179）。大名的建筑群位于前景当中。日本城市和当时的中国城市一样，呈现出一种以一层和二层木结构为主的水平状屋顶风景，几乎没有或很少有垂直性的天际线突出物。

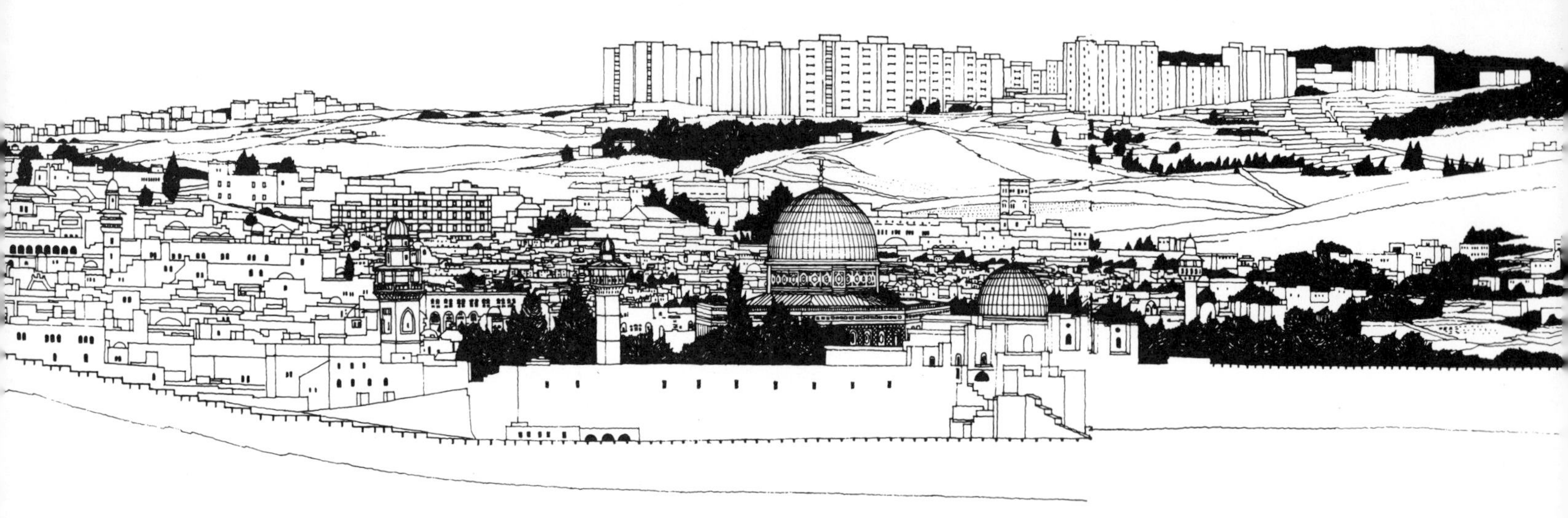

289 耶路撒冷，阿瑟·库切（Arthur Kutcher）所作的线条画，出版于他的著作《新耶路撒冷》（*The New Jerusalem*，1973年）当中。位于前景中传统天际线试图联合起来对抗现代的建设发展——如图中法兰西山（French Hill）上的那个新居住区。

289 间的关系。在爱尔兰的阿马（Armagh），19世纪时，当获得解放的天主教徒得以建造他们自己的大教堂时，他们选择了俯瞰城市的高地，因为城区中中世纪的——即爱尔兰教会（Church of Ireland）的大教堂已经占据了一个古老的山顶，同时，新的大教堂还建有高耸的尖塔，目的是为了超越新教的建筑。

那些意识到天际线重要性的征服者们有时也在这一方面限制被统治的民众。例如，奥斯曼土耳其政府就不允许保加利亚等被其制服的国家中的基督教子民在建造教堂时加入圆顶、塔楼和钟塔等元素，并规定他们的教堂和住宅都必须低于穆斯林的建筑。[29] 而当保加利亚独立之后，学校、教堂、钟楼等主要公共建筑通常建造在地势较高的地方，目的是要盖过当时占主导地位的清真寺。

几类设计原则

我们可以将决定天际线视觉特性的那一部分设计要素分离出来，其中包括高度、形状和路径。前两者指的是构成天际线的地标特征，第三者关系到天际线作为一个整体。有必要提醒我们自己的是，德语中Stadtbild一词的含义远远不只是地标（landmark）。这个词指的是与城市所处地形相关的城市整体轮廓，有时这种轮廓主要是由外部住宅的体量和屋顶的层次构成的。意大利山城的情况尤其如此。

高度

高度是一个相对的因素——它是相对于地标所处的周围环境而言的。成为欧洲，落基山脉（Rockies）以东，或者全世界范围内最高的建筑物，这包含着一种光荣。但是高建筑的实际效果还要取决于周围的情况。

所以，这里我们举出一些一般性的高度的竞争者，和一些特殊性的地方代表。法兰西岛地区（Ile-de-France）的哥特式大教堂相互之间在中殿高度以及塔楼的数量和高度上的竞争非常激烈。但每一个大教堂在各自所在城市环境中的控制地位却从未受到挑战。1787年，凯瑟琳大帝以自己的名字创建了一座新城市叶卡捷里诺斯拉夫，在这个城市里她设计了一座"比罗马的圣彼得还要高一个阿尔申(arshin)(约28英寸，0.7米）的"雄伟的大教堂。[30] 但是居民们并没有感受到它的超大尺度：对于他们来说，这座大教堂可能就是一座非常高的教堂而已。

摩天楼的竞争同样既具有一般性也具有地方特殊性。每年我们都会听说世界上某个地方的某座建筑物已经高过所有其他建筑物。但是，现实的天际线竞争却发生在具体的地方，就像明尼阿波利斯市中心的 IDS 大厦压垮了福山大厦(Foshay)，或者西尔斯大厦(Sears Tower)雄居素有摩天楼摇篮之称的芝加哥高层建筑之首那样。

高度控制是城市建设中不断出现的主题。奥古斯都时期的罗马有这样的规定，伊丽莎白时期的伦敦也是如此。虽然高度控制主要关系到结构安全和防火要求，但它们对城市轮廓的影响却是显而易见的。

为了天际线的塑造，城市当局会取消对某些建筑的高度控制。例如，1888 年制定的伦敦法案（the London Act of 1888）规定建筑最高度限制是 80 英尺（24.5 米），或者相当于建筑所在街道的宽度，但是教堂尖顶并不受其限制。直到二次大战结束，斯德哥尔摩的建筑高度控制条例一直放宽对教堂尖顶的要求。现在，大多数高度控制条例对非永久性结构和建筑附属结构并不作规定，所以电视信号发射塔便很容易建得很高。

1926 年，经过一场公民投票之后，洛杉矶当局决定，新市政厅可以不受 150 英尺（46 米）的通用建筑高度限制，于是市政厅的高度几乎达到了限制高度的 3 倍——相当于 32 层楼——使它成为当时平淡无奇的天际线的焦点。另两座建筑也获准不受高度的限制，它们分别是法院和美国邮政大厦。两者的高度都远远低于市政厅，所以并没有对市政厅的中心地位造成影响。150 英尺的高度限制最早确定于 1911 年，后来由于地震的威胁，这一限制一直保持着，直到 1956 年，一项城市宪章的修补案才解除了这一限制。因此，洛杉矶错过了摩天楼的建设期，在美国的大城市当中，惟独洛杉矶无法展示经几轮高层建筑建设浪潮之后的全民性成就。1941 年的一位观察者注意到洛杉矶的中央商务区就像是小城镇的商业区。他总结说：“由于这里没有摩天楼，所以缺乏大都市气息。”[31]

290

290　洛杉矶（加利福尼亚州），市政厅，1926 年建造。自从 1956 年，即 1911 年生效的高度限制条例被解除之日起，这一建筑就被如丛林般涌现的高层办公楼群盖过。

芝加哥可能早在 1880 年代就开始实行高层建筑控制。这个城市在 20 世纪初时规定的高度极限为 130 英尺(39.6 米)(波士顿为 125 英尺，约 38.1 米)，到了 1920 年便翻了一倍。纽约 1916 年的分区管理条例将建筑后退道路红线的概念合法化。建筑允许的高度由所处街道宽度的一定的倍数来决定。城市分为 5 个高度控制区，从最低的“一倍区”，即建筑的最高高度等于街道宽度，到最高的“二倍半”区，即建筑的最高高度等于街道宽度的 2.5 倍。如果想要超出这一高度规定，那么建筑物就要根据特定的公式，计算出必须后退道路的距离。在“二倍半”地区，建筑每超出规定高度 5 英尺，就必须后退街道红线 1 英尺。除此之外，并没有绝对的高度要求，严格执行这一规定的效果，便是火奴鲁鲁（Honlulu）那样的单一的天际线，“沿海岸连绵展开数英里，就像梳子上整齐的牙齿”。[32]

在美国，联邦航空管理局被赋予了一定的权限，以控制可能危及城市上部可飞行空间——通常指的是大都市机场跑道周围区域的建筑高度。从技术上讲，任何想要超过 200 英尺（61 米）的建筑方案都需要通报联邦航空管理局（FAA），但是对建筑高度和分区管理要求的最终决定来自当地政府。

我们如何才能事先推断一座新建筑将要对天际线造成怎样的影响呢？“有一些土办法，直到现在我们还会见到有人在居住区里树立垂直标杆以模拟新建筑高度。当然，这不适合高层建筑，但这时我们还有另一些土办法。在英国，很长一段时期内建筑的高度限制为 100 英尺(30 米)，相当于救火梯的高度。当剑桥大学 1962 年提议在新博物馆区建造 3 座高层塔楼时，人们便“放出一些气球来标志建筑将会达到的高度，以此判断塔楼建成后可能会出现的效果”。[33] 而这一实验结果导致的恐惧足以使规划当局作出了推翻高层建筑方案的决定。

更为复杂一些的办法是照像拼贴，即用拼贴后的图像表示出新建筑的位置以及新建筑与已有地标并列之后出现的效果。这种表现办法的细致程度有一定差异。以伦敦的米尔班克大厦(Millbank)为例，人们“在离基地 1 英里半径范围内的各个角度”拍摄了大量地形照片，“并经过精确计算获得了拼贴地形”。[34] 今天，这些方法已经变得十分陈旧。计算机和模拟技术可以提供各种各样的数据准备，涉及巨大投资和城市未来的决定将建立在这些数据基础之上。始建于 1969 年的加利福尼亚大学伯克利分校环境模拟实验室的重点研究课题，就是找到任何一座拟建高层建筑将会给环境带来的直接影响，同时，实验室也可以对天际线的变化作精确的视觉表现。今天我们不会因为计量知识的不足，而让一些巨构建筑得以实现。

291 环境模拟实验室，加利福尼亚大学伯克利分校。

但是，大发展商的权力和贪婪以及我们对垂直竞争的宽容还需要有所收敛。在 50 层的摩天楼已经司空见惯的今天，二战前建造的一批高层建筑已经显得很不起眼。地方政府惟恐妨碍国际集团的计划，担心它们会被其他城市抢走，所以在保护自然和纪念性景观方面也在作一些微薄的努力。其中一些属于君子协定，可是并非每一个人都是君子。显然，如果城市有决心要维护政府的中心形象，并使其昭然于世的话，那么就必须将控制规则写进法律。

一些美国城市率先开展了这项工作。威斯康星州麦迪逊市 1977 年通过了一项立法，它规定：

在以州政府大厦为中心的 1 英里范围内，任何建筑和结构物上的任何一部分都不得超过上述州政府大厦基柱的高度……这一限制不适用于任何得到批准的在有条件情况下使用的旗杆、通讯塔、教堂尖顶、电梯机房和烟囱。

之后的第二年，阿肯色州的小石城（Little Rock）也通过了类似的法案，规定“鉴于政府大厦的象征性地位在很大程度上取决于其圆顶作为城市天际线中的独特形式而具有的视觉重要性，任何新发展的项目都不得超出圆顶的基座高度。”[35]

美国的一个特例，当然要属联邦城市华盛顿。在这个国家里，它这是一座水平性的城市，这要归功于一项 1910 年制订但至今仍未被推翻的法案，这一法案规定建筑的高度极限为 130 英尺（39.6 米），与当时波士顿和芝加哥的高度限制相似。该法案并没有特别提到天际线、国会大厦和任何其他纪念物。所谓与国会大厦圆顶高度取得关联的说法完全不符合现实，因为国会圆顶的高度达到了 315 英尺（96 米）。但是这一法案对城市非常有利。地产业和建造业试图将这一高度限制放宽的多次游说都遭遇了保护运动组织的有效抗衡，这一运动坚持，在朗方的规划范围内不得出现高层发展项目，所有高层建筑只能建造在环绕市中心的山系之外。

形状

建筑总的体量和形状是区分同一个历史框架内相互竞争的不同建筑物的有效手

段——无论是城堡与市政厅的竞争，还是一个新的政权或时代对前一个政权或时代的取代，就像布鲁内莱斯基的大教堂圆顶出现于佛罗伦萨的中世纪环境中那样。在权力急剧转换的情况下，新入主的政权会寻求某些特殊的天际线手段，将自己与过去的历史区别开来。法西斯政党为了转化意大利城市的天际线，也曾提出过一项（未实现的）"利托里亚塔"（Torre Littoria）的方案。 图版 33

在莫斯科，苏维埃宫（the Palace of the Soviets）曾经试图将城市天际线锁定在自身这个单一的焦点地标上。1933年约凡（Iofan）的设计方案是一座蹲坐的3层塔楼，正立面的顶端是一个60英尺（18米）高的《解放的无产阶级》塑像。在第二年的一个新方案中，建筑体量被垂直拔高，顶部是一座260英尺（79米）高的列宁像，这一塑像的姿态后来成为列宁像的标准姿态——一只手臂搂着一叠纸，另一只手臂伸向他的听众，同时也伸向未来。修改后的苏维埃宫成为1935年莫斯科"斯大林"规划平面中的焦点。施工开始于1937年，但苏维埃宫最终成为战争的牺牲品。 295

292 路德维希·密斯·凡·德·罗（Ludwig Mies van der Rohe），1922年柏林腓特烈大街车站的设计竞赛方案。密斯的设计本可能会给柏林传统中心区增添一座革命性的钢铁和玻璃的摩天楼。但这项工程并没有受到竞赛评委会的认可，据认为，密斯的方案受到当时正在施工的美国钢框架高层建筑的启发。

1920年代，年轻的魏玛共和国也试图将自己与被颠覆的柏林"旧政权"（ancien régime）区分开来，人们规划在城市中心建造办公塔楼——这是一种被颂扬为"大城市民主"象征的新锐的建筑类型。为了赋予这座城市一个摩天楼的轮廓，这里进行了多次设计竞赛。1922年马丁·瓦格纳（Martin Wagner）这样写道，"人们在日常生活的重负中喘息着，但是建筑师们——却拥有着梦想！他们建造高耸的塔楼。摩天楼的念头将他们迷住了。他们过去规划并建造了俾斯麦（Bismarck）塔楼，现在，公司大厦和办公建筑也像塔楼一样伸向天空，尽管这个天空还只是在纸面上。"[36] 这些方案充满自由的创意，表现出刻意地要与传统美国式摩天楼相区别的抽象的形式。其中最为惊人的方案是密斯·凡·德·罗设计的玻璃摩天楼，它成为二战后一段时期内出现的反射面高层建筑的先驱。 292

但是魏玛时代还没有来得及树立起表现其创造力的灯塔就已经结束了。建成的一部分公司大厦中大部分都是矮壮的高大建筑，几乎从未超过10层，而且也没有按城市设计者规划的那样，建造在能够对柏林天际线构成影响的位置，相反，它们全都建造在公司总部所在地，或者是在公司事先已经拥有所有权的土地上。到了1933年纳粹执政的时候，高层建筑设计强调的是水平的楼层线。新政权鄙视摩天楼，认为它是一种非德国的东西，对摩天楼的使用也力求不引人注目。位于希特勒和斯皮尔规划的主轴线上的两座摩天楼都只包含一般性的功能——一座为旅馆，另一座容纳德军最高统帅部的办公部门，而且它们的体量还退后了街道两边主要建筑物的控制线。 263

战争结束后，西德接受了高层建筑，不过仍然坚决地将其阻挡在传统城市中心区的外面。民主德国在这个问题上的争议更为复杂。根据1950年的重建法，"政治、文化和行政机构必须设在城市中心……城市轮廓将以主要的纪念性建筑为特征。"[37] 为了突出地区性行政中心的天际线，就有必要在上述建筑群中包含某种形式的摩天楼。地方上的愿望有时与这一总的政策相冲突。例如，在德累斯顿，城市官员主张对这座被轰炸的传统城市进行保护，这就意味着还原旧的天际线，与之相反，共产党，尤其是中央政府则希望建造一座能够改变传统风貌的，具有主导地位现代摩天楼。[38]

无论如何，在柏林、德累斯顿、马格德堡、斯大林市，以及其他一些卫星都市如索非亚、布加勒斯特等地，为党的中央机构建造一座独立塔楼的计划都从未获得实现。但是以摩天楼的体量为天际线中心的概念一直保留到斯大林和社会现实主义政权倒台之后。在后一届政体当中，现代主义的模式被人们所接受，政府权力的象征开始借助科技的力量表现。于是这时候最关键的塔楼是工业和技术研究中心。其中有两座建造在东德的大学校园里。耶拿（Jena）的一座摩天楼的平面为圆形，象征着代表当地光学工业的镜头；莱比锡的一座摩天楼为出版中心，平面呈三角形，象征着一本翻开的书。与此同时，将塔楼用于224住宅也使其获得一种家的象征。在提到东柏林斯大林大街上的高层住宅塔楼时，那位被恢复了名誉的现代主义者赫尔曼·亨尔曼（Hermann Henselmann）写道：“塔楼对于我们的人民——而不是对其他人来说，是一种坚定、任性和力量的象征。人民也在他们的语言中用塔楼这个概念表达出同样的思想。”[39]

在形状这个的主题上，还要涉及体量。电视信号传送塔，或者说空中针尖与核电站的冷却塔之间的差别显然是巨大的。天际线的主导地位显然不是高度或高度本身能够决定的。在《天际线》（*Skylines*）一书中，韦恩·阿托（Wayne Attoe）提醒我们，1944 年在英国的达勒姆（Durham）展开的一场围绕大教堂以北 0.75 英里（1.2 公里）的一座拟建电站的辩论当中，核心问题不是高度而是体量。反对者声称，尽管电厂的高度要低得多，并且在相当远的距离之外，但电厂的庞大的体量将会对著名大教堂产生影响。（公司最终放弃了建造计划，现在达勒姆的天际线已经得到法律的保护。）与此同类的情况是，剑桥市的城市总建筑师在他 1962 年编写的新建筑设计审批指导原则中，强调了剑桥“尖峰状的城市轮廓的极度脆弱性。在这样的城市轮廓中加入任何壮硕的元素都将不可避免地造成对它的本质特征的破坏”。[40]

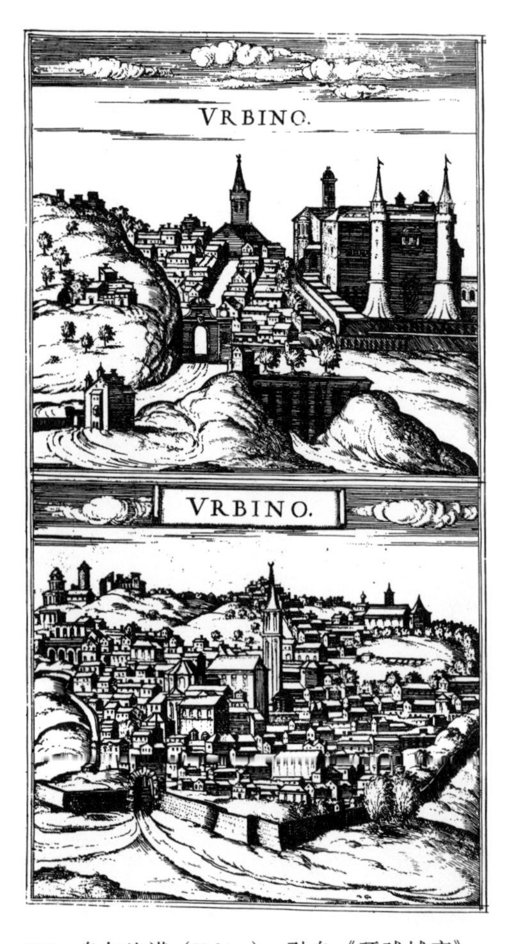

293　乌尔比诺（Urbino），引自《环球城市》（1587 年）的两幅风景画，视点分别取自南面（上图）和东面（下图）。16 世纪的中期，这座城市的典型天际线从重点表现城市和大教堂的东部景观转移到以领主府邸及其入口塔楼为主导的南部景观。

路径

这个问题关系到来访者对天际线特征的直接体验。传统的城市很小，而且由于没有286被蔓延性郊区包围，所以能够被直接地感受。事实上，城墙通常是最先遭遇的天际线元素。今天，城市非常大而且没有围合，在我们得以阅读城市中心的象征关系之前，各种各样其他的天际线元素早已出现在城市周边，尽管城市中的纪念性建筑可能已经受到法律的保护。以华盛顿为例，在朗方的水平性城市范围之外有一圈高层建筑，所以，只有当我们看到城市中的纪念物和国会的圆顶时，才会忽略这些高层建筑的存在。今天，城市同样也需要向那些从怪异的角度和夸张的高度快速进入城市的高速公路上的驾车者们宣告自己的出现。从空中看城市的情况也变得相当普遍，因此不可避免地需要建立起一些标志性的空图版 23中景观角度。今天卡梅伦（Cameron）的《俯瞰》（*Above*）系列即相当于当年费宁格（Feininger）或施蒂格利茨的天际线画面。

从传统角度看，有意义的城市天际线视点可分为三类——一种取自进入城市的陆上图版 5,6道路；一种是沿江边或海滨的水景；最后一种是从城市里某个有利的高地获取的城市268画面，如罗马的平鸠山（Pincio）和加尼库仑山（Janiculum）、科莫（Como）的布鲁那特（Brunate）山以及巴黎的蒙马特尔（Montmartre）高地。事实上，巴黎最早的风景画就取自蒙马特尔高地（1415 年后）。[41] 除了自然形成的观景平台外，城市还可以从其中的高层建筑物顶部俯瞰自身。几百年来，攀登钟塔和圆顶早已是一项普及的运动。到了现代当然还新加入了高层建筑。纽约洛克菲勒中心 RCA 大厦顶部的观景台“是国内最宽阔的一个；它为每年近 50 万前往观光的人提供了足够的漫步的空间”。[42] 在旧金山的帝国旅馆，具有

360°景观的“空中房间”餐厅(启用于约1938年)为后来的旋转餐厅提供了效仿模式，正如我们后来所见证的那样，这些旋转餐厅最终栖息到了各种电视通讯塔以及各种特别为观景用餐而设计的高塔的顶部。”

从水边获取的景观常常是全景式的和逐渐展开式的。城市天际线成为一个运动氛围中的固定元素：水与天对于最平淡无奇的城市形式来说，是一个能发挥烘托作用的边框。当船只驶近时，远处的城市轮廓逐渐丰富而变幻。因此，一个好的天际线构图是要让其中的各种元素在一系列视点上分别以恰当的比例呈现。一座像亚历山大灯塔（Pharos of Alexandria）那样高大的塔楼，或者一座像罗得岛巨型雕塑像（Colossus of Rhodes）或纽约自由神像那样超大尺度的塑像为在其身后展开的城市风景担当了恰如其分的路标作用。建筑顶冠的结构——圆顶或尖顶，也可能扮演类似的定位作用。陆地中的城市如果要向海上的旅行者宣告自己的存在就必须依靠高度。在卫城破土而出的高耸岩石之上，帕提农神庙闪亮的白色轮廓向进入比雷埃夫斯港的船只宣告雅典的存在。卫城入口处那座巨大的黄铜女神像——雅典娜柏洛马考士守护神（Athena Promachos）的矛尖，甚至在更远的海面上都能看见。

图版32

图版5

陆上的路径会以更有目的的方式向城市聚焦。因为城市关注自己的这一最初形象，所以它也可能为制造某种画境效果，或为表现某种思想意识而细心地调整路线和组织景观。将路径朝着有特征性的天际线方向引导的做法由来已久。如布劳恩费尔斯所说：“拿破仑并不是第一个在规划中将穿越乡村的道路引向教堂尖顶的人。大部分中世纪的道路也是这样直接通向大教堂或城市教堂尖顶的。”[43]

294　“想像中的大都市”，休·费里斯所作的炭笔画，引自他的著作《明天的大都市》(1929年)，图中，他设想了一种在基本为6层的建筑基底上平均布置一系列1000英尺高（305米）摩天楼时的情形。这也是费里斯针对纽约和芝加哥等地高度集中的高层商务区现象而提出的解决办法。每座摩天楼的基地将覆盖6~8个城市街块。

乌尔比诺是这种经设计形成的城市的最佳实例。最近学术界注意到15世纪时乌尔比诺为适应其领主弗代里戈·达蒙泰费尔特罗（Federigo da Montefeltro）的政策而作的一次天际线的调整。其中最关键的一项举动是在新府邸的前方加建了一座凯旋门，这样，当人们从南方取道自罗马出发的公路，沿古老的弗拉米尼亚大道（Via Flaminia）来到城市时，从远处最先看到的就是这座凯旋门。从此之后人们总是从这一侧描绘天际线，相对而言，从东侧描绘的天际线则较少。我在其他地方的文字里对这种变化的重要性作过一个归纳——这是由于弗代里戈与教皇西克斯图斯四世之间有着特殊的关系，教皇将它的头衔从伯爵提升到公爵，并封他为教会的标准持有者(Standard-Bearer)和圣彼得的骑士(Knight of St. Peter)。[44] 于是新的府邸便要与新获得的高贵地位相匹配，它的立面朝外，指向罗马，以确认它和罗马教皇之间的主从关系。而在另一方面，东部天际线中突出的是宗教建筑，府邸只是在最左上方的位置上占了一个不起眼的角落。

293

这种单一主题的布局只适合乌尔比诺这样小尺度的城市。当城市更大、更复杂时，天际线的组织在某种程度上就必须关注地标性建筑的分布和前往城市的路径之间的关系。约翰·依夫林在他所做的伦敦大火后的总体规划说明报告中就认识到了这一点，他写道，新的教区教堂的“位置和分布，关系到从所有道路上看到的城市轮廓的美观性，因此它们的间隔需要经过细致推敲……”[45]

212

最持久的冲突发生在高密度的、纪念性的城市核心区所拥有的古老传统与开放性城市的扩张性建设方式之间。20世纪美国大都市的中央商业区，即“CBD”就是这种矛盾在现代时期的表现。早在1920年代末期就有观念认为，摩天楼必须分散于整个城市，而

295　一位艺术家对莫斯科重建的构想，1950年前后。这个角度是在城市中心上空向西南方向望，克里姆林在前景中。未实现的苏维埃宫位于河的右面；36层高的莫斯科大学建成于1956年，在图的左上角。其他3座摩天楼从左至右分别是：外交部（the Ministry of Foreign Affairs）（27层，建于1951年）、乌克兰旅馆（Hotel Ukraina）（29层，建于1956年）、沃斯塔尼亚（Vosstaniya）公寓楼（18层，建于1954年）。

不是被限制在城市中心几个拥挤的街区当中。当时，纽约就出现过几例这种类型的方案。曾经参加过1929年纽约地区规划的E·马克斯韦尔·弗里（E. Maxwell Fry）就做过其中的一个。而雷蒙德·胡德则做过另一个。胡德建议在整个城市范围内的主要地铁站布置摩天楼。在休·费里斯（Hugh Ferriss）的《明天的大都市》（*The Metropolis of Tomorrow*, 1929年）的构想当中，摩天楼作稀疏而广泛的分布，但仍然以曼哈顿的网格为基础。费里斯明确提出“虽然它们(指高层建筑)并非严格等距离布置，相互之间的关系也不呈绝对的棋盘形，但它们的定位显然是按照全市范围内某种统一的规划来决定的”。但是巨大的经济调整迫在眉睫，而分区控制规划条文的调整还没有出台，所以这些计划一直停留在纸面上。即使今天，在促进高层建筑有序分布的问题上，主动的协商手段大部分仍然没有成效。其中一项政策是允许转让对土地潜能的使用权以换取对另一块土地的发展权，这一政策通常被认为是保护传统建筑的一种办法；另一项政策是通过减税、税务信用和延期付款等措施，对那些愿意在CBD以外地区开发的发展商提供一定的优惠，从而鼓励高层建筑的分散分布。

294

莫斯科同样采取了在全城范围里统一组织现代天际线的方针，由公众来决定高层建筑的具体位置。在那里，这样的计划有可能而且已经实现。二战之后，莫斯科放弃

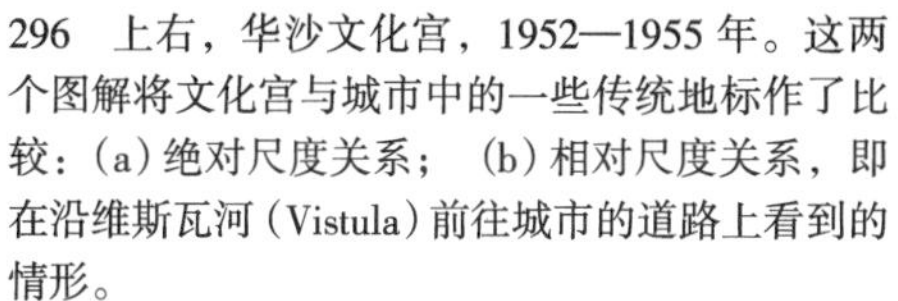

296　上右，华沙文化宫，1952—1955 年。这两个图解将文化宫与城市中的一些传统地标作了比较：(a) 绝对尺度关系；(b) 相对尺度关系，即在沿维斯瓦河 (Vistula) 前往城市的道路上看到的情形。

了以顶部竖有巨型列宁塑像的苏维埃宫为聚焦点的集中性的天际线计划，并于 1947 年提出了建设“高层地标性建筑系统”的新方案。其目的，是要让天际线成为一种定位手段，重新建立城市的可辨认性，因为可辨认性曾经是莫斯科原有的一种城市特性，但是由于 1930 年代全城范围内不加区分地建造了一批 6~8 层的住宅，于是城市便失去了这种特性。新计划为莫斯科的外环大道——撒多沃依·科特索花园环道 (Sadovoye Koltso) 挂上了一条“由竖向标点组成的项链”，而更远处的一座单独的摩天楼——即大学所在地，则成为一条新的城市轴线的终点，这条新轴线从克里姆林西北面的捷尔任斯基广场 (Dzerzhinsky) 出发，经过一系列宽阔的林荫街朝列宁山 (Lenin Hill) 前进。 295

莫斯科城市周边的关键位置上总共布置了 8 座高层建筑——如果包括相对敦实的北京饭店 (1946—1950 年) 在内的话，则一共为 9 座。除一座外其余全部已经建成。如果莫斯科最终建成了它的苏维埃宫的话，那么城市的天际线将会在更巨大的尺度上重复传统的克里姆林宫模式：即沿宫墙排列着一群小的塔楼，它们簇拥着位于中央的一座 265 英尺 (81 米) 高的伊凡大帝 (Ivan the Great) 钟楼，这座钟楼曾经是俄国最高的建筑，在 15 英里 (24 公里) 开外都可以看见。

完成后的摩天楼成为城市入口的标志物。其中 6 座位于放射状高速公路与城市环路的交叉口，另 3 座紧邻火车站。除了服务上述视觉目的外，建筑物并不拘泥于某种特定的功能。其中 3 座为旅馆(包括北京饭店在内)，2 座为政府部门，2 座为公寓，1 座为大学。苏联政府对这些高层建筑的分布和形式感到满意，同时也急于将这些高层建筑与它们意识形态上的敌手所建造那批摩天楼区分开来，于是政府借 1954 年出版的《苏维埃百科全书》(*Soviet Encyclopedia*) 批判了美国式的摩天楼(Neboskreb，字面意思为“摩云楼”)，指其是资本主义贪婪的象征，它们混乱的组合是对社区价值和城市质量的破坏。[46]

苏联独立式摩天楼的标准形式是以长方形体量为基础，逐步向上收缩，最后集中于一个纤细的尖顶。这种形式不可避免地使其获得了“结婚蛋糕”的称号，德国人称其为“甜食店风格”。1950 年代早期，这种类型传到了东欧。华沙的文化和科学宫——“一份来自苏联的礼物”——是其中最著名的一例。它的高度为 768 英尺(234 米)，顶端装饰构件的主题来自中世纪波兰的世俗建筑［如格但斯克(Gdansk)的市政厅］，这座建筑的目的，是要成为位于旧城市以南 1 英里 (1.6 公里) 处新的城市中心的焦点。

296

这样的布局并非偶然。战后华沙的规划师们急于证明，这些必然出现的新的天际线建筑将能够与已有城市结构协调，而不是冲突。关于如何重新组织受破坏的城市天际线的辩论不仅非常激烈，而且还带有某种紧迫性。用这场辩论中一位参与者的话来说：

> *由于紧临河边的城市街坊几乎遭到彻底破坏，因此在总体规划中就有可能重新回到先前的组织原则上去……城市各单独部分的建筑形式，尤其是突出的高层建筑的分布，必须既结合传统的城市体系，也要考虑到不同视角上的城市整体轮廓线的创造性塑造。*[47]

最主要的问题似乎是：虽然摩天楼的高度可能是重建城市中原有最高建筑的许多倍，但是只要通过对前往城市的路径的设计，让传统的纪念性公共建筑首先进入视野，那么这样它们便可能构成远处高层建筑轮廓的前景。也许当你接近高层建筑时，老城已经被抛在身后，所以冲突便不会存在。

色彩和光

> *当你走近它时，莫斯科是不同寻常的［冯·哈克斯陶森男爵(Baron von Haxthausen)写于 1856 年的文字］，我所知道的欧洲城市没有一座可以与之相比，而最精彩的观景点是一个叫麻雀山 (Sparrow Hills) 的高地。那些不计其数的金色、绿色的圆顶和塔楼（每座教堂至少有 3 个，大部分有 5 个，有些甚至有 13 个，而城市中的教堂大约有 400 座之多）从红屋顶住宅的海洋中升起，克里姆林宫位于其中的一座山上，宛如这一切之上的顶冠……*[48]

这位男爵如此被打动是有理由的。这种多彩的天际线不仅在欧洲，甚至在整个世界都很少见。而色彩一直以来都是突出城市轮廓的标准手段。布鲁内莱斯基著名的佛罗伦萨大教堂圆顶之所以如此突出，不只是因为它完美的形状，同时还要归功于砖质的板、肋和白色卡拉拉大理石 (Carrara) 质的塔式天窗的鲜明对比。在亚洲，庙宇的山门和佛塔也带有绚丽的色彩。这些色彩大多已经退却或消失，其中一部分得到了复原。20 世纪中期，马杜赖根据公民投票结果决定，对大庙山门进行修缮并恢复了碑文中记载的原有的鲜艳色彩。

另一方面，纽约装饰艺术风格时期（Art Deco）的摩天楼经细心设计的外部色彩现在看来都已经不太明显。可能受到德国表现主义风格（German Expressionism）的影响，一些高层建筑，如 1928 年至 1929 年间在滨河路上建造的马斯特大厦（Master Building）使用了色彩渐变的砖，建筑的底部为深紫色，到顶部逐渐减退至浅灰。据说这是一种光学手段，可以使建筑看上去比实际更高，而且即使在阴天也会产生一种阳光照耀的错觉。[49]

镀金也是一种常用的突出地标建筑的手段。古罗马用金瓦铺设图拉真的乌尔比安巴西利卡（Basilica Ulpia）和万神庙的屋面。仰光瑞光大金塔（Shwe Dagon Pagoda）的外面包裹了 8000 多块金片，它的顶部装饰着钻石、红宝石和蓝宝石。1874 年，在建成近一个世纪之后，波士顿州政厅的圆顶披上了金叶。这一决定对该建筑非常有利，使其圆顶在失去了天际线高度优势之后的很长一段时间内，仍然保持着地标的地位。

城市同样也有各自独特的整体色调。巴黎为灰色，旧金山为白色。旨在维护这种独特色调的政策并不鲜见。例如，在耶路撒冷，法律规定城市周边所有现代建筑都必须以耶路撒冷石作为贴面，由此产生出一种自然的粉笔画的色彩；在黎明和日落时，这种石头给城市披上了一层金色的光芒。

电的发明以及它从大约一百年前在城市中的广泛使用，使得历史上曾经从未有过的夜景天际线成为可能。之后，霓虹灯的发展最终造就出拉斯韦加斯那样华丽艳俗的花饰。在早期，光技术所能达到的效果一定被人们叹为奇观。根据在场者的记录，我们得以了解在 1893 年哥伦比亚世界博览会上，当夜晚电灯亮起，人们看见芝加哥南侧杰克逊公园湖边矗立着一座闪耀着光芒的白色城市（White City）时，心中的感受。三十五年之后，巨大而鲜红的“PSFS”霓虹灯字母出现在费城储蓄基金会大厦的顶部，这是另一个新时代的开始。

图版 39

1937 年，发光的红星装到了克里姆林宫的 5 座塔楼上。星星在战后经过重新设计，它们由红色玻璃制作，外框为镀金的不锈钢，每颗星星的形状和大小都分别与各自所在的塔楼相匹配。它们围绕着钟楼放射出光芒，并随着微风缓慢旋转。这种神奇的天际线是伊凡雷帝（Ivan the Terrible）或彼得大帝都无法想像的。

现代的天际线

现代天际线发展的脉络可以被十分概括地梳理出来。实际情况是，一方面，一般性建筑的尺度普遍增大，压抑了传统天际线中的公共象征物。奥斯曼时代的巴黎将公寓建造得如纪念建筑一般，公共建筑的尺度被施用到了整个城市之上，使得真正的公共建筑在其中脱颖而出的能力备受考验。与此同时，夸张的屋顶形式也能产生一种间接性的纪念性尺度，这种尺度能够将城市的某个区域统领起来。巴黎火车站就是这样的例子，重建的卢浮宫也是如此。但不仅如此，象征性纪念物的等级层次也必须存在。巴黎新市政厅（Hôtel de Ville）必须比巴黎各区的区政府大楼或教区的教堂更大、更雄伟，而后者则相应地要比医

图版 23

SCIENTIFIC AMERICAN

A WEEKLY JOURNAL OF PRACTICAL INFORMATION, ART, SCIENCE, MECHANICS, CHEMISTRY, AND MANUFACTURES.

NEW YORK, JANUARY 24, 1874.

THE CENTENNIAL TOWER ONE THOUSAND FEET HIGH.

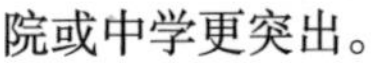

297　上左，“百年塔”方案，克拉克和里夫斯事务所（Clark, Reeves and Company）为1876年费城百年纪念博览会设计，引自《科学美国人》（*Scientific American*）杂志，1874年1月。

298　上中，1884年，巴黎埃菲尔铁塔的初始设计。这一想法来自埃菲尔事务所的两位工程师：莫里斯·科林（Maurice Koechlin）和埃米尔·努吉耶(Emile Nouguière)。这个方案经少许修改后在1889年巴黎博览会中实现，图中，两位工程师设计的塔楼的高度与其他7座结构物叠加后的高度相同，这7座结构中包括巴黎圣母院、自由女神像和凯旋门。

299　上图，都灵（意大利），“安托耐里掘进机”（Mole Antonelliana），1863—1888年，其名称来自于它的设计者亚历山德罗·安东内利。该建筑原本是都灵市的犹太教堂。

院或中学更突出。

另一方面，这种新的、扩展了的纪念性同时也赋予了银行、百货店等一些私人公司及其他世俗机构更高的身份，于是，公共和宗教建筑通过其尺度及突出性而在城市景观中获得的传统的重要地位已经无法继续维持。

在城市形式出现了普遍的表皮肿胀症的状态下，如何才能区分出政府和宗教机构？或者，如果它们的隐退可以被人们接受和理解，那么人们还能够构想出怎样一些新的属于现代的纪念物，让它们负担起教堂和市政厅曾经承载过的包含价值观念的公共角色和社会象征呢？

在一段时期内，城市试图根据新的城市尺度所设立的标准来进行抗争。巴黎圣心教堂（Sacré-Coeur）不仅有一个272英尺（83米）高的圆顶，超过了圣母院的塔楼，它还位于一座高出塞纳河面340英尺（104米）的山顶上。丹尼尔·伯纳姆在他的1909年芝加哥规划中设计的新市政厅凭借其屹立在高塔上的圆顶，超出了周围摩天楼许多倍。有一项策略是放弃城市区，转向依赖城市外的某个地标，因为城市内部在视觉上过于混乱，已经无法再给它添加任何有意义的公共印迹。圣心教堂便是这样一例，不过更符合这类情形的要属里约的巨型基督像（Christ of Rio），或者较近期建于基辅城边一座山坡上的乌克兰伟大卫国战争（1941—1945年）历史博物馆上的祖国塑像。然而对于这类的抗争也不可十分投入，因为来自私有商业世界的好战狂徒已经奴役了天际线。

300

19世纪出现了一种旨在调整这一平衡关系的值得注意的创意，这是一个试图从现代灵感中创造奇迹的永恒梦想——而这个奇迹便是献给在新兴钢铁技术带动下所取得的伟大工程成就的宣传品和纪念碑。雄伟的钢桥，尤其是那些日趋完美的悬挂体系，已经以

300　芝加哥（伊利诺伊州），新市政厅设计方案，引自伯纳姆和贝内特所做的芝加哥规划（1909年）。为了使新市政厅在现代摩天楼当中保持突出地位，设计者赋予了它一个巨大的圆顶，达36层建筑的高度，形式取自罗马的圣彼得大教堂。

其技术的进步性创造了令人难以忘怀的地标，而这样的形式还没有在城市的天际线中获得优势。

最早的冲动是为重要的文化和政治事件建造纪念塔楼。其中有一项先驱性的计划是英国工程师理查德·特莱威狄（Richard Trevithick）为纪念1832年“改革法案”（Reform Act）的颁布而设计的一座1000英尺（305米）高，外表镀金的铸铁结构的柱形塔。此后出现的大部分类似方案都与国际性博览会有关。例如，为1876年费城百年纪念博览会设计的一座同样也是1000英尺高的“百年塔”。这个方案在当时一份名叫《科学美国人》的杂志上发表，在图面上陪衬着这一塔楼的还有埃及金字塔、教堂尖顶和著名的圆顶，它们当然都不及新的塔楼高。这个1000英尺高的圆柱体以及实现这一形体所需要的钢铁技术建立起一种国际性的挑战姿态：这座塔就是对有能力建造它的这个国家的强势地位的证明。这份杂志在编者按中写道：“我们不仅应该用人类建筑史上最高的结构来纪念我们的生日，我们还要用美国工程师所做的设计，让美国的技术工人将它树立起来，用全部来自美国土地上的材料将其建造完成。”[50]

297

当然，最终的成功者是建成了984英尺（300米）高的埃菲尔铁塔的法国。埃菲尔塔之所以成功，原因之一是因为它在开支方面得到了政府的资助，但是这一投资在一年内就已经通过惊人的参观券收入而获得了回报。英国人被激怒了。威廉·莫里斯（William Morris）在1889年见到这座铁塔之后，称其是“一件如魔鬼般丑陋的东西”。为了希望家乡在这方面获得胜利，金融家爱德华·沃特金斯（Sir Edward Watkin）在同年的10月组织了一场设计竞赛，选拔比埃菲尔塔更高的伦敦塔建造方案。这一竞赛吸引了大批投稿者，其中大部分方案属钢铁类，也有一小部分为石和混凝土，而在所有方案中都可以见到埃菲尔塔的影子。获选的一个方案几乎完全是法国那座纪念塔的复制品，实际建造工作于1892年在温伯利公园（Wembley Park）中的一个场地上开始。两年后因资金缺乏而被迫放弃。另一座与埃菲尔塔一样的锥形塔是1893年为芝加哥哥伦比亚世界博览会设计的塔楼，它遭到了同样的命运；此后在1900年，为类似的博览会又设计了一座1500英尺（约457米）高的“进步灯塔”，它的设计者，法国建筑师康斯坦德·德西雷·德普拉代勒（Constant Desiré Despradelle）声称它将“成为美国文明的典范”，但这一方案最终也没有结果。

298

最终，埃菲尔塔遇到一个伟大而难以置信的竞争对手，这就是都灵的犹太教堂——至少开始时这是一座犹太教堂，但后来，出于对这位患有妄想狂症的建筑师将原来的委托私自转化为个人纪念碑的行为方式的不满，城市当局从其犹太人社区中收回了这座巨型结构。这位建筑师就是亚历山德罗·安东内利，施工一直从1863年拖到1888年。方形拱和尖塔最终达到的建筑总高度为167.5米（550英尺），大约是埃菲尔塔的一半；但它完全是传统的砖结构，由重叠的筒形楼层组成。这座被人们称为“安托耐里掘进机”的建筑事实上是世界上最高的砖结构建筑。所以，一方面埃菲尔铁塔代表了一个世纪的技术进步，而另一方面，这个“掘进机”却是建造在那片依旧停留于旧工业时代的落后的欧洲地区中的一个独特结构。[51]

299

塑造城市之冠

德国人在Stadtkrone，即现代城市的顶冠问题上进行了大量思考。在19世纪，这一想法可能表现为一座瓦尔哈拉英烈殿堂（Walhalla），即一座纪念英雄的建筑物。到了20

世纪的现在，它可能体现为一种可以象征公共生活的结构物，即一座可以帮助人们变得高贵、友爱和善良的中心建筑。达达派的重要代表人约翰尼斯·巴德尔（Johannes Baader）在 1906 年时已经设计了一座“世界庙宇”（World Temple），1907 年，慕尼黑建筑师特奥尔多·菲舍尔（Theodor Fischer）也曾描写过一种建筑，它可以是“一个住宅，但它不是给一户人，而是给所有人居住的住宅，它是一个礼拜堂，但它并不服务于这种或那种信仰，它是一个为人们的内心体验而建造的礼拜堂”。果真，1917 年 12 月，“人民建筑协会”(People's Building Association) 成立。1920 年便开展了一项主题为“人民的建筑和礼拜堂”的设计竞赛，其中汉斯·夏隆的设计方案就提出，要“引导自己及满怀希望的大众走向高尚的颠峰”。[52]

于是，这里的问题并不是一个巩固传统宗教的问题，就像圣心教堂和科隆大教堂的结束工程所追求的那样。那些是民族主义的举动，它们的精神魅力来自于对一个极乐来世的允诺。而“未来大教堂”(Zukunftkathedrale) 概念的主旨则主要是社会主义的。它被设想为一座世界人民幸福的纪念碑，它是共产主义乌托邦的中心，超越了地区性的或国家性的乡土观念。如果它借用了哥特大教堂的隐喻，这是因为人们相信，哥特建筑是在社会共同合作下实现的——它是一种彻底的艺术，凝聚了普通公民付出的劳动，集中了各种不同的技艺，才实现它形式的稳定和优美。

在第一次世界大战期间，布鲁诺·陶特和其他一些表现主义者热情追寻着一个幻想的目标，就是要建设一个能够配合没有冲突的世界的、崭新的物质环境。陶特最关注的对象是新材料——尤其是建造一座全玻璃建筑的可能性 [在这个问题上，他受到表现主义诗人和小说家保罗·西尔巴特 (Paul Scheerbart) 的影响]，以及如何为混乱的现代大都市重塑城市中心。他在 1919 年的著作《城市之冠》(*Die Stadtkrone*) 当中提出，现代大都市，即德语的 Grossstadt 的最具破坏性的后果是“中心的丧失”，他所说的中心是传统城市围绕生长的积聚着象征意义的城市文化核心。这样的中心现在已经被联排出租楼、工厂和商店所窒息，同时，快速交通手段又使城市毫无边际地扩展。陶特认为这样的城市与传统城市之间有着鲜明的差别，在这种如瘴气般弥漫的现代城市中到处都是漫无目的的游民，而传统城市则是有机的集合体，那里的住宅和公共建筑形成了一种整体结构，神庙和大教堂是它们的中心。[53]

302
301

于是他构想了一个新的城市乌托邦，在一块独立的背景中，用一座至尊的建筑物——“城市之冠”作为稳定的基点，它是社区中宗教和社会的综和诉求在建筑上的表征。这座建筑是“传统城市上空的大教堂、印度棚屋上空的佛塔、中国城市里的巨大方形寺庙区以及俯瞰古代城市居住区的卫城”在现代城市里的新版本。只要依靠它便能够解决“我们这个时代所遭遇的大与小、神圣与世俗之间的界限日益被混淆问题”。[54]

马丁·瓦格纳（Martin Wagner）也以类似的语调谈到城市之冠是新城市的“自身象征”(Wir-Sinnbild)，他说：

> *只有一座建筑物可以超越地面上的一般城市房屋，作为城市之冠来主导整个城市形式，它就是新兴城市的“自身象征”，是城市公民公共活动和庆典的所在地，它将凭借其纪念性的广场和一对大教堂成为具有最高艺术形式的城市论坛。*[55]

在同年出版的另一本空想型著作《阿尔卑斯山建筑中》(*Alpine Architektur*)当中，陶特让一

301，302　布鲁诺·陶特，“城市之冠”的剪影（上图）和鸟瞰画面，1916 年。

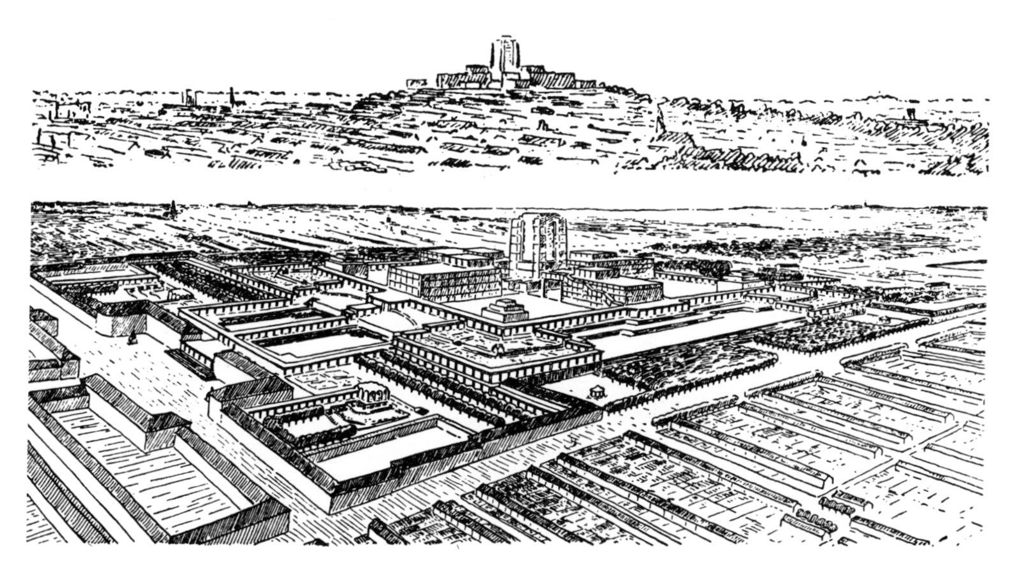

座座水晶大教堂洒落在这条欧洲最高的山脉上，作为他对这场狂暴的战争及其制造的令人惊愕的破坏的一种回答。在这个构想中，传统城市被彻底抛弃，那种试图将城市重新聚合到一个新的“城市之冠”上的努力也已经中止，陶特开始崇尚一种新的质朴的环境，一个由玻璃和色彩组成的世界。这些开阔的阿尔卑斯城市中的“城市之冠”将是屹立在山顶上的巨大的水晶圆顶建筑，“它们被奉献给音乐和沉思……围绕它们的将是一排排辅助的玻璃建筑。”[56]

而其中的讽刺是与身俱来的。如果缺少中央权力机构的决策、资助和操作，这些社会主义的乌托邦就没有实现的可能。毫不奇怪的是，纳粹理论家也继承了这些虚无缥缈的幻想，并赋予了它们在现实政治中的可操作性。人们期望中的社会主义公共性被整编成为政党，并且与国家机器等同起来：希特勒的新柏林中那个带有巨型圆顶的“城市之冠”不再是一个超越国家的“人民之家”（People' s House），而是千万个高亢的市民与德意志民族的最高领导人一起进入一个庄严而神秘的联盟的舞台。

263

实际上，纳粹宣传者们玩弄陶特思想的一个主要目的是为了赋予新的工厂型城市一种精神品质，这些城市包括位于沃尔夫斯堡（Wolfsburg）的大众汽车工厂和现在成为萨尔茨吉特市（Salzgitter）的赫尔曼－戈林（Hermann - Goering）钢铁厂，两者都建于1938 年。在沃尔夫斯堡附近的一个自然山地上曾规划过一座“城市之冠”，有一段 750 米（820 码）长的台阶道路将这里与城市相连。这条道路于 1941 年动工，但“城市之冠”从未建造，其形式类似于莱奥·冯·克伦泽（Leo von Klenze）设计的瓦尔哈拉英烈殿。萨尔茨吉特市的规划特别参照了布鲁诺·陶特的乌托邦理念，其中也包括“城市之冠”。这一方案有两个不同的版本，其中一个在城市中心树立了一个纪念性的结构，另一个是在城市对面的人造山上建造一个“城市之冠”。戈林占用了山顶建造了一座防空高射炮塔，山脚下则形成了一个花园式的郊区。防空塔事实上成为了 1940 年代早期一种阴森的“城市之冠”，维也纳在其周围建造了 6 座，成双布置在包围整个城市的正三角形的 3 个端点上。至此，陶特式的代表人类兄弟情谊的纯洁的水晶建筑走到了一种末路状态。

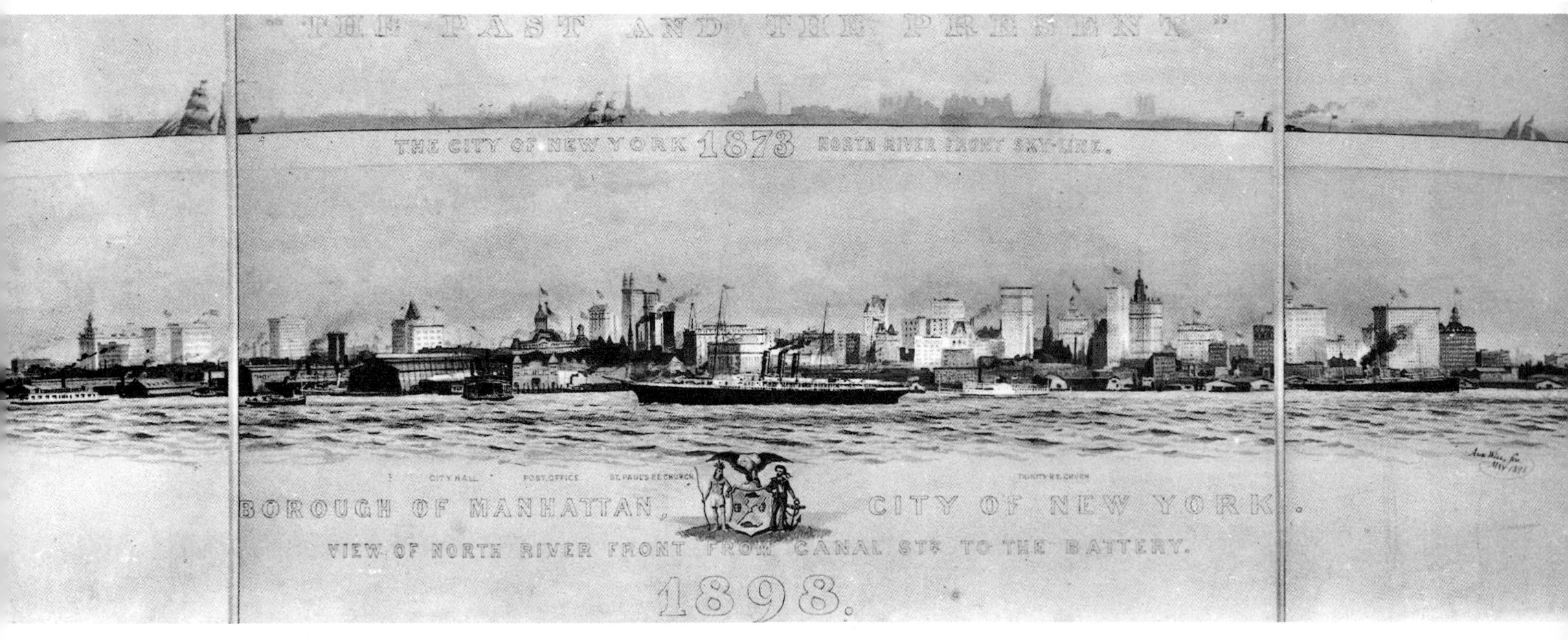

摩天楼的城市

无论对乌托邦的表现主义者，或是对纳粹的纯化论者来说，美国的摩天楼都是一种不可被接受的城市象征。它是个人利益和资本主义侵略性竞争的纪念碑；它所包含的自由放任主义的象征既不适合合作性的社会主义的未来，也能不满足集权国家对无私忠诚的要求。

303 正是由于这些原因，摩天楼群成为最彻底的、美国式的“城市之冠”。大约在一百多年前的1870年代和1880年代，最早的摩天楼在芝加哥和纽约出现——它们是不辞艰难地以传统砖结构建造的使用电梯上下的超高层建筑，之后，大约从1890年起，摩天楼开始使用防火的钢结构，外部材料像幕墙一样披挂上去。它们是激动人心的、非同一般的城市结构，它们吸引了许多狂热者，主要是摩天楼的建筑师和业主。芝加哥的约翰·韦尔伯恩·鲁特（John Wellborn Root）在见到第一批摩天楼之后，便认为它们的体量和比例传达了“现代文明在某种根本意义上的巨大而稳固的内蕴力”。这种想像似乎预示着另一种传奇式国际化大都市的产生，犹如建有巴别塔的古代巴比伦在新时代的再现。巴比伦只有一座塔，但这里却有整整的一群，它们在开阔的空间中肩并肩排列着，制造出一种人为的拥挤。摩天楼的视野扩展至数英里，它们的确需要人们从很远的地方望过来，就像博物馆中的大型绘画，你必须退到远处才能够欣赏。

304　纽约，纽约公共图书馆，凯利·黑斯廷斯（Carrere Hastings）设计，1897—1911年建造；受1893年芝加哥“白色城市”——即哥伦比亚世界博览会正统古典主义风格影响而建造的一批公共建筑中最早的一座。这些以步行者为尺度的白垩色水平性建筑旨在表现一个与私人商业性天际线相抗衡的公共领域。

这样的天际线描绘了一种经过预想的人类秩序，它完全是技术及人类追逐利益的设计行为所造就的。这与传统的城市观大相径庭，过去人们认为城市处在天与地的包裹之中，并接受着这一原生框架的滋养与管制。这样的框架甚至在工业化时期的城市中依然存在着，尽管工业城市首次形成了不以教堂尖顶和圆拱为中心的现代城市轮图版37 廓。但是工业城市中的烟囱、高炉和水塔也可以被解释为工业过程中不可回避的硬件，而这种高层建筑新景象的形成却充满了主观的愿望，在发生之初就表现为一种选

303　纽约，1873年和1898年天际线的对比，奥格斯特·威尔（August Will）绘制的素描图的局部。在右边的中间隐约可以看见三一教堂尖顶，亨利·詹姆斯曾经为其尖顶被高大建筑压倒而发出悲叹。[图中的“北河”即哈得孙河（Hudson）]

择和一种夸耀。

建筑评论家蒙哥马利·斯凯勒（Montgomery Schuyler）认为，在纯粹美学层面上，这种新的城市未来充满着混乱。“纽约根本不存在天际线，”他在1899年1-3月期的《建筑实录》（*Architectural Record*）杂志中这样写道，“它们是一些突兀的东西，具有各不相同的高度、形状和尺度……它们或独立、或簇拥在一起，在相互之间或者与周围低矮建筑之间都毫无联系。”斯凯勒承认这种私人化的天际线也具有某种粗陋的象征力量和一种花哨的美。他曾写道：“（这些高层建筑的）聚集体中存在着巨大的感染力。它并没有展示一种建筑的画面，却极端地‘像是一种生意’。”后来他进一步分析了由分裂了的城市引起的不断积累的不安，以及私人力量试图取代公众荣誉的赤裸裸的行为。

为了与垂直分布的商业天际线元素区分开来，政府和文化性公共建筑就必须被赋予不同的特性。于是，公共的美就表现为古典的外形，用建筑底部的基座和檐口连续的水平线限定出城市空间，并带给步行尺度的景观一种纪念性的氛围。于是我们将看到下曼哈顿那种呓语般天际线与维护着街道空间的纽约公共图书馆、宾夕法尼亚车站、中央车站、哥伦比亚大学、大都会美术馆等公共性纪念建筑之间构成的对比。[57]

304

但这还不够。这些公共建筑分散于城市各地，很容易被快速滋生的贪婪的商业景观所掩盖。就像城市美化运动的倡导者查尔斯·马尔福德·鲁滨逊1903年所说的，如果公共建筑“分散在城市各处，消失在商业建筑的荒野里”，那么公共领域的生存就会受到侵害。解决这个问题的办法就是围绕着广场将公共建筑组合成巴黎美院风格的和谐建筑群，再在其中布置公共雕塑和喷水池，以这样的集合体来帮助自己抵抗商业利益“借不和谐建筑的混入……或者通过‘摩天楼’等其他巨型建筑对其尺度感造成破坏，对公共结构的美和庄严构成威胁”。[58]

摩天楼是一种矛盾的建筑。它一方面高度物质化，但同时又富有诗意，它在城市经济问题上精明而讲究实际，但同时也相当地主观任意。对于芝加哥摩天楼的第一位业主来说，这座摩天楼是土地利益最大化的手段——是一种不加修饰的、实实在在的商业事务。

305　费城（宾夕法尼亚州），顶部有彭威廉塑像的市政厅处在周围的高层建筑当中，摄于1908年前后。

但同时，高层建筑的所作所为并没有完全坚持一般意义上的商业规则。用于美化外部立面的装饰几乎同时出现。其形状开始回应某些显然与实际的、合理的当务之急无关的刺激。之后，一种对高度本身的竞争狂热地支配了高层建筑的建造者，这一竞争现象最彻底地表现在纽约的报纸街区域，报纸街也叫出版社广场，它紧邻市政厅，1870 年代至 1880 年代之间，纽约时报、论坛报、太阳报和普利策的世界报社在这个区域的竞争已经达到极其不理性的程度。

费城新市政厅的周围也发生过类似的竞赛，1871 年开始，这里就出现了一大批高层建筑。1880 年代末，在百老汇和切斯纳街(Chestnut Streets）的交汇处，吉拉德信托会(Girard Trust）建造了一座 8 层高的大厦，之后，啤酒巨头约翰·F·贝茨（John F. Betz）命令他的建筑师将他的大厦造得更高。吉拉德为此加建了 6 层，而贝茨又赶上并超过了前者。处在这些相互攀比的私人建筑当中的市政厅将其高耸的塔楼伸向广阔的天空，让彭威廉的塑像如天使长一样矗立在顶端，成为天空的守护者和人类城市的象征。

305

第二类矛盾，是在城市中心区有限的范围内，由高层建筑引发的强制性的高密度。高层建筑大规模出现之前，美国城市中心商务区高密度化的现象就已经出现。自 19 世纪中期开始，大部分城市的核心区已经渐渐失去了原有的居住功能，因为那些有能力的人已经迁往郊区。每天下班后，工作的人群就离开了这里，而塔楼便进驻这些日益特殊化的城市中心。渐渐地，高层建筑开始与 CBD 等同起来，成为美国城市地区办公环境的突出象征。

CBD 的密度强化了摩天楼的竞争需求。为了在一大群同类中突出自己，为了使自己跻身于形象建筑当中——就是这种愿望为竞争输送了动力，而美国的城市也正是资本主义力量的集中象征。

266

第三类矛盾与摩天楼的建筑性质有关。在理想状态下摩天楼应该是一件独立的物体，可以从不同角度被欣赏，并且控制着大范围的视野。但实际情形是，它必须在美国城市相对致密的棋盘式格局及街区式结构中运作。塞进 CBD 的高层建筑越多，每个建筑的喘息空间就越小，其独特的造型能够发挥的影响力也更弱。如果越来越多的高层建筑服从网格的逻辑和它们自身也参与的街道空间的话，那么它们就不得不成为空间限定的媒界，而不是屹立于旷野的独立体量。

说到为自身的形象而存在的塔楼，我们必然会想到达拉斯和温哥华——一群沉湎于自身视觉效果的高大物体，处在同样故作姿态的其他建筑物当中，它们急切地希望扮演一个突出的角色，出现在画片、T 恤以及空中旋转餐厅所能看到的城市天际线中。而作为一个普通的城市单位，摩天楼必须服从早先建立的城市景象，或重新创建类似的城市景象。这就意味着这些高层建筑必须寻求某种程度的规则性和同一性，并且关注从城市内部体验到的近景和中景效果，而不是远处天际线的影像。

为了达到最极端的效果，独立的塔楼必须矗立在城市中央，就像法兰西岛地区城镇中的哥特式大教堂，或者像较近期的伦敦圣保罗大教堂圆顶那样控制和决定着城市。但是什么样的现代机构才能享受这样的特殊地位呢？

政府建筑很难帮助摩天楼达到这一目的，因为摩天楼不愿意在其杆状的形式上附加利福尼亚州政府或市政厅的象征性元素，即使在当今后摩天楼的时代，政府基

306　林肯（内布拉斯加），州政府大厦，1919 年设计竞赛的获胜方案，伯特伦·格罗夫纳·古德休(Bertram Grosvenor Goodhue）设计。在这座建筑获得成功之后，他又设计了另一座公共塔楼，即 1924 年建造的洛杉矶郡公共图书馆。

307　右一，芝加哥（伊利诺伊州），1924年霍拉伯德和罗切设计的芝加哥教堂，最早出现的“收入教堂”（revenue churches）之一。在一个普通的19层办公塔楼的顶上建造了一个复杂的哥特式“空中教堂”，可乘坐快速电梯直接到达。教堂的浮雕表现的是基督从附近的屋顶上面对芝加哥商务区赞许地思考着。

308　右二，纽约，伍尔沃斯大厦（Woolworth Building），1911—1913年建造，卡斯·吉尔伯特设计。弗兰克·伍尔沃斯（Frank Woolworth）是来自纽约州尤蒂卡（Utica）的连锁店百万富翁，他声称他的办公塔楼将会“像一个面向全世界的广告牌”。在照片的远处还可以见到1908年欧内斯特·弗拉格（Ernest Flagg）设计的胜家大厦（Singer Building）。

本上还是依靠传统圆顶的形象来宣布自己。高层政府建筑只是在1910年代和1920年代出现过仅有的几例，其中包括位于林肯的内布拉斯加州政府，由伯特伦·古德休设计，以及深受古德休影响的由约翰·C·奥斯汀（John C. Austin）设计的洛杉矶市政厅。 *306* *290*

于是我们又想到了宗教建筑。人们强烈感受到教堂曾经长期拥有的重要性地位的丧失，亨利·詹姆斯的文字表达了这种失落，似乎，如果我们迫使摩天楼赞美上帝，那么它就可以将功补过。人们的确作出过这样的尝试。在“让十字回到天际线”或者“空中教堂”这样的口号下，一些城市开始建造摩天楼教堂，不难预料，其结果就是教堂和办公塔楼的结合。霍拉伯德和罗切为第一卫理公会的芝加哥教堂（1924年）所做的设计正是如此。除此之外，还有迈阿密、匹兹堡、明尼阿波利斯以及纽约百老汇的空中教堂。 *307*

除了将摩天楼从一般性的建筑形式转化为令人信服的上帝之家这一点本身不大可能之外，摩天楼教堂的问题还在于，美国城市与欧洲那些由大教堂统领起来的城市不同，那种在殖民时期的西班牙和新英格兰城市中曾经存在过的、单一性宗教中心的情况现在已经消失。这个年青的国家不允许集中性的宗教，而是让上帝存在于不同宗派的各个社区邻里当中。如果让十字回到天际线，那么城市必将再次经历“报纸街”那样的恢弘场面，因为卫理公会教派、天主教派、圣公会以及所有其他教派都将会追逐塔楼高度，以获取制空权。

那么，如果是知识的大教堂呢？这个想法曾经被试验过一次，这座建筑依然存在，在匹兹堡，是一个高达535英尺（163米）的不规则向上收缩的体量，外表是富有质感的石灰石，结构为巨型的现浇混凝土钢框架（1926—1927年）。就像其任务书描述的那样，它试图

"通过一个高大的建筑物来表达大学的意义"，底层被一个哥特教堂似的大厅所占领，周围一圈是 18 间教室，每个教室按一个民族的风格来设计，以表现匹兹堡的多民族传统。

但是美国摩天楼传递的真正信息是对个人所拥有的商业企业的颂扬。最终，美国"城市之冠"最恰当的象征符号还是美国的商业。威尔伯·福沙（Wilbur Foshay），这位来自明尼阿波利斯的厨房用具巨头，将他所有的财富用来建造一座方尖碑式的建筑，他的名字永远地刻在了建筑的四面，它是那个时代这个城市里独一无二的塔楼——尽管建造这座大厦最终毁了他本人，也使他落入监狱。而霍勒斯·格里利（Horace Greeley）在纽约建造的论坛报大厦（Tribune Tower）则拉开了"报纸街"摩天楼竞争的序幕。

无论如何，用转借来的象征性抬高这些商业胜利纪念碑的做法，表现出从 19 世纪末开始，美国人以公共领域为代价赋予私人企业过度膨胀的价值的现象；说明人们普遍愿意在办公建筑的分散化的纪念性中寻找公共荣誉。如果高层建筑无法被公共机构所接受，如果它无法成为永久性的社区机器——如政府、信仰和教育等机构的标准外衣，那么，私人的事务就可以被抬高到新的世俗宗教的地位。所以，纽约的伍尔沃斯大厦（1913 年）就被一位著名的牧师 S·帕克斯·卡德曼博士（Dr. S. Parkes Cadman）正式定名为"商业大教堂"，他在 1916 年写道：

308

> *当沐浴在夜晚的电灯光下或夏日早晨清澈的空气中时，它如上帝天堂中的城堡一样刺破天空，圣约翰看见时，甚至觉得这种景象令人落泪。作家仰望着它，随即喊出了"商业大教堂"这个名字——它是人类的一种精神所选择的家园，这种精神通过交换和贸易，将不同的人连结在统一和团结之中。*[59]

这座大厦的建筑师本人，卡斯·吉尔伯特（Cass Gilbert），在一本名为《巨匠建筑师》（*The Master Builders*）的小册子里夸赞伍尔沃斯大厦，说它引入了一种社会和平，因为它使资本和劳力、雇主和雇工、地主和租户走到了一起。

但是命里注定这些私人的纪念物将会在很短的时间内受到挑战并被取代，因为私人企业成功的命运是短暂的。属于个人的企业大厦无法统领城市，因为其他企业的人士不允许它这么做。当我们看到一群不断长高和不断变化着的塔楼时，我们就会从其中搜寻最特殊的一个——那个最高、最怪异、最辉煌的塔楼，让它暂时充当这里的地标——例如，旧金山的环美大厦（Transamerica）、达拉斯的 LTV 大厦、明尼阿波利斯的 IDS 大厦以及在本书动笔之时建成的费城自由广场 1 号大厦。也许弗兰克·劳埃德·赖特（Frank Lloyd Wright）的观点有道理。也许制止这种城市摩天楼相互争抢的宏大场面的惟一办法，就是将整个城市建造成一座独立的塔楼，再让它矗立到无名旷野的深处。

图版 27

另一种办法是驱除摩天楼的魅力，将其转化为一种不具表演价值的城市单位，通过高的街道界面形成有序的城市，而不是在城市结构中插入惊叹号。与这种想法相关的一个人的名字是丹尼尔·伯纳姆，他领导的设计公司在高层建筑形式发展的过程中担当过积极的角色，之后又提出了高层建筑在城市中合理运用的问题。是他在 1909 年的芝加哥规划中改造了斯凯勒所说的"聚合体"——即不同花色建筑同时堆积在一起的现象，将高楼约束到一个整体的城市意象当中。伯纳姆丝毫不反对高层建筑，他反对的是没有章法的变化。所以，正像托马斯·范莱文（Thomas van Leeuwen）所说，在芝加哥规划中，"混乱原始的城市及其参差不齐的天际线像是被一个巨大的剪草机梳理了一番。"[60]

309　芝加哥（伊利诺伊州），密执安街大桥（Michigan Avenue Bridge）边的商业大厦。左侧是 1919—1921 年格雷厄姆，安德森，普罗布斯特和怀特（Graham, Anderson, Probst and White）设计的里格利大厦（Wrigley Building）；右侧是 1925 年豪厄尔斯和胡德（Howells and Hood）设计的芝加哥论坛报塔楼（Chicago Tribune Tower）。这两座建筑被人们夸耀为城市新的大门，它们和这座华丽大桥对面的两座建筑及相邻广场一道，被认为是私人领域和公共领域成功结合的证明。远处是 1869 年建造的新中世纪风格的水塔。

FLAKES

第一代摩天楼的出现配合了内战后繁荣时期里的狂暴的个人主义——那是一个属于强盗式贵族、土地强取者和毫无节制的城市化的年代。正如我们已经知道的那样，伯纳姆是新世纪初城市美化运动的传道者，这个运动是美国人希望为给自己的生活带来某种稳定和秩序而进行的许多探索中的一个。城市的建造应该表达一种追求秩序的愿望。

248 此前最近也是最宏大的城市改造工程是奥斯曼的巴黎。它所强调的是沿街面的统一，而不是每座建筑的特异性。奥斯曼林荫街的两旁是服从统一的檐口线的5层或6层公寓建筑。在美国还可以建得更高。棘手的问题是如何用这些高层建筑来围合街道和广场，同时又能够产生法国首都那种流畅的连续性和统一的秩序性。伯纳姆希望以这种方式来弥补斯凯勒所说的在强调垂直和独特的私人商业纪念性和需要连续统一沿街面的公共纪念性之间的鸿沟。他认为摩天楼是新型城市形式中的组成要素，不仅传统，而且也现代。

伯纳姆的芝加哥规划在城市中留下了印迹，尽管它远没有被作为一个整体来实现。309 根据斯图尔特·科恩（Stuart Cohen）最近的分析，大桥旁边密执安北路(North Michigan Avenue)的区域正是伯纳姆式规划中的一个片断。4座摩天楼是彼此独立设计而成的——它们是里格利大厦（1919—1921年）、密执安北路大厦（North Michigan Avenue Building，1922—1923年）、论坛报塔楼（1925年）和伦敦担保大厦（London Guarantee Building，1927—1928年），但同时它们又联合起来限定出一个非常独特的城市空间。换 224 句话说，城市及城市的构成要比存在于其中的个体建筑物重要得多。[61]美国之外，东柏林和莱比锡等城市在社会现实主义掌控时期建造的个别区域也高度再现了伯纳姆式的将高层建筑和巴黎美院组织原则相结合的规划风格。

正如我前面所提出的，美国摩天楼的确面临着选择：是充当其主人的建筑宣传品在城市天际线中张扬个性，还是从围合城市空间的角度出发规范自身的形体？几十年的实践证明摩天楼两方面都能胜任。直到第一次世界大战时期，纽约的普遍做法是在保持着一般性沿街面的街块上增加一个塔楼的元素，该塔楼通常位于街块的一侧，也不在主立面的位 308 置，欧内斯特·弗拉格设计的胜家大厦(1908年)和伍尔沃斯大厦都属这类情形。

有两起事件帮助确立了这种做法。其一是提出了建筑后退道路红线要求的1916年《纽约法案》(*New York Ordinance*)，这一法案中的法律规定促使建筑师将摩天楼高傲和向上的喜好与其必须承担的限定街道空间的任务结合起来。其二是对早期芝加哥学派高层建筑模式——即抽象的方格形框架和平檐口顶部形式的排斥，以及对带有各种复古主义顶部处理的历史主义立面风格的支持，这些顶部形式包括了复折式、圆顶式、尖顶式或金字塔 266 式等等。装饰艺术风格(Art Deco)也贡献了自己的一份想像力。但建筑与街道的关系自始至终都经过细心的推敲。在地面部分，摩天楼照顾到它所在的街道和广场，它提供了立面底部10层楼左右表情相对平和的区域作为城市空间所需要的界面框架。超过这个高度之后，它的设计便可以随心所欲地以退台、多面形或尖塔形等等来表现建筑的焦点性、宏观尺度和远景效果——满足以突出自身为目的的对天际线的追求。

玻璃的塔楼

无法预料的是，上述这些斯文的手法最终在处于建筑学边缘的年轻欧洲激进分子激情的预言中消亡了，这些人认为，摩天楼建筑形式和传统城市空间塑造手法之间不存在任何协调的余地。未来主义是其中最早出现的流派。尽管他们的概念还不成熟，他们所描绘的新的城市意象还是破碎的，但他们却对即将来临的多层次性的摩天楼城市崇拜的动因和机制作出了最早的理论阐述。“我们必须发明和重建我们的现代城市……像建造巨型机器一样建造现代建筑……按照需要决定其尺度，而不受分区规划条例的限制，让它们从骚乱的深渊边缘升起。”[62]

安东尼奥·圣埃利亚（Antonio Sant' Elia）和马里奥·西阿东（Mario Chiattone）的画中既没有人，也没有任何提示来解释画中所表现的局部如何才能与城市其他部分结合，形成可运作的城市系统。十年后，勒·柯布西耶的城市意象便毫不含混地呈现在人们面前。这一 310 意象不允许具有传统城市特征的围合空间的存在。勒·柯布西耶对在曼哈顿网格上产生的摩天楼城市并无异议。他赞同高层商务区的集中性和单一性。但是摩天楼不再担任公共空间的限定者。在他的“明日的城市”（*City of Tomorrow*, 1924 年）规划当中，他向我们展示一个由 24 座一模一样的摩天楼组成的城市中心。这些摩天楼不是站在稠密的旧城市里，而是耸立于巨大的开放公园中。人们从高速公路上体验它们的存在。同时它们还是玻璃制造的。他写道：

> *这里不是纽约，在那里贫弱的光束无力地照射着惨淡的大街，这里有的是广阔的空间……在这样的城市里，人们生活在和平和纯净的空气当中，噪音被覆盖在植物的绿叶之下……到处可以看见天空……它们的轮廓被距离所柔化，摩天楼高举起它们巨大的全玻璃几何立面。*

直到二战结束时，这一生动的对摩天楼城市的现代主义解释一直流传着，虽然这样的城市还没有实现，但却因为勒·柯布西耶的画和他的描述而显得栩栩如生。二战之后美国人就开始将其付诸实践——紧接着是欧洲人。1950 年代由英国玻璃企业发明的厚型浮法玻璃实现了现代主义关于透明建筑的预言，而摩天楼工程上的进步则解除了技术层面上的高度限制。

在摩天楼的家乡美国，玻璃塔楼开始在以自身为中心的广场上升起，这些广场又处在私有的、内向化的办公园地之中；同时板式高层建筑则架在高高的裙房基座之上，这种模式因纽约利华大厦（Lever House, 1951—1952 年）而普及。历史主义的外衣受到抨击并被蜕去——同样被抛弃的还有那些曾经令天际线活跃起来的表现主义的顶部处理。这种新生代的金属玻璃笼披挂着网格状或垂直状的线条，总是表现为平顶——无论塔楼或板楼都是如此，它们处在以自我为中心的空间范围中，无需考虑已有的街道和广场。1950 年代和 1960 年代的城市更新运动为它们腾出了空间。我们拆除了旧城市，并在其中庆祝一个新的勉强而虚弱的现代主义“公园城市”的诞生——因为公园并不存在。

1970 年代，人们试图通过带有某种表现主义风格的现代主义手法来改进这些方形的出租公寓——这些“被斩了首的”摩天楼，人们尝试了椭圆形和船形的平面以及悬挑和倾斜状的顶部，但是这些手法并没有帮助城市结构变得清晰。我们患上一种追求“一样一个”的综合症，它给了我们丰富的天际线，但对地面空间没有任何帮助。而 1980 年代的后现代历史主义除了外包装之外也没有更深入的内容。只有为数很少的几次尝试关注到了传统的城市类型。最值得注意的例子是菲利普·约翰逊（Philip Johnson）在 A&T 大厦（1978 年）的设计中，巧妙地将建筑的门厅与麦迪逊大街的街道空间结合起来。无论这座建筑顶部的断山墙处理如何恶名昭著，但正因为它对街道空间的尊重，才使我们觉得它与 1930

年代的那些多样化的城市地标——如帝国大厦、RCA 大厦和麦格罗希尔大厦（McGraw-Hill）一样，既配合了城市空间又突出了自己。

欧洲的情况更是创伤性的。在这里没有出现美国曾经经历过的摩天楼服从城市肌理的过渡阶段。还有，欧洲城市要古老得多，所以战后突然而来的对比形成了一种冲击。而且，摩天楼在美国网格式城市中制造的视觉效果，与它们在巴黎、伦敦等更为复杂的城市模式中制造的更加不可预计的效果也不相同。

一开始时是单个插入的高层建筑，它们在欧洲多层城市景观中的出现像是一个怪诞的意外。大约在 1960 年左右，伦敦突然出现了一座波特兰大厦（Portland House），它 334 英尺（102 米）高的形体不但控制着周围的环境，还影响到圣詹姆斯公园、格林公园（Green Park）和白金汉宫（Buckingham Palace）私人花园。国家威斯敏斯特银行总部（National Westminster Bank, 1981 年）高达 600 英尺（183 米），完全超过圣保罗大教堂。玻璃幕墙外立面的巴黎蒙帕拿斯（Montparnasse）大厦始建造于 1969 年，共 56 层（690 英尺/210 米），是当时欧洲最高的建筑，它震撼了奥斯曼的城市结构。之后波特·马约区（Porte Maillot）也有了一座旅馆大厦，拉德方斯则兴建了柯布西耶式的摩天楼商业区，蒙帕拿斯大厦就成了陈年往事。1967 年的巴黎总体规划回应了这种设计语言，它预言未来的大城市在这方面将发生巨大变化，“人们再也不会行进于两条平行的墙体——即街道空间之中，而是徜徉在建筑与绿地交替出现的空间里。”[63]

图版 36
311

丹麦和荷兰被这种现象所惊醒，紧急授权地方政府阻止高层建筑的建设。阿姆斯特丹只是在一开始时出现了一个特例，那是 W·M·杜多克（W. M. Dudok）在中央车站旁的水滨处设计的一座港口大楼。同时期的西德，那些传统天际线受到威胁的城市都纷纷制定了

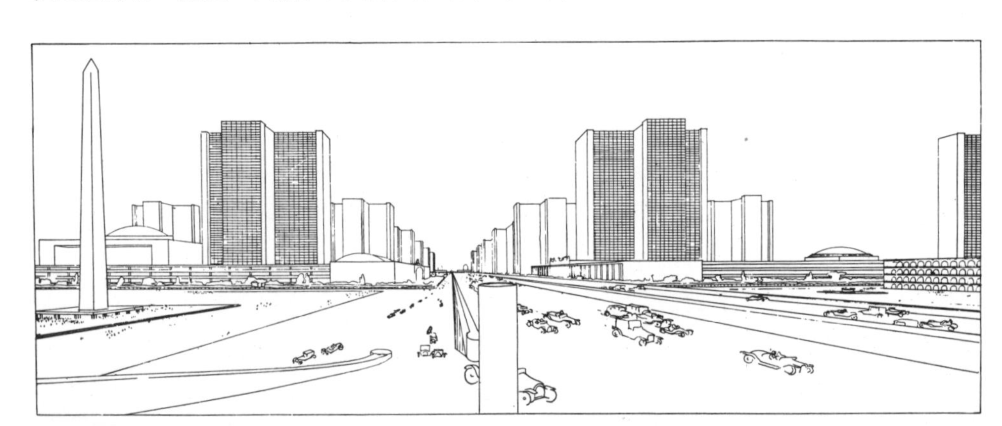

310　左图，勒·柯布西耶 1922 年构想的“300 万人口的城市”规划方案；图中表现的是从城市主要干道见到的城市中心。

311　巴黎，从夏尔·戴高乐大街（Avenue Charles De Gaulle）看到的拉德方斯区——勒·柯布西耶的预言在现代的实现。位于远处焦点位置上的建筑物是 1988 年 J·O·冯·斯布里克森（J. O. von Spreckelsen）设计名为“大拱门”的办公建筑。

312　法兰克福（德国），现代城市天际线与传统城市形成对比。

城市形象规划。这些城市包括乌尔姆、埃斯林根（Esslingen）、斯图加特、吕贝克、科隆、法兰克福和弗赖堡。经过城市形象分析，为新建筑的设计师提出了设计原则，这些原则通过建议，或者通过有关地方法条文的形式体现出来。

但是这些措施还是迟了一步。现代主义城市的另一个组成部分，住宅板楼已经四处出现。从莫斯科和布拉迪斯拉发（Bratislava）到鹿特丹（Rotterdam）和斯蒂夫尼奇（Stevenage），它们成为城市边缘地带最常见的东西。在法国郊区公共住宅"大建设"（grands ensembles）运动中，它们与塔楼结合在一起，形成一种不受历史牵制的城市秩序。德国的"成就"也是巨大的。在绝大部分大城市中，只有历史核心区（Altstadt）才没有执行这种建设方式。而摩天楼常常紧贴着旧城。在法兰克福，之前基本以低层为主的西区，现在已经形成了一种曼哈顿式的天际线，控制了老城本身。另一方面，在慕尼黑，高层建筑则建造在远离旧城的东部，波恩（Bonn）的政府办公楼以组群的方式建造在城市边缘，位于波恩和巴特戈德斯贝格（Bad Godesberg）两个老城区之间的阿登纳街（Adenauerallee）两旁。[64]

312

"他们就停工，不造那城了"（创世纪 11）

从 1960 年代中期开始，一种新的情绪开始变得热烈——在欧洲和美国都是如此。怀有这种情绪的人跨越了关于如何才能让摩天楼适应我们城市的辩论。他们质疑允许摩天楼存在的理由本身。曾经在过去狂暴的十年当中肆无忌惮地牺牲了老建筑群的城市更新政策现在已经被公开地否定。在伦敦，人们满怀憎恶起来反对圣保罗大教堂附近的开发建设，反对巴比坎中心（Barbican）的形象和尺度。与此同时，允诺中的现代主义新千年似乎只不过是对文化贫瘠的赞美。在柏林的格罗皮乌施塔特（Gropiusstadt，1962年之后）这一类的现代主义发展区里，摩天楼任意地散布着，这种“公园中的城市”所提供的内向性的，几乎已出现临床障碍的日常生活很难弥补我们被迫牺牲掉的传统的城市生活。因此，L·克里尔等人提倡的那种前摩天楼式的，或者更确切地说，是前工业时代的城市形式便具有了吸引力。由于已经获得上层业主的支持，克里尔正准备将我们再带回到沉沦之前欧洲城市的有机体当中，重返天真无邪的乡镇生活。

但这是一种极端的立场。摩天楼城市既然已经存在了一百年，现在也已经成为了传统。问题是如何控制它，在综合环境中给它一个恰当的位置。可能性有两种，第一是选择一种推行不发展政策的社区，全盘扼制摩天楼；第二是对摩天楼的增加、定位和形象作出控制和调节。

建造高层建筑不再是一种技术上的挑战——问题应该是：“我们是否应该建造？”人们越来越公开地怀疑那些从经济或是从生活质量的角度将高层建筑与城市进步等同起来的观点。在评估摩天楼城市对居民身心健康影响手段上的进步使我们看到了更多令人担忧的因素。[65] 自1969年之后，美国要求所有新建的重要建筑工程都必须完成“环境影响”报告，而这种报告可以说是极为印象式的，图和模型几乎从来都无法触及这些庞然大物脚下的真实的步行世界。

这些“环境影响”报告没有考虑到一个主要的问题，即摩天楼城市的综合影响是无法通过对个别建筑物的计算结果来获得的。在旧金山这样的城市里，人们可以深切地感受到著名景观的破坏和地形结构的改变。1971年旧金山城市设计规划关注的是高度和体量的问题，就像1916年纽约条例的任务一样，对地形也作出了一些让步。但人们希望知道，那些赋予了街块以不同个性的连续性的空间与体量模式究竟是怎样的？位于高层建筑底部的那些人体尺度设施的布置问题如何？这些设施能否补偿建筑的巨大高度导致的间离和负面效果？形状的问题怎么考虑？如何估计微观气候的变化、阴影面积的加大、寒冷而大风的街道这一系列的影响？天际线控制元素的象征问题如何？一项由行动主义者组织的旨在从那些不择手段的政治家和发展商那里夺取决定权的行动，导致了1985年9月新的城市中心规划的通过。新的规划决定禁止许多地标的替换，其中包括老一代的摩天楼；将新办公塔楼的建设地点移到拥挤的金融区之外；以及为任何一年里允许建造的建筑物总量设立了一个上限——即所谓的“增长帽”(growth cap)。

于是这样的辨论传遍了全国。西雅图也刚刚通过了一些与旧金山类似的限制条文。在费城，一位发展商的自由广场项目被获准超越一直受到维护的市政厅顶部彭威廉塑像的高度，这时，关心这一事件的费城人分成了两派，一部分人认为这样做造成的损害将无法具体地估算，而另一部分人则欢呼这一举动是对古老而多愁善感的城市温情的“可喜的摆脱”。以《纽约时报》的评论家保罗·戈德伯格（Goldberger）为主的一批著名的局外人，则认为赫尔穆特·杨（Helmut Jahn）设计的这座有争议的建筑是一座极为出色的摩天楼，就凭这一点，它就有权利去界定费城未来的天际线。[66] 戈德伯格似乎是说，判断我们的城市可以允许什么样的建筑存在的最终标准，来自建筑评论家所裁定的建筑设计质量。正是基于这样的美学理由，他情愿将费城天际线的决定权，以及对传统城市已有重要元素的调整权交给那位发展商及他的建筑师。“(这座建筑）超越了旧的秩序，建立起了新秩序，它所具有的质量给了它充分的理由去替代旧的东西。”

313　莫斯科17世纪中期建造的苦行者圣西蒙教堂(St. Simon the Stylite)精致的洋葱顶与加里宁大街上一个24层高的公寓楼形成了强烈的对比。

而令人哀叹的是，建筑设计质量评判的臆断性却是臭名昭著的。就像1914年一篇著名论文《人文主义的建筑》(The Architecture of Humanism)的作者杰弗里·斯哥特(Geoffrey Scott)在一个类似的多元化的间歇期中所说的：

我们依靠着一系列的建筑习惯，其中包括传统的残余、臆想和偏见，更重要的是，依靠着这一堆似是而非的公理和半真半假的事实，它们互不关联，未经考评，还常常相互矛盾，我们依靠这些东西作判断，那么没有一座建筑会坏到从中找不到任何创造性，也没有一座建筑会好到不存在任何被指责的可能。[67]

象征符号的价值有着另一个系统。象征符号是意义的载体。城市的象征符号则被认为是那些生活和工作在这里的人们的某些共有意义的载体。谁可以被授权设计一座城市的天际线？谁有特权代表大家出现在地平线上？这些都是最基本的问题。

就像我们在本书中不断探讨的那样，在整个历史进程中，城市形式一直都受到严格地掌控。备受赞美的中世纪锡耶纳的城市形式是经过预先思考和设计的，其设计一直具体到窗户的形状和对砖料的强制性使用。控制奥斯曼巴黎规划效果的设计规则一直延伸到最细微的环节：如立面壁柱的深度不得超过40厘米(约16英寸)，阳台的布置必须得到正式的批准，即便批准，其悬挑距离也不得超过80厘米(31.5英寸)，翅托结构必须被严格禁止，等等。

在上半个世纪里，城市成功地将它们的天际线交给了有权势的发展商、企业和他们的建筑师。但是，社区的利益并不等同于发展商和企业的利益。它们建造了大楼，而社区却被要求去照看它们。早在1926年，美国城市协会(American Civic Association)的主席便强调了摩天楼神话中的这一致命缺陷。他写道："在业主所拥有的建造高层建筑的特权与社区所被迫接受的处理其后果的重负之间，存在着密切相关的联系。"[68]

在摩天楼城市文化当中，天际线在公共意义上的重要性还需要我们充分掌握。让我们在这里引用1931年纽约地区规划的主要参与者托马斯·亚当斯(Thomas Adams)曾经说过的一段话，他说"在美国的城市里，土地被分成块交给了个人，个人可以从自己的目的出发自由发挥它的最大价值，这才是发展中的主导因素，而并不是那种从社会利益出发的建筑控制"。[69]这一情况不仅在当时，甚至直到现在都依然是如此。

这就是旧金山新规划和其他类似规划的意义所在。它们提醒我们，摩天楼城市跟历史上所有其他通过协商获得的环境一样，是不能够仅仅作为一种美学性的容器来赞扬和批判的。只有在全体公民的监督之下，通过私人利益和公共利益的相互切磋，才会产生某些更有价值的东西。当然，有关今后我们的城市面貌将会如何的美学想像总是可以委托给专业设计师来为我们描绘。但是，应该，甚至必须，让公民们来控制这种想像的限度。虽然私人利益有权在城市结构中追求自己的有利位置，而城市政府及其专家们也接受了他们那份工资，专门负责就城市无限扩展的问题寻求全面的规划解决方案，但是，作为一种集体声音的公民才应该是他们自己的城市形象的最终决定者。中世纪后期，托斯卡纳地区各自治政体主管着各自的城镇形态，它们成功地塑造出了能够反映它们的政府以及它们的政治和社会重点的城市形态，那么我们也应该这样做。

如果我们仍然相信城市是人类创造物中最为复杂的物品，如果我们进一步相信城市是一种积累性的、世代相传的东西，它凝集着我们社会共同体整体的价值，并且为我们提供了一个可以学会如何共同生活的空间环境的话，那么控制它的设计便是我们集体的责任。

注释

INTRODUCTION (pp. 9–41)

1. L. Mumford, *The City in History* (New York/London 1961), 423.
2. See Kostof, "Urbanism and Polity: Medieval Siena in Context," *International Laboratory for Architecture and Urban Design Yearbook*, 1982, 66–73.
3. See Kostof, *Do Buildings Lie? Hegel's Wheel and Other Fables*, The John William Lawrence Memorial Lectures, 9 (New Orleans 1980).
4. O. Grabar, *The Formation of Islamic Art* (New Haven/London 1973), 69.
5. K. Lynch, *A Theory of Good City Form* (Cambridge, Mass./London 1981), 73–98.
6. M. P. Conzen, "Morphology of Nineteenth-Century Cities," in R. P. Schaedel et al., eds., *Urbanization in the Americas from the Beginnings to the Present* (The Hague 1980), 119.
7. H. Carter, *The Study of Urban Geography* (1972; 3rd ed., London 1981), 335.
8. ibid., 333.
9. See especially "The Use of Town Plans in the Study of Urban History," in H. J. Dyos, ed., *The Study of Urban History* (London 1968), 113–30; see also Kostof, "Cities and Turfs," *Design Book Review* 10, Fall 1986, 35–39.
10. See below, Ch.2, n.50.
11. See F. Braudel, *The Structures of Everyday Life* (London 1981/New York 1985), 515–20
12. See J. E. Vance, Jr., "Land Assignment in the Precapitalist, Capitalist, and Postcapitalist City," *Economic Geography* 47, 1971, 101–20.
13. F. E. Ian Hamilton in R. A. French and Hamilton, eds., *The Socialist City* (Chichester 1979), 200.
14. *Archaeology*, Nov.–Dec. 1987, 38–45.
15. See A. Wright in G. W. Skinner, ed., *The City in Late Imperial China* (Palo Alto, Calif., 1977), 33.
16. See K. Polanyi et al., *Trade and Market in the Early Empires* (Glencoe, Ill., 1957).
17. See, e.g., P. Wheatley in R. W. Steel and R. Lawton, eds., *Liverpool Essays in Geography* (London 1967), 315–45.
18. G. Sjoberg, *The Preindustrial City* (New York/London 1960), 67–68. For a major critique of Sjoberg's thesis, see P. Wheatley in *Pacific Viewpoint* 4.2, Sept. 1963, 163–88.
19. *The Muqaddimah*, transl. F. Rosenthal, vol. 2 (New York 1958), 235.
20. Wheatley (n.17 above), 318.
21. M. Aston and J. Bond, *The Landscape of Towns* (London 1976), 21.
22. *American Journal of Sociology* 44, 1938, 8.
23. L. Mumford, *The Culture of Cities* (New York/London 1938), 3.
24. Braudel (n.11 above), 481–82.
25. See Kostof, "Junctions of Town and Country," in J.-P. Bourdier and N. AlSayyad, eds., *Dwellings, Settlements and Tradition*: (Lanham/London 1989), 107–33.
26. Lynch (n.5 above), 36.
27. *American Behavioral Scientist* 22.1, 1978, 134.

1. "ORGANIC" PATTERNS (pp. 43–93)

1. F. Castagnoli, *Orthogonal Town-Planning in Antiquity* (Cambridge, Mass./London 1971), 124.
2. R. M. Delson, *New Towns for Colonial Brazil* (diss., Syracuse Univ., N.Y., 1979), 90.
3. "The Urban Street Pattern as a Culture Indicator: Pennsylvania, 1682–1815," *Annals of the Association of American Geographers* 60.3, Sept. 1970, 428–46.
4. W. Braunfels, *Urban Design in Western Europe*, transl. K. J. Northcott (Chicago/London 1988), 6.
5. H. Gaube, *Iranian Cities* (New York 1979), 57.
6. M. W. Barley, ed., *European Towns* (London 1977), 193–96.
7. Quoted by H. Blumenfeld in *Town Planning Review*, April 1953, 44.
8. See Sherry Olson, "Urban Metabolism and Morphogenesis," *Urban Geography* 3.2, 1982, 87–109.
9. Lynch (Intro. n.5 above), 95.
10. For the Weiss argument, see his "Organic Form, Scientific and Aesthetic Aspects," *Daedalus* 89.1, Winter 1960, 176–90.
11. *Perspecta* 6, 1960, 53.
12. G. L. Burke, *The Making of Dutch Towns* (London 1956), 33. The following discussion of Dutch urban typologies is based on this book, and on A. M. Lambert, *The Making of the Dutch Landscape* (London 1971).
13. See D. Ward, "The Pre-Urban Cadaster and the Urban Pattern of Leeds," *Annals of the Association of American Geographers* 52.2, June 1962, 150–66.
14. Quoted by A. King in R. Ross and G. J. Telkamp, eds., *Colonial Cities* (Dordrecht/Lancaster 1985), 26.
15. "The Morphogenesis of Iranian Cities," *Annals of the Association of American Geographers* 69.2, June 1979, 208–24.
16. See R. J. McIntosh, "Early Urban Clusters: Arbitrating Social Ambiguity," to be published in *Journal of Field Archaeology*.
17. Thucydides II.8.
18. See Wheatley (Intro. n.17 above), 335.
19. See C. Winters, "Traditional Urbanism in the North Central Sudan," *Annals of the Association of American Geographers* 67.4, Dec. 1977, 517.
20. The following paragraphs are based on B. S. Hakim, *Arabic-Islamic Cities, Building and Planning Principles* (London 1986).
21. ibid., 95.
22. See R. Fonseca, "The Walled City of Old Delhi," *Landscape* 18.3, Fall 1969, 12–25.
23. R. Arnheim, *The Dynamics of Architectural Form* (Berkeley/London 1977), 164.
24. See P. Andrews et al., "Squatters and the Evolution of a Lifestyle," *Architectural Design*, 1973, no. 1, 16–25.
25. See E. Griffin and L. Ford, "A Model of Latin American City Structure," *Geographical Review* 70.4, Oct. 1980, 397–422.
26. See H. Dietz, "Urban Squatter Settlements in Peru," *Journal of Inter-American Studies* 11, 1969, 353–70.
27. W. M. Bowsky, *A Medieval Italian Commune* (Berkeley/London 1981), 295.
28. J. W. Reps, *Town Planning in Frontier America* (Princeton 1969), 80.
29. ibid., 167.
30. Cited in M. Aston and J. Bond, *The Landscape of Towns* (London 1976), 186. See also D. Tomkinson, "The Landscape City," *Journal of the Town Planning Institute*, May 1959.
31. A. Fein, *Landscape into Cityscape* (New York 1967), 329.
32. Cited by Peter Marcuse in *Planning Perspectives* 2, 1987, 302.
33. *Architectural Review* 163, June 1978, 361–62.
34. All quotations in R. Plunz, *A History of Housing in New York City* (New York 1990), 117–18.
35. J. Nolen, *New Towns for Old* (Boston 1927), 93.
36. For the Greenbelt Towns, see J. L. Arnold, *The New Deal in the Suburbs* (Columbus, Ohio, 1971).
37. See C. Tunnard and B. Pushkarev, *Man-Made America* (New Haven 1963), 90ff.
38. G. R. Collins and C. C. Collins, *Camillo Sitte and the Birth of Modern City Planning* (1965; repr. New York 1986), 120–21.
39. P. Lavedan, *Histoire de l'urbanisme, Renaissance et temps modernes* (Paris 1959), 126.
40. In a letter of 1921, quoted by Jean Dethier in L. Carl Brown, ed., *From Madina to Metropolis* (Princeton 1973), 203.
41. Quoted in J. Tyrwhitt, ed., *Patrick Geddes in India* (London 1947), 17.
42. Werner Knapp, cited by C. F. Otto in *Journal of the Society of Architectural Historians* 24.1, March 1965, 72.
43. See R. Smelser, "How Modern were the Nazis? DAF Social Planning and the Modernization Question," *German Studies Review* 13.2, May 1990, 291–92.
44. The piece was called "Construction des villes," a direct translation of the word *Städte-Bau* in Sitte's title. It was begun in 1910, and in the first outline sent to his teacher L'Eplattenier, Le Corbusier (then Charles Jeanneret) says that he intends to "cite plans and views in the manner of Camillo Sitte"—a promise he kept. He based the La Chaux-de-Fonds suburb on Hellerau outside Dresden, which he knew well. See H. Allen Brooks, "Jeanneret and Sitte: Le Corbusier's Earliest Ideas on Urban Design," in H. Searing, ed., *In Search of Modern Architecture* (New York/London 1982), 278–97.
45. D. I. Scargill, *Urban France* (New York/London 1983), 128.

2. THE GRID (pp. 95–157)

1. *The City of Tomorrow*, transl. F. Etchells (enlarged 1929 ed., repr. London 1987), 5–6.
2. Cited by S. E. Rasmussen in D. Walker, *The Architecture and Planning of Milton Keynes* (London 1982), 7.
3. This description is based on R. S. Johnston, "The

Ancient City of Suzhou," *Town Planning Review* 54.2, April 1983, 194–222.

4. See J. Puig i Cadafalch, "Idees teòriques sobre urbanisme en el segle XIV: un fragment d'Eiximenis," in *Homenatge a Antoni Rubio i Lluch* (Barcelona 1936), 1–9.

5. For these details, see G. P. R. Métraux, *Western Greek Land Use and City-Planning in the Archaic Period* (New York 1978).

6. E. A. Gutkind, *Urban Development in Western Europe, Great Britain, and the Netherlands* (New York 1971), 35.

7. J. W. Reps summarized by M. P. Conzen, in T. R. Slater, ed., *The Built Form of Western Cities* (Leicester 1990), 146.

8. Braunfels (Ch.1 n.4 above), 174–75.

9. This discussion of the Mormons mostly depends on Reps (Ch.1 n.28 above), 410–25.

10. See H. Lilius, *The Finnish Wooden Town* (Rungsted Kyst 1985), 155.

11. *American Notes* (London 1850 ed.), 67.

12. Buls, *Esthétique des villes* (Brussels 1893), 8–9.

13. Sitte ed. Collins (Ch.1 n.38 above), 126.

14. See P. Groth, "Streetgrids as Frameworks for Urban Variety," *Harvard Architecture Review* 2, Spring 1981, 68–75.

15. J. E. Vance, Jr., *This Scene of Man* (New York 1977), 44–45.

16. See P. J. Parr, "Settlement Patterns and Urban Planning in the Ancient Levant," in P. J. Ucko et al., eds., *Man, Settlement and Urbanism* (London 1972).

17. *Politics* II.5 and VII.10.

18. F. Grew and B. Hoblet, eds., *Roman Urban Topography* (CBA Research Report, 59, 1985), ix–x.

19. See G. Downey, *Ancient Antioch* (Princeton 1963), 33–34.

20. *Histories* VI.31, transl. F. Hultsch and E. S. Shuckburgh (Bloomington, Ind., 1962), 484.

21. Drinkwater in *Roman Urban Topography* (n.18 above), 52–53.

22. The information for this paragraph comes from Burke (Ch.1 n.12 above), 53–63.

23. See: Isidore, *Etymologia* IX.4; Hrabanus, *De Universo* XVI.4; Vincent of Beauvais, *Speculum doctrinale* VII.4.

24. *De regimine principum* II.1. For full text, see G. B. Phelan's transl., *On the Governance of Rulers* (Toronto 1935).

25. This argument is developed by S. Lang, "Sull' origine della disposizione a scacchiera nelle città medioevali," *Palladio* 5, 1955, 97–108.

26. M. Girouard, *Cities and People* (New Haven/London 1985), 222.

27. J. W. Konvitz, *Cities and the Sea* (Baltimore/London 1978), 18.

28. I owe this reference to the kindness of J. P. Protzen at Berkeley, whose monograph on Ollantaytambo is now in press.

29. P. Marcuse, "The Grid as City Plan: New York City and Laissez-faire Planning in the Nineteenth Century," *Planning Perspectives* 2, 1987, 287–310, esp. 290–96. For what follows, see also Reps (Ch.1 n.28 above), 193–203.

30. Mumford (Intro. n.1 above), 422.

31. On the grid in the United States, see generally M. Conzen (Intro. n.6 above). Also J. C. Hudson, *Plains County Towns* (Minneapolis 1985).

32. Also worth mentioning in this context are the "Sunday towns" (*villas do Domingo*) of Brazil, created because of the need for social intercourse on the part of the sparse and scattered population of the remote hinterland. Most of these towns started with a private gift of land to the Church made with the donor's understanding that it would be used to found a town. There were also towns of lay origin, often carrying the name of the founder (e.g., Paulopolis, Orlandia). In either case, the city form was a simple grid with the church and the plaza at the core, a hotel which was usually the first building to go up, and a jail. See P. Deffontaines, "The Origin and Growth of the Brazilian Network of Towns," *Geographical Review* 28, July 1938, 390ff.

33. See the chapter on "The City Edge" in the companion volume to the present work, *The City Assembled*.

34. J. F. Drinkwater in *Roman Urban Topography* (n.18 above), 53.

35. *Built Form* (n.7 above), 193.

36. D. Friedman, *Florentine New Towns* (New York/London 1988), 51.

37. The term used for this division, *per strigas*, was actually coined by a modern scholar, F. Castagnoli (see Ch.1 n.1 above). *Striga* in Latin means "a long line of grass or corn cut down, a swath," by extension a "plough furrow." In Roman parlance the system of *strigae* and *scamnae* referred to an old method of land division adopted especially in public arable land in the provinces, where strips were arranged lengthwise (*strigae*) and breadthwise (*scamnae*) in relation to the surveyor's orientation. See O. A. W. Dilke in *Geographical Journal*, Dec. 1961, 424n.

38. See Dilke, "Ground survey and measurement in Roman towns," in *Roman Urban Topography* (n.18 above), pt. II, 6–13.

39. See F. Boucher, "Medieval Design Methods, 800–1560," *Gesta* 11.2, 1972, 43, fig. 15; and amendments by Friedman (above, n.36), 132–33.

40. See n.36 above.

41. For what follows, see P. G. Hamberg, "Vitruvius, Fra Giocondo and the City Plan of Naples," *Acta archaeologica* 36, 1965, 105–25.

42. The very nomenclature of *platea* and *angiportus* (Latin for *stenopos*), first used by Vitruvius (I.vi.1) and also in a passage of Caesar's *De bello civile* (I.27), must refer to the Greek grid (see p.127 above), and not the Roman where there is no such distinction of street widths. So even though the blocks in Fra Giocondo's woodcut are square, i.e., Roman rather than Greek, the differentiation of street widths and the use of the words *platea* and *angiportus* imply that he was thinking of a Greek system.

43. The surveyor's transit, for one thing, was now able to fix a topographical feature relative to two or more points by simple triangulation. Alberti's transit had a circular dial divided into 48 degrees. Leonardo's transit consisted of "a circular, dial-like surface with its circumference divided into eight parts corresponding to the eight winds, each further subdivided into eight degrees. At the center of this disk was a magnetic compass." (J. A. Pinto in *Journal of the Society of Architectural Historians* 35, March 1976, 40.) At the beginning of the survey, magnetic north was lined up with the north wind (*tramontana*). The magnetic meridian thus provided a constant reference for observations taken from a number of different points. Also pivoted at the center was a movable sight vane. Alberti had described a process similar to that used by Leonardo at Imola in his *Descriptio urbis Romae*, dating from ca. 1450. Johannes Praetorius's much touted "invention" of the modern surveyor's transit about 1600 was probably nothing more than the standardization of instruments already in use throughout the 16th century.

44. Scamozzi was among the first to reverse the customary graphic differentiation between blocks and streets by shading the streets and squares rather than the blocks.

45. J. W. Hall, *Japan from Prehistory to Modern Times* (New York 1970), 54.

46. The township was divided and distributed according to merit, the size of each allotment reflecting either the relative amount each settler contributed to the initial expense of the enterprise, or the extent of his personal property. There was a class hierarchy of proprietors, first settlers, and latecomers.

47. See C. Tunnard, *The City of Man* (2nd ed., New York 1970), 118–19; Reps (Ch.1 n.28 above), 235–38.

48. S. Hurtt, "The American Continental Grid: Form and Meaning," *Threshold* 2, Autumn 1983, 32–40.

49. Burke (Ch.1 n.12 above), 55–57.

50. K. W. Forster, "From 'Rocca' to 'Civitas': Urban Planning at Sabbioneta," *L'arte*, March 1969, 5–40. This Gonzaga emblem was expressed architecturally in the maze gardens of the Palazzo del Tè in Mantua, the private estate of the Gonzaga, and in the famous ceiling of the Sala del Labirinto in the Ducal Palace there.

51. C. Platt, *The English Medieval Town* (London/New York 1976), 32–33.

52. See E. T. Price, "The Central Courthouse Square in the American County Seat," *Geographical Review*, Jan. 1968, 29–60.

53. See S. Tobriner, *The Genesis of Noto* (London 1982); and his "Angelo Italia and the Post-Earthquake Reconstruction of Avola in 1693," in *Le arti in Sicilia nel Settecento, Studi in Memoria di Maria Accascina* (Palermo 1985), 73–86.

54. See principally P. Boudon, *La Ville de Richelieu* (Paris 1972).

55. M. Beresford, *New Towns of the Middle Ages* (London/New York 1967), 147.

56. A. Ruegg, ed., *Materialien zur Studie Bern* (privately produced for the 4th-year course of D. Schnebli and P. Hofer at the Eidg. Technische Hochschule, Zurich, 1974–75).

57. See S. Muthesius, *The English Terraced House* (New Haven/London 1982), 107.

58. C. Bauer, *Modern Housing* (Boston 1934), 59. For New York generally, see now R. Plunz, *A History of Housing in New York City* (New York 1990).

59. Cerdà, an engineer in the central Government's department of roads and bridges, elaborated on his urban thinking in a book entitled *Teoria general de la urbanización*, published in Madrid in 1867; it was followed by a second volume on the Barcelona plan. A third volume was left unfinished. The recent focus on his work started with an exhibition mounted in Barcelona in 1976 on the occasion of the one-hundredth anniversary of his death, for which a catalogue was published. Two architectural journals in the city also dedicated entire issues to Cerdà: *Cuadernos de arquitectura y urbanismo*, nos. 100–101, 1974; and *Construcción de la ciudad*, Jan. 1977. See also "Barcelona: Planning and Change 1854–1977," *Town Planning Review* 50, 1979, 185–203.

60. See R. D. McKenzie, *Metropolitan Community* (New York 1933).

61. J. Dahir, *The Neighborhood Unit Plan* (Russell Sage Foundation, New York 1947), 22.

62. ibid., 38.

63. See A. B. Yeomans, ed., *City Residential Land Development* (Chicago 1916), 105.

64. See his *Rehousing Urban America* (New York 1935).

65. Groth (n.14 above), 75, paraphrasing J. P. Hallihan in *Annals of the American Academy of Political and Social Science* 133, Sept. 1927, 66.

66. See Hilbersheimer's *The Nature of Cities* (Chicago 1955).

67. Cited by V. M. Lampugnani in *Domus* 685, July–Aug. 1987, 27.

68. See n.2 above.

3. THE CITY AS DIAGRAM (pp. 159–207)

1. Soleri's books include: *Arcology: The City in the Image of Man* (Cambridge, Mass./London 1969) and *The Bridge between Matter and Spirit is Matter*

Becoming Spirit (Garden City, N.Y., 1973). For an early assessment of his work, see Kostof, "Soleri's Arcology: A New Design for the City?" *Art in America* 59.2, March–April 1971, 90–95.

2. Workshopper statements in J. Shipsky, "Diary of an Arcosanti Experience," *American Institute of Architects Journal* 71.5, May 1982, 30, 35.

3. Cited in *Arts and Architecture* 2.4, 1983, 60; and *Art in America* 67.3, May–June 1979, 67.

4. See chiefly L. Di Sopra, *Palmanova* (Milan 1983).

5. J. S. Buckingham, *The Eastern and Western States of America*, I (London 1842), 351; quoted in Carter (Intro. n.7 above), 151–52.

6. This esoteric literature is surveyed in S. Lang's "The Ideal City from Plato to Howard," *Architectural Review* 112, Aug. 1952, 91–101, along with the work of theorists like Filarete, Alberti and Ledoux. She reaches the curious conclusion that her survey proves the historical absence of an art of building towns, and asserts the indifference of the past to town planning as a visual art. Her editors agree, and close with the perverse aside that "there do exist, nevertheless, many examples of actual townscape, for which we have to thank accident or the intuition of their creators"!

7. See J. E. Olson, *O'Donnell, Andersonville of the Pacific* (privately published, 1985), 55.

8. See A. H. Leighton, *The Governing of Men* (Princeton 1945).

9. U. Bauche et al., eds., *Arbeit und Vernichtung* (Hamburg 1986).

10. The classic account is W. Horn and E. Born, *The Plan of St. Gall* (Berkeley/London 1979).

11. D. Hayden, *Seven American Utopias* (Cambridge, Mass./London 1976), 77 and *passim.*

12. This and following quotations from A. Holroyd, *Saltaire and its Founder* (Saltaire 1871).

13. Quoted in L. Benevolo, *The Origins of Modern Town Planning*, transl. J. Landry (London 1967), 112–16.

14. See T. P. Verma et al., eds., *Varanasi through the Ages* (Benares 1986), esp. 303–11. For a modern urban geography of the city, see R. L. Singh, *Banaras* (Benares 1955).

15. At Madurai, the central temple to Shiva, the temple of Minakshi Sundaresvarar, goes back to the 12th century. For the symbolism of the city's plan, see S. Lewandowski, "The Hindu Temple in South India," in A. D. King, ed., *Buildings and Society* (London 1980), 123–50, esp. 131–34.

16. See, e.g., T. G. McGee, *The Southeast Asian City* (London 1967), 29–41.

17. Braunfels (Ch.1 n.4 above), 174. See also G. Eimer, *Die Stadtplanung im schwedischen Ostseereich* (Stockholm 1961), 100–104.

18. The classic discussion remains P. Wheatley, *The Pivot of the Four Quarters* (Edinburgh 1971/Chicago 1972).

19. See N. S. Steinhardt in *Journal of the Society of Architectural Historians* 45.4, Dec. 1986, 349.

20. See P. Wheatley and T. See, *From Court to Capital* (London/Chicago 1978), 113–31.

21. Quoted by A. Wright (Intro. n.15 above), 46. The most current studies of Chinese imperial cities are by Nancy S. Steinhardt; see her recent book, *Chinese Imperial City Planning* (Honolulu 1990). On Chang'an under the Han dynasty, see Wang Zhongshu, *Han Civilization* (New Haven/London 1982).

22. The quotations in this and the following paragraphs come from R. G. Irving, *Indian Summer: Lutyens, Baker and Imperial Delhi* (New Haven/London 1981), 73, 76.

23. See A. D. King, *Colonial Urban Development: Culture, Social Power and Environment* (London 1976), 244–46.

24. See J. W. Hall in *Far Eastern Quarterly* 15.1, Nov. 1955, 37–56.

25. See G. Michell, "Jaipur: Form and Origins," in N. Gütschow and T. Sieverts, eds., *Stadt und Ritual* (Darmstadt 1977), 78–81.

26. This is based on J. R. Stilgoe, *Common Landscape of America, 1580 to 1845* (New Haven/London 1982), 43ff.

27. Friedman (Ch.2 n.36 above), 201–03.

28. See H. Baron, *The Crisis of the Early Italian Renaissance*, (rev. ed., Princeton 1966), 200–201.

29. While they are detailed, they are sometimes unclear. The best interpretation is by J. Lassner, in his *Topography of Baghdad in the Early Middle Ages* (Detroit 1970).

30. Lines 1004–9; cited in Lang (n.6 above), 96, n.43.

31. Lang (n.6 above), 95–96.

32. Braunfels (Ch.1 n.4 above), 149–50.

33. Lynch (Intro. n.5 above), 373.

34. ibid., 374–75.

35. S. Moholy-Nagy, *Matrix of Man* (London 1968), 76.

36. R. E. Lapp, *Must We Hide?* (Cambridge, Mass., 1949), 161–65.

37. See E. Battisti, "San Leucio presso Caserta," *Controspazio*, Dec. 1974, 50–71. The revolution of 1799 interrupted the project.

38. M. Foucault, *Discipline and Punish*, transl. A. Sheridan (New York/London 1977), 200, and 195–209 in general.

39. See P. V. Turner, *Campus, An American Planning Tradition* (New York 1984), 191ff.

40. Singh (n.14 above), 49–51.

41. See J. Pratt, "La Réunion, the Fourierist Last Hurrah," *Arts & Architecture*, 2.4, Summer 1984, 30–33.

42. S. Moholy-Nagy (n.35 above), 75–78, for a general review. The best account of Pemberton and his influence on Howard is in J. Rockey, "From Vision to Reality," *Town Planning Review* 54.1, Jan. 1983, 83–105.

43. Hayden (n.11 above), 288–317. For another copy of Howard's diagram, Prozorovska, see above, p.78.

44. H. C. Andersen and E. Hébrard, *Creation of a World Center of Communication* (1912), published a year later in Paris in English and in French (as *Création d'un centre mondial de communication*). See also H. Barnes, "Messrs. Andersen and Hébrard's Scheme," *Architectural Review* 46, Dec. 1919, 137–42.

45. M. Maruyama, "Designing A Space Community," *The Futurist*, Oct. 1976, 273.

4. THE GRAND MANNER (pp. 209–77)

1. The story of the founding and development of Washington is best told in J. W. Reps, *Monumental Washington* (Princeton 1967). See also an official history by the National Capital Planning Commission and F. Gutheim, *Worthy of the Nation* (Washington, D.C., 1977).

2. M. Coppa, *Storia dell'urbanistica. Le età ellenistiche* (Rome 1981), *passim.*

3. W. L. MacDonald, *The Architecture of the Roman Empire, II. An Urban Appraisal* (New Haven/London 1986).

4. J. Evelyn, *London Revived*, ed. E. S. de Beer, (Oxford 1938), 30.

5. ibid., 34.

6. In *A Character of England*, 1659, the supposed comments of a French observer; see Evelyn (n.4 above), 5.

7. J. A. F. Orbaan, *Sixtine Rome* (New York 1911), 72–73.

8. Recently the claim has been made that the first capital of Annapolis, St. Mary's City founded in 1634, had acquired a Baroque overlay in a carefully laid-out plan of the 1660s. The state house sat on a promontory near St. Mary's River, on the highest point of land in the town. The church was at the opposite end of town, and, like the state house, was 1,400 feet (427 m.) from the center of the town square. When the main buildings are connected by lines, the town plan yields two triangular wings touching at the town square. The planner may have been Jerome White, Surveyor General of the Maryland colony in the 1660s, who had lived for a time in Italy. See John Hartsock, "Vanished Colonial Town Yields Baroque Surprise," *New York Times*, 6 Feb. 1989.

9. See R. Krautheimer, *The Rome of Alexander VII, 1655–1667* (Princeton/Guildford 1985), 3–7 and *passim.* For the discussion in the following paragraph, see an earlier Krautheimer study, "The Tragic and Comic Scene of the Renaissance," *Gazette des Beaux-Arts*, 6th ser., vol. 33, 1948, 327–46.

10. Onians, *Bearers of Meaning* (Princeton/Cambridge 1988), 287ff., esp. 295.

11. Evelyn (n.4 above), 23.

12. M. Carlson, *Places of Performance* (Ithaca, N.Y./London 1989), 22.

13. The playwright Victorien Sardou, cited in T. J. Clark, *The Painting of Modern Life* (Princeton/London 1984), 42.

14. K. Junghanns in *Deutsche Architektur* 4, 1955, 34.

15. Cited in *Design Book Review* 17, Winter 1989, 60.

16. W. Herrmann, *Laugier and 18th Century French Theory* (London 1962), 136.

17. Quoted by A. Vidler in S. Anderson, ed., *On Streets* (Cambridge, Mass./London 1978), 38.

18. P. Herlihy, *Odessa: A History, 1794–1914* (Cambridge, Mass., 1986), 140.

19. Braudel (Intro. n.11 above), 498.

20. In a letter from Michele Ferno to the humanist Mario Maffei. I owe this reference to the kindness of Dr. Richard Ingersoll.

21. See Kostof, *Third Rome, 1870–1950: Traffic and Glory* (Berkeley 1973), 18, 60–63.

22. For a list, see W. Lotz in *Studi offerti a Giovanni Incisa della Rocchetta* (Miscellanea Società Romana di Storia Patria, 23; Rome, 1973), 247ff.

23. *Coach and Sedan* (repr. of 1636 ed., London 1925). See also R. Straus, *Carriages and Coaches, Their History and Their Evolution* (London 1912).

24. G. Clay, *Close-up: How to Read the American City* (Chicago/London 1973, 1980), 42–48.

25. P. Lewis, *New Orleans, The Making of an Urban Landscape* (Cambridge, Mass., 1976), 42.

26. American Institute of Architects, Committee on Town Planning, *City Planning Progress in the United States*, ed. G. B. Ford, (1917), 93, 97.

27. ibid., 71–72, 151.

28. D. H. Burnham and E. H. Bennett, *Plan of Chicago* (Chicago 1909, repr. New York 1970), 89–90.

29. See C. M. Robinson, *Modern Civic Art* (New York 1903), 224–25.

30. See especially Allan Ceen, "The Quartiere de' Banchi: Urban Planning in Rome in the First Half of the Cinquecento" (diss., Univ. of Pennsylvania, 1977), 66–88.

31. See M. Quast, "Villa Montalto: Genesi del sistema assiale," *Atti del XXIII Congresso di Storia dell'Architettura*, vol. 1 (Rome 1989), 212–13.

32. Prior examples in Holland during the 1580s—at Willemstad and Klundert—where the trees of a square extended a little way into converging avenues did not catch on. For this and other details that follow, see Henry W. Lawrence, "Origins of the Tree-lined Boulevard," *Geographical Review* 78.4, Oct. 1988, 355–74.

33. Lawrence (n.32 above), 365.

34. F. Loyer, *Paris Nineteenth Century, Architecture and Urbanism*, transl. C. L. Clark (New York 1988), 313.

35. For what follows, I am principally relying on

Lawrence (n.32 above).

36. See R. J. Favretti, "The Ornamentation of New England Towns: 1750–1850," *Journal of Garden History* 2.4, 1982, 325–42.

37. Lawrence (n.32 above), 374.

38. Cited in J. Cracraft, *The Petrine Revolution in Russian Architecture* (Chicago/London 1988), 229.

39. Loyer (n.34 above), 113, 116.

40. J. Garrard, ed., *The Eighteenth Century in Russia* (Oxford 1973), 322ff.

41. J. Babelon in P. Francastel, ed., *L'Urbanisme de Paris et l'Europe* (Paris 1969), 48.

42. Evelyn (n.4 above), 50.

43. Braunfels (Ch.1 n.4 above), 223.

44. ibid., 217.

45. See ch.1 n.2 above.

46. For citations, ibid., 44, 90, 128 and 67. (I have made minor editorial revisions.)

47. H. Blumenfeld in *Journal of the Society of Architectural Historians* 4, 1944, 31.

48. The major publication for Turin is A. Cavallari-Murat et al., *Forma urbana e architettura nella Torino barocca* (Turin 1968).

49. P. Portoghesi, *Roma barocca* (Cambridge, Mass. 1970), 13.

50. Cited in Herrmann (n.16 above), 138.

51. Cited by A. B. Correa in *Forum et Plaza Mayor dans le monde hispanique* (Madrid/Paris 1978), 94.

52. See A. J. Schmidt, "William Hastie, Scottish Planner of Russian Cities," *Proceedings of the American Philosophical Society* 114.3, June 1970, 226–43.

53. Cited by Loyer (n.34 above), 360–61.

54. See, among others, V. van Rossem in S. Polano, ed., *Berlage: Opera completa* (Milan 1987).

55. Evelyn (n.4 above), 39.

56. See *The American Architect* 124, Dec. 1923, 486–514, esp. 504.

57. N. Miller, *Renaissance Bologna* (New York 1989), 53.

58. See H. Friedel, *Die Bronzebildmonumente in Augsburg* (Augsburg 1974); and Braunfels (Ch.1 n.4 above), 123–24.

59. For a full discussion of Roman arches, see MacDonald (n.3 above), 75–99.

60. Lord Chelmsford, cited in Irving (Ch.3 n.22 above), 259.

61. A. Aman, "Symbols and Rituals in the People's Democracies During the Cold War," in C. Arvidsson and L. E. Blomqvist, eds., *Symbols of Power: The Esthetics of Political Legitimation in the Soviet Union and Eastern Europe* (Stockholm 1987), 48.

62. The term *magistrale* means main or arterial road in the Slavic languages. It entered the vocabulary of East German architects and planners with the Soviet occupation, and is routinely used in the Fifties and Sixties to refer to the principal city-center avenue.

63. L. Perchik, *The Reconstruction of Moscow* (Moscow 1936), 67.

64. See G. Castillo, "Cities of the Stalinist Empire," in N. AlSayyad, ed., *Forms of Dominance: On the Architecture and Urbanism of the Colonial Experience* (in press).

65. R. Krier, *Urban Space* (New York/London 1979), 19, 89.

66. On Bofill, see T. Schuman, "Utopia Spurned," *Journal of Architectural Education* 40.1, Fall 1986, 20–29.

67. Cited in *Domus*, Jan. 1986, 4–5.

68. See J. Abrams in *Lotus International* 50.2, 1986, 6–26.

5. THE URBAN SKYLINE (pp. 279–335)

1. Quoted in W. Attoe, *Skylines* (Chichester 1981), 2.

2. J. Heers, *Family Clans in the Middle Ages*, transl. B. Herbert (Amsterdam/Oxford 1977), 194.

3. Friedman (Ch.2 n.36 above), 215.

4. Miller (Ch.4 n.57 above), 30.

5. Heers (n.2 above), 188.

6. Frederic A. Delano in *The American City Magazine*, Jan. 1926, 1.

7. Quoted in T. A. P. van Leeuwen, *The Skyward Trend of Thought* (Cambridge, Mass., 1988), 7.

8. T. Sharp in *Town Planning Review*, Jan. 1963, 274.

9. For much of this discussion, I rely on J. Schulz's excellent essay, "Jacopo de' Barbari's View of Venice," *Art Bulletin* 60, Sept. 1978, 425–74; see also S. Alpers, *The Art of Describing* (Chicago 1983), 152–59.

10. This image is illustrated in J. G. Links, *Townscape Painting and Drawing* (London/New York 1972), fig. 18.

11. Among 17th-century collections of city views, also note Eric Dahlberg's *Suecia antiqua et hodierna*, published during the 1670s.

12. Links (n.10 above), 120.

13. Schulz (n.9 above), 472.

14. Braunfels (Ch.1 n.4 above), 114ff.; and his essay, "Anton Wonsams Kölnprospekt von 1531 in der Geschichte des Sehens," *Wallraf-Richartz Jahrbuch* 22, 1960, 115–36.

15. See Braunfels (Ch.1 n.4 above), 129–30.

16. O. von Simson, *The Gothic Cathedral* (New York 1964), 10.

17. See H. Schindler in *Journal of the Society of Architectural Historians* 40.2, May 1981, 138–42.

18. See A. Keen, *Sir Christopher Wren* (London 1923), 31ff.; M. Whinney, *Wren* (London/New York 1971), 66ff.

19. Quoted in G. Beard, *Our English Vitruvius* (Edinburgh 1982), 21.

20. K. Clark, *The Gothic Revival* (London 1949; repr. New York 1962), 135.

21. Quoted in G. L. Hersey, *High Victorian Gothic* (Baltimore/London 1972), 94–95.

22. ibid., 105.

23. See M. Trachtenberg, *The Campanile of Florence Cathedral* (New York 1971), esp. 174–79. A similar contrast was commonly made in 19th-century France between the civic belltower (*beffroi*), symbol of civic liberty, and the church belltower (*clocher*).

24. Quoted in C. L. V. Meeks, *The Railroad Station* (New Haven 1956/London 1957), 95.

25. See G. Germann, *Gothic Revival in Europe and Britain* (London 1972/Cambridge, Mass., 1973), 159.

26. Meeks (n.24 above), 102.

27. For water towers, see E. Heinle and F. Leonhardt, *Towers, A Historical Survey* (London/New York 1989), 262–75.

28. ibid., 222–57.

29. E. A. Gutkind, *Urban Development in Eastern Europe, Bulgaria, Romania, and the USSR* (New York 1972), 43.

30. Schmidt (Ch.4 n.52 above), 237.

31. C. M. Zierer in G. W. Robbins and L. D. Tilton, eds., *Los Angeles* (Los Angeles 1941), 44.

32. J. Pastier in *Design Quarterly* 140, 1988, 14.

33. Sharp (n.8 above), 275.

34. D. Marriott quoted in Attoe (n.1 above), 9.

35. For both instances, see Attoe (n.1 above), 86.

36. See K. H. Hüter, *Architektur in Berlin 1900–1933* (Dresden 1987), 298ff.

37. J. M. Diefendorf in *Urban Studies* 26, 1989, 139.

38. See generally F. Bergmann in *Deutsche Architektur* 5, 1956, 552–57; and for Dresden in particular, J. Paul in J. M. Diefendorf, ed., *Rebuilding Europe's Bombed Cities* (Basingstoke 1990), 170–89.

39. See C. Borngräber, "Residential Buildings in Stalinallee," *Architectural Design* 52.11–12, 1982, 37.

40. Attoe (n.1 above), 32–34, 89.

41. Links (n.10 above), figs. 21–22, 27.

42. Pastier (n.32 above), 11 and fig. 20.

43. Braunfels (Ch.1 n.4 above), 39.

44. Kostof, *A History of Architecture* (New York/Oxford 1985), 421–24.

45. Evelyn (Ch.4 n.4 above), 38.

46. See A. Ling in *Town Planning Review* 34, April 1963, 7–18; and J. Gottmann in *Geographical Review* 56, April 1966, 190–212.

47. *Town Planning Review*, Oct. 1957, 215–16.

48. Quoted in Gutkind (n.29 above), 362.

49. C. Robinson and R. H. Bletter, *Skyscraper Style* (New York 1975), 23.

50. Quoted by R. Jay in *Journal of the Society of Architectural Historians* 46, June 1987, 146.

51. See F. Rosso, *Catalogo critico dell' Archivio Alessandro Antonelli* (Museo Civico di Torino, Turin 1975); and C. L. V. Meeks, *Italian Architecture 1750–1914* (New Haven 1966), 193–202.

52. Quoted in D. Kautt, "Stadtkrone oder städtebauliche Dominante," *Die alte Stadt* 2, 1984, 140.

53. A clear analysis of these arguments will be found in G. Ricci, *La Cattedrale del Futuro, Bruno Taut 1914–1921* (Rome 1982). See also D. Sharp, *Modern Architecture and Expressionism* (London/New York 1966), 85–96.

54. B. Taut, *Die Stadtkrone* (Jena 1919), 51.

55. Quoted in R. Rainer, *Städtebauliche Prosa* (Tübingen 1948), 144.

56. Sharp (n.8 above), 91.

57. See T. Bender and W. R. Taylor, "Culture and Architecture: Some Aesthetic Tensions in the Shaping of Modern New York City," in W. Sharpe and L. Wallock, eds., *Visions of the Modern City* (Baltimore/London 1987), 189–219.

58. *Modern Civic Art or the City Made Beautiful* (New York 1903), cited by D. M. Bluestone in *Journal of the Society of Architectural Historians*, Sept. 1988, 256.

59. Quoted in van Leeuwen (n.7 above), 60.

60. ibid., 30.

61. See S. Cohen, "The Tall Building Urbanistically Reconsidered," *Threshold* 2, Autumn 1983, 6–13.

62. From the catalogue of *Città Nuova*, May 1914, text attributed to Sant' Elia, as quoted in R. Banham, *Theory and Design in the First Machine Age* (London 1960), 129.

63. Quoted by N. Evenson in H. Allen Brooks, ed., *Le Corbusier* (Princeton 1987), 244.

64. J. G. Hajdu in *Town Planning Review* 50, 1979, 274.

65. See, for example, D. Conway, ed., *Human Response to Tall Buildings* (Stroudsburg, Pa., 1977).

66. *New York Times*, 15 Nov. 1987. Goldberger claims that the Jahn building transformed "what had been the flattest of any American city to one of the richest." Another influential critic, Martin Filler (in *House and Garden*, March 1988), considers the building offensive: "it is not only an egotistical usurpation but also a visual assault, marring the face of the city for decades to come."

67. G. Scott, *The Architecture of Humanism* (London 1914; repr. Garden City, N.Y., 1956), 8.

68. Delano (n.6 above), 8.

69. Quoted in van Leeuwen (n.7 above), 79.

参考书目

The following is a very limited selection from the extensive literature consulted in the writing of the text; further specific sources will be found in the chapter notes.

INTRODUCTION

General surveys of urban history to which reference is made in the notes to this and other chapters are K. Lynch, *A Theory of Good City Form* (Cambridge, Mass./London 1981); W. Braunfels, *Urban Design in Western Europe* (Chicago 1988); E. A. Gutkind, *Urban Development in Western Europe, Great Britain, and the Netherlands* (New York 1971) and *Urban Development in Eastern Europe, Bulgaria, Romania, and the U.S.S.R.* (New York 1972); P. Lavedan, *Histoire de l'urbanisme, Renaissance et temps modernes* (Paris 1959); M. Girouard, *Cities and People* (New Haven/London 1985); H. Carter, *The Study of Urban Geography* (3rd ed., London 1981); J. E. Vance, Jr., *This Scene of Man* (New York 1977); L. Mumford, *The City in History* (New York/London 1961) and *The Culture of Cities* (New York/London 1938); and L. Benevolo, *Storia della città* (Bari 1976). Several others should also be mentioned: J. Stübben, *Der Städtebau*, first published in 1890 and in print through the Twenties, influential both as history and planning manual; F. R. Hiorns, *Townbuilding in History* (London 1956); E. Egli, *Geschichte des Städtebaues*, I, *Die alte Welt*, II, *Das Mittelalter* (Ansbach 1959, 1962); and A. E. J. Morris, *History of Urban Form* (London 1972). In addition, M. Morini's *Atlante di storia dell'urbanistica* (Milan 1963), newly reissued, remains an invaluable pictorial source book. The multivolume *Storia dell'urbanistica* published by Laterza of Bari through the Seventies and Eighties aims to be exhaustive; the most relevant volumes are V. F. Pardo, *Storia dell'urbanistica dal Trecento al Quattrocento* (1982); E. Guidoni and A. Marino, *Il Cinquecento* (1982) and *Il Seicento* (1979); P. Sica, *Il Settecento* (1979), *L'Ottocento* (1977), and *Il Novecento* (1978, 1985).

Period surveys include: (a) Antiquity—P. Lampl, *Cities and Planning in the Ancient Near East* (New York/London 1968); M. Hammond, *The City in the Ancient World* (Cambridge, Mass. 1972); J. B. Ward-Perkins, *Cities of Ancient Greece and Italy* (New York/London 1974); and a series of articles in *Town Planning Review* on Egypt (vol. 20, 1949, 32–51), Mesopotamia (vol. 21, 1950, 98–115), the prehistoric Aegean (vol. 23, 1953, 261–79); Greek cities (vol. 22, 1951, 102–21); Hellenistic cities (vol. 22, 1951, 177–205), and Etruscan and early Roman cities (vol. 26, 1955, 126–54).
(b) The Middle Ages—W. Braunfels, *Mittelalterliche Stadtbaukunst in der Toskana* (Berlin 1953); E. Herzog, *Die ottonische Stadt* (Berlin 1964); E. Ennen, *The Medieval Town* (Amsterdam 1979); T. Hall, *Mittelalterliche Stadtgrundrisse* (Stockholm 1980).
(c) The modern period—L. Benevolo, *The Origins of Modern Town Planning* (London 1967); R. Ross and G. J. Telkamp, eds., *Colonial Cities* (Dordrecht/Lancaster 1985); also A. Sutcliffe, *Towards the Planned City* (Oxford 1981) which deals with Germany, Britain, France and the United States during the period 1780–1914; and G. Broadbent, *Emerging Concepts in Urban Space Design* (London 1990).

A number of regional studies are best listed here.

For Africa, see W. Bascom, "Urbanization among the Yoruba," *American Journal of Sociology* 60.5, 1955, 446–54; A. L. Mabogunje, *Urbanization in Nigeria* (New York 1968). For the Middle East, I. Lapidus, ed., *Middle Eastern Cities* (Berkeley 1969); L. Carl Brown, ed., *From Madina to Metropolis* (Princeton 1973), with useful essays by P. English on Herat, J. Abu-Lughod on Cairo, and J. Dethier on French Morocco; G. H. Blake and R. I. Lawless, *The Changing Middle Eastern City* (New York/London 1980); A. Raymond, *The Great Arab Cities in the 16th–18th Centuries* (New York/London 1984).

For China, the most current studies are those of N. S. Steinhardt, in *Journal of the Society of Architectural Historians* 45.4, Dec. 1986, and her book *Chinese Imperial City Planning* (Honolulu 1990). For earlier studies, see G. Rozman, *Urban Networks in Ch'ing China and Tokugawa Japan* (Princeton 1973); G. W. Skinner, ed., *The City in Late Imperial China* (Palo Alto 1977), particularly A. Wright on the cosmology of the Chinese city, Sen-Dou Chang on walled capitals, and F. W. Mote on 14th-century Nanjing; and A. Schinz, *Cities in China* (Berlin 1989). For Japan, besides Rozman (see China above), see J. W. Hall, "The Castle Town and Japan's Modern Urbanization," *The Far Eastern Quarterly* 15.1, Nov. 1955, 37–56. For India, see P. P. Karan, "The Pattern of Indian Towns," *Journal of the American Institute of Planners* 23, 1957, 70–75; and G. Breese, "Urban Development Problems in India," *Annals of the Association of American Geographers* 53.3, Sept. 1963, 253ff. See also T. G. McGee, *The Southeast Asian City* (New York 1967).

For Central Europe, there exists a monumental urban history edited by W. Rausch, each volume organized as a collection of essays by various authors, beginning with the 12th–13th centuries: *Beiträge zur Geschichte der Städte Mitteleuropas* (Linz 1963–84).

For Eastern Europe and the Soviet Union, besides Gutkind (see general surveys above), see M. F. Hamm, ed., *The City in Russian History* (Lexington 1976), with essays by F. W. Skinner on Odessa, B. M. Frolic on the Sixties Moscow city plan and S. F. Starr on 20th-century planning; R. A. French and F. E. Ian Hamilton, *The Socialist City* (Chichester 1979).

For South America, see H. Wilhelmy and A. Borsdorf, *Die Städte Südamerikas* (Berlin/Stuttgart 1984), vol. 3 of an excellent series called *Urbanisierung der Erde* edited by W. Tietze.

1. "ORGANIC" PATTERNS

On the Islamic city form, see B. S. Hakim, *Arabic-Islamic Cities, Building and Planning Principles* (London 1986), and also S. Al Hathloul, *Tradition, Continuity and Change in the Physical Environment: The Arab Muslim City* (Ann Arbor 1981); but a critique of their tradionalist stance is provided by N. AlSayyad, "Building the Arab Muslim City" (diss., Univ. of California, Berkeley 1988).

On Alberti's sympathies for medieval cities, see W. A. Eden, "Studies in Urban Theory: The *De re aedificatoria* of Leon Battista Alberti," *Town Planning Review* 19–20, 1943, 10–28; and M. Saura, "Architecture and The Law in Early Renaissance Urban Life: Leon Battista Alberti's *De re aedificatoria*" (diss., Univ. of California, Berkeley 1987).

On the planned picturesque, see W. L. Creese, *The Search for Environment* (New Haven/London 1966); A. M. Edwards, *The Design of Suburbia* (London 1981). The Olmsted bibliography is too extensive even to sample; the places to begin are A. Fein, *Frederick Law Olmsted and the American Environmental Tradition* (New York 1969), And L. W. Roper, *FLO: A Biography of Frederick Law Olmsted* (Baltimore/London 1973). On the American picturesque tradition, see R. G. Wilson, "Idealism and the Origin of the First American Suburb: Llewellyn Park, New Jersey," *American Art Journal*, Oct. 1979, 79–90; K. T. Jackson, *Crabgrass Frontier* (New York/Oxford 1985), 73–102; D. Schuyler, *The New Urban Landscape* (Baltimore/London 1986); and *Architectural Design* 51. 10–11, 1981, a special issue on the Anglo-American suburb edited by R. A. M. Stern. See also R. S. Childs, "The First War Emergency Government Towns for Shipyard Workers," *Journal of the American Institute of Architects* 6, 1918, 237–51.

On Garden Cities, see D. MacFadyen, *Sir Ebenezer Howard and the Town Planning Movement* (1933; Manchester 1970); P. Batchelor, "The Origin of the Garden City Concept of Urban Form," *Journal of the Society of Architectural Historians* 28, 1969, 184–200; A. Schollmeier, *Gartenstädte in Deutschland* (Münster 1988); and the June 1978 issue of *The Architectural Review* devoted to the subject. Raymond Unwin's *Town Planning in Practice*, first published in 1909, is an essential primer, and there is a good recent biography of him by F. Jackson, *Sir Raymond Unwin: Architect, Planner and Visionary* (London 1985). For the United States, see C. S. Stein, *Toward New Towns for America* (Chicago/Liverpool 1951, 3rd ed. 1966).

On Camillo Sitte, see G. R. Collins and C. C. Collins, *Camillo Sitte and the Birth of Modern City Planning* (1965; repr. New York 1986). On Patrick Geddes: J. Tyrwhitt, ed., *Patrick Geddes in India* (London 1947), and also H. Meller, *Patrick Geddes* (London 1990). For the Frankfurt housing estates by E. May, see among others *Ernst May und das Neue Frankfurt 1925–1930* (Berlin 1986), and D. W. Dreysse, *May—Siedlungen* (Frankfurt 1987). For the essential biographical data on Reichow, see W. Durth, *Deutsche Architekten* (3rd ed., Brunswick/Wiesbaden 1988); also W. Durth, "Verschwiegene Geschichte: Probleme der Kontinuität in der Stadtplanung, 1940–1960," *Die alte Stadt* 14.1, 1987, 28–50. In addition to his magnum opus, *Organische Stadtbaukunst, organische Baukunst, organische Kultur* (Brunswick 1948), Reichow also wrote *Die autogerechte Stadt* (Ravensburg 1959), commissioned by the West German Ministry of Housing.

On Team X: P. Eisenman, "From Golden Lane to Robin Hood Gardens," *Oppositions* 1, Sept. 1973, 27–56; G. Candilis et al., "Recent Thoughts in Town Planning and Urban Design," in D. Lewis, ed., *The Pedestrian in the City* (Princeton 1966), 183–96.

2. THE GRID

For Classical antiquity, see F. Castagnoli, *Orthogonal Town Planning in Antiquity* (Cambridge, Mass./London 1971); G. P. R. Métraux, *Western Greek Land Use and City-Planning in the Archaic Period* (New York 1978); and M. Coppa, *Storia dell'urbanistica. Le età ellenistiche* (Rome 1981); also F. Grew and B. Hobley, *Roman Urban Topography in Britain and the Western Empire* (London 1985), esp. P. Crummy on the plan of Colchester; G. Tibiletti, "La struttura topografica antica di Pavia," *Atti del convegno di studio sul centro storico di Pavia* (Pavia 1968), 41–58.

On the *Laws of the Indies* and New Spain in general: G. Kubler, "Mexican Urbanism in the Sixteenth Century," *Art Bulletin* 24, 1942, 160–71, and his *Mexican Architecture of the Sixteenth Century*, I (New Haven 1948), 68–102; D. P. Crouch et al., *Spanish City Planning in North America* (Cambridge, Mass., 1982).

On medieval new towns in Europe: M. Beresford, *New Towns of the Middle Ages* (London/New York 1967), still the classic account for France, England, and Wales; A. Lauret et al., *Bastides* (Toulouse/Milan 1988); and D. Friedman, *Florentine New Towns* (New York/London 1988).

On the American grid, see M. P. Conzen, "Morphology of Nineteenth-Century Cities," in R. P. Schaedel et al., *Urbanization in the Americas from the Beginnings to the Present* (The Hague 1980); and works cited in Ch.2 nn.14, 29, 31, 48. On the National Survey, see H. B. Johnson, *Order upon the Land* (New York 1976); and Kostof, *America by Design* (New York/Oxford 1987), 292–304. On Savannah: S. Anderson, "The Plan of Savannah and Changes of Occupancy During Its Early Years," *Harvard Architecture Review* 2, Spring 1981, 60–67.

A full Cerdà bibliography is given in Ch.2 n.59. On Hobrecht's plan of Berlin, see J. F. Geist, *Das Berliner Mietshaus 1740–1862* (Munich 1980).

3. THE CITY AS DIAGRAM

For a broad view of ideal cities, including conceptions of painters, poets and writers, see I. Todd and M. Wheeler, *Utopia* (London 1978); and from a strict art historical perspective, S. Lang, "The Ideal City from Plato to Howard," *Architectural Review* 112, Aug. 1952, 91–101, H. Rosenau's *Ideal Cities* (London 1974, 1983), and W. Braunfels, *Urban Design in Western Europe* (Chicago/London 1988), Ch.5. N. Johnston's *Cities in the Round* (Seattle/London 1983) is a useful pictorial collection.

On the round city of Baghdad, see Lassner (Ch.3 n.29), and also G. Le Strange, *Baghdad during the Abbasid Caliphate* (1900; New York 1972).

For Filarete's text, see the edition of J. R. Spencer, *Filarete's Treatise on Architecture* (New Haven 1965). For the bastioned city, see L. Di Sopra, *Palmanova* (Milan 1983); and also H. de La Croix, "Military Architecture and the Radial City Plan in the 16th Century," *Art Bulletin* 42.4, 1960, 263–90, and his *Military Considerations in City Planning* (New York 1972). On Vauban, see R. Bornèque, *La France de Vauban* (Paris 1984), and the regional account *Vauban et ses successeurs en Franche-Comté* (Besançon 1981).

On socialist utopias of the 19th century, see L. Benevolo, *The Origins of Modern Town Planning* (London 1967); and D. Hayden, *Seven American Utopias* (Cambridge, Mass./London 1976); also R. Lifchez, "Inspired Planning: Mormon and Fourierist Communities in the 19th Century," *Landscape* 20.3, Spring 1976, 29–35. On Ledoux's Chaux: A. Braham, *The Architecture of the French Enlightenment* (London/Berkeley and Los Angeles 1980), 180–84, and the bibliography cited in his n.181.

On "world capitals," in addition to Andersen and Hébrard's scheme (Ch.3 n.44), see G. Gresleri and D. Matteoni, *La città mondiale* (Venice 1982), esp. 21–45. On Soleri, see Ch.3 n.1. On space cities, see T. A. Heppenheimer, *Colonies in Space* (Harrisburg, Pa., 1977); and F. M. Branley, *Space Colony* (New York 1982).

4. THE GRAND MANNER

On Washington, D.C., see Ch.4 n.1. On Detroit, J. Reps, "Planning in the Wilderness: Detroit, 1805–1830," *Town Planning Review* 25, 1954–55, 240–50. On Turin, see: A. Cavallari-Murat et al., *Forma urbana e architettura nella Torino barocca* (Turin 1968); and also M. Pollak, "Turin 1564–1680: Urban Design, Military Culture and the Creation of an Absolutist Capital" (diss., Univ. of Chicago 1989). On St. Petersburg, J. Cracraft, *The Petrine Revolution in Russian Architecture* (Chicago 1988); and also I. A. Egorov, *The Architectural Planning of St. Petersburg* (Athens, Ohio, 1969). On Berlin, J. P. Kleihues, ed., *750 Jahre Architektur und Städtebau in Berlin* (Berlin 1987), an exemplary exhibition catalogue which carries us to the present; on Hitler's Berlin, L. O. Larsson, *Albert Speer, Le plan de Berlin 1937–1943* (Brussels 1983, publ. in German 1978), and S. Helmer, *Hitler's Berlin: The Speer Plans for Reshaping the Central City* (Ann Arbor 1985). See also C. Keim, *Städtebau in der Krise des Absolutismus* (Marburg 1990), for Kassel, Darmstadt and Wiesbaden.

The best account of the Grand Manner in Roman antiquity is W. L. MacDonald, *The Architecture of the Roman Empire, II. An Urban Appraisal* (New Haven/London 1986); see also A. Pelletier, *L'urbanisme romain sous l'Empire* (Paris 1982). Baroque planning usually concentrates on a number of exemplary documents. Of these, the Rome plan of Sixtus V is best discussed in S. Giedion, *Space, Time and Architecture* (4th ed., Cambridge, Mass., 1963), 75ff., and L. Spezzaferro, "La Roma di Sisto V," in *Storia dell'arte italiana*, 5.3 (Turin 1983), 363–405; see also J. A. F. Orbaan, *Sixtine Rome* (New York 1911). On Le Nôtre, see among others B. Jeannel, *Le Nôtre* (Paris 1985).

For coaches, see Ch.4 n.23, and now also P. Waddy, *Seventeenth-Century Roman Palaces* (New York 1990), 61–66.

Haussmann's planning of Paris is steadily being reevaluated; see F. Loyer, *Paris Nineteenth Century, Architecture and Urbanism* (New York 1988), and also D. H. Pinkney, *Napoleon III and the Rebuilding of Paris* (Princeton 1958); T. J. Clark, *The Painting of Modern Life* (Princeton/London 1984), 23–78; and D. Harvey, *Consciousness and the Urban Experience* (Baltimore/Oxford 1985), 63–220. On Hénard, see P. M. Wolf, *Eugène Hénard and the Beginning of Urbanism in Paris* (1968).

On the City Beautiful movement in the United States, see the contemporary publications cited in Ch.4 nn.26, 28, 29 and also W. H. Wilson, "The Ideology, Aesthetics and Politics of the City Beautiful Movement," in A. Sutcliffe, ed., *The Rise of Modern Urban Planning* (London 1980), 165–98; R. E. Foglesohn, *Planning the Capitalist City* (Princeton/Guildford 1986); and M. Manieri-Elia in G. Ciucci et al., *La città americana* (Bari 1973), 3–146.

On the Socialist *magistrale*, see a series of articles in *Deutsche Architektur* by W. Weigel (on that of Frankfurt a.d. Oder, 5.10, 1956, 471–72), G. Funk (on Dresden's, 3.6, 1954, 240–47), and H. Bächler (on Dresden's, 9.4, 1960, 196–98).

On Ricardo Bofill, T. Schuman, "Utopia spurned," *Journal of Architectural Education*, 40.1, Fall 1986, 20–29; *Domus*, Jan. 1986, 1–7; and *Architecture, Mouvement, Continuité*, Oct. 1983, 28–36 and Oct. 1984, 32–43.

5. THE URBAN SKYLINE

There are no general surveys of the subject, except W. Attoe, *Skylines* (Chichester 1981).

On city images and their artists, in addition to works cited in Ch.5 nn.9, 10, and 14, see also P. Lavedan, *Représentation des villes dans l'art du Moyen Age* (Paris 1954); and J. Pahl, *Die Stadt im Aufbruch der perspektivischen Welt* (Frankfurt/Berlin 1963).

The skyscraper literature is immense; for sources dealing with skyline aspects, see Ch.5 nn.7, 32, 46, 57, 58 and 61; also W. Taylor, "New York et l'origine du *Skyline*: la cité moderne comme forme et symbole," *Urbi* 3, 1980, 3–21; M. Tafuri in G. Ciucci et al., *La città americana* (Bari 1973), 417–550; and Kostof, "The Skyscraper City," *Design Quarterly* 140, 1988, 32–47. For the debate in East Germany, see F. Bergmann, "Zentrales Haus als Turmhochhaus oder Turm mit hohem Haus," *Deutsche Architektur* 6.12, 1956, 552–57.

On the New York zoning ordinance of 1916, see S. Toll, *Zoned America* (New York 1969); H. Kantor, *Modern Urban Planning in New York* (diss., New York Univ, 1971), and C. Willis, "Zoning and Zeitgeist; the Skyscraper City in the 1920s," *Journal of the Society of Architectural Historians* 45, 1986, 47–59.

On Bruno Taut, see Ch.5 nn.53 and 54; and also K. Junghanns, *Bruno Taut 1880–1938* (2nd ed., Berlin 1983), 34–52.

图片致谢

Sources of photographs and locations of images illustrated, in addition to those mentioned in the captions, are as follows:

ACL 275, 281 – Nezar AlSayyad 74 – Alinari 219 – in Amsterdam: Gemeentelijke Archiefdienst Pl.19; Rijksmuseum 73; Stedelijk Museum 136 – Maryland State Archives, Annapolis, Marion E. Warren Photographic Collection (MSA SC 1890–02–348) 217 – Arcaid/Ian Lambot Pl.39 – Instituto Municipal de Historia, Barcelona 152 – University of California at Berkeley (courtesy The Bancroft Library) 105, (courtesy Environmental Simulation Laboratory) 291 – in Berlin: Berlin Museum/Landesarchiv Berlin 253; Landesbildstelle 261; Märkisches Museum 241; Staatliche Museen zu Berlin 211 – Klaus G. Beyer 282 – Biblioteca dell'Archiginnasio, Bologna 267 – Lansdowne Library, Bournemouth 80 – City of Bradford Metropolitan Council 169 – Werner Braun 156 – Béguinage, Bruges (photo ACL) 275 – Cameron & Company Pl.23 – National Museum of Wales, Cardiff (reconstruction by Alan Sorrell) 164 – Greg Castillo 44, 92, 99, 121, 224, 264, 287, 311, 313, Pls. 27–30 – Thomas Jefferson Papers, Special Collections Dept., Manuscripts Division, University of Virginia Library, Charlottesville 198 – in Chicago: Chicago Historical Society 250; Oriental Institute, University of Chicago (F.N. AE 676) 162 – Museum der Stadt Köln, Cologne (photo Rheinisches Bildarchiv) 273 – Ohio State University Libraries, Columbus 132 – Compagnia Generale Ripreseaeree, Parma, Italy Pl.17 – Baker Library, Dartmouth College 77 – Ray Delvert 112, 124, Pl.16 – courtesy of the Burton Historical Collection of the Detroit Public Library 216 – Kupferstichkabinett, Dresden (photo Deutsche Fotothek Dresden) 218 – in Florence: Archivio di Stato 60; Biblioteca Mediceo Laurenziana 61 – Fotocielo 76 – Stadtarchiv, Frankfurt 98 – copyright Georg Gerster, John Hillelson Agency Pl.9 – By courtesy of the Goodwood Trustees Pl.35 – courtesy the Museum of Finnish Architecture, Helsinki 189, 190 – Historic Urban Plans Ithaca (N.Y.) 119 – Martin Hürlimann 262 – Illinois Department of Corrections 197 – Richard Ingersoll Pl.22 – Bildstelle der Stadt Karlsruhe 186 – H.D. Keilor 278 – Kentuckiana Historical Services 148 – Bundesarchiv, Koblenz 263 – KLM Luchtfotografie 68 – Collection Spiro Kostof 7, 229 – Mirko Krizanoviç 312 – Landslides, Copyright Alex S. Maclean 88, 207 – courtesy Emily Lane 113, 237, 268, Pls. 12, 24–26, 32 – First Garden City Heritage Museum, Letchworth 82, 226 – Nebraska State Historical Society, Lincoln 306 – in London: Australian Overseas Information Service 192; British Architectural Library 235, 254, 300; the Trustees of the British Library 103, 151; the Trustees of the British Museum 136, 239; Courtauld Institute of Art (Conway Library) 236, (Witt Library) 258; Fine Art Society Pl.34; Guildhall Library 212; India Office Library 177; courtesy Italian State Tourist Office (E.N.I.T.) 227; Museum of London Pl.38; Victoria and Albert Museum 179 – in Los Angeles: California Historical Society/Ticor Title Insurance, Los Angeles. Dept. of Special Collections, University of Southern California 290; Security Pacific Photographic Collection/Los Angeles Public Library 8 – Museo del Prado, Madrid (photo Mas) Pl.6 – Mas Pl.6 – Georgina Masson 283 – Collection Carroll L.V. Meeks 299 – Middlesbrough Borough Council and Cleveland County Council 149 – Milton Keynes Development Corporation 155 – From the American Geographical Society Collection, University of Wisconsin-Milwaukee Library 116 – Montreal, Collection Centre Canadien d'Architecture/Canadian Centre for Architecture 288 – Michael Moran 265 – Museo S. Martino, Naples (photo Scala) Pl.5 – NASA Pl.8 – in New York: Museum of the City of New York (The J. Clarence Davis Collection) 303, (photo Irving Underhill, The Underhill Collection) 308; courtesy, Mies van der Rohe Archive, The Museum of Modern Art 292; courtesy The New-York Historical Society 118, Pl.15; New York Public Library (Manuscripts and Archives Division) 304, (I.N. Phelps Stokes Collection) 104; courtesy of the Rockefeller Archive Center 84 – Curators of the Bodleian Library, Oxford Pl.7 – in Paris: Bibliothèque Nationale 90, 199, 225, 243, 245, 248, 249; Caisse Nationale des Monuments Historiques et des Sites/SPADEM 238; Institut Géographique National 146 – Atwater Kent Museum, Philadelphia 147 – Daniel Philippe 45 – courtesy David R. Phillips (Chicago Architectural Photography Co.) 307, 309 – Auroville Planning Group, Pondicherry 206 – Staatliche Schlösser und Gärten Potsdam-Sanssouci 222, 252 – Private Collection 259, 260 – Private Collection, London Pl.33 – J.P. Protzen Pl.10 – Pubbli Aerfoto Pl.3 – The Radburn Association, Fairlawn (N.J.) 85, 86 – Cervin Robinson 266 – in Rome: Fototeca Unione 110, 111, 131, 230, 256; Musei Vaticani, Archivio Fotografico 257, Pl.21 – in Rotterdam: Museum Boymans–van Beuningen 271; Stichting Atlas Van Stolk 24 – Musei Civici, San Gimignano (photo Scala) Pl.31 – Ediciones Garcia Garrabella, Saragossa 286 – Scala 285, Pls. 5, 11, 31 – E. Schmidt, courtesy Mary Helen Schmidt Foundation 182 – Werner Schumann Pl.14 – Sheffield City Museums Pl.37 – in Siena: Museo dell'Opera del Duomo 75; Palazzo Pubblico 285 – courtesy Dr Soleri, The Cosanti Foundation 157, 158 (photo Ivan Pintar) – Spectrum Colour Library Pl.20 – courtesy Ian Sutton 276 – photo Swissair Pl.18 – courtesy Michael Tapscott 277 – Brian Brace Taylor Pl.13 – Richard Tobias 4–6, 9–12, 14–19, 27–43, 46–49, 52–59, 62–67, 70–72, 78, 108, 109, 123, 125–129, 134, 138, 140–144, 160, 165, 166, 168, 170, 171, 174–176, 180, 181, 194, 195, 213–215, 231–233, 279, 280 – Museo y Casa del Greco, Toledo 274 – Musée Paul Dupuy, Toulouse 244 – U.S. Department of Commerce, Coast and Geodetic Survey 102 – Varig Brazilian Airlines 178 – Historisches Museum der Stadt Wien, Vienna 223, Pl.4 – Loke Wan-Tho 172 – courtesy Derek Walker Associates (photo John Donat) 154 – Library of Congress, Washington, D.C. 21, 51, 137, 208, 209, 305 – Henry Wilson Pl.1 – Andrew Wilton Pl.36 – Windsor Castle, Royal Library. Reproduced by gracious permission of Her Majesty the Queen 130 – Sam Winklebleck 23, 202, 296 – Mainfränkisches Museum, Würzburg 13 – ETH-Bibliothek, Zurich 298

An Atlas of Old New Haven (New Haven 1924) 117 – Walter Bigges, *A Summarie [and True Discourse] of Sir Francis Drakes Indian Voyages* (London 1586) 115 – J.S. Buckingham, *National Evils and Practical Remedies* (London 1849) 201 – Georges Candilis, *Toulouse Le Mirail* (Stuttgart 1975) 100 – Le Corbusier, *Oeuvre Complète 1910–1929* (Zurich 1964) 310; *Oeuvre Complète 1946–1952* (Zurich 1961) 153; *Précisions sur un état présent de l'architecture* (Paris 1930) 234 – O. Dapper, *Historische Beschryving der Stadt Amsterdam* (Amsterdam 1663) 136 – R.W. DeForest and L. Veiller, *The Tenement House Problem* (New York 1903) 150 – Gottfried Feder, *Die neue Stadt* (Berlin 1939) 96 – E. Goldzamt, *Architektura: zespolow srodmiejskichi i problemy dziedzictwa* (Warsaw 1956) 295 – Werner Hegemann, *City Planning, housing* (New York 1936) 98 – Eugène Hénard, *Etudes sur les transformations de Paris* (Paris 1903–9) 191, 249 – Jan Jansson, *Theatrum exhibens illustriore principesque Germaniae superioris civitates* (Amsterdam 1657) 20 – Johannes Kip, *Nouveau Théâtre de la Grande-Bretagne* (London 1720–40) 246 – Robert Owen, *Report to the Committee for the Relief of the Manufacturing Poor* (1817) 200 – Georges Perrot and Charles Chipiez, *Histoire de l'art dans l'antiquité* (Paris 1884) 163 – Sebastiano Serlio, *Architettura* (Venice 1551) 220, 221 – Simon Stevin, *Materiae Politicae Burgerlicke Stoffen* (Leyden 1649) 114 – after Kakichi Suzuki, *Early Buddhist Architecture in Japan* (Tokyo/New York 1980) 139 – Bruno Taut, *Die Stadtkrone* (Jena 1919) 301, 302 – *Theatrum Statum Regiae Celsitudinis Sabaudiae Ducis* (Amsterdam 1682) 255 – *Town Planning Review* (October 1910) 93 – J.B. Ward-Perkins, *Cities of Ancient Greece and Italy: Planning in Classical Antiquity* (New York/London 1974) 106, 107 – Frederick de Widt, *Collection of Remarkable Towns, Cittys and Forts in the Seaven United Provinces* (Amsterdam 1670(?)) 133.

译后记

我初次读到斯皮罗·科斯托夫的《城市的形成》和《城市的组合》是很多年前在学校学习的时候，它们是一门城市研究课程的参考书，这两本书帮助我建立了看待城市问题的最基本态度。不过在以后更多的情况下，我还是按照设计者常有的那种"关注捕捉形式"的习惯，将书里大量的图和照片当作可以提取"视觉素材"的"设计资料库"。只有在翻译这本书的过程中，我才成为科斯托夫所希望的那种的读者。《城市的形成》的中心是城市的形式，但科斯托夫所关注的不是抽象的形式，而是"作为意义载体的形式"，是形式以及形式的由来。

由此想到，中国在以全新的方式建设自己的城市的时候所作出的许多看似不假思索的形式选择，比如用高速交通网切割出巨型街块的划地方式、城市中内向组团式的住宅开发经营模式以及盛大的轴线道路和市民中心等等，实际上都必然是我们这个时代的地方政治、开发模式、公众价值、生活传统，还有经济上升时期社会心态的合理反映。尽管这些形式在工业化国家也有类似的先例，比如柯布西耶的光辉城市、美国当前的郊区以及美国一百年前的城市美化运动等等。但是，作为建筑历史学家，科斯托夫以他的工作向我们证明，其实"相同的城市形式并不一定会表达相同或相似的人的意图"。所以对于任何一个行动者来说，仅仅操作抽象的形式是完全不切题的，只有当我们理解了意义，获得了自己的立场，才可能在现实中有所作为。

《城市的形成》和《城市的组合》呈现为一项研究工程的两个部分，它们的内容跨越了不同文化和不同年代。《城市的形成》讨论整体性的城市形式；而《城市的组合》则是关于城市的各个组成部分，它们的故事和因果关系。在科斯托夫完成这两本书的1990年代初，对现代主义城市实践的批评似乎已经到了总结性的阶段，同时对于城市，特别是对于后工业时代城市化方式的新的看法和发现正在不断出现。相对而言，《城市的形成》并没有建立新的理论，这使我们从科斯托夫的文字里找不到奇特的视角，他甚至拒绝致力于"理论的形成"。在书中，他主要通过证明而不是通过批驳来建立认识。

《城市的形成》将城市形式按主题分为五类进行叙述，科斯托夫在绪论中以清晰的逻辑对这个研究框架作出了解释，然而他却并没有试图在各类城市形式与诸如政体方式或经济结构方式之间建立起对等关系。一方面，他认为城市不能够被认为是一种自然发展的生物体，"人类的意志和人类的愿望才是城市产生的动因"；另一方面，他也反对形式决定论，反对那种认为形式可以改变行为，物质可以塑造社会模式的观点。科斯托夫将他的研究对象看作是一种"介于完全控制和完全放任之间"的存在，这本书便涉及到城市形式和人的意图之间的多重可能性，它的力量在于一个智慧的学者所能够给予大家的巨大的启发作用。

科斯托夫自始至终强调，城市本质上是一个多样性的熔炉。"城市中的人口类型越是单一，我们就越不可以将这些地方当作城市来讨论。功能与功能之间、人群和人群之间的隔阂越深就越难以形成城市社区。"对于城市这样一个社会共同体，需要能够代表集体意志的力量来设计、建设和维护。有观点认为，相对于城市规划和建筑设计而言，只有城市设计还有可能给人们带来更好的城市生活。也许我们可以认同这种偏激观点中的合理成分，因为现在，规划越来越趋向于城市经济,而建筑则越来越趋向于私人和私人集团的财富和虚荣，于是在有计划的、影响城市形式的各种活动当中，城市设计似乎成为惟一的依然将公共愿望和利益作为服务对象的一项。也正因为城市与普通生活紧密相关，我们便可以理解为什么城市设计领域与建筑领域不同，在这里，前卫性的实验似乎常常受到现实的抵制。

《城市的形成》使用了非常清晰的语言，它的叙述贴近意义本身，而不是叙述自顾自的演绎，本篇译稿希望努力传达这个特点。对于这项翻译工作而言，除了做到细心之外，杜绝错误和还原文字色彩是我的能力所不可及的事，因此译文中尽量多地附加了一些名称和不常见词语的原文，目的是为了方便读者核证，特别是当难以避免的错译发生时，可以让读者发挥自己的判断。但这样做的结果却会影响阅读的流畅，这是一个非常矛盾的决定。

最后，要特别感谢中国建筑工业出版社的田力编辑对本篇译稿多次耐心细致的校审，感谢我的同事和朋友李万星在文字整理工作上的极大帮助。

单　皓

2005年3月